한눈에 보는
피부과학

Dermatology | SEVENTH EDITION

한눈에 보는 피부과학

Dermatology | SEVENTH EDITION

David J. Gawkrodger
Michael R. Ardern-Jones

옮긴이 **오상호 · 오영주**

한눈에 보는
피부과학

Dermatology | SEVENTH EDITION

일곱째판 1쇄 인쇄 | 2022년 5월 27일
일곱째판 1쇄 발행 | 2022년 6월 13일

지 은 이 David J. Gawkrodger, Michael R. Ardern-Jones
옮 긴 이 오상호, 오영주
발 행 인 장주연
출 판 기 획 임경수
책 임 편 집 김수진
표지디자인 김재욱
편집디자인 주은미
제 작 담 당 이순호
발 행 처 군자출판사
　　　　　등록 제4-139호(1991.6.24)
　　　　　(10881) **파주출판단지** 경기도 파주시 회동길 338(서패동 474-1)
　　　　　Tel. (031) 943-1888　Fax. (031) 955-9545
　　　　　홈페이지 | www.koonja.co.kr

ISBN 979-11-5955-607-4
정가 25,000원

Content Strategists: Laurence Hunter and Jeremy Bowes
Content Development Specialist: Fiona Conn
Project Manager: Joanna Souch
Design: Brian Salisbury
Marketing Manager: Deborah Watkins

Preface

In the preparation of the seventh edition we have been mindful of advances in the science of dermatology and in the requirements of our readership. This edition comes at a time unlike any other in modern history, where global healthcare systems have been changed beyond recognition by the impact of COVID–19. We have included descriptions of the dermatological manifestations of this condition, but have also updated all other areas where there have been changes in the management of skin disease and in training curricula. As a consequence, this edition has been expanded to include more information than its predecessors. There is additional information on molecular genetics, dermoscopy, practical procedures and psycho-dermatology. The sections on common diseases such as psoriasis, eczema and benign and malignant skin tumours have been expanded. There is added content on the developing sub-specialty areas of the biologics, paediatric dermatology, genital skin disease and the use of immunological tests. The section on skin disease in people of colour has been revamped.

Our intention has been to update the book to ensure it remains responsive to the requirements to today's medical students, specialty nurses, trainees and practitioners. The print and ebook version is searchable and has additional content (self–test flashcards, multiple–choice questions and a wealth of extra clinical images).

David J. Gawkrodger and
Michael R. Ardern-Jones
Sheffield and Southampton

Preface to the first edition

Recent advances in publishing technology and book presentation demand that a modern text be attractively and concisely presented, in colour and at an affordable price. This is essential for success in a very competitive market. In writing this book, I have attempted to present an introductory dermatology text for the 1990s, using a format of individually designed double-page spreads, generously illustrated with colour photographs, line drawings, tables, bulleted items and 'key point' summaries. This unique approach, which deals with each topic as an educational unit, allows the reader better accessibility to the facts and greater ease in revision than is possible with a conventional textbook.

The book is aimed at medical students but contains sufficient detail to be of use to family practitioners, physicians in internal medicine, registrars or residents in dermatology and dermatological nurses. The contents are divided into three sections. The first presents a scientific basis for the understanding of and clinical approach to skin disease. The second details the major dermatological conditions, and thethird outlines special topics, such as photoageing and dermatological surgery, that are of current importanceor that are poorly dealt with in other textbooks.

David J. Gawkrodger
Sheffield 1992

Acknowledgements

We are indebted to the following individuals who have made significant contribution to the book through their kind review, advice on content, or provision of images:

Dr Louise Ardern-Jones
Dr E.F. Bernstein
The British Association of Dermatologists
The British Journal of Dermatology
Professor Chris Bunker
The Centre for Evidence-Based Dermatology, University of Nottingham
Dr Efrem Eren
Specialist nurse Na'amah Goddard
Laurence Hunter
Dr Fiona Lewis
Dr Helen Lotery
Specialist nurse Karen Read
Prof Robert Sarkany
Dr Andrew Sherley-Dale
Specialist Nurse Helen West

역서를 내면서

이 책은 두께는 얇지만 많은 사진 자료와 함께 피부과의 광범위한 주제를 아우르는 내용들을 포함하여 피부과에 입문하는 의대생이나 전공의들에게 매우 도움이 되는 책이라고 생각한다. 첫째판 한글 번역본은 은사이시자 연세의대 피부과 명예교수이신 이민걸 교수님과 공동역자이신 노효진 선생님이 함께 진행하여 출판되었고 그동안 피부과에 관심을 갖고 있는 많은 분들의 사랑을 받아왔다. 2021년도에 "Dermatology-An illustrated colour text" 7판 원서가 출간되면서 이민걸 교수님께서 둘째판 한글 번역본을 맡아보라고 권유해주셔서 기꺼이 맡게 되었다. 이번 번역본은 공동역자이신 오영주 선생님과 같이 진행하였고 여러 바쁜 일과 중에 번역 작업을 함께 해주셔서 이 자리를 빌어 감사의 말씀을 드린다.

아무래도 영어로 되어 있는 의학용어를 한글로 번역한다는 것이 쉬운 일은 아니나 매끄럽고 이해하기 쉽게 번역하고자 노력하였고 대한피부과학회에서 출간한 피부과학 용어집을 기초로 용어를 사용하여 다른 피부과 한글책과 통용될 수 있도록 하였다. 그리고 한글 용어가 오히려 익숙지 않을 수 있어 이해하기 쉽게 영어를 혼용 표기를 하고자 하였다. 이 책은 영국에서 출간된 책이라 일부 질환의 유병률 데이터와 같은 역학이나 약물명 등은 우리나라 실정에 맞지 않은 부분도 있을 것으로 생각되어 이 부분은 감안해서 읽는 것이 좋겠다.

이 책은 크게 피부과학 분야의 기초, 질환, 그리고 특별 주제(피부과에서 시행되는 각종 치료, 시술, 수술, 소아/노인/산모 등 특별한 상황에서의 질환 등이 포함) 세 부분으로 나누어져 있고 광범위한 내용을 간단하게 이해할 수 있게 효율적으로 기술되어 있다. 다양한 고화질 사진이 포함되어 있어 질환을 이해하는 데 도움을 준다. 각 챕터는 필수적인 내용 위주로 2장 내로 이루어져 있으며, 각 챕터의 마지막에는 요약정리 box가 있어 내용을 정리하고 이해하기 쉽게 되어 있다. 따라서 광범위한 피부과에 대해 전반적인 내용을 빠른 시간 내에 쉽게 이해하고자 하는 분들에게 이 책을 적극 추천을 하고 싶다. 특히 빠르게 피부과 전반의 기초 개념을 습득해야 하는 피부과 근무 간호사, 직원 및 일차의료를 담당하는 타과 선생님들께도 이 책은 큰 도움이 될 것이다.

아무쪼록 이 책을 접하는 많은 여러 분들이 피부과에 대한 이해를 하는 데 많은 도움이 되시길 기대해본다.

2022. 5
오상호, 오영주

Contents

1

기초

1 | 피부의 미세 해부학

개요

피부는 신체에서 가장 큰 장기중 하나로 1.8 m²의 표면적을 갖고 있고 몸무게의 약 16%를 차지하고 있다. 피부는 여러가지 기능을 갖고 있는데 가장 중요한 기능은 몸을 외부의 유해한 환경으로부터 보호하고 내부 장기에 손상을 주지 않도록 하는 장벽의 기능을 한다는 점이다. 피부는 표피, 진피, 피하 지방층의 세 층으로 구성되며(그림 1.1) 피부표면에는 다양한 미생물이 존재하고 있다(skin microbiome)(p.10).

표피(Epidermis)

표피는 대개 약 0.1 mm 두께의 중층편평상피세포로 구성되지만 손발바닥의 표피는 0.8-1.4 mm 두께에 이른다. 표피의 주요 기능은 보호장벽 역할이다. 표피의 주요 구성세포는 케라틴 단백을 합성하는 각질형성세포(keratinocyte)이다. 각질형성세포는 호흡기, 위장관에 존재하는 상피세포와 기능적으로 유사한 상피세포이다. 각질형성세포는 표피상부로 분화해 나가며 성숙 정도에 따라 4개의 층으로 나뉜다(그림 1.2).

기저층 (basal cell layer, stratum basale)

표피의 기저층은 대부분 각질형성세포로 구성되며 일부는 계속 분열을 할 수 있는 줄기세포로 구성된다. 세포는 각질당김미세섬유(keratin tonofilament)를 갖고 있고 반결합체(hemidesmosome)에 의해 기저막대(basement membrane)에 단단히 고정되어 있다(그림 1.2). 멜라닌세포는 기저층을 구성하는 세포의 5-10%를 차지하고 멜라닌을 합성하여(p.7) 주변 각질형성세포로 가지돌기를 통해 멜라닌소체(melanosome)를 전달한다. 멜라닌세포는 얼굴과 다른 노출부위에 많이 존재하고 발생학적으로 신경능에서 유래한다. 머켈세포(Merkel cell) 또한 드물지만 기저층에 존재하며 피부신경의 말단섬유와 밀접히 연관되어 감각기능을 수행하는 것으로 생각된다. 머켈세포의 세포질에는 신경펩타이드 과립과 신경미세섬유, 케라틴을 함유하고 있다. 기저층의 각질형성세포는 박테리아를 방어할수 있는 항균펩타이드를 합성한다.

가시층(prickle cell layer, stratum spinosum)

기저층의 각질형성세포에서 분화된 세포는 상층부로 이동하면서 다면체 형태의 세포층을 구성하게 되고 이 세포들은 교소체(desmosome)로 서로 연결된다. 교소체는 광학현미경에서 가시형태로 관찰된다. 가시층을 구성하는 세포에는 각질당김섬유가 세포내에 존재하고 서로 연결되어 지지 그물망을 형성한다. 랑게르한스세포(Langerhans cell)는 가시층에 존재하고 가시돌기를 갖고 있으며 면역학적 기능을 수행한다(p.10).

과립층(granular cell layer, stratum granulosum)

세포는 편평해지고 핵이 소실되기 시작한다. 세포질내에는 각질유리질과립(keratohyalin granule)과 함께 세포사이로 지질성분을 배출하는 membrane coating granule이 존재한다.

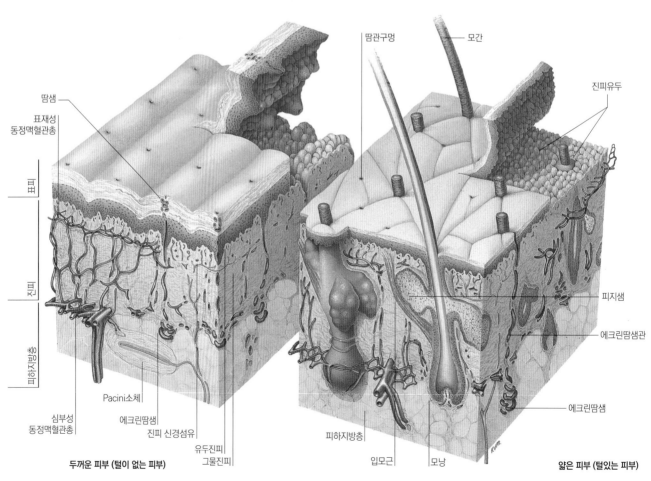

땀샘
표재성 동정맥혈관총
표피
진피
피하지방층
심부성 동정맥혈관총
Pacini소체
에크린땀샘
진피 신경섬유
유두진피
그물진피
두꺼운 피부 (털이 없는 피부)

땀관구멍
모간
진피유두
피지샘
에크린땀샘관
에크린땀샘
피하지방층
입모근
모낭
얇은 피부 (털있는 피부)

그림 1.1 피부의 구조. 이 그림은 두껍고 털이 없는 (손발바닥) 피부와 얇고 털이 있는 피부 사이의 구조를 보여준다.

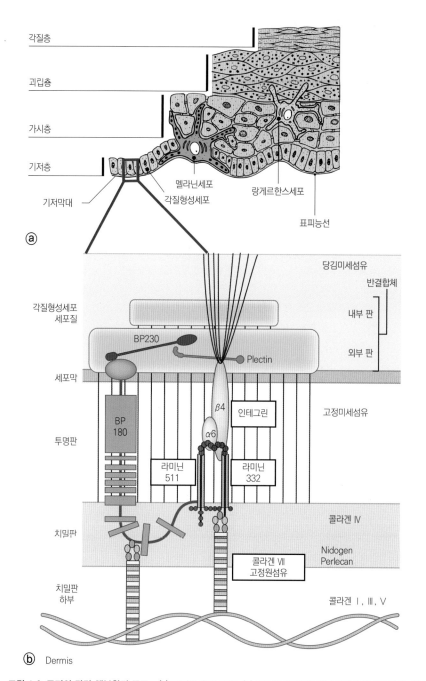

그림 1.2 표피의 단면 해부학적 구조. **(a)** 표피의 층과 구조. **(b)** 표피진피 경계부의 기저막대의 세부소견. 기저막대는 세개의 층으로 구성되며 투명판(lamina lucida)는 기저층 세포와 치밀판(lamina densa)을 가로지르는 미세섬유가 존재한다. 고정원섬유(anchoring fibril)가 치밀판에서 유두진피로 연결된다. 특정 수포질환에서 이러한 막에 분리가 발생하게 된다(p.96). 그림에는 α6β4 integrin만 표시가 되어있지만 α3β1, α6β1과 같은 물질도 중요하다.

표피(외배엽)는 발생 4주에 생성되기 시작하고 7주째가 되면 기저층 위로 편평한 세포들이 periderm을 형성하며 이는 결국 벗겨지게 된다. 손발톱은 발생 10주째에 형성되기 시작한다. 진피 (중배엽)은 발생 11주에 나타나기 시작해서 12주경 표피로부터 진피 쪽으로 톱니모양의 튀어나온 싹(bud)을 형성하게 되고 이것이 혈관과 신경을 포함하는 진피유두와 함께 모팽대(hair bulb를 형성하게 된다. 지문을 형성하는 이랑(ridge)는 발생 17주에 결정된다. 표피는 확실한 방어벽 역할을 할 수 있도록 발생과정에서 계속적으로 성숙하게 된다. 따라서 조산아의 경우에는 표피가 덜 성숙되어 있기 때문에 표피의 기능을 제대로 수행하기 위해 비닐 등으로 밀폐요법을 통해 보통 돌보게 된다.

각질층
(horny layer, stratum corneum)

각질형성세포가 최종적으로 성숙하면 핵이 없는 나변체의 죽은 각실세포(corneocytes)가 겹겹이 쌓여 있는 각질층이 형성된다. 손발바닥은 다른 부위에 비해 각질층이 두껍다. 각질세포의 외벽은 넓어지고 세포질은 각질유리질과립으로부터 형성된 구조내에 각질당김원섬유로 채워져 있다. 세포들은 membrane coating granule로부터 부분적으로 유래된 지실 접착제로 서로 단단히 고정되어 있다.

진피(Dermis)

진피는 표피 바로 아래에 밀집히 붙어 있고 질긴 결체조직으로 구성된 지지 구조로, 여러가지 특수한 구조물을 포함하고 있다. 두께는 다양하며 눈꺼풀은 0.6 mm 정도로 얇고 등, 손발바닥은 3 mm 이상으로 두껍다. 진피 상부의 얇은 층인 유두진피는 표피능선(rete ridge)과 서로 맞물려 있고 느슨하게 얽혀 있는 가는 콜라겐으로 구성되어 있다. 유두진피 아래에 더 깊고 두꺼운 그물진피는 두껍고 수평으로 주행하는 콜라겐섬유로 구성되어 있다. 콜라겐섬유는 진피의 70%까지 차지하고 조직의 질김과 강도를 유지해준다. 탄력섬유는 진피에 느슨하게 여러 방향으로 배열되어 있고 피부에 탄력성을 제공한다. 모낭과 땀샘 주변에 탄력섬유가 많이 분포하고 유두진피에는 많지 않다. 진피에는 glycosaminoglycans (GAGs)라는 반고체상태의 성분이 바탕질(ground substance)을 구성하고 있어 진피내 구조들이 어느 정도 움직일 수 있게 도와준다(p.8).

진피에는 콜라겐, 탄력소, 다른 결체조직 및 GAGs를 합성하는 섬유모세포와 진피가지돌기세포, 비만세포, 대식세포, 림프구 등이 존재한다.

피하지방층
(Subcutaneous layer)

피하지방층에는 느슨한 결합조직과 지방으로 구성되며 복부의 경우 두께가 일반적으로 1-3 cm에 이른다.

---

2 | 피부부속기

털(모발)(Hair)

모발은 손발바닥, 귀두, 여성의 질입구와 같은 반들반들한 피부를 제외하고는 피부 전체에 존재하며 모발의 밀도는 얼굴이 가장 높다. 발생학적으로 모낭은 표피로부터 들어가는 부위는 모기질세포(matrix cells)와 모간이 형성되고 진피 부위는 혈관, 신경이 포함된 진피유두가 형성되게 된다.

모발은 세가지 종류가 있다.
1. 취모(lanugo hair)은 가늘고 길며 발생 20주 태아에서 형성된다. 정상적으로 태어나기 전에 빠지지만 미숙아에서는 관찰될수 있다.
2. 연모(vellus hair)는 몸의 대부분을 덮고 있는 짧고 가늘며 밝은 털이다.
3. 성모(terminal hair)는 길고 두꺼운 검은색의 털로, 두피, 눈썹, 눈꺼풀, 그리고 성기부위, 겨드랑이와 턱수염 부위에 나타난다. 성모는 연모에서 기원되며 사춘기때 안드로겐의 자극으로 분화되게 된다.

구조

모낭은 털을 갖고 있는 표피의 함입 구조이다. 피지관이 연결되는 부위 위쪽을 모낭누두(infundibulum)라고 부른다. 성모의 모간은 내부 수질(medulla)을 여러 겹의 각질형성세포로 구성된 피질(cortex)이 둘러싸고 가장 바깥에 외부 각피(cuticle)가 둘러싸고 있다(그림 2.1). 발아세포(germinative cell)는 모팽대에 존재하고 이 세포는 멜라닌을 합성하는 멜라닌세포와 연관되어 있다. 입모근(arrector pili muscle)은 인간에 존재하는 흔적기관으로 추위, 공포, 감정변화에 의해 수축하여 털을 세우고 소름을 돋게 만든다.

조갑(Nail)

조갑은 포유동물의 집게발의 잔존물로 단단하고 치밀하게 뭉쳐진 케라틴 판으로 구성되어 있다. 손톱은 손끝을 보호하고 물건을 잡거나 손가락 살의 촉감을 늘려준다.

구조

조갑기질(nail matrix)은 분열하는 세포로 구성되어 있고 기질세포는 성숙하고 각질화되며 앞으로 이동하면서 조갑판(nail plate)을 형성한다(그림 2.2). 조갑판은 0.3-0.5 mm 두께이며 손톱의 경우는 하루에 0.1 mm 속도로 자란다. 발톱은 더 천천히 자란다. 조상(nail bed)은 조갑판에 붙어있고 적은 양의 케라틴을 합성한다. 진피 모세혈관의 영향으로 손발톱은 핑크색으로 보이고 하얀 조갑초소달(lunula)은 조갑기질의 원위부가 보이는 구조이다. 조갑하소피(hyponychium)는 조갑의 끝 가장자리 아래의 두꺼운 표피 구조이다.

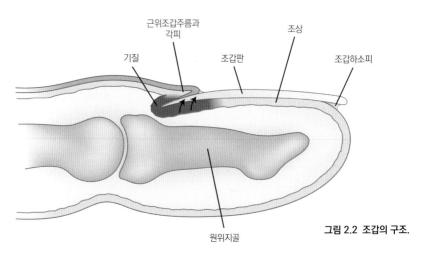

근위조갑주름과 각피 / 조상 / 기질 / 조갑판 / 조갑하소피 / 원위지골

그림 2.2 조갑의 구조.

피지선(Sebaceous gland)

피지선은 두피, 얼굴, 가슴, 등의 모낭과 연관된 구조로(그림 2.3), 모낭이 없는 피부에는 발견되지 않는다. 피지선은 표피로부터 기원된 세포로부터 형성되고 지성 피지(sebum)을 생성하지만 아직 그

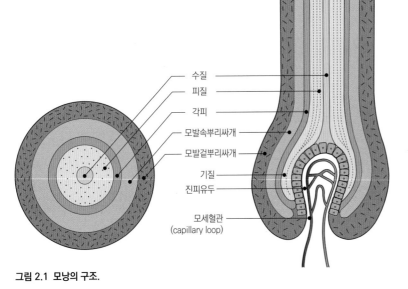

수질 / 피질 / 각피 / 모발속뿌리싸개 / 모발겉뿌리싸개 / 기질 / 진피유두 / 모세혈관 (capillary loop)

그림 2.1 모낭의 구조.

그림 2.3
모낭과 연관된 피지선.
피지선은 사춘기에 활성화된다

기능은 불확실하다. 피지선은 어릴 때는 크기가 작지만 사춘기가 되면 안드로겐의 영향으로 커지고 활성화된다. 피지는 피지샘세포가 세포질 외 지질을 방출하기 위해 세포 자체가 분해되는 전분비(holocrine secretion) 방식으로 분비되게 된다.

한선(Sweat gland)

한선(그림 2.4)은 관형태와 나선형태로 생긴 샘으로 진피에 위치하고 물 같은 분비물을 생성한다. 에크린선과 아포크린선 두가지의 독립된 한선이 존재한다.

에크린(eccrine)

에크린선은 표피로부터 아래로 싹이 자라듯이 들어가서 발생되는 구조이다. 분비부분은 나선형 구조로 깊은 그물진피에 존재하고 있으며 배출관은 나선형으로 피부표면으로 올라와 열린다. 약 250만개의 땀관이 피부에 존재한다. 신체 어느 부위에나 존재하지만 대개 손발바닥, 겨드랑이, 이마와 같이 땀샘이 체온과 정서적 환경에 의해 조절 받는 부위에 풍부하게 존재한다. 이 이외의 부위는 대개 체온에 의해 땀분비가 조절된다. 에크린선은 교감신경(cholinergic) 신경섬유 분포에 의해 영향받는다.

아포크린(apocrine)

아포크린선도 표피로부터 기원하지만 모낭을 통해 열린다. 에크린선보다 크기가 크고 겨드랑이, 회음부, 유두 부위에 풍부하게 존재한다. 아포크린에 의한 분비물은 아포크린선 세포의 decapitation 분비에 의해 이루어지고 분비물은 냄새가 없다. 냄새가 발생되는 것은 피부에 존재하는 박테리아 작용 때문이다. 아포크린선 분

비는 교감신경(adrenergic) 신경분포에 의해 조절된다. 아포크린선은 포유류에서 성적 목적을 위해 냄새를 만들어내던 흔적기관으로 생각된다.

피부의 다른 구조물(Other structures in skin)

신경분포

피부에는 신경이 풍부하게 분포하고(그림 2.5) 특히 손, 얼굴, 성기부에 많다. 피부에 분포되는 모든 신경은 등쪽뿌리신경절(dorsal root ganglia)에 cell body가 존재한다. myelin되어 있는 신경과 myelin되어 있지 않은 신경이 모두 존재하며 신경은 신경펩타이드를 함유하고 있다(예: substance P).

진피에는 감각신경말단이 관찰되고 이들은 표피쪽으로 뻗어가며 머켈세포에 인접해 닿게 된다.

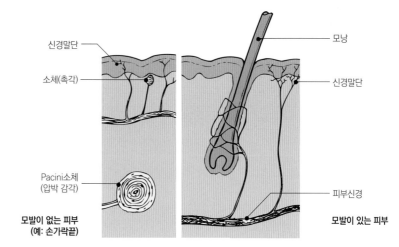

그림 2.5 피부의 신경분포.

이러한 신경말단은 통증, 소양증, 온도를 감지한다. 진피에 존재하는 특수한 신경소체 수용체로는 Pacini소체(압박과 진동을 감지), Meissner소체(촉각)가 있으며 대개 손과 발의 진피유두에 관찰된다.

자율신경은 혈관, 한선, 입모근에 분포하고 이러한 신경분포는 피부분절(dermatomal)에 일부 중복되어 나타난다.

혈관과 림프관

피부는 혈관분포도 풍부하고 주변환경에 잘 변화되는 혈관분포를 보인다. 피하지방층의 동맥은 위쪽으로 분지하면서 유두진피와 그물진피에

표재성 혈관총을 형성한다. 혈관 분지는 진피유두까지 뻗어(그림 2.6) 하나의 동맥과 정맥으로 구성된 모세혈관 고리(loop)를 형성한다. 정맥혈은 이 고리의 정맥 쪽으로 들어가서 진피의 중간과 피하지방층의 정맥그물망으로 이동한다. 그물진피와 유두진피의 동정맥연결(arteriovenous anastomoses)은 신경이 같이 분포되며 체온조절에 중요한 역할을 한다(p.7).

피부에서 림프액 흐름은 매우 중요한데 유두진피에 풍부한 림프관 그물망이 존재하고 이들이 결국 큰 관을 이루어 결국 주변 림프절로 흘러 들어가게 된다.

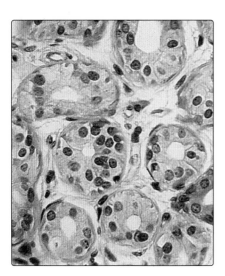

그림 2.4 한선. 진피 깊이 위치한 에크린선의 나선형 분비부분의 단면.

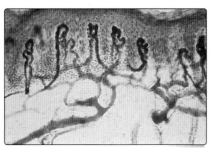

그림 2.6 표재성 진피혈관. 표재성 혈관총으로부터 모세혈관 고리가 분지하고 각각의 진피유두로 뻗어있다.

피부부속기

- 모낭과 연관된 피지선은 안드로겐에 의해 활성화된다.
- 연모는 몸의 대부분을 덮고 있고 성모 두피, 턱수염, 겨드랑이, 성기부위에 존재한다.
- 피부는 특수화된 신경말단과 함께 광범위한 신경그물이 존재한다.
- 피부는 혈관이 풍부하고 주변환경에 잘 변화되는 혈관분포를 가진다. 림프관은 주변 림프절로 흘러 들어간다.
- 교감신경의 분포를 갖는 에크린선은 체온과 정신적인 스트레스에 영향을 받으며 아포크린선은 사람에서는 대개 퇴화된 흔적기관이다.

3 | 피부의 생리

피부는 신체를 보호하고 항상성을 유지하는 중요한 역할을 수행하는 신진대사가 활발한 장기이다(Box 3.1).

> ### Box 3.1 피부의 기능
>
> 표물리적 자극에 대한 장벽역할
> 기계적 손상으로 보호
> 항균펩타이드 합성을 통한 항균효과
> 체액의 소실 방지
> 자외선 투과를 줄여줌
> 체온 조절에 도움
> 감각기관으로서의 역할
> 움켜질 수 있는 표면 제공
> 비타민 D 합성
> 면역감시(immune surveillance)의 전초기지 역할
> 미용적인 측면

각질형성세포의 성숙 (Keratinocyte maturation)

피부는 기저층의 각질형성세포로부터 죽은 세포지만 기능적으로 중요한 각질세포(corneocyte)로 분화되는 특징을 갖고 있다. 각질층은 미생물, 물, 미세먼지 등 다양한 물질이 피부로 들어오는 것을 막는데 중요한 역할을 한다. 피부 표면에 존재하는 defensing, cathelicidin과 같은 항균펩타이드는 항균, 항바이러스 효과를 갖고 있다. 표피는 또한 체액이 소실되는 것을 막는다.

표피세포는 각질형성세포 성숙과정에서 다음과 같은 변화를 겪게 된다(그림 3.1).

1. 기저층의 줄기세포는 계속적으로 세포분열을 하며 분열 후 하나의 새로운 줄기세포와 transit amplifying cell을 형성한다. Transit amplifying cell은 어느 기간동안 증식을 하다가 결국 피부 위층으로 이동하며 최종적으로 분화가 되게 된다.

2. 가시층의 세포는 원주형태의 길쭉한 모양에서 다각형으로 변화된다. 분화하는 각질형성세포는 케라틴을 합성하고 이들은 뭉쳐져서 당김미세섬유가 만들어진다. 각질형성세포를 서로 결합하는 교소체는 cadherin, desmoglein, desmocollin과 같은 구조단백으로 구성되어 있다. 교소체는 표피에 발생되는 구조적 스트레스를 분산시키고 세포사이의 간격을 20 nm로 유지하는 역할을 한다.

3. 과립층에서는 효소가 핵과 세포소기관을 분해한다. Filaggrin을 함유하는 각질유리질과립은 당김미세섬유를 위한 비정형의 단백기질을 제공한다. Membrane-coating granule은 세포막과 붙어서 투과되지 않는 지질이 함유된 시멘트를 분비하여 세포를 서로 결합시키고 각질층의 장벽을 유지하는 역할을 한다.

4. 각질층에는 죽은 편평한 각질세포가 involucrin을 함유한 두꺼운 각질세포외막(cornified evelopes)을 형성하고 있고 이들은 filaggrin과 나란히 배열된 케라틴 섬유다발을 둘러싸고 있다. 케라틴 사이에 강한 disulphide 결합은 각질층의 내구성을 증가시킨다. 하지만 각질층은 유연성도 있어서 수분을 자신의 무게의 세 배까지 흡수할 수 있다. 하지만 수분 함량이 10%이내로 떨어져 건조해지면 유연성이 떨어지게 된다.

5. 각질세포는 층상구조의 지질층이 분해되고 세포간의 교소체 결합이 소실되면 결국 피부표면으로부터 탈락하게 된다.

성숙 속도(rate of maturation)

세포역동학 연구에 따르면 기저층의 각질형성세포는 평균 200-400시간마다 복제된다. 정상피부에서 분화된 세포가 각질층에서 탈락되는데 52-75일이 걸린다. 건선과 같은 각화이상 질환의 경우 이러한 epidermal transit time이 매우 감소되어 있다.

모발의 성장

옷을 벗은 사람에서는 털이 체온유지에 도움이 되지 않지만 대부분의 포유류에서 털은 체온의 유지와 같이 생존에 필수적인 역할을 담당한다. 사람에서의 두피 모발은 자외선으로부터 암 발생을 막고 작은 손상으로부터 피부를 보호하는 역할을 한다. 하지만 사람에서는 모발이 성적매력에 중요한 역할을 하고 있고 따라서 미용산업에 있어 모발은 매우 중요하다.

모발의 성장 속도는 부위별로 다른데, 예를 들어 눈썹은 두피 모발에 비해 빨리 자라고 짧은 성장기를 갖고 있다. 평균적으로 두피에는 약 10만개의 모발이 존재하고 정상적인 성장 속도는 하루에 0.4 mm 길이로 자란다. 모발의 성장은 3개의 주기로 이루어지는데, 임신때는 모발의 주기가 일치될 수 있지만 대개 각 모낭은 각자 독립된 주기를 갖는다. 모발 성장의 3가지 주기는 성장기, 퇴행기, 휴지기이다(그림 3.2).

1. 성장기(Anagen)는 모발이 성장하는 시기이다. 두피의 모발은 3-7년 동안 지속되지만 눈꺼풀 털은 단지 4개월만 지속된다. 한 시점에 두피 모발의 80-90%는 성장기에 있고 하루에 50-100개의 모발이 퇴행기로 이행한다.

2. 퇴행기(catagen)는 휴지기로 3-4주간 지속된다. 모발의 단백질 합성이 멈추고 모낭은 피부 표면으로 퇴행하게 된다. 한 시점에 두피 모발의 10-20%가 퇴행기에 있다.

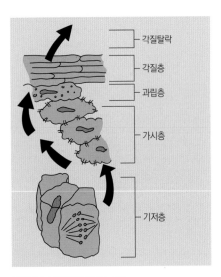

그림 3.1 각질형성세포의 성숙.

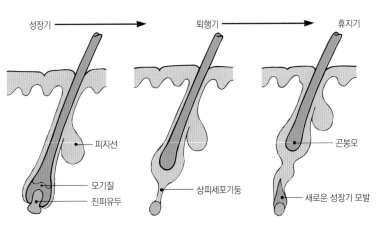

그림 3.2 모낭의 3주기.

3. 휴지기(telogen)는 모발이 빠지는 시기로 짧은 곤봉모(club hair)가 남아있는 소견을 보인다. 매일 50-100개의 두피 모발이 탈락되고 흰 시점에 1% 이내의 모발이 휴지기에 속한다.

멜라닌세포의 기능

기저층에 존재하는 멜라닌세포는 멜라닌소체라 불리는 길쭉하고 막을 갖고 있는 세포소기관에 색소를 합성하는 세포이다(그림 3.3). 멜라닌소체는 과립형태로 만들어져서 멜라닌세포의 가시돌기를 통해 탐식작용에 의해 주변 각질형성세포로 전달되게 된다. 멜라닌 과립은 표피 하부에 존재하는 각질형성세포 핵의 바깥쪽을 모자를 쓰듯이 둘러싸서 보호하는 역할을 한다. 각질층에는 멜라닌이 균일하게 분포되어 자외선을 흡수하는 장막을 형성하고 이를 통해 자외선이 피부로 투과해서 들어오는 것을 줄인다.

자외선은 특히 290-320 nm (UVB) 파장은 이미 형성되어 있는 멜라닌이 즉각적인 광산화에 의해 피부를 검게 만들고 이후 수일동안 멜라닌세포로부터 멜라닌합성을 유도하여 검게 된다. 자외선은 각질형성세포를 증식시켜 표피를 두껍게 민든다.

인종간의 색소 차이는 멜라닌세포의 수에 의해 나타나는 것이 아니라 생성된 멜라닌소체의 수와 크기의 차이 때문이다. 붉은 모발을 지닌 사람은 유전자 다형성에 의해 melanocyte-stimulating hormone에 대한 MC1수용체의 반응이 손상되어 보통멜라닌(eumelanin, 갈색/검은색)의 생성이 감소되고 적색멜라닌(pheomelanin, 붉은색)이 주로 형성된다(p.8).

체온조절

인간에서 일정하게 심부체온을 37℃로 유지하는 것은 주변 온도변화에도 불구하고 많은 생화학적 반응이 변함없이 지속되도록 하는데 중요한 장점이다. 체온조절은 대사, 운동과 같은 여러 요인에 영향을 받지만 피부는 땀의 발산과 피부 표면으로부터 직접적인 열 손실을 통해 체온조절에 중요한 역할을 수행한다.

혈류

피부 온도는 피부의 혈류에 영향을 받는다. 진피 혈관의 확장과 수축에 의해 혈류량의 변화가 나타난다. 손가락과 전완부의 피부 100 g 당 혈류량은 분당 1-100 ml로 다양한 소견을 보인다. 교감신경에 의해 조절되는 동정맥문합은 혈류를 표재성 정맥혈관총으로 흐르도록 하여(그림 3.4) 피부 체온을 조절한다. 화학적, 물리적 인자들도 혈류변화를 일으켜 체온을 조절한다.

땀

땀의 생성은 발산을 통해 피부 온도를 낮춘다. 하루에 배출되는 인지되지 않는 최소 발한량은 0.5 L이고 최대 발한 속도는 시간당 2 L에 이르며 하루 최대 발한량은 10 L에 이른다.

땀은 유해인자를 배출하는 역할을 하는 것이 아니고 피부 장벽 기능에 중요하다. 한선에서 생성되는 물과 같은 등장액(isotonic)이고 피부로 배출되는 과정에서 배출관에서 재흡수에 의해 변화된다.

땀의 조성은 다음과 같다.

- pH: 4-6.8
- 저농도의 Na+,Cl−, Na+ (30-70 mEq/L), Cl− (30-70 mEq/L)
- 고농도의 K+ (5 mEq/L까지), lactate (4-40 mEq/L), urea, ammonia, 아미노산

땀은 감정변화에 의해서도 발생하고 매운 음식을 먹은 후에도 발생한다. 체온조절 외에 땀은 각질층의 수분을 유지하고 손발바닥의 접지력을 향상시킨다.

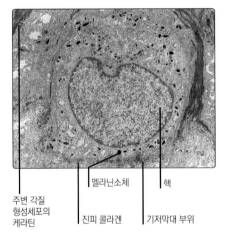

주변 각질 형성세포의 케라틴

멜라닌소체

진피 콜라겐

핵

기저막대 부위

그림 3.3 멜라닌세포의 전자현미경 소견.

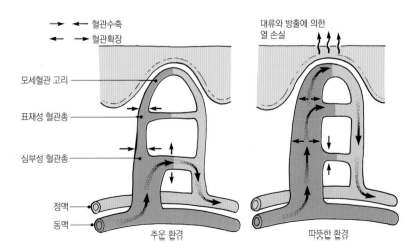

→ ← 혈관수축
← → 혈관확장

대류와 방출에 의한 열 손실

모세혈관 고리

표재성 혈관총

심부성 혈관총

정맥

동맥

추운 환경

따뜻한 환경

그림 3.4 추위와 열에 노출되었을 때 피부 혈류 변화.

4 | 피부의 생화학

케라틴(Keratin)

피부에서 합성되는 중요한 물질로 케라틴, 멜라닌, 콜라겐, 글리코사미노글리칸이 있다. 케라틴은 각질형성세포에서 합성되는 고분자량 폴리펩타이드 체인으로(그림 4.1) 각질층, 모발, 조갑의 주성분이다. 각질층은 65%의 케라틴과 10%의 수용성 단백질, 10%의 아미노산, 10%의 지질, 5%의 세포막으로 구성되어 있다. 케라틴 단백질은 40-67 kDa의 다양한 분자량을 갖고 있고 표피의 분화 정도에 따른 표피의 위치에 따라 다른 케라틴 단백을 표현한다. 표피 케라틴 단백은 모발의 케라틴 단백에 비해 cystine 성분이 적고 glycine이 더 많다.

그림 4.1 α-keratin의 분자구조. α-helix coil형태를 갖고 있으며 늘리면 비가역적으로 beta형태로 풀리게 된다. Cystine 분자에 공유결합이 있어 강한 힘을 갖게 된다. (J Invest Dermatol 2001;116:964-969, Blackwell Publishing.)

멜라닌(Melanin)

멜라닌은 멜라닌세포에서 tyrosine으로부터 합성되고(그림 4.2) 두 가지 형태가 존재한다 (Chapter 3).

- 보통멜라닌(eumelanin): 더 흔하고 갈색 또는 검은색의 색소를 보인다.
- 적색멜라닌(phaeomelanin): 더 드물고 노란색이나 붉은색을 띤다.

대부분 자연 멜라닌은 보통멜라닌과 적색멜라닌의 혼합물이다. 멜라닌은 에너지를 줄이고 자유 라디칼을 제거하며 자외선 에너지를 흡수하는 역할을 한다.

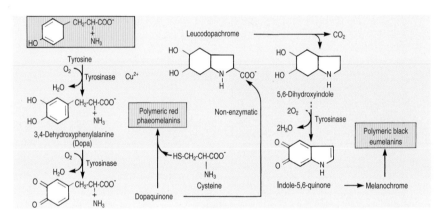

그림 4.2 멜라닌의 생합성. 보통멜라닌은 산화 중합반응으로 형성된 고분자량의 중합체이다. 적색멜라닌은 dopaquinone과 cysteine에 의해 cysteinyldopa를 통해 합성된 중합체이다.

콜라겐(Collagen)

콜라겐은 섬유모세포에서 합성되며(그림 4.3) 진피의 건조중량의 70-80%를 차지하는 중요 구조단백질이다. 콜라겐을 구성하는 주요 아미노산은 glycine, proline, hydoxyproline이다. 콜라겐은 collagenase에 의해 분해되며 matrix metalloproteinase가 중요 collagenase에 속한다. 22가지 이상의 콜라겐이 존재하고 피부에는 최소 5개 종류의 콜라겐이 존재한다.

- Type I: 그물진피에서 발견
- Type III: 유두진피에서 발견
- Type IV, VII: 기저막대 구조에서 발견
- Type VIII: 혈관내피세포에서 발견

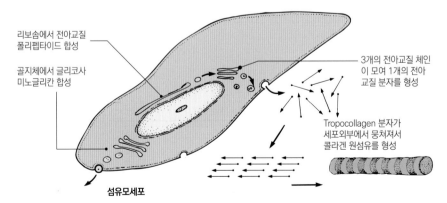

그림 4.3 콜라겐의 합성. 세개의 폴리펩타이드가 서로 삼중 나선형으로 꼬여서 tropocollagen을 형성한다. 결합된 콜라겐 원섬유는 100 nm의 폭을 갖고 전자현미경에서 64 nm마다 줄무늬가 관찰된다.

글리코사미노글리칸(Glycosaminoglycans, GAGs)

피부의 바탕질은 대부분 글리코사미노글리칸(GAGs)으로 구성되고 조직의 점성과 수분을 공급해준다. 진피에는 chondroitin sulphate가 주요 GAG이며 dermatan sulphage와 hyaluronan이 존재한다. GAG는 단백질 코어를 갖는 고분자량의 중합체이다. 이러한 구조를 proteoglycan이라 부른다(그림 4.4).

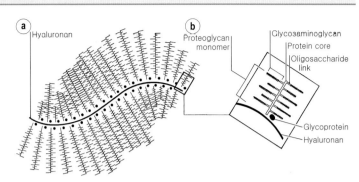

그림 4.4. Proteoglycan. (a) Proteoglycan은 hyaluronan filament 뼈대를 중심으로 만들어진다. (b) 단백질 코어를 갖는 proteoglycan monomer의 자세한 그림

피부 표면 분비물

피부표면은 약산성을 갖는다(pH 6~7). 피지(표 4.1), 땀, 각질층(세포사이 지질 포함)은 미생물이 자라지 못하는 환경을 만들어준다.

표 4.1 피지와 표피 지질 구성

구성	피지(%)	표피 지질(%)
Glyceride/free fatty acid	58	65
Wax esters	26	0
Squalene	12	0
Cholesterol esters	3	15
Cholesterol	1	20

피하지방

중성지방은 α–glycerophosphate와 acyl coenzyme A (CoA)로부터 합성된다. 중성지방은 lipase에 의해 free fatty acid와 glycerol로 분해되고 free fatty acid는 에너지원으로 사용된다(그림 4.5).

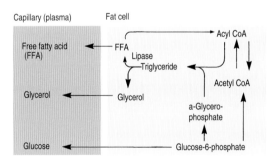

그림 4.5 피하지방 대사.

호르몬과 피부

피부는 비타민 D와 표피성장인자를 생성하는 부위지만 다른 호르몬의 작용하는 표적기관이며 내분비질환에서 흔히 영향을 받는다(표 4.2).

표 4.2 호르몬과 피부

호르몬	생성부위	효과
비타민D	피부(진피). 자외선에 의해 전구물질통해 합성됨	칼슘흡수와 석회화에 중요
Corticosteroids	부신피질	표피, 진피의 여러 세포에 수용체 존재 혈관수축 기저층의 유사분열 감소 백혈구에 대한 항염기능 Phospholipase A 억제
안드로겐	부신피질, 생식선	모낭과 피지선에 수용체 존재 성모성장을 자극하고 피지 분비를 촉진
Melanocyte stimulating hormone (MSH)	뇌하수체 (adrenocorticotrophic hormone의 N-terminal peptide, ACTH)	멜라닌합성을 자극
에스트로겐	부신피질, 난소	멜라닌합성을 자극
표피성장인자(epidermal growth factor)	피부(피부내외 여러부위에서 생성이 될수)	각질형성세포, 모낭, 피지선, 한관 세포에서 수용체가 발견됨. 표피 분화를 자극 칼슘대사에 영향
Cytokines, chemokines, eicosanoids	피부세포(각질형성세포, 가시돌기세포, 림프구 등)	면역세포가 피부로 이동해 오고 염증을 유발하거나 세포를 증식시킴

생화학

- **케라틴(Keratins)**은 공유결합에 의해 폴리펩타이드 나선형 코일 구조로 합성되며 각질층, 조갑, 모발을 형성한다.
- **멜라닌(Melanin)**은 tyrosine으로부터 합성되는 중합체로서 보통멜라닌과 적색멜라닌으로 나뉘며 자유 라디컬과 자외선과 같은 에너지를 흡수한다.
- **콜라겐(Collagens)**은 진피 건조중량의 75%를 구성하는 폴리펩타이드 중합체로서 섬유모세포부터 합성된다.
- **글리코사미노글리칸(Glycpsaminoglycans)**은 피부 바탕질을 구성하고 점성과 수분을 제공하며 고분자량의 중합체로 존재한다.
- **비타민 D (Vitamin D)**는 자외선에 의해 생성되며 previtamin D3 전구체를 통해 불활성 7 dehydrocholesterol로부터 활성 vitamin D3가 합성된다.
- 모발과 피지선의 **안드로겐 수용체(Androgen receptors)**는 사춘기때 안드로겐의 증가에 의해 모발과 피지선 구조가 형성되는 데 영향을 준다.

5 | 염증, 면역 그리고 피부

염증반응은 항상성 유지를 위해 중요하다. 염증은 피부에 상주하고 있는 세포와 특수한 면역세포 간의 신호전달에 의해 매개되고 결과적으로 세포간 상호작용을 유발하고 매개물질을 분비하게 된다. 피부에서는 강한 염증반응이 감염에 대한 방어를 위해 중요하지만(예, 농가진에서 나타나는 홍반, 분비물) 면역이 저하된 사람에서는 감염의 위험성이 증가된다. 면역반응은 감염에 대한 방어 기전뿐만 아니라 피부암에 대한 방어 기전에서도 중요하며 면역이 저하되어 있는 경우는 편평세포암과 악성흑색종과 같은 피부암의 위험성을 증가시키게 된다. 하지만 피부 면역반응이 호스트에는 나쁜 영향을 끼칠 수 있는데 만약 면역반응이 잘 조절되지 않으면 자가 항원에 대한 부적절한 면역반응이 나타나거나(자가면역 질환) 환경에서 노출되는 나쁘지 않은 항원에 대해 알러지 반응이 나타날 수 있다.

피부에서의 면역 구성 물질은 다른 상피세포와 비슷하고, 크게 선천 면역과 후천 면역으로 나뉘어진다. 선천 면역은 외부에서의 위험인자를 세포가 인지함으로써 염증 면역반응이 나타나게 되는데 주로 각질형성세포에 의해 나타난다. 비슷하게 진피로 공급되는 혈액과 림프액은 면역세포가 나가고 들어오는 중요한 통로가 되고 후천 면역에 있어 필수적 요소로서 면역의 시작과 기억을 유도하는데 중요하다.

미생물(Microbiome)

피부 표면에는 박테리아와 곰팡이 군집이 피부 미생물(skin microbiome)을 구성한다. 신체 부위마다 서로 다른 종의 미생물의 구성과 양을 보인다. 일반적으로 서로 다른 개인이라 하더라도 같은 부위는, 같은 사람 내에서 부위마다 다른 미생물 분포를 보이는 것보다 더 유사한 미생물의 분포를 보인다. 이는 땀, 피지선 분비물, 접히는 부위, 모발이 있는 부위와 같은 차이에 의해 만들어진 환경적인 요인이 미생물 종류와 분포에 중요하다는 것을 제시한다. 피부 1 cm² 내에 10억개의 박테리아가 존재하지만 대부분 표피 장벽을 뚫지를 못한다. 이러한 미생물은 선천 면역의 중요한 자극제이고 정상 상태에서는 피부장벽의 기능 유지에 중요하다.

피부에서 면역학적 기능을 지닌 세포

각질형성세포

각질형성세포는 항균펩타이드를 합성하고 전염증 사이토카인(IL-1)을 생성하며 표면에 1, 2형 주요조직적합복합체(major histocompatibility complex, MHC)와 같은 면역 반응 분자를 표현한다. 피부 가지돌기세포(dendritic cells)에 신호를 전달하고 특정 가지돌기세포와 T세포간의 면역작용을 유도한다. 예를 들어 각질형성세포는 thymic stromal lymphopoietin (TSLP)를 분비하여 가지돌기세포가 T세포를 Th2 염증 표현형으로 유도한다.

전문적인 항원전달세포

표피의 랑게르한스세포와 진피의 가지돌기세포는 세포 면역체계에 있어서 가장 외곽에 위치한 감시자 역할을 수행한다(그림 5.1). 랑게르한스세포는 가시돌기를 갖고 있고 미세구조상 Birbeck granule이라는 독특한 세포질내 소기관을 갖고 있다. 최근 자외선이 피부의 가지돌기세포 수에 영향을 주어 광면역억제를 유발하는 것이 잘 알려져 있다.

림프구

T림프구 그리고 B림프구도 면역감시를 위해 정상 피부로 혈류를 통해 이동하며 이러한 이동에

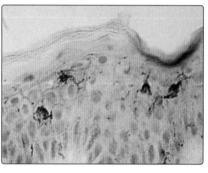

그림 5.1 랑게르한스세포. 가지돌기를 가진 랑게르한스세포는 표피에서 망을 형성한다. 이 조직 사진은 HLA-DR에 대한 단클론항체로 염색된 랑게르한스세포를 보여준다.

있어서는 cutaneous leucocyte antigen (CLA), CCR4, CCR6, CCR10과 같은 림프구 표면 분자가 피부로의 이동에 중요한 역할을 한다. 최근 중요한 연구 결과에 따르면 건강한 상태에서 피부에는 상당히 많은 수의 T세포가 상주하고 있는데 이를 resident memory T cell(상주 기억 T세포)라 부르며 이들은 혈액을 통해 순환하는 수보다 훨씬 더 많다고 알려져 있다. 이러한 세포들은 단순포진 바이러스와 같은 피부 감염에 대항하는 등 호스트 방어에 중요한 역할을 수행한다. 감염과 염증에 의해 유도된 상피세포의 위험신호는 피부와 혈관내피세포로부터 피부로 이동하도록 도와주는 리간드의 발현을 증가시키고 결과적으로 혈중내 림프구가 피부로의 이동이 늘어나게 된다.

서로 다른 기능을 지닌 다양한 형태의 T세포가 피부에 존재하는데 아래 예와 같다.

- CD4+ 기능을 갖는 세포는 분비되는 사이토카인에 따라 분류되고(그림 5.2) 이들 T세포에는 B세포가 면역글로불린을 IgG로 전환하도록 하는 1형 보조T세포(Th1)와 IgE항체로 전환하는 2형 보조T세포(Th2)가 있다.
- CD8+ 세포는 Tc1, Tc2 와 같은 세포로부터 사이토카인을 생성하고 granzyme B와 perforin을 생성하여 표적 세포를 죽이는 기능을 수행한다.
- 기타: NKT세포 (CD4+ 발현 또는 CD8+ 발현 또는 둘 다 표현하거나 둘 다 표현하지 않을 수 있다), innate lymphoid cell (ILC2), γδT 세포

비만세포(mast cell)

비만세포는 기본적으로 히스타민과 혈관작용 물질을 분비하는 세포이다. 세포내에 과립 형태로 이미 만들어져 있기 때문에, 이런 분비작용은 매우 신속하게 일어난다. 탈과립은 high affinity IgE 수용체의 교차결합에 의해 나타나

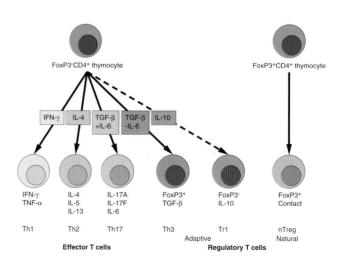

그림 5.2 CD4+ T세포 분류. CD4+ T세포의 사이토카인과 기능은 과거 Th1/Th2로 설명되던 것에서 더욱 확장되었다. 각 lineage 세포의 발생에 중요한 사이토카인들이 화살표 박스 내에 표시되어 있다. 그림 아래 세포 밑에는 각 세포형태에서 분비되는 effector, regulatory 사이토카인과 각 세포의 이름 약자가 표시되어 있다.

고 이러한 교차결합은 비만세포 표면에 있는 IgE 수용체에 같은 단백항원이 결합한 IgE 분자가 붙을 때 이루어진다. 비만세포는 또한 다양한 사이토카인을 합성하고 여러 실험연구에 따르면 비만세포가 피부면역 반응에 중요한 역할을 하는 것으로 알려져 있다. 비만세포는 신피내에 성상적으로 존재하고 있고 혈액내 존재하는 basophil이 대등한 역할을 하는 세포이다. 비만세포는 염증 반응이 발생될 때 수가 증가한다.

호산구

호산구는 강력한 염증 매개물질을 풍부하게 함유하고 있고 Th2 면역반응 조절에 중요한 사이토카인 합성도 한다.

보체

보체의 활성화는 고전적(classic) 또는 부(alternative)경로를 통해 이루어지고 그 결과 강력한 효과를 내는 물질을 만들어낸다. 보체 활성화에 의해 opsonization, 세포용해, 비만세포 탈과립, 평활근의 수축, 호중구와 대식세포의 화학주성 등이 발생한다.

과민반응과 피부

과민반응은 후천면역 반응이 부적절하거나 과도하게 나타나서 조직손상을 야기하는 경우를 일컫는다. 피부는 모든 주요 과민반응이 나타날 수 있다.

I형(즉시형)

비만세포 표면에 결합한 알레르겐 특이 IgE 면역글로불린은 항원노출에 의한 탈과립을 유도한다. 그 결과로 피부에서는 두드러기가 발생하며 심한 히스타민 반응이 나타나는 경우에는 아나필락시스를 유발하게 된다. 이러한 반응은 늦게 발생되는 경우도 있지만 대개 수분 내에 발생하게 된다. IgE 외에 다른 인자들도 비만세포의 탈과립을 유도한다.

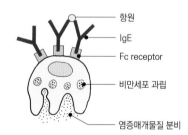

항원
IgE
Fc receptor
비만세포 과립
염증매개물질 분비

면역

- 피부에 상주하는 미생물은 피부의 항상성 유지에 중요하다.
- 피부는 감염에 대한 물리적인 장벽이고 항균펩타이드를 갖고 있다.
- 표피의 랑게르한스세포를 포함한 피부의 가지돌기세포는 세포면역체계의 전 초기지 역할을 하고 있고 T 림프구와 같은 면역세포에 항원을 전달하는 기능을 한다.
- T세포는 정상 피부를 통해 순환하고 피부연관림프조직(skin-associated lymphoid tissue)의 한 부분을 차지한다. 부착인자에 의해 조직 내로 이동하게 된다.
- 삭실형성세포는 년역학석으로 활농석인 세포이다.
- 피부에는 네가지의 모든 과민반응이 나타난다.

II형(항체의존 세포독성)

표적 피부세포나 조직에 존재하는 항원에 대한 IgG항체가 세포독성 T세포나 보체활성화를 통해 세포독성을 유도한다. 예를 들어 각질형성세포 표면에 있는 desmoglein 항원에 대한 IgG 천포창 항체는 보체를 활성화시키고 effector 세포를 끌어들여서 각질형성세포를 용해시키게 되며 결과적으로 표피내 수포가 발생한다.

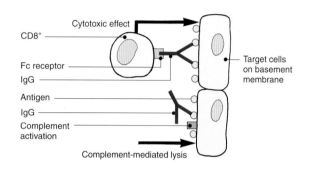

Cytotoxic effect
CD8+
Fc receptor
IgG
Antigen
IgG
Complement activation
Target cells on basement membrane
Complement-mediated lysis

III형(면역 복합체 질환)

혈액내 항원과 IgG 또는 IgM항체의 결합으로 형성된 면역복합체가 피부에 있는 작은 혈관의 벽에 침착하고 보체 활성화, 혈소판 응집, 다형핵백혈구의 리소좀 효소 분비에 의해 혈관의 손상이 발생한다. 이러한 백혈구파괴혈관염은 전신홍반루푸스와 피부근염 등에서 나타날 수 있고 감염성 심내막염과 같은 세균감염에 의해서도 발생할 수 있다.

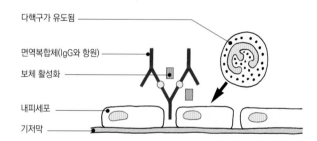

다핵구가 유도됨
면역복합체(IgG와 항원)
보체 활성화
내피세포
기저막

IV형(세포매개 또는 지연형)

배액 림프절(draining lymph node)에서 피부 가지돌기세포에 의해 감작된 림프구는 증식하고 조직에서 면역감시 역할을 수행한다. 관련 항원이 재차 주조직적합성 복합체(major histocompatibility complex)와 만나면 림프구는 활성화되고 염증을 유발하며 세포독성이 발생한다. 항원노출로부터 감작되는데 까지는 7~14일이 걸린다. 하지만 오래 지속되는 기억세포는 반복노출에 의해 급속도로 증식되어 지속적인 면역이 발생된다. 알레르기 접촉피부염과 진피 내로 주사 된 항원에 대한 투베르쿨린반응이 IV형 면역반응의 예이다. 나병과 결핵과 같은 피부감염 반응은 IV형 반응의 육아종성 변형이다.

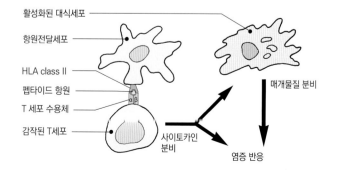

활성화된 대식세포
항원전달세포
HLA class II
펩타이드 항원
T 세포 수용체
감작된 T세포
매개물질 분비
사이토카인 분비
염증 반응

6 | 분자유전학과 피부 – 1

최근 급속도로 발전한 유전학에 의해 피부질환에 대한 이해에 큰 영향을 주었다. 휴먼게놈프로젝트에 의해 현재 인간의 모든 유전자 지도가 완성되었고 인간에서는 35,000개의 유전자가 존재하는 것으로 알려져 있다. 보통염색체 우성 또는 열성으로 유전되는 많은 피부질환이 단일 유전자(monogenic) 질환에 대한 고전적인 멘델의 법칙으로 설명이 된다. 이러한 질환으로는 각질화 이상(표 6.1A), 수포발생(표 6.1B), DNA수리 이상(표 6.1C), 색소질환(표 6.1D), 피부부속기 및 혈관변화 이상(표 6.1E), 결체조직 이상과 암 발생 위험(표 6.1F) 등이 있다. 아토피와 같은 흔한 질환의 경우는 여러 감수성 유전자와 환경 사이의 복잡한 상호작용에 의해 발생된다. 보통 임신에서 단일 유전자 이상 질환의 가능성이 1% 정도 되며 염색체 이상 질환은 0.5%에서 발생하지만, 아토피와 같이 유전적으로 영향받는 소견은 더 흔히 발생한다.

표 6.1A 단일 유전자 이상 피부질환: 각질화 이상

유전자	단백질	Gene MIM No.	질환	유전방식
ABCA12	ATP-binding cassette transporter 12	607800	Harlequin 어린선,	보통염색체 열성
ATP2A2	Sarcoplasmic/ endoplasmic reticulum calcium ATPase 2	108740	다리에병 (Darier disease)	보통염색체 우성
ATP2C1	Calcium-transporting ATPase type 2C member 1	604384	Hailey–Hailey disease	보통염색체 우성
ERC2/3	ELKS/RAB6-interacting/ CAST family member 2/3	126340, 133510	모유황이상증 (Trichothiodystrophy)	보통염색체 열성
FLG	필라그린(Filaggrin)	135940	보통어린선(Ichthyosis vulgaris)	보통염색체 우성
RHBDF2	Rhomboid family member 2	614404	Tylosis with esophageal cancer	보통염색체 우성
SPINK5	Serine protease inhibitor Kazal-type 5	6050101	Netherton증후군	보통염색체 열성

어린선(Adapted from Lemke et al. *Dermatology* 2014;229(2):55-64.

표 6.1B 단일 유전자 이상 피부질환: 물집질환

유전자	단백질	Gene MIM No.	질환	유전방식
COL17A1	Collagen 17	113811	경계수포표피박리증 (Epidermolysis bullosa, junctional, non-Herlitz type)	보통염색체 열성
COL7A1	Collagen 7	120120	위축수포표피박리증 (Epidermolysis bullosa dystrophica, autosomal recessive)	보통염색체 열성
COL7A1	Collagen 7	120120	Transient bullous epidermolysis of the newborn	보통염색체 우성/열성
KRT14	Keratin 14	148066	단순수포표피박리증 (Epidermolysis bullosa simplex, Dowling-Meara type)	보통염색체 우성

수포질환 (Adapted from Lemke et al. *Dermatology* 2014;229(2):55-64.

표 6.1C 단일 유전자 이상 피부질환: DNA수리 이상

유전자	단백질	Gene MIM No.	질환	유전방식
XPA	Xeroderma pigmentosum, complementation group A	613208	색소성건피증 (Xeroderma pigmentosum, group A)	보통염색체 열성
ERCC3	Excision repair cross-complementation group 3	133510	색소성건피증 (Xeroderma pigmentosum, group B)	보통염색체 열성
RECQL4	RecQ protein-like 4	603780	Rothmund-Thomson증후군	보통염색체 열성

DNA수리 이상 질환 (Adapted from Lemke et al. *Dermatology* 2014;229(2):55-64.

표 6.1D 단일 유전자 이상 피부질환: 색소질환

유전자	단백질	Gene MIM No.	질환	유전방식
KIT	c-kit	164920	부분백색증 (piebaldism)	보통염색체 우성
NF1	Neurofibromin 1	613113	1형 신경섬유종증 (Neurofibromatosis, type 1)	보통염색체 우성
NF2	Neurofibromin 2	607379	2형 신경섬유종증 (Neurofibromatosis, type 2)	보통염색체 우성
PTPN11	Tyrosine-protein phosphatase non-receptor type 11	176876	Leopard증후군	보통염색체 우성
SPRED1	Sprouty-related, EVH1 domain containing 1	609291	Legius증후군	보통염색체 우성
TYR	Tyrosinase	606933	1형 눈피부백색증(albinism, oculocutaneous, type 1 (A/B))	보통염색체 열성

색소질환 (Adapted from Lemke et al. *Dermatology* 2014;229(2):55-64.

표 6.1E 단일 유전자 이상 피부질환: 피부부속기 및 혈관변화 이상

유전자	단백질	Gene MIM No.	질환	유전방식
EDAR	Ectodysplasin A receptor	604095	발한저하외배엽형성이상증 (Ectodermal dysplasia, hypohidrotic)	보통염색체 우성
EDARADD	EDAR-associated death domain	606603	발한저하외배엽형성이상증 (Ectodermal dysplasia, hypohidrotic)	보통염색체 우성
GNAQ	Guanine nucleotide-binding protein G(q)	600998	Sturge-Weber증후군	모자이크현상 (Mosaicism)
KRT81	Keratin 81	602153	염주모 (Monilethrix)	보통염색체 우성
KRT83	Keratin 83	602765	염주모 (Monilethrix)	보통염색체 우성
RASA1	RAS p21protein activator 1	139150	Parkes-Weber증후군	보통염색체 우성

피부부속기 및 혈관변화 이상 (Adapted from Lemke et al. *Dermatology* 2014;229(2):55-64.

표 6.1F 단일 유전자 이상 피부질환: 결체조직 이상과 암발생 위험

유전자	단백질	Gene MIM No.	질환	유전방식
ABCC6	ATP-binding cassette, subfamily C(CFTR/MRP), member 6	603234	탄력섬유가성황색종 (Pseudoxanthoma elasticum)	보통염색체 열성
COL1A1	Collagen 1, alpha 1	120150	엘러스-단로스증후군 (Ehlers-Danlos syndrome, type I/VIIA)	보통염색체 우성
COL5A1, COL5A2	Collagen 5, alpha 1, 2	120215	엘러스-단로스증후군(Ehlers-Danlos syndrome, type I/II)	보통염색체 우성
ELN	Elastin	130160	피부이완증(Cutis laxa)	보통염색체 우성
FBN1	Fibrillin 1	134797	Marfan증후군	보통염색체 우성
AKT1	Protein kinase B alpha	164730	Cowden증후군	보통염색체 우성
APC	Adenomatous polyposis coli	611731	Gardner증후군	보통염색체 우성
FLCN	Folliculin	607273	Birt-Hogg-Dube 증후군	보통염색체 우성
PTCH1	Patched 1	601309	Gorlin증후군	보통염색체 우성
TSC1	Tuberous sclerosis 1	605284	복합결절경화증 (Tuberous sclerosis complex)	보통염색체 우성
TSC2	Tuberous sclerosis 2	191092	복합결절경화증 (Tuberous sclerosis complex)	보통염색체 우성

결체조직 이상 질환(Adapted from Lemke et al. Dermatology 2014;229(2):55-64.
메모: 상기 표들은 철저한 유전자 이상 리스트가 아니다. 발한저하외배엽형성이상증, 염주모, 복합결절경화증과 같은 몇몇 질환의 경우는 여러 유전자의 돌연변이가 같은 질환을 유발할수 있다. Collagen 7A1, 1A1, 5A1과 같은 몇가지 유전자 이상은 서로 다른 질환을 유발시킬수 있다. 색소성건피증은 여러 group (A-G)의 변이가 있다. 따라서 임상적 기술이 중요하고 확실한 표현형과 유전형의 연관성이 중요하다.

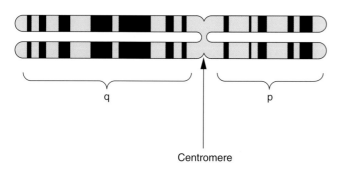

그림 6.1 2번 염색체. 중심체로 짧은 팔(p)과 긴 팔(q)로 나누어져 김자(giemsa) 염색에서 띠로 보인다.

사람의 염색체(Chromosomes)

사람의 게놈(genome)은 23쌍의 염색체로 구성되어 있고 크기에 따라 번호가 매겨져 있다(그림 6.1). 염색체는 여러 유전자의 꾸러미로 복잡한 단백질을 합성하게 된다. 핵형(karyotype)은 개개인의 염색체 수와 성염색체로 구성되며 예를 들어 여자는 46XX, 남자는 46XY로 구성된다. 표현형(phenotype)은 유전형의 생물학적 표현이며 예를 들어 푸른 눈 또는 아토피 소인 등이 이에 해당된다.

유전자와 DNA

일반 인구에서 발견되는 DNA 서열에서의 흔한 변이를 다형성(polymorphism)이라고 부르며 이는다음 세대로 이어지기는 하지만 반복적인 돌연변이에 의해 유지되지는 않는 특성을 보인다. 이러한 다형성은 생물학적으로 의미가 있을 수도 있고 기능을 하지 않고 "silent"할 수도 있다. 병을 유발하는 DNA 서열에 새로운 변이나 유전적 이상을 돌연변이라고 부른다. 어떤 질환이 유전자 이상에 의해 발생하는지 확인하는 방법은 인구집단의 전체적인 유전자 조사를 통해 표현형과의 연관성을 찾는 방법(즉, 질환이 있는 사람과 없는 대조군 간에 유전자 스크리닝으로 유전적 이상과의 통계적 연관성을 찾는 방법)이 있고 질환이 있는 인구집단 또는 가족과 질환이 없는 대조군 간에 특정 관심 유전자를 분석하는 방법이 있겠다.

분자생물학적 방법

DNA 서열 변이는 DNA 서열분석을 통해 발견될수 있다. 과거 노동집약적 방법이었지만 현재는 고속 대량 스크리닝(high throughput) 자동화 기술을 통해 건강한 정상인과 대조군의 whole genome sequencing이 가능해졌다. 이러한 기술은 매우 강력하여 작은 수의 샘플로 진행이 가능하고 단일 유전자 이상에 의한 피부질환의 원인 돌연변이를 찾는데 엄청남 진보가 가능해졌다(표 6.2). 또한 어떠한 분자학적 기전이 관련되어 있는지 확인하기 위해 병이 있는 조직에서 DNA로부터 전사된 RNA 유전자를 자세히 정량 분석을 할수 있는 RNA sequencing도 발달하였다. 최근에는 기술적 진보에 의해 단일세포전사체분석(single cell RNA sequencing)을 통해 복잡한 조직 샘플에서 각 세포 구성성분과 각 세포마다 전사인자의 독립적 분석이 가능해졌다. 이런 강력한 기술의 진보로 과학자들은 조직 수준이 아니라 세포 수준에서 질환을 연구할수 있게 되었다. 예를 들어 아토피 피부염 피부조직에서 단일세포전사체분석을 통해 림프구를 활성화하는 개별 가시돌기세포의 특성을 알아내고 특정 신호에 대한 개별 림프구와 각질형성세포의 반응을 분석할수 있게 되었다. 전사 유전자는 RNA의 분해, 침묵(silencing), 억제에 의해 조절되는데 따라서 질환 조직에서 단백질(프로테오믹스, proteomics)의 분석 역시 중요하다.

분자생물학적 기술은 아래와 같이 사용될수 있다.

- 소량의 DNA를 발견[예, 피부암 내의 유두종 바이러스(human papilloma virus) 검출]
- 개개인의 염색체에서 후보 유전자 부위의 DNA를 분석하고 질환을 갖고 있는 가족 구성원의 유전자와 비교하여 질환에 특이적인 유전자 다형성을 찾아내는 방법
- 개개인의 전체 게놈(genome)을 분석하는 방법
- 세포 내 단백질의 전반적인 발현 양상을 알 수 있는 RNA 유전자를 분석하는 방법

표 6.2 HLA항원과 연관된 피부질환

질환	HLA항원	상대위험도
베체트병 (Behcet's disease)	B5	10배
포진피부염 (Dermatitis herpetiformis)	B8	15배
천포창(pemphigus)	DRw3	>15배
건선(psoriasis)	DRw4	10배
건선관절병증 (psoriatic arthropathy)	B13 Dw7 Cw6	4배 10배 12배
라이터병 (Reiter's disease)	B27 Bw38	10배 9배
SPINK5	B27	35배

6 | 분자유전학과 피부 – 2

유전방식

특정 유전자 부위에 두 개의 서로 다른 유전자(alleles)를 갖고 있는 사람을 이형접합체(heterozygous)라고 부르고 같은 유전자(alleles)를 가진 사람을 동형접합체(homozygous)라 부른다. X, Y 염색체를 제외한 염색체의 유전자를 보통염색체 유전자라 부르고 X, Y염색체에 있는 유전자를 성염색체 유전자라고 부른다. 유전자의 관통(penetrance)에 영향을 끼치는 인자를 아직 확실치 않다.

- 우성유전. 질환을 지닌 남성, 여성 모두가 이형접합 유전자를 갖고 있으며, 이들의 부모 역시 질환을 갖고 있고 자식으로 유전될 가능성이 50%가 된다(그림 6.2).
- 열성유전. 남녀 어느 쪽이든 질환을 지닌 사람은 동형접합 유전자를 갖고 있고, 부모는 양쪽 모두 보인자이며 건강하다. 근친결혼에 의해 열성유전의 위험성이 높아지며 종종 열성유전 질환은 증상이 심하다. 이형접합체에서 유전자를 다음 세대로 유전할 가능성이 25%이다.
- X–연관 열성. 여성은 건강한 보인자이고 남자에서만 질환이 발생한다.
- X–연관 우성. 남성, 여성 모두 질환이 발생한다. 색소실조증(incontinentia pigmenti)와 같은 몇가지 질환은 남자에서 치명적이다.
- 모자이크현상(Mosaicism). 모자이크현상에서는 한 개인이 두가지 이상의 유전적으로 다른 세포 종류를 갖고 있다. 태아에서 한 세포가 체세포(발생이후) 돌연변이가 발생되면 미세하게 다른 세포의 클론(clone)이 형성되게 된다. 피부에서는 이러한 발생학적인 성장 양상이 Blaschko's line이라는 형태로 잘 드러난다(그림 6.3). 모반, 색소실조증(그림 6.4), 선상태선(lichen striatus, 그림 6.5)와 같은 피부질환은 이러한 Blaschko선의 분포를 따르고 결과적으로 줄무늬 또는 소용돌이 치는 형태로 비정상적인 세포 클론이 정상세포와 함께 존재한다. 대상포진(그림 6.6), 드물게 백반증(그림 6.7)과 같은 질환에서 신경 침범 부위의 피부분절 분포를 보여준다. 하지만 최근에는 분절형백반증(segmental vitiligo)이 신경분포에 따른 피부분절 분포보다는 Blaschko선의 분포를 따른다고 생각된다.
- 각인(Imprinting). 유전자가 부모 어느 쪽으로부터 왔는지에 따라 유전자의 발현이 꺼져 발현되지 않을수 있고 이는 DNA 메틸화(methylation)에 의해 조절된다.

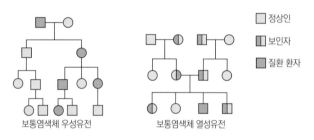

☐	정상인
◨	보인자
▨	질환 환자

보통염색체 우성유전　　보통염색체 열성유전

그림 6.2 보통염색체 우성, 열성 유전방식.

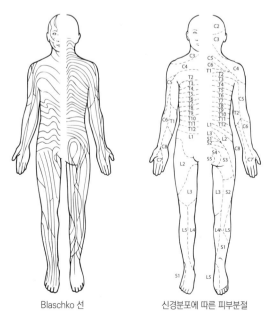

Blaschko 선　　　신경분포에 따른 피부분절

그림 6.3 Blaschko 선은 발생학적으로 조직의 성장 양상을 보여주는 것이고 피부분절(dermatome)은 피부에서의 신경분포를 따른다.

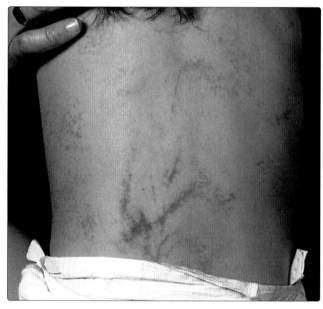

그림 6.4 색소실조증. 줄무늬와 소용돌이 치는 형태로 Blaschko 선을 따른다.

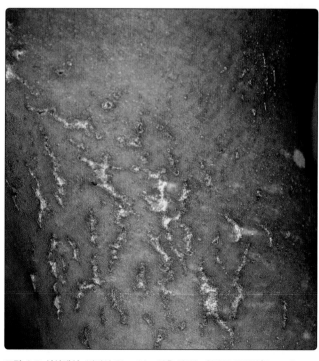

그림 6.5 선상태선. 병변이 Blaschko 선을 따르는 형태를 보인다(From James WD, Berger TG, Elston DM, 2011. Andrews' Diseases of the Skin, 11ᵗʰ edn. Saunders, with permission).

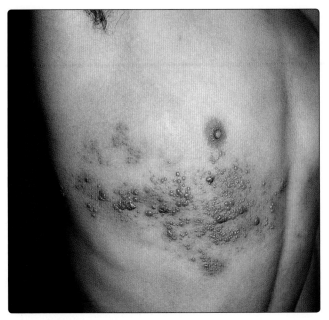

그림 6.6 전형적인 피부 신경분절을 따르는 대상포진. 병변이 Blaschko 선을 따르는 형태를 보인다(From James WD, Berger TG, Elston DM, 2011. Andrews' Diseases of the Skin, 11th edn. Saunders, with permission).

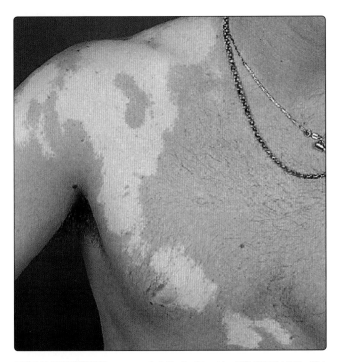

그림 6.7 분절형백반증(segmental vitiligo). Blaschko 선을 따르기 보다는 피부분절 분포를 따르는소견을 보여 피부의 신경분포와 연관이 있는 것으로 생각된다.

특정 피부질환의 유전방식

건선(p.38)과 아토피피부염(p.50)에서는 가족력이 일반적으로 흔하지만 유전 방식은 명확치 않다. 건선은 다유전인자(polygenically)에 의해 또는 불완전한 투과도(penetrance)를 지닌 보통염색체 우성 유전으로 유전될수 있다. 아토피피부염은 최근에 표피 단백질인 필라그린(filaggrin)을 발현하는 염색체 1q21의 유전자 돌연변이와 밀접히 연관되어 있다는 것이 밝혀졌다.

드문 질환에서 유전방식은 다소 더 명확하게 알려져 있다(표 6.1, 6.2). 단순수포표피박리증, 경계수포표피박리증(p.110), 포르피린증(porphyria, p.60), Ehlers-Danlos증후군(p.112) 등의 질환은 우성 또는 열성 유전양상을 보인다.

몇가지 피부질환은 6번 염색체에 존재하는 인간백혈구항원(human

표 6.3 유전자 결핍에 의한 질환과 피부 미세구조 성분에 대한 항체에 의해 발생되는 질환

표적단백	유전자 이상에 의한 질환	자가면역 항체에 의한 질환
Desmoplakin	Lethal acantholytic epidermolysis bullosa simplex	
Keratin 5/14	단순수포표피박리증	
Plakophilin-1	단순수포표피박리증(suprabasal)	
Plectin	Epidermolysis bullosa simplex Ogna/with muscular dystrophy	
BP180		수포유사천포창(bullous pemphigoid), 점막유사천포창(mucous membrane pemphigoid), 임신유사천포창(pemphigoid gestationis), 선상IgA피부병(linear IgA dermatosis)
BP200		수포유사천포창
BP230		수포유사천포창, 점막유사천포창, 임신유사천포창, 선상IgA피부병
α6β4 integrin	Epidermolysis bullosa simplex with pyloric atresia, Junctional epidermolysis bullosa with pyloric atresia	점막유사천포창
Laminin 332	경계수포표피박리증	점막유사천포창
Collagen VII	우성형위축수포피박리증 (Dominant dystrophic epidermolysis bullosa)	점막유사천포창, 선상IgA피부병, 후천수포표피박리증 (epidermolysis bullosa acquisita), 수포성 전신성 홍반루푸스
LAD285		선상IgA피부병

leucocyte antigen, HLA)의 다형성과 연관되어 있다(표 6.2). 이들은 다유전 양상을 보이고 자가면역과 연관되어 있다.

피부 단백질 유전자 이상으로 발생되는 피부 변화는 자가면역 공격에 의해 같은 단백질이 손상을 받게 되는 피부 질환과 유사한 피부 변화를 보이게 된다(표 6.3). 임상 상황에서 이러한 감별이 어려울 수 있고 유전자 검사나 자가면역 스크리닝 검사가 필요할 수 있다. 하지만 어린 나이에 발생되는 경우 유전자 문제일 가능성이 높다.

유전자 치료

DNA에 기초한 산전 검사를 통해 여러 유전피부질환의 진단이 가능하다. 단일 유전자 이상에 의한 열성 유전질환은 유전자 치료가 가능한 영역이지만(예를 들어 수포표피박리증), 아직 여전히 복잡하고 많은 비용이 들며 혈액암을 포함한 치명적인 합병증을 내재하고 있다.

분자유전학과 피부

- 사람의 게놈(genome)은 23쌍의 염색체(핵형 46XY또는 46XX)로 구성되어 있고 인간의 모든 유전자 지도가 완성되었고 약 35,000개의 유전자가 존재하는 것으로 알려져 있다. 또한 미토콘드리아에는 산화효소를 코딩하는 37개의 유전자가 존재한다.
- DNA 불전(DNA segments)은 PCR에 의해 증폭되고 겔 전기영동에 의해 확인이 가능하다.
- 전유전체시퀀싱(whole genome sequencing)과 microarray 기술은 질환의 기전을 연구하는데 있어 분자적 접근을 가능하게 했다.
- 우성, 열성, X연관 유전양상을 보일수 있지만 여전히 여러 질환에서 유전방식이 불확실하다.
- 한 세포주 이상에서 유전자 변이가 나타나는 모자이크현상에 의한 피부질환은 Blaschko 선을 따를수 있다.
- 몇몇 열성 단일 유전자 질환에서 유전자 치료가 가능하다.

7 | 피부병변의 징후(용어)

피부과는 다른 의학 분야와 달리 다소 독특한 용어를 사용하고 있다. 그러한 용어를 사용하지않고는 피부 병변을 기술하기 어려운 경우가 많다. 따라서 피부과 의사를 훈련하는 정규과정에서 피부병변을 표현하는 것은 매우 중요한 부분이다. 병변(lesion)은 어떠한 질환의 작은 부위를 일컫는 일반 용어이다. 발진(eruption 또는 rash)은 더 광범위하게 발생된 피부병변으로, 대개 여러 병변으로 구성된다. 이러한 병변들은 이차적인 변화없이 원발진 형태(예, 구진, 소수포, 농포)로 나타날수 있고 긁거나 이차 감염 등 이차적인 요인으로 변화되어 나타날수 있다(예, 딱지, 태선화, 궤양). 아래에서 언급할 부분들은 피부과 용어로 자주 접하는 내용들이다. 다음 온라인 사이트인 Merck Manuals (http://www.merckmanuals.com)에서 용어들의 임상적 예들을 확인할수 있다. 피부 병변의 모양은 진단에 실마리를 제공해 줄수 있다(표 9.1).

반점(Macule, 백반증, p.92)

반점은 피부에 색조와 질감의 변화를 보이는 국소 병변이다. 반점은 백반증처럼 저색소반으로, 주근깨(a)처럼 색소반으로, 화염상모반(b)에서는 적색반으로 나타난다.

구진(Papule, 피부섬유종, p.115)

구진은 직경 5 mm 이하의 작은 고형의 융기성 병변이다. 편평태선에서는 편평하게 튀어나온 구진으로, 황색종(xanthoma)에서는 반구형 구진으로, 모낭과 연과된 경우 뾰족한 형태의 구진으로 나타난다.

결절(Nodule, 편평세포암, p.124)

구진과 유사하지만 직경 5 mm 이상으로 큰 병변으로, 결절은 피부의 어느 층에서든 발생될수 있고 부종 또는 딱딱한 형태로 나타난다. 피부섬유종, 물질 침착 등을 예로 들수 있다.

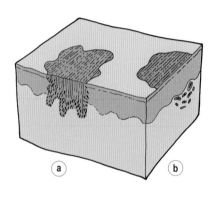

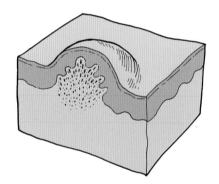

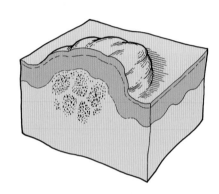

수포(Bulla, 유사천포창, p.96)

수포는 소수포와 비슷하지만 더 크고 직경이 5mm 이상이다. 수포유사천포창(a)과 보통천포창의 물집이 그 예이다.

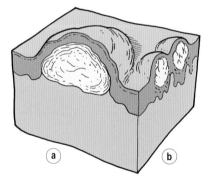

소수포(Vesicle, 포진피부염, p.96)

소수포는 직경 5 mm 이하의 작은 물집으로 표피 내와 아래에 맑은 액체가 포함되어 있다. 포진피부염에서 소수포가 무리를 이루고 있다(표피하수포). 표피내 소수포는 (b)의 그림과 같다.

피부과 용어의 용어집-1

- **농양(abscess):** 조직의 괴사에 의해 형성된 농이 국소적으로 모여 있는 병변(p.62)
- **탈모(alopecia):** 정상적으로 모발이 있는 부위에서 모발이 소실된 병변(p.94)
- **위축(atrophy):** 표피, 진피 또는 모두의 소실. 위축된 피부는 얇고, 투명하며 주름져있으며 혈관이 쉽게 드러나 보이는 병변(p.130)
- **굴(burrow):** 기생충, 특히 옴진드기에 의해 발생된 터널(p.78)
- **굳은살(callus):** 압력에 의해 대개 손발에 발생된 각질층의 국소적 비후
- **큰종기(carbuncle):** 피부와 피하조직의 괴사에 의해 발생된 종기의 집합(p.62)
- **연조직염(cellulitis):** 피부와 피하조직의 화농성염증
- **면포(comedo):** 털피지선 늘어난 구멍에 피지와 각질의 마개

- **딱지(crust):** 피부표면에 혈청, 혈액, 농 등 삼출물이 건조된 병변(p.62)
- **반출혈(ecchymosis):** 피부와 점막에 직경 2 mm이상의 적색 또는 자색의 출혈성 반점(p.88)
- **미란(erosion):** 진피까지 들어가지 않은 표피 표면의 벗겨진 병변(p.34). 흉터없이 아문다.
- **홍반(erythema):** 혈관확장에 의한 피부가 붉어짐(p.88)
- **긁은상처(excoriation):** 긁어서 생긴 얕은 창과상(p.78). 종종 선상으로 나타남.
- **열창(fissure):** 종종 진피까지 들어가 있는 표피에 발생한 선상의 갈라진 틈(p.44)
- **모낭염(folliculitis):** 모낭의 염증(p.62)
- **주근깨(freckle):** 멜라닌세포의 색소형성 증가로 발생한 반점(p.92)
- **종기(furuncle):** 모낭에 국한된 화농성 감염(p.62)

농포(Pustule, 여드름, p.80)

농포는 물집에 고름이 모여 보이는 병변이나. 농포는 감염을 시사할수 있지만(예, 종기) 항상 그렇지는 않고 건선과 같이 감염이 없이도 관찰된다.

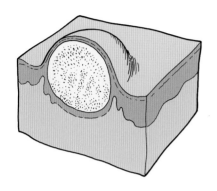

낭종(Cyst, 여드름, p.80)

낭종은 액체나 반고형 물질이 차있는 상피세포로 둘러싼 공간을 차지하는 결절이다. 표피 낭종(피지낭종)이 그 예이다.

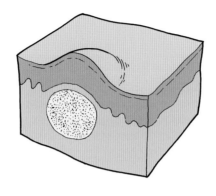

팽진(Wheal, 두드러기, p.94)

팽신은 일시석인 진피부종으로 발생한 압박으로 눌려지는 구진, 판으로, 적색 또는 흰색으로 관찰되고 대개는 두드러기를 시사한다.

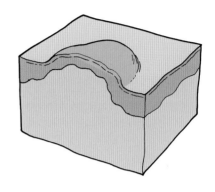

판(Plaque, 건선, p.38)

판은 직경 2 cm 이상의 크기로 편평하게 튀어나와 만져지는 병변이다. 드물게 튀어나온 높이가 5mm 이상인 경우도 있고 확장된 넓은 구진으로 생각된다. 건선 병변이나 균상식육종이 그 예이다.

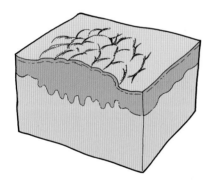

인설(Scale, 건선, p.38)

인설은 쉽게 떨어져 나가는 형태로 두꺼워진 각질층 케라틴이 모여있는 것이다. 인설은 보통 염증성 변화를 의미하고 표피가 두꺼워졌음을 의미한다. 비강진에서와 같이 가는 인설이 있을수 있고, 건선에서와 같이 하얗고 은색 인설로 나타날수 있으며(아래 사진) 어린선과 같이 크고 물고기 비늘 같은 형태로 나타날 수 있다.

궤양(Ulcer, 하지정맥궤양, p.90)

궤양은 피부로부터 진피까지 피부의 결손에 의해 주변과 경계를 이루는 병변이다. 궤양은 피부로혈액이나 영양 공급의 문제로 발생되며 말초동맥질환이 그 예이다.

피부과 용어의 용어집-2

- **괴저(gangrene)**: 보통 혈류의 소실에 의해 발생된 조직의 괴사
- **물방울모양(guttate)**: 건선의 한 형태로 자주 불리는 것으로 샤워기에서 나오는 작은 물방울 형태의 병변(p.38)
- **남성형다모증(hirsuties)**: 남성형의 과도한 모발 증식(p.84)
- **다모증(hypertrichosis)**: 안드로겐 형태가 아닌 과도한 모발 증식(p.84)
- **켈로이드(keloid)**: 퇴화되지 않고 융기되고진행하는 흉터(p.114)
- **각질피부증(keratoderma)**: 피부 각질층이 두꺼워짐(p.110)
- **각화증(keratosis)**: 피부가 볼처럼 두꺼워짐(p.130)
- **태선화(lichenification)**: 문지르고 긁어서 피부주름이 뚜렷해지는 피부의 만성 두꺼워짐(p.44)
- **비립종(milium)**: 각질을 함유한 작은 백색의 낭종(p.114)
- **유두종(papilloma)**: 피부 표면으로부터 유두 모양으로 돌출된 병변(p.114)
- **점상출혈(petechial)**: 직경 1~2 mm 크기의 출혈성 점형태의 반점(p.88)
- **다형피부증(poikiloderma)**: 과색소, 혈관확장, 피부 위축이 동시에 보이는 병변(p.128)
- **자반(purpura)**: 피부와 점막에 적색의 색조 변화를 유발하는 혈액의 혈관외유출(p.88)
- **화농피부증(pyoderma)**: 화농성 피부질환, 즉 농을 배출하는 병변(p.106)
- **흉터(scar)**: 상처부위에 정상조직이 섬유결체조직으로 대치된 병변(p.38)
- **경화증(sclerosis)**: 피하지방 조직이 전반적으로 또는 국소적으로 단단해진 병변(p.96). 때로는 진피를 침범할수 있음.
- **선조(stria)**: 피부에 위축성 선상 띠로 흰색, 핑크색, 보라색으로 나타날수 있다. 결체조직의 변화로 나타난다(p.150).
- **표적병변**: 직경 3 mm 이하의 세개의 구역을 갖는 병변으로, 중앙에는 어두운 홍반 또는 보라색으로, 바깥에는 부종에 의해 창백한 병변, 가장 외곽에는 홍반성 고리로 나타남(p.102).
- **혈관확장증**: 육안으로 관찰되는 진피내 혈관 확장(p.88)

8 | 병력청취

다른 의학분야와 마찬가지로 피부과에서도 병력청취만큼 중요한 것은 없다. 실제 병력청취는 의학 교육과정에서 매우 중요한 기술이다. 병력청취에 걸리는 시간은 환자의 불편에 따라 달라진다. 예를 들어 손에 사마귀가 있는 환자에서 병력 청취는 보통 금방 끝나지만 전신적인 가려움증을 가지고 있는 환자의 경우는 자세한 질문이 필요하다.

피부과에서 병력청취에서는 5가지 기본적인 조사가 필요하다. 주증상, 질환 과거력, 사회력 및 직업력, 가족력, 약물 복용력이 그것이다. 피부질환을 위한 병력청취에 대해 도움이 될만한 온라인 자료는 "Fastbleep" (http:.www.fastbleep.com/)에서 얻을수 있다.

주소(Presenting complaint)

진단 전에 문제가 언제, 어디서, 어떻게 시작되었는지, 처음 병변이 어떻게 보였는지, 병변이 진행하고 확대되었는지 등을 확인하는 것이 필수적이다. 피부 질환에서의 주증상인 소양증과 같은 증상을 자외선과 같은 악화 요인을 함께 기록해야 한다. 피부 발진이 환자가 일상 생활에서 업무를 수행하는 데 얼마나 영향을 미치는지를 평가해야 한다. 만성질환의 경우 환자의 삶의 질과 정신적 건강에 미치는 영향도 평가해야한다. Dermatology Life Quality Index나 Psoriasis Area Severity Index와 같은 점수를 통해 그 영향을 기록하는 것이 필요하다.

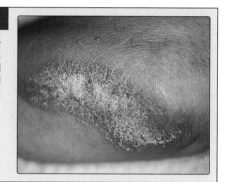

증례 1

은행에 근무하는 18세 남자가 내원 6개월 전에 좌측 팔꿈치에 각질을 동반한 홍반성 판이 발생하였다(그림 8.1). 병변은 반대쪽 팔꿈치와 양쪽 무릎으로 퍼지는 양상을 보였고 가려움증은 동반되지 않았다. 두피의 인설과 조갑이상이 발생되었다. 환자의 어머니 역시 비슷한 발진을 갖고 있었다.

진단: 건선(p.38)

그림 8.1 팔꿈치에 건선판.

질환 과거력(Past medical history)

환자에게 기존에 피부질환이 있었는지 건초열 (hay fever), 천식, 소아성 습진과 같은 아토피 증상이 있었는지 확인이 필요하다. 내과적인 문제가 연관이 있을 수 있어서 이러한 내과 질환이 직접적으로 피부에 영향을 주는지 아니면 어떤 특정 피부 질환과 연관이 있는지 확인이 필요하다. 처방약이나 스스로 복용하고 있는 약이 발진을 유발할 수도 있다. 일부 아토피 습진 환자에서는 섭취하는 음식물 종류가 중요할 수 있지만(p.50) 음식물이 피부질환의 원인으로 잘못 오인되는 경우도 있다. 알고 있는 알레르기와 이러한 알레르기의 특성 역시 기록되어야 한다.

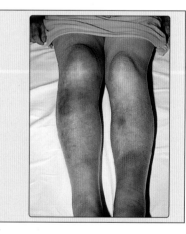

증례 2

29세 여자가 최근 호흡기내과에서 폐유육종증으로 진단을 받고 의뢰되었다. 지난 3주 사이에 정강이 부위에 압통과 열감을 동반한 홍반성 결절이 발생하였다 (그림8.2). 현재 복용하는 약제는 없고 피부절개생검을 통해 임상적 추정을 확인하였다.

진단: 결절홍반(p.103)

그림 8.2 하지에 발생된 결절홍반. (From Weller R, Hunter JAA, Savin J, Dahl M, 2009. Clinical Dermatology, 4th edn. Wiley-Blackwell, with permission.)

사회력 및 직업력(Social and occupational history)

많은 사회적 요인이 환자의 피부 주증상의 원인이 되고 영향을 줄 수 있으며 반대로 피부 증상에 의해 사회 생활에 영향을 줄 수 있다. 직업적 노출 역시 접촉 피부염이나 다른 피부 변화를 유발할 수 있기 때문에 환자가 본인이 하는 일이 어떤 일인지 정확히 설명하도록 해야한다. 만약 환자가 기존에 하던 일을 중단한후 피부 증상이 호전되었다면 직업적 요인을 반드시 의심해야 한다. 환자가 가진 취미에 따라 어떤 물건이나 화학물질의 접촉에 의해 접촉피부염이

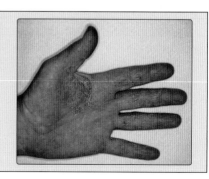

증례 3

프린터 제조업에 근무하는 45세 남자가 6개월 동안 손에 피부염이 발생하였다(그림.8.3). 수개월전 환자는 trichloroethylene이라는 용매제를 사용하기 시작했다. 첩포검사에서는 음성이었다. 다른 용매제로 바꾼 이후 발진은 소실되었다.

진단: 자극성 접촉피부염(p.44)

그림 8.3 손바닥에 발생한 자극성 접촉피부염.

발생될 수도 있다. 환자가 사는 환경과 가정 환경을 아는 것도 피부 병변의 발생을 이해하고 치료를 결정하는데 도움이 된다. 특히 간독성을 일으킬 가능성이 있는 약물의 사용이 고려된다면 음주력 역시 다른 요인과 마찬가지로 확인되어야 한다. 더운 기후에 살거나 여행하는 경우 다양한 열대, 아열대 감염에 노출될 가능성이 있고 강한 자외선에 노출될 가능성이 있다.

가족력(Family history)

가족력에 대해 잘 파악하는 것이 필수적이다. 결절경화증과 같이 분명한 피부징후를 동반하는 몇몇 질환은 유전질환이다. 건선과 아토피 습진 같은 질환은 강한 유전소인을 갖고 있다. 가족력 조사는 유전질환 뿐만 아니라 다른 가족 구성원이 최근에 환자와 유사한 발진이 나타났는지 확인하여 감염 또는 기생충 감염에 의한 질환인지 확인하는데 중요하다. 때로는 성 접촉에 대해 물어보는 것도 필요하다.

증례 4

18세 남자 학생에서 3개월간 지속된 손, 손목, 성기 부위에 심하게 가려운 구진성 발진이 발생하였다(표 8.1). 몇몇 병변은 긁은 상처를 보였다(그림.8.4). 강한 국소스테로이드 치료는 도움이 되지 않았다. 환자의 여자친구가 최근에 소양증을 동반한 병변이 발생하였다. 피부 병변을 자세히 살펴보았을 때, 굴(burrow)이 관찰되었다.

진단: 옴(p.79)

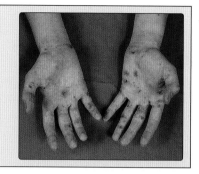

그림 8.4 옴의 긁은 상처 병변.

증례 5

판매 보조원으로 근무하는 25세 여자가 등과가슴 부위에 갈색 반점을 호소하였다(그림.8.5). 갈색 반점은 소아기에 처음 나타나서 수와 크기가 점차적으로 증가하였다. 10대에는 몸통에 여러 개의 부드러운 분홍색의 무통성 결절이 발생하였고 일부는 자루모양(pedunculated)을 보였다. 환자의 아버지는 소수의 유사 결절이 나이들어 발생하였고 환자의 두 남자 형제 중 한명이 갈색 반점이 있었다.

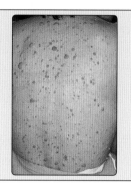

그림 8.5 등에 발생한 다발성 피부섬유종.

표 8.1 소양성 발진: 진단

증상	가능한 진단
심한 소양성 발진	옴
	편평태선
	포진피부염
	두드러기
	습진
	곤충교상

약물 복용력(Drug history)

처방약과 자가 복용약이 약물 발진을 유발할 수 있다. 거의 모든 환자가 피부 발진에 대해 일반의약품을 바르거나 친구 또는 친척의 연고를 바른 적이 있고 그 중 많은 사람들이 부적절한 약물을 사용했거나 자극성 또는 알레르기 반응을 유발할 수 있는 약제를 처방 받아왔다. 환자가 관련이 없다고 생각하는 일반의약품 연고와 경구약을 포함한 모든 약제에 대해 환자에게 물어봐야 한다. 화장품, 세정용티슈, 보습제 역시 피부염의 원인이 될 수 있어 이러한 제품 사용에 대해서도 구체적으로 물어봐야 한다.

증례 6

68세 여자가 이마에 경미한 자극감이 있는 발진이 있어 약국에서 구입한 항히스타민제가 함유된 크림을 도포하였다. 연고를 도포한지 24시간이 지나지 않아 얼굴에 심한 부종이 발생하였다(그림 8.6). 추후 시행한 첩포검사에서 사용한 크림에 대해 알레르기 반응이 나타났다.

진단: 약제에 의한 접촉 피부염(p.48)

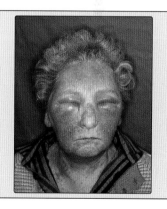

그림 8.6 국소 항히스타민제 연고에 대한 급성 알레르기 접촉 피부염.

증례 7

비서로 근무중인 18세 여자가 진균감염으로 griseofulvin을 처방 받았다. 일광욕을 하고 난 12시간후 햇빛 노출부위에 발진이 나타났다(그림8.7).

진단: 광독성 약물발진(p.60)

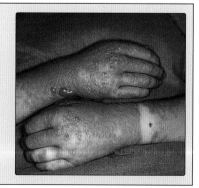

그림 8.7 급성 광독성 약물발진.

병력청취

- 발진과 병변의 특성과 시간에 따른 경과를 알아낸다.
- 아토피 증상, 일반적인 내과적 상태, 해외 여행에 대해 묻는다.
- 사회력, 직업력, 가족력을 통해 관련될 수 있는 부분을 파악한다. 친척 중에 습진, 건선이 있는지 묻는다.
- 질환이 일과 일상생활에 영향을 끼치는지 확인하라
- 국소 약제를 비롯해 최근 사용한 약제에 대해 기록하다
- 화장품의 사용을 물어보고 관련된 경우에는 햇빛 노출과 자외선 노출과의 연관성을 묻는다.

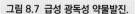

9 피부검사

피부는 좋은 자연 조명 아래에서 관찰이 필요하다. 몸 전체를 검사하는 것이 이상적이며 특히 비전형적 발진이 전체적으로 퍼져있을 때는 필수적이다(그림 9.1). 전신의 피부를 관찰하는 것은 환자가 인지하지 못하거나 중요치 않다고 생각하는 진단적인 병변을 찾는 데 도움을 줄 수 있다. 노인의 경우에는 철저한 피부 검사를 통해 기대치 않게 치료가 가능한 피부암을 조기에 발견할 수 있다.

피부검사는 피부과 전문의가 아닌 경우 어려울 수 있고 초보자들은 다음과 같은 내용을 따르는 것이 중요하다.

- 병변의 분포와 색깔을 확인한다.
- 개별 병변의 모양, 크기, 모양, 경계부의 변화, 공간적 배열을 조사한다. 또한 촉진을 통해 병변의 경도를 확인한다.
- 조갑, 모발, 점막을 평가하고 때로는 림프절비대와 같은 전신 검사를 같이 시행한다.
- 구강, 성기부, 음부를 조사하거나 감염된 병변을 검사할 때는 장갑을 끼도록 한다.
- 필요에 따라 적절한 검사법을 사용한다. 예를 들어 더모스코피(dermoscopy), 진균을 확인하기 위한 KOH 검사, 우드등 검사가 있다.

피부검사는 환자의 소견을 묘사하는 능력으로 중요한 교과 과정의 기술이다. 온라인 상에 미국 피부과학회에서는 피부과 검사에 대한 다양한 가이드를 제시하고 있다(https://www.aad.org/ 를 통해 "The skin exam"을 통해 확인할 수 있다).

피부 발진과 병변의 분포

환자로부터 거리를 두고 발진의 양상을 관찰한다(그림 9.1). 병변이 국소적으로 분포하는지(예. 종양) 광범위한지(예. 발진)를 평가한다. 광범위하게 분포하는 경우 발진이 대칭적인지 그렇다면 몸의 말단부에 존재하는지 중앙부에 집중되어 있는지를 평가한다. 병변이 굴측부에 존재하는지(예. 아토피피부염) 신측부에 존재하는지(예. 건선)도 평가를 한다. 병변이 광선노출부위에 국한되어 있는지 선상 배열을 하는지도 조사를 한다. 피부분절 분포를 보이는 경우도 있다. 대상포진은 피부분절의 분포를 보이는 가장 흔한 예이지만 몇몇 모반 역시 이러한 형태를 보이거나 Blaschko 선의 분포를 따르기도 한다(p.13). 병변의 발생이 특정 부위에 국한된 형태를 갖는 경우(예. 사타구니, 겨드랑이 분포) 숙련된 피부과 의사에게는 특정 진단을 의심하게 할 수 있다(그림 9.1). 예를 들어 물방울모양건선과 어루러기는 몸통에 발생하지만 편평태선은 종종 손목 주위에 발생하고 접촉피부염은 얼굴, 발, 손을 빈번히 침범한다. 이러한 병변의 분포에 영향을 미치는 인자들은 복잡하지만 이는 피부의 해부학적 특성, 즉 혈관, 신경, 피부부속기, 발생학적인 선, 그리고 환경(예. 겨드랑이의 습한 환경, 화장품 접촉, 옷, 직업에서 노출되는 물질, 햇빛 노출) 등에 영향을 받는다.

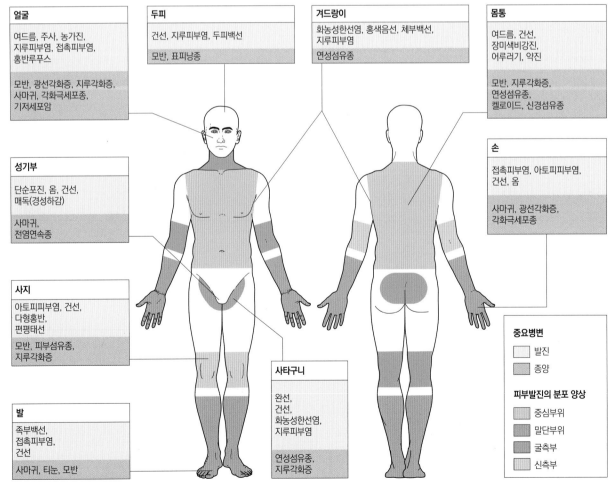

그림 9.1 병변 분포에 따른 의심 질환들.

증례 1

8세 여아가 12개월간 팔 오금과 다리 오금 부위에 소양증을 동반한 발진을 갖고 있었다. 환아의 엄마는 이럴 때 비슷한 발진을 갖고 있었다. 병변의 분포와 모양은 특징적이었다.

진단: 아토피피부염(p.50)

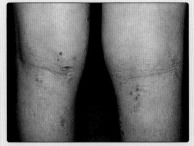

그림 9.2 다리 오금부위에 발생한 아토피피부염.

증례 2

6주 전부터 25세 남자가 왼쪽 다리 내측으로 선상으로 아래로 길게 이어지는 발진을 보였고 경미하게 소양증을 호소하였다(그림 9.3). 선상의 발진을 보이는 피부 병변으로 편평태선, 피부경화증, 건선, 선상표피모반이 있다.

진단: 선상태선, 원인불명의 저절로 호전되는 염증성피부염

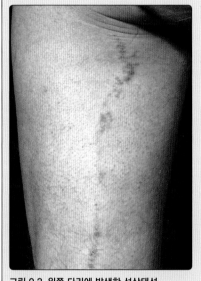

그림 9.3 왼쪽 다리에 발생한 선상태선.

개별 병변의 모양

더모스코피나 확대경은 개별 병변을 관찰하는데 도움이 된다. 촉진(종종 의대생이 도외시하는,) 병변의 경도, 깊이, 질감을 확인하는 것이 중요하다. 병변의 정의는 p.16–17에 있다.

병변은 동일 형태로 나타나거나(예. 물방울모양건선) 여러가지 형태로(예. 수두) 보일 수 있다. 일차병변 위에 이차적인 변화가 나타날 수도 있다. 병변들이 어떠한 배열을 보이는 지가 진단에 유용한 경우가 있다(표 9.1). 병변이 그룹을 이루는지 선상 또는 고리모양을 이루거나 또는 다른 배열을 보이는지(표 9.2)를 확인해야 한다. 긁힌 자리에 선상으로 병변이 나타나는 것처럼 외상 부위에 병변이 발생되는 쾨브너현상(p.39)을 보이는 지도 확인해야한다.

표 9.1 병변의 배열양상

배열(configuration)	질환
선상(linear)	건선, 선상태선, 선상표피모반, 편평태선, 피부경화증
무리(grouped)	포진피부염, 곤충교상, 단순포진, 전염연속종
고리모양(annular)	체부백선, 균상식육종, 두드러기, 고리육아종, 고리홍반
쾨브너현상(Koebner phenomenon)	편평태선, 건선, 사마귀, 전염연속종, 육아종증, 백반증

조갑, 모발, 점막

조갑, 두피, 모발은 빈번하게 진단에 도움이 되고 질병특이적인 소견을 보여준다(p.84–87). 편평태선에서 Wickham 선조에 의한 구강 병변, Kaposi육종에서의 구강 병변, 경화위축태선에서의 음문 침범과 같이, 드물거나 비특이적인 발진으로 구강과 성기부 점막에 중요한 소견이 나타날 수 있다.

전신검사

피부암이 있는 환자에서는 림프절 촉지가 중요하다. 피부 림프종 환자에서 림프절종대와 간비장종대를 확인하기 위한 전신 검사가 필요하다. 다리 궤양이 있는 경우에는 발의 동맥 촉지가 필요하다.

질병 이환의 평가와 중요 검사

많은 피부질환에서 다음 장에 기술된 검사들이 진단에 도움이 된다. 사진 촬영은 종종 환자의 피부 질환 상태를 기록하고 경과관찰시 병변을 비교하는데 도움이 된다. 원격피부과진료는 일반의가 찍은 사진을 바탕으로 환자로부터 멀리 떨어진 곳에서 피부과의사가 온라인으로 진단과 치료를 할 수 있다.

피부질환의 최근 치료는 질환의 중증도 평가, 약물의 투여와 모니터링의 영향을 평가해야 한다. 예를 들어 National Institute for Health and Clinical Excellence (NICE)에서는 건선 환자의 경우 생물학적 약제를 사용하기 전에 Psoriasis Area and Severity Index (PASI)에 따라 중증도를 평가하도록 권장하고 있다. 13장에서 이에 대해 자세히 기술할 것이다.

표 9.2 피부병변의 추가 기술 용어

모양	정의	예
활모양(arcuate)	불완전한 원형	두드러기, p.94
원형(circinate)	Ring-shaped outline	귀두염, p.156
손가락모양(digitate)	Like a finger's touch	만성표재피부염, p.128
원반모양(discoid)	Filled circle	원판피부염, p.52
청피반(livedo)	서로교차되는 닭장 철사모양	열성홍반, p.102
꽃잎모양(petaloid)	Merged discoid lesion	몸통의 지루피부염, p.56
다환의(polycyclic)	Merged or superimposed circles	두드러기, p.94
그물모양(reticulate)	Lace-like pattern	구강 편평태선, p.54
사행성(serpiginous)	Snake-like tracks	뉴중이동증, p.78
별모양(stellate)	Star-shaped	흉터
소용돌이(whorled)	Swirling pattern	색소실조증, p.112

피부검사

- 피부표면 전체를 검사한다.
- 더모스코피(p.24)나 조명이 좋은 확대경을 이용한다.
- 표면질감을 평가하기 위해 피부병변을 부드럽게 촉지한다.
- 조갑, 모발, 점막(구강, 성기)을 확인한다.
- 병변의 분포, 개별 병변의 모양, 배열을 관찰한다.
- 필요한 경우 중증도 수치를 평가한다(p.30).
- 진균감염이 의심되면 배양을 위해 찰과표본을 채취한다.

10 | 실제 임상술기

피부과 의사는 매일 임상에서 여러가지 진단 및 치료 술기를 사용한다.

진단 술기

피부질환을 진단하는 능력은 병변을 잘 관찰하기 위해 더 좋은 방법을 사용하거나 샘플을 적절히 채취하여 실험실적 검사를 수행함으로써 향상된다. 첩포검사와 단자검사는 48, 164페이지에 설명되어 있다.

더모스코피, 진균배양과 현미경 검사를 위한 샘플 채취, 옴 진드기 확인, 우드등 사용, 도플러초음파를 수행하는 능력, 피부묘기증 확인 등이 일반적인 피부과에서 중요한 실제적인 술기들이다. 이러한 술기와 함께 병변내주사, 피부각질제거(paring)과 같은 치료술기 역시 Speciality Training in Dermatology of the Joint Royal Colleges of Physicians Training Board (http://www.jrcptb.org.uk/) 의 정규과정에 포함된다. 의대생이나 전공의들이 이러한 영역의 기술을 습득하는데 도움을 받을 수 있는 여러 온라인 자료가 유튜브 등에 존재한다.

확대경과 더모스코피의 사용

확대경은 모간에 붙어있는 서캐(nits)나 옴진드기의 굴(burrow)과 같은 작은 병변을 보는데 도움이 된다(그림 10.1). 하지만 더모스코피는 색소성 병변에서 특히 중요한 정도를 제공한다(p.24). 확대경으로도 색소성 병변의 진단에 도움이 될 수 있는 다음의 소견들을 파악할 수 있다.

- 병변의 대칭성
- 색소의 패턴
- pigment network에서 blue-white structures

미생물 검체

세균과 바이러스 배양을 위해 면봉으로 검체 채취는 농이나 삼출물이 있는 부위로부터 이루어진다.

진균 진단을 위한 현미경검사 및 배양은 다음과 같은 방법으로 이루어진다.

- 병변의 활동성 각질이 있는 경계부로부터 일회용 수술용 칼날이 피부에 수직이 되도록 긁어 검체를 채취한다.
- 조갑은 손톱깎이나 수술용 칼날을 이용해 조갑 아래 부스러기나 조갑 끝부분으로부터 검체를 채취한다.
- 모발은 모근이 종종 감염되어 있기 때문에 모발을 뽑아서 검체를 채취해야한다. 물론 수술용 칼날을 이용한 검체 채취 역시 유용하다.

검체는 작은 크기의 검은 종이 위에나 현미

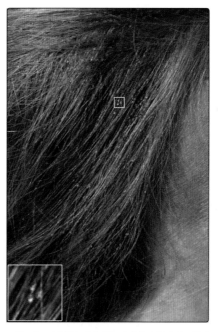

그림 10.1 모간에 머릿니와 서캐가 관찰된다. 확대경을 사용해서 잘 관찰할 수 있다.

경 슬라이드 위에 모은다(그림 10.2). 20% 수산화칼륨(KOH) 용액에 긁어 모은 검체를 녹인 후 현미경으로 관찰하여 균사를 확인하게 된다(그림 10.3).

옴진드기 검사

피부과 의사는 종종 진드기를 확인해야할 경우가 있다(p.78). 검사는 다음과 같은 방법으로 이루어진다.

- 작은 바늘을 이용해 진드기를 제거하고 현미경 슬라이드 위에 올려 관찰한다(굴(burrow) 안쪽 끝에 진드기가 있는 경우는 진드기를 찾기 어려울 수 있다).
- 더모스코피를 이용해 진드기를 확인할수 있으며 dark triangle 형태로 보인다.
- 수술용 칼날로 표면을 긁어서 검체를 모은 뒤 현미경으로 관찰한다.

우드등 검사 (Wood's light examination)

우드등은 손에 쥐고 사용할수 있는 자외선 A가 방출되는 장비로 암실에서 피부를 관찰하여 자외선 형광이 나타나는 특정 형태를 통해 피부질환을 진단하는데 사용된다. 특히 다음과 같은 경우에 사용된다.

- 백반증의 범위를 결정한다.
- 결절성경화증에서 저색소반을 확인한다.
- 홍색음선과 같은 세균감염을 진단한다(p.64).
- Microspora species에 의한 두피백선을 진단한다.

피부묘기증(Dermographism)

증상을 동반한 피부묘기증을 지닌 환자에서 피부에 강한 자극을 주면 팽진이 발생한다(p.94). 한랭 유발 두드러기는 피부에 얼음 조각을 올려두면 유발될 수 있다. 색소성두드러기(urticaria pigmentosa) 병변을 문지르면 국소적으로 팽진이 발생한다(p.144).

초음파 검사

하지 궤양이 있는 환자를 관리할 때는 발목상완지수(ankle/brachial blood pressure index (ABPI))를 측정하는 것이 필요하다. 압박치료(compression therapy)를 할 때는 ABPI가 0.8 이상이어야 한다.

Monochromater와 solar simulator를 이용한 광선검사

광선검사는 피부질환이 자외선 광선이 원인이거나 드물게 가시광선 파장에 의해 발생할 때 시행된다(p.134). Monochromator는 빛을 서로 다른 파장으로 분리할 수 있다. 환자의 등에 직경 5 mm 정도의 작은 크기로 서로 다른 파장의 빛을 다양한 광량으로 조사한다. Solar simulator로는 환자의 복부에 직경 2 cm 크기로 조사한다(그림 10.4). 자외선과 가시광선 조사는 영국 여름철에 20분 가량 햇빛에 노출되는 용량과 유사하다. 광선이 조사된 부위는 하루 뒤에 내원하도록 하여 홍반을 유발한 파장과 광량을 확인하며, solar simulator는 발진을 유발하였는지 확인한다. 일광두드러기가 의심되는 경우는 광선을 조사한지 수분 내에 조사부위를 확인해야한다. 광과민 약제를 복용하거나 바르거나 또는 국소 스테로이드를 바르는 것은 광선검사의 금기 사항이다. 가장 흔한 광과민피부염은 다형광발진이다(polymorphic light eruption) (p.60).

치료 술기

피부과 의사는 임상에서 비수술적 방법을 사용한다. 수술적 방법과 냉동치료는 다른 곳에서 다루기로 하겠다(p.136).

병변 내 스테로이드 주사

피부에 스테로이드를 주사하는 것은 여러가지 질환의 치료에 유용하다.

- 원형탈모증
- 켈로이드 또는 비대흉터(hypertrophic scar)
- 여드름 낭종(acne cysts)

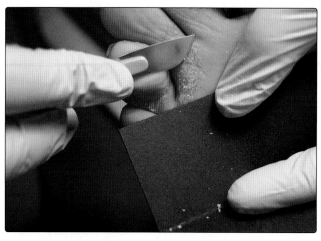

그림 10.2 진균감염이 의심되는 병변의 가장자리로부터 일회용 수술 칼날을 이용해 각질을 긁어 검체를 채취한다.

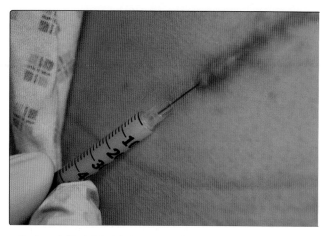

그림 10.5 비대흉터에서 병변내 스테로이드 주사.

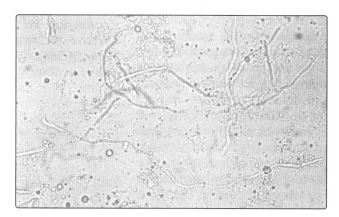

그림 10.3 검체로부터 진균 균사가 관찰되는 현미경 소견.

- 고리육아종(granuloma annulare)
- 비대편평태선(hypertrophic lichen planus)
- 결절양진(prurigo nodularis)
- 조갑 건선

　　Triamcinolone acetonide (10 mg/mL)를 인슐린 실린지에 넣어 사용한다. 0.1–1.0 ml 정도를 진피 중간부위나 심부에 주입하게 된다(그림 10.5). 중요 부작용으로는 피부 위축, 저색소, 혈관확장이 있다. 때로는 사마귀에서 bleomycin 주입과 같이 다른 물질을 피부에 주사하는 경우가 있다(p.67).

피부각질제거(paring of skin)

일회용 수술용 칼날을 이용해 손, 발에 각질이 두껍게 앉은 부위를 깎아 내는 것이 진단과 치료에 도움이 된다.

- 진단: 두꺼운 각질아래 병변을 확인하여 진단에 도움이 된다. 사마귀에서 점상의 혈전성 모세혈관을 관찰할 수 있고 발뒤꿈치에 신발에 의한 마찰로 발생되는 병변의 경우는 표피내 작은 혈종을 관찰할 수 있다.
- 치료: 중족골(metatarsals)에 생긴 굳은살의 경우 각질을 제거함으로써 굳은살로 인한 압력을 줄일 수 있다.

　　발에 굳은살은 외부의 압력과 발의 비정상적인 해부학적 구조 사이의 상호작용으로 발생하게 된다. 발치료 전문가의 조언이 보통 도움이 된다.

부식성 화학물질의 사용(Use of caustics)

눈 주위에 발생하는 안검황색종은 trichloroacetic acid (TCA, 30–50%) 용액을 마른 면도포 스틱에 묻혀 조심스럽게 병변에 치료할 수 있다. 눈을 보호하기 위해 각별히 주의를 요한다. 이 치료는 술기에 경험이 많은 시술자에 의해서만 이루어 져야한다. TCA를 병변에 바르면 병변이 수초내에 frosting에 의해 하얗게 변하고, 수일이 지난 후에 치료된 피부가 벗겨진다.

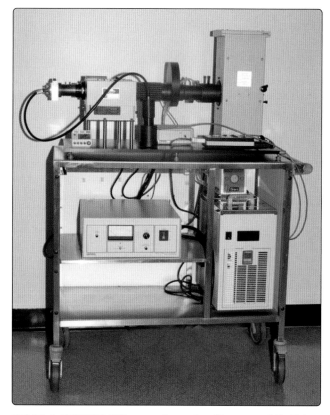

그림 10.4 광선검사를 위한 monochromator (Courtesy of Dr Robert Sarkany, St Thomas Hospital, London)

피부과에서의 시술들

- 확대경은 피부병변을 검사하는데 유용하다. 더모스코피는 색소성 병변을 확인하는데 가장 좋다.
- 진균 검사를 위한 피부 각질 검체 채취는 일회용 수술용 칼날을 이용해 의심 병변의 가장자리 경계부로부터 이루어지고 검은 종이 위에 검체를 모은다.
- 우드등은 백반증의 범위를 확인하거나 홍색음선 또는 두피백선의 진단을 위해 사용된다.
- 병변 내 triamcinolone주사는 원형탈모증, 켈로이드, 여드름 낭종 등과 같은 피부질환의 치료에 유용하게 사용된다. 피부 위축이 부작용으로 발생될 수 있다.
- 피부각질제거(paring)는 사마귀와 같이 피부 아래 병변을 확인하는 데 사용하거나 굳은살의 치료에 시행된다.
- 광선검사는 다형광발진과 같은 광과민발진의 진단에 유용하다.
- 부식성 화학물질의 도포: TCA는 안검황색종의 치료시 조심스럽게 사용될 수 있다.

11 | 더모스코피(Dermoscopy)

피부과 의사들은 손으로 쥐고 사용하는 조명이 달린 확대경으로 병변을 면밀히 관찰하는 연습을 오랜 기간 해 왔다. 1990년대에 개발된 더모스코피(dermoscopy 또는 dermatoscopy)는 피부 표면의 빛 반사를 줄여, 전통적인 조명보다 피부 구조 내에 더 깊은 곳을 관찰할 수 있도록 한다. 더모스코피는 기저세포암, 혈관종, 지루각화증, 피부섬유종, 청색모반, 피지선증식증 및 멜라닌세포 병변을 관찰하는데 도움이 된다. 특히 사용할 때 두 가지 접근법이 사용된다.

Contact dermoscopy

사용자들은 피부표면에 액체를 바르고 더모스코피를 접촉시켜 병변을 관찰한다. 사용되는 액체는 오일, 70% 에탄올 또는 isopropanol, KY lubricant, 초음파 겔 등이 있지만 최근 대부분 사용자들은 널리 사용되는 알코올 손소독제를 사용한다. 사용자들은 관찰할 때 안구표면에 젤의 접촉을 피하도록 주의해야 한다. 접촉을 통해 병변을 관찰할 수 있는 여러 상품들 중에 합리적인 선택이 필요하다(그림 11.1).

Polarized dermoscopy

이 사용법은 더모스코피를 병변에 직접 접촉할 필요가 없이, 편광이 방출되는 더모스코피를 이용한다(그림 11.2). 접촉이 필요 없는 더모스코피는 여러 병변을 빠르게 확인할 수 있고, 환자에게 직접 접촉할 필요가 없다는 장점이 있다. 하지만 이 방법으로 관찰되는 소견은 전통적인 접촉을 통한 더모스코피 소견과는 다소 다르고 일반적으로 푸른선이 덜 나타나고 하얀선이 더 많이 나타난다. 접촉이 필요없는 더모스코피 대부분은 편광이 아닌 빛도 방출하기 때문에 병변에 더모스코피를 접촉하여 관찰할 수도 있다.

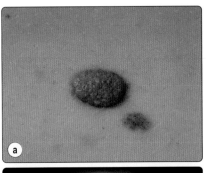
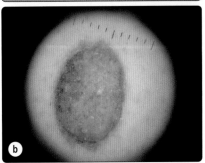

그림 11.1 중심에 비정형의 병변 주변에 대칭적으로 배열된 색소를 보여주는 양성 멜라닌세포모반의 육안적 소견(a)과 더모스코피 소견(b). 콤마 모양의 혈관이 보인다.

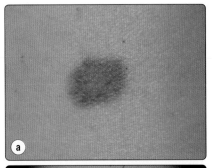
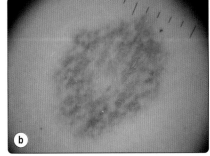

그림 11.2 중간에 피부색의 비정형 소견이 관찰되고 잘 정리되고 대칭적인 형태로 보이는 양성 멜라닌세포모반의 육안적 소견(a)과 더모스코피 소견(b).

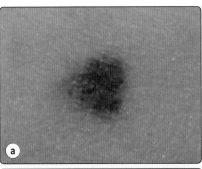
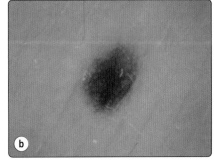

그림 11.3 규칙적이고 대칭적인 색소형태를 보여며 가장자리로 pigment network가 희미해지는 양성 멜라닌세포모반의 육안적 소견(a)과 더모스코피 소견(b).

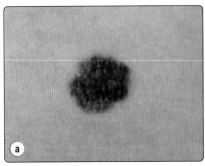
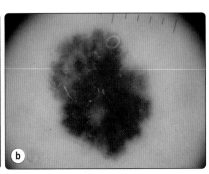

그림 11.4 비정형의 갈색/검은색의 색소와 중앙부의 blue white veil이 관찰되고 12시에 irregular globules, 분홍색의 색소가 관찰되는 침습적 흑색종의 육안적 소견(a)과 더모스코피 소견(b).

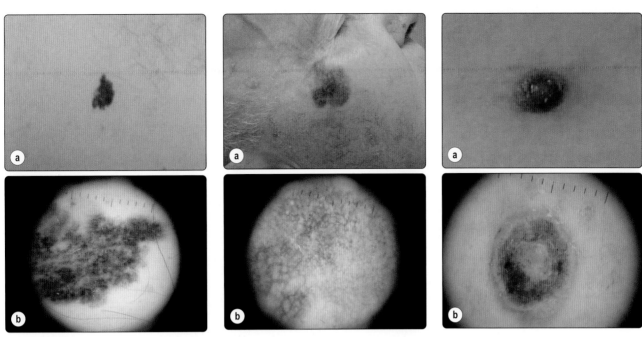

그림 11.5 흑색종의 육안적 소견(a)과 더모스코피 소견(b). 비대칭 병변, atypical dots와 blue grey structures를 보이는 irregular pigment network.

그림 11.6 악성흑자(lentigo maligna)의 육안적 소견(a)과 더모스코피 소견(b). 다양한 정도의 모공주위 색소. Grey circles, 비대칭의 grey black dots.

그림 11.7 멜라닌결핍성 흑색종(amelanotic melanoma)의 육안적 소견(a)과 더모스코피 소견(b). 더모스코피 소견이 진단적이지 않다. 분홍색 결절은 주의깊게 관리되어야 한다.

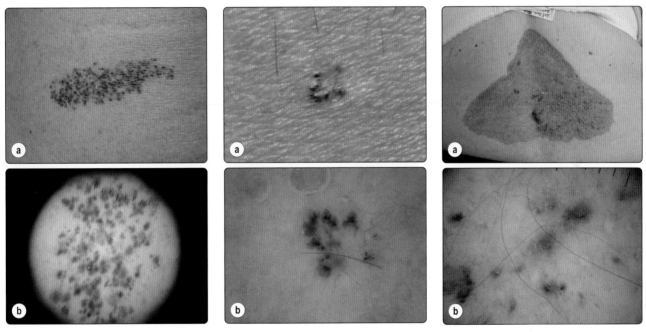

그림 11.8 양성 선천성 색소모반(benign congenital naevus)의 육안적 소견(a)과 더모스코피 소견(b).

그림 11.9 색소성 기저세포암(pigmented basal cell carcinoma)의 육안적 소견(a)과 더모스코피 소견(b). 전형적인 arborizing vessels, pigmented radial circumferential lines이 관찰된다

그림 11.10 결절성, 표재성 형태를 모두 갖는 거대 색소성 기저세포암(large pigmented BCC)의 육안적 소견(a)과 더모스코피 소견(b).

그림 11.11 편평세포암(squamous cell carcinoma)의 육안적 소견(a)과 더모스코피 소견(b). 더모스코피 소견은 진형적이지 않지만 뚜렷하게 keratotic nature를 보이고 BCC의 형태를 갖고있지 않다는 점이 감별점이다.

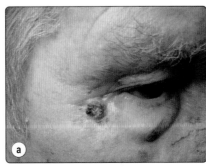
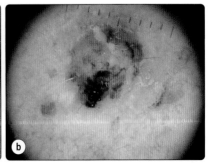

더모스코피 검사

피부검사를 하는 어떠한 검사자이든지 더모스 코피를 사용할 수 있다. 하지만 적절한 훈련없이 병변을 평가하게 되면 진단율이 향상되기 보다 는 오히려 나빠질 수 있다고 보고한 연구가 있으 며, 이 때문에 새로운 사용자들을 위한 적절한 교육과정이 필요하다. 더모스코피를 사용하는 목적은 진단의 정확성을 향상시키는 것이지만, 종합적인 병력 조사와 적절한 피부검사를 먼저 한 이후 추가적으로 사용할 것을 추천한다. 더 모스코피를 사용함으로써 양성질환의 절제를 줄이고 절제를 통한 악성질환의 확인이 늘어나 는 것으로 보고되고 있다. 더모스코피 개발자들 의 처음 의도에도 불구하고 양성 병변을 인지하 는 능력을 향상시키는 것이 처음 습득해야하는 가장 쉬운 방법이 될 것이다. 멜라닌세포 병변의 경우는 경험이 있는 피부과 의사에게도 아주 어 려운 부분이다. 최근에는 염증성 질환 진단의 보조적인 방법으로 더모스코피의 사용 가능성 이 늘어나고 있다.

더모스코피 알고리즘

더모스코피가 개발된 이후 사용자들을 위해 이 미지 분석을 도와주는 다양한 알고리즘 방법이 출간되었다. Menzies method (Menzies, 1996), seven−point checklist (Argenziano, 1998), three−point checklist (Soyer, 2000), modified pattern analysis (Kittler, 2007) 등이 그 예이 다. Three−point checklist는 다음 어느 하나의 소견이 보이는 멜라닌세포 병변은 절제를 권한 다. (i) 색소와 구조의 비대칭성, (ii) 비전형적인 pigment network, (iii) blue white structure가 그 것이다. 많은 알고리즘이 여전히 널리 사용되 지만 Kittler방법은 적은 용어/어휘를 사용하는 장점과 함께 비교가 되는 은유적표현은 쓰지 않 는다(예: branching vessels vs arborizing ves-sels)(표 11.1).

미래의 기술

더모스코피가 독립된 사용자를 위해 고안되었 지만 이미지 캡쳐를 위한 카메라, 스마트폰, 태 블릿 컴퓨터 등과의 연결이 가능하다. 컴퓨터가 머신러닝을 통한 알고리즘 기반 이미지 분석을 수행하는 것이 피부과 의사의 평가와 유사한 정 도의 능력을 보이는 것이 2017년 Nature지에 발

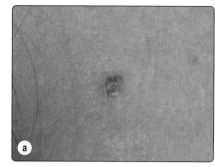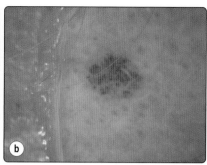

그림 11.12 혈관종의 육안적 소견(a)과 더모스코피 소견(b). 분홍색 물질로 채워져 있는 분명하게 붉거나 자 색의 혈관 lacunae가 관찰됨.

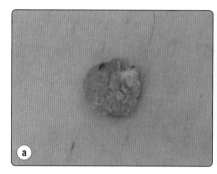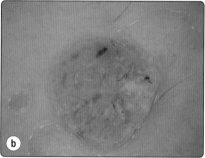

그림 11.13 지루각화증의 육안적 소견(a)과 더모스코피 소견(b). 노랗고 갈색의 곡물모양 덩어리와 흰 덩어 리가 산재되어 있는 모양.

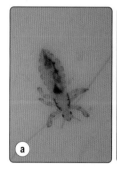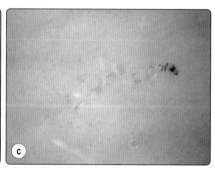

그림 11.14 절지동물(arthropods)의 더모스코피 소견. (a)머릿니; (b)라임병을 옮기는 Ixodex ricinus 진드 기; (c)'jet-plane and trail'형태를 보이는 옴.

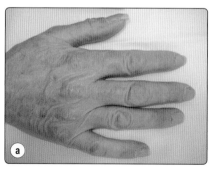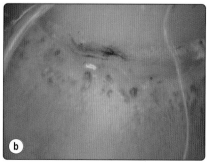

그림 11.15 염증성 질환의 육안적소견(a)과 더모스코피 소견(b). 손등 손가락 부위에 존재하는 Gottron 구 진을 보여주는 피부근염. 조갑주름(nail fold) 염증은 더모스코피상 특징적으로 확장된 모세혈관 고리(capillary loops)를 보여준다.

표된 바 있고(Esteva et al. Nature. 2017;542 (7639):115–118), 2019년 또다른 저널에서는 피부과 의사에 비해 더 우수하다고 발표된바 있다 (Brinker et al. Eur J Cancer. 2019;113:47–54).

각 연구마다의 조건과 실제 임상적 상황 사이에 여전히 격차가 있겠지만 이러한 소프트웨어 기반 기술이 피부과 의사 나아가 일반 임상의사들의 보조적인 진단 방법에 큰 기여를 하리라 생각한다. 그러므로 컴퓨터가 진단에 도움을 주는 기술이 미래에 피부병변을 평가하는데 관여하는 것은 불가피하리라 생각된다.

표 11.1 다양한 피부병변에서 더모스코피에 의해 관찰되는 구조들.

	기저세포암	흑색종	양성 모반	지루각화증	혈관종	피부섬유종	편평세포암	보웬병	일광흑자	피지선증식증
Blood vessels(pink/red): 혈관(분홍색/적색)										
Branching vessels	X									
Crown vessels										
Comma vessels			X							
Looped vessels	X	X		X						
Linear irregular vessels		X					X			
Coiled vessels								X		
Red clods (lacunae)					X					
Pigment(brown, black, grey, blue): 색소(갈색, 검은색, 회색, 푸른색)										
Regular reticular network			X							
Irregular reticular network		X								
Atypical branched network		X								
Parallel straight and curved lines									X	
Atypical straight and curved lines		X								
White lines		X				X				
Radial lines	X									
Broad curved lines				X						
Peripheral lines/pseuopods		X								
Blue, brown and black dots		X								
Regular brown clods	X			X						
Blue clods	X									
Other structures: 다른 구조들										
Milia-like cysts				X						
White clods							X			X
Central white structureless area						X				
Grey or blue-white structureless area (veil)	X									

기저세포암, 편평세포암

더모스코피

- 더모스코피는 오일이나 겔을 이용해 접촉을 통해 사용하거나 편광을 이용해 접촉없이 사용할 수 있다.
- 편광더모스코피는 색깔과 구조가 다소 다르게 보일수 있으므로 사용자들은 이를 유의해야 한다.
- 더모스코피는 숙련된 사용자가 주의깊은 병력청취와 임상적 소견을 바탕으로 더모스코피 소견을 해석할 필요가 있다.
- 피부를 눌러서 더모스코피로 관찰하면 혈관을 덜 보이게 만들어 병변의 형태를 변화시킬 수 있다.
- 악성흑색종에서 three-point checklist와 modified pattern analysis와 같은 알고리즘은 진단의 정확성을 향상시키는데 도움을 준다.
- 더모스코피와 컴퓨터 또는 스마트폰의 연결을 통한 기술적 보조장치는 이미지를 저장하거나 환자의 점 병변을 모니터링하는데 도움을 준다.
- 머신러닝에 의해 개발된 인공지능 알고리즘은 과학실험 환경에서 피부과 의사만큼이나 정확한 것으로 밝혀져서, 미래에 스크리닝 방법으로 사용될 수 있다.

12 | 약물치료의 기초 – 국소치료제

피부과 질환의 치료에는 국소치료제, 전신치료제, 병변 내 주입, 방사선치료, 수술적 치료가 있다. 각각의 치료법들을 아래에서 조금 더 자세히 설명하고자 한다.

국소치료제

국소치료는 직접적으로 병변에 투여함으로써 전신적인 독성을 줄일 수 있다는 장점이 있다. 국소치료제는 효과를 나타내는 주요 물질을 담고 있는 매개체(vehicle) 또는 기제(base)로 구성된다.

국소치료제에 사용되는 매개체는 다음과 같이 나뉘어진다.

- 로션(lotion). 물이나 알코올을 기제로하는 액체 매개체로 용액속에 염(salt)이 포함되어 있다. Calamine lotion과 같은 약제는 녹지않는 파우더를 함유하고 있는 shake lotion에 해당된다.
- 크림(cream). oil-in-water 형태의 반고체 유탁액(emulsion)으로, 안정성을 높이기 위해 유화제(emulsifier)와 세균의 성장을 막기 위해 방부제를 포함한다.
- 겔(gel). 투명하고 기름지지 않는 물기가 많은 반고체 유탁액이다.
- 연고(ointment). 거의 수분이 포함되지 않은 반고체형태의 기름 또는 오일로, 간혹 파우더가 들어가 있을수 있다. 보통 어떠한 방부제도 들어가 있지 않고 효과를 나타내는 성분이 녹아져 있기보다는 속에 포함되어 있다.
- 된연고(paste). 파우더(예. 전분가루 또는 zinc oxide)가 많이 포함되어 있는 연고기제 형태로 딱딱한 형태를 갖고 있다.
- 약물이 포함된 반창고(medicated plaster). Betamethasone valerate라는 스테로이드가 반창고 형태로 사용되기도 하는데 염증성 질환의 특정 피부부위에 고정되어 부착되도록 도와준다.

온라인, The Merk Manual은 국소치료제에 대해 자세히 설명하고 있다(http://www.merckmanuals.com 에 접속하여 'dermatologic disorder'를 검색한다).

약동학(Pharmacokinetics)

모든 유용한 약제들이 국소제제로 사용하기에 적합하지 않을 수 있다. 약물이 피부를 투과해 들어가는 능력은 여러가지 요인에 영향을 받는다.

- 약물의 분자량, 구조, 그리고 친지질성, 수용성 특징
- 사용하는 제제의 종류와 약물을 밀폐해서 사용했는지의 여부
- 신체 부위– 눈꺼풀, 성기부위는 약물 흡수가 매우 좋다.
- 피부 질환의 유무

매개체/기제의 치료적 특성

로션은 증발하면서 피부의 온도를 낮춰주기 때문에 wet wrap을 통해 염증성 또는 삼출물이 많은 병변에 유용하다(p.44). 수분을 많이 함유하고 있는 크림의 경우에도 증발을 잘 하고 기름지지 않아서 바르기도 닦아내기도 쉽다. 연고의 경우는 습진과 같이 건조한 피부병변에 가장 좋다. 연고는 수분을 공급하고 병변을 밀폐할 수 있지만 기름지기 때문에 닦아내기 어렵고 번들거려 환자들이 크림보다 꺼려한다. 된연고는 판상건선과 같이 경계가 명확한 병변의 표면에 바르기 좋지만 역시 닦아내기가 어렵다.

사용량

몸전체에 한번 바르는데 15–20 g의 연고양이 필요하다. 성인의 얼굴과 목에는 1 g, 몸통 한쪽 면에 3 g, 팔 0.5 g, 손 0.5 g, 다리 3 g, 발 1 g의 양이 필요하다. 환자를 위한 연고 사용의 유용한 가이드로, 'fingertip unit' (FTU)가 있으며 이는 검지손가락의 마지막 손가락 마디를 덮을 만큼의 크림 또는 연고의 양을 일컫는다(그림 12.1). 1 FTU는 0.5 g에 해당된다. 성인에서 피부 연화제를 하루에 두 번 바르는 경우 1주일간 필요한 용량은 250 g이다. 의사들은 사용에 필요한 양을 종종 너무 적게 추산하는 경향이 있다.

스테로이드의 안전한 최대 사용량은 스테로이드의 강도, 환자의 나이, 치료 기간에 따라 달라진다. 1% hydrocortisone은 성인에서 주당 150–200 g을 사용할 수 있지만 어린이에서는 60 g만, 아기에서는 20 g정도로 소량 사용할 필요가 있다. 크림과 연고는 하루에 두번 사용하고 예외로 mometasone, fluticasone, tacalcitol은 하루 한 번 사용한다.

표 12.1 국소치료제의 개요

약물	적응증	약리학
스테로이드	습진, 건선, 편평태선, 원판상홍반루푸스, 일광화상, 장미색비강진, 균상식육종, 광선피부염, 경화태선	작용기전은 혈관수축, 항염증, 항증식 효과. 다양한 강도의 약제가 존재하며 부작용을 고려해야한다.
소독제(antiseptics)	피부패혈증, 다리궤양, 감염성습진	Chlorhexidine, benzakonium chloride, silver nitrate, potassium permanganate가 사용된다.
항생제	여드름, 주사, 모낭염, 농가진, 감염성습진	Chlortetracycline, neomycin, bacitracin, polymyxin B, retapamulin, fusidic acid, mupirocin 내성과 알레르기감작이 문제다. Metronidazole은 주사에 사용된다.
항진균제	피부 진균감염, *Candida albicans* 감염	Nystatin, clotrimazole, miconazole, econazole, terbinafine, ketoconazole, amorolfine
항바이러스제	단순포진, 대상포진	Acyclovir, penciclovir
기생충박멸제	옴, 이	옴 치료를 위한 benzyl benzoate, permethrin, malathion, 이 치료를 위한 malathion, permethrin. 로션이나 샴푸 형태로 사용됨.
Coal tar	건선, 습진	항염, 항증식효과로 생각됨. 크림, 샴푸, 된연고 반창고 제제가 있음.
Dithranol	건선	항증식효과. 크림, 된연고, 연고 제제가 있음.
비타민 D 유도체	건선	Calcitriol, calcipotriol, tacalcitol은 각질형성 세포의 증식을 억제하고 분화를 촉진한다.
각질용해제(keratolytics)	여드름, 각질이 있는 습진	Salicylic acid, benzoyl peroxide, tretinoin
레티노이드	여드름, 건선	Isotretinoin(여드름), tazarotene(건선)
국소면역조절제 (calcineurin inhibitors)	아토피피부염과 off-label로 기타 피부질환에 사용됨.	Tacrolimus, pimecrolimus

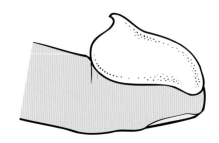

그림 12.1 The fingertip unit (FTU) = 0.5 g.

표 12.2 성인에서 1주일간 국소치료제의 사용 용량		
신체 부위	크림, 연고	로션
얼굴	15-30 g	100 mL
양쪽 손	25-50 g	200 mL
두피	50-100 g	200 mL
양쪽 팔 또는 다리	100-200 g	200 mL
몸통	400 g	500 mL
사타구니와 성기부위	15-25 g	100 mL

표 12.3 국소 스테로이드의 상대적인 역가	
역가	예(일반명)
약한	Hydrocortisone 1%, 2.5%
중간강도	Alclometasone dipropionate 0.05% Clobetasone butyrate 0.05% Fluocortolone caproate/pivalate 0.25% Fludroxycortide 0.0125%
강한	Betamethasone valerate 0.1% Betamethasone dipropionate 0.05% Fluocinolone acetonide 0.025% Fluocinonide 0.05% Fluticasone propionate 0.05% Hydrocortisone butyrate 0.1% Mometasone furoate 0.1%
매우강한	Clobetasol propionate 0.05% Diflucortolone valerate 0.3% Halobetasol propionate 0.05%

표 12.4 성인에서 2주동안 국소 스테로이드의 사용량	
신체 부위	스테로이드 크림 또는 연고
얼굴과 목	15-30 g
양쪽 손	15-30 g
두피	15-30 g
양쪽 팔	30-60 g
양쪽 다리	100 g
몸통	100 g
사타구니와 성기부위	15-30 g

British National Formulary (BNF)는 신체 특정부위에 하루에 2회씩 도포시 1주일간 적절하게 사용되는 국소치료제 용량에 대해 구체적인 지침을 제공한다. 표 12.2는 다소 보수적이기는 하지만 BNF에서 제시하는 사용량이다.

유연제

유연제는 습진이나 어린선과 같은 건조한 피부 상태에 피부표면의 지방층을 재건하고 표피에 수분을 복원시켜 도움을 준다. 일반적인 유연제에는 에멀션 연고, Aveeno, Diprobase, Doublebase, E45, Epaderm, Hydromol, Ultrabase, Unguentum M 크림 등이 포함된다. 때로 urea 성분(Aquadrate, Eucerin Intensive)이나 항균성분(Dermol, Eczmol)이 포함되는 경우도 있다. 목욕용 물에 넣는 오일도 효과가 있다.

드레싱과 입원

매일 드레싱을 하고 자외선 치료를 하는 치료센터를 운영하는 곳이 많다. 외래를 통한 환자 치료가 효과적이지 않을때는 병원 입원이 필요할수 있다. 외래 환자 또는 입원 환자를 위한 드레싱은 연고가 함유된 니트형태로 짜여진 거즈를 몸통, 사지에 적용하게 되고 하루에 1~2회 교체하게된다. 다리 궤양 소독은 사용되는 제품에 따라 다르겠지만 교체 횟수가 적다.

타르 성분을 함유한 붕대를 감아주는 것은 다리 궤양이나 습진의 치료에 때때로 도움을 준다. 파라핀 거즈, hydrocolloid, alginate를 이용한 소독이 다리 궤양의 치료에 사용된다(p.90). 특히 다리 궤양에 사용되는 적절한 드레싱 형태는 Worldwide dressings 웹사이트에서 확인할수 있다(http://www.worldwidewounds.com에서 'moisture–related skin damage'를 찾아봐라).

국소 스테로이드

국소 스테로이드의 치료 적응증은 표 12.1에 정리되어 있다. 가장 흔히 처방되는 약제의 상대적 역가는 표 12.3에 기술되어 있다. BNF는 국소 스테로이드를 2주동안 하루 1회 사용한다는 기준으로 그 사용량을 제시하고 있다(표 12.4). 이는 과량 사용에 의한 부작용에 대한 고려로 보수적인 사용량이고 사용할 수 있는 최소 용량이다.

국소 스테로이드의 부작용

국소 스테로이드 사용에 의해 다음과 같은 부작용이 발생할 수 있다.

- 피부 위축–피부가 얇아지고 홍반, 혈관 확장, 자반, 팽창선조가 발생(그림 12.2)
- 여드름과 구강주위염의 발생 및 주사의

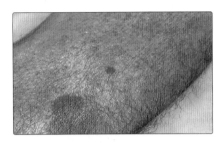

그림 12.2 강한 역가의 국소 스테로이드제의 과도한 사용에 의한 자반과 피부 위축.

악화
- 비전형적인 진균감염(tinea incognito), 세균, 바이러스 감염이 발생할 수 있다.
- 알레르기 접촉피부염–스테로이드 자체 성분 또는 포함된 물질로 인해 발생
- 전신 흡수–뇌하수체–부신 axis의 억제, 쿠싱병 양상의 변화, 성장지연
- Tachyphylaxis–오랫동안 사용으로 스테로이드에 대한 효과 감소

약물치료의 기초 – 국소 치료제

- **정확한 진단**은 적절한 치료를 위해 필수적이다.
- **국소 스테로이드제를 사용할 때는,**
  - 효과가 있을 수 있는 가장 낮은 역가(강도)의 약물을 사용한다.
  - 피부 위축과 같은 부작용에 대해 주의해야한다.
  - 습윤제의 사용으로 국소 스테로이드 사용량을 줄일 수 있다.
- **환자에게 치료를 설명**하고 글로 쓰여져 있는 유인물을 제공하는 것이 환자의 치료 순응도를 높이는 방법이다. Fingertip unit은 환자가 사용해야하는 연고 용량을 알 수 있는 간편한 방법이다.
- **가능하면 가장 단순한 치료법을 사용한다.** 신체 부위마다 여러가지 다른 국소제를 사용하게 하면 환자가 쉽게 혼란스러워 할 수 있다.
- **적절한 용량을 처방한다.** 종종 너무 적은 양의 연고를 주게되면 금방 연고가 떨어지고 치료가 부적절하여 환자가 아무 호전없이 다시 병원을 방문해야 한다.

13 | 약물치료의 기초 – 전신치료제, 기타 치료, 모니터링과 중증도 수치 평가

피부질환의 약물치료는 2차 의료에서 특히 전신치료제에 집중되고 있다. 생물학적 제제가 여러 피부질환의 병리 기전에서 특정 경로를 표적으로 하여 개발되고 있다. 생물학적제제는 61장에 기술되어 있다.

전신치료를 선택하는 시기

전신치료는 국소치료가 효과가 없거나 중증 피부질환과 감염으로 국소치료가 적절치 않을 경우 사용된다. 피부질환에 사용되는 전신치료 약제의 여러 종류가 표 13.1에 요약되어 있다.

전신 스테로이드

피부질환에서 전신 스테로이드 사용의 주요 적응증은 수포성질환(천포창, 유천포창)과 같은 중증 피부질환과 혈관염, 전신홍반루푸스, 유육종증과 같은 전신 장기를 침범하는 질환이다. 스테로이드의 다소 비특이적인 면역억제 효과는 더 큰 안전성을 갖고 더 표적치료로 사용되는 생물학제제에 의해 계속 대체되고 있다.

세포독성, 면역억제 약물

Methotrexate, ciclosporin은 수년간 건선 치료에 사용되어 왔지만 생물학적제제로 인해 그 사용량이 줄어들고 있다. Azathioprine, ciclosporin, mycophenolate mofetil은 중증 아토피피부염과 기타 습진들에서 효과적으로 사용되고 있고 수포성질환과 결체조직질환에서 스테로이드 사용을 줄이기 위해 사용된다. Methotrexate는 아토피피부염에서 최근 더욱 많이 사용되고 있다.

레티노이드

비타민A 유래 레티노이드, isotretinoin, alitretinoin, acitretin은 피부질환에 독특하게 사용되는 약제이며 혈액암에서도 일부 사용되고 있다. Isotretinoin은 여드름에 사용되고 alitretinoin은 손 습진, acitretin은 건선과 기타 각질이상 질환에 사용된다. 레티노이드의 중요 문제점은 기형아를 유발할 수 있다는 점이지만 구순염과 같은 점막에도 영향을 준다(그림 13.1).

표 13.1 전신치료제의 개요

분류	약제	적응증
스테로이드	Prednisolone	수포성질환, 결체조직질환, 혈관염
세포독성물질	Methotrexate	건선, 유육종증, 습진
	Hydroxycarbamide	건선
생물학적제제	Etanercept, infliximab, adalimumab, ustekinumab 등	다른 전신치료제에 효과가 없는 건선, 아토피피부염, off-label로 다른 피부질환에도 사용(p.133)
면역억제제	Ciclosporin	건선, 아토피피부염, pyoderma gangrenosum
	Gold	수포성질환, 홍반성루푸스
	Azathioprine, mycophenolate mofetil	수포성질환, 만성광선피부염, 아토피피부염
레티노이드	Acitretin	건선, 다른 각질이상 질환
	Isotretinoin	여드름
	Alitretinoin	손 습진
항진균제	Griseofulvin, terbinafine	진균감염
	Ketoconazole	진균감염(Candida albicans에도 효고)
	Itraconazole, fluconazole	진균감염, 칸디다증
항생제	다양함	피부 패혈증, 여드름, 주사
항바이러스제	Acyclovir, valaciclovir	단순포진, 대상포진
	Famciclovir	대상포진, 성기 단순포진
항히스타민제	H1 blockers	두드러기, 습진
항안드로겐 약제	Cyproterone acetate	여드름(여성에만)
항말라리아제	Hydroxychloroquine	홍반성루푸스, 지연피부포르피린증
나병 치료제	Dapsone	포진피부염, 나병, 혈관염

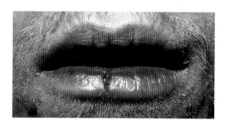

그림 13.1 isotretinoin에 의한 구순염. (Bologna JL, Schaffer J, Cerroni L, 2018. Dermatology, 4th edn. Elsevier, with permission).

처방 약제의 모니터링

약제 사용을 위한 기준 및 스크리닝 검사를 시행해야 하고, 가능한 부작용과 경과관찰 시 검사의 필요성을 설명해야 하며, 약물 처방 전에 가능한 약물 상호작용에 대해서도 검토해야 한다. 경과관찰 시 부작용에 대한 평가가 이루어지고 치료와 관련된 피검사 및 다른 수치에 대해 모니터링이 필요하다. 약제마다의 중요 부작용과 필요한 모니터링에 대해서는 표 13.2에 기술되어 있다.

기타 치료

스테로이드는 때로는 병변내 직접 주사를 하게 된다(예, 켈로이드 치료). 어떤 질환은 광선치료에 잘 반응한다(p.134). 아래와 같은 기타 치료법들이 있다.

- **이온영동치료법(iontophoresis).** 이온영동치료법은 손, 발 때로는 겨드랑이의 과도한 땀을 치료하는데 사용된다. 이온영동치료에서는 수돗물에 접촉되어 있는 피부에 직접적으로 전류를 흘려준다(그림 13.2). 가장 치료반응이 좋은 질환인 손바닥다한증의 치료를 위해서 손을 전극이 있는 물이 담긴 상자에 위치시키고 전기를 흐르게 하여 20–30분간 담궈둔다. 치료는 4주 과정으로 이루어진다. 이온영동치료는 간질 병력이 있거나 심장 박동기나 금속 정형외과 삽입물을 갖고 있거나 임신인 경우는 금기 사항이다.
- **방사선치료(irradiation).** 과거 X선 방사선치료가 건선, 여드름, 두부백선, 피부결핵, 손 습진에 사용되었다. 방사선치료가 여러 피부 종양의 치료에 여전히 효과적

표 13.2 중요 전신 치료 약제의 부작용과 모니터링

약물	주요 부작용	모니터링
스테로이드	체중증가, 고혈압, 감염, 팽창선조, 피부위축, 당뇨, 골다공증, 다모증, 우울증, 녹내장, 백내장, 근육병증	체중, 혈압, 혈당, 간기능, 일반혈액검사(CBC)
Methotrexate	오심, 구강궤양, 혈액이상, 간독성, 기형아 발생	일반혈액검사, 간기능, procollagen III NP, liver fibroscan
Azathioprine	오심, 간독성, 골수억제, 과민반응, 감염	일반혈액검사, urea and electrolytes, 간기능, thiopurine methyltransferase
Ciclosporin	고혈압, 신장기능이상, 떨림, 기회감염, 잇몸증식	혈압, urea and electrolytes, 신장기능, 간기능
레티노이드	기형아 발생, 구순염(입술건조), 피부건조, 피부 약해짐, 안구건조증, 입마름, 탈모, 감염, 근골격계 통증, 피곤함, 광과민증	여자에서는 임신검사, 간기능, 고지혈증검사, 일반혈액검사, 정신상태 모니터링

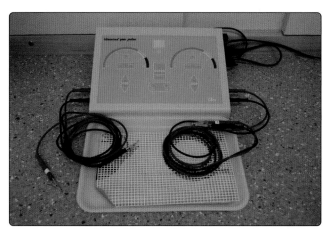

그림 13.2 이온영동치료기기.

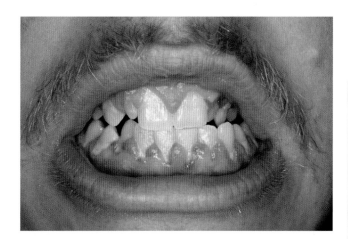

그림 13.3 ciclosporin에 의한 잇몸증식증. (Raftery AT, Lim E, Ostor AJK, 2014. Churchill's Pocketbook of Differential Diagnosis, 4th edn. Elsevier, with permission).

이지만 요즘은 비종양성질환의 치료에는 거의 사용되지 않는다.

- **냉동치료(cryotherapy).** 액화질소를 피부에 사용하는 냉동치료는 피부과 영역에서 널리 이용되고 있다(p.136). 특히 양성 또는 전암 (premalignant) 피부송양의 치료로 주로 사용된다.

피부질환의 중증도 측정

지난 수십년 동안 다양한 질환에 대한 중증도 지표가 개발되고 사용되어 왔다. 피부과에서는 PASI, DLQI, EASI, SCORAD와 같은 것이 널리 사용되지만 전신경화증, 여드름, 백반증과 같은 질환에서도 중증도 지표들이 사용된다.

- **건선중증도지표(Psoriasis Area and Severity Index, PASI).** PASI 는 건선특수 클리닉에서 치료의 방향을 잡고 질환을 모니터링하는 데 필수적으로 사용되는 도구이다. PASI는 표면적과 홍반, induration, 각질과 같은 임상양상의 정도를 기준으로 건선의 범위와 활성도를 수치화 한 지수이다.
- **피부질환에 의한 삶의질 지표(Dermatology Life Quality Index, DLQI).** DLQI는 다양한 피부질환이 개인의 삶의 질에 얼마나 영향을 주는지를 평가하는 지표이다. DLQI는 피부질환이 평가 바로 전 주에 환자의 사회적, 직업적, 개인 사생활에 얼마나 영향을 주는지 평가하는 것이다. 생물학적제제와 alitretinoin의 치료후 경과 관찰시에 추가로 평가한다. 영국 National Institute for Clinical Excellence (NICE)는 DLQI 점수가 15점 이상이 되어야 alitretinoin을 중증 손 습진에 처방할수 있다.
- **아토피피부염중증도지표(Eczema Area and Severity Index, EASI).** EASI와 Severity Scoring for Atopic dermatitis (SCORAD) 는 환자의 아토피피부염의 중증도를 수치화 시키는 방법이다. EASI는 NICE가 아토피피부염에서 dupilumab의 치료효과를 모니터링하는 방법으로 사용되며 50%이상 감소하였을 때 만족스런 치료반응이 있다고 판단한다.
- **온라인 자료.** PASI가 무엇이고 어떻게 기원되었는지에 대한 설명은 PASI Training 웹페이지에 있다(http://www.pasitraining.com). 온라인으로 PASI 수치를 계산하는 것은 http://pasi.corti.li에 있고 다운로드가 가능한 견본은 영국피부과학회 홈페이지(http://www.bad.org.uk/)에서 PASI라는 항목 아래 있다. DLQI의 사용에 대한 설명은 Cardiff대학 홈페이지(http://www.cardiff.ac.uk/dermatology/)에 있으며 다운로드가 가능한 견본은 영국피부과학회 홈페이지에 있다. EASI를 계산하는 방법에 대한 설명은 Nottingham대학 홈페이지에 있다(www.homeforeczema.org).

약물치료의 기초 – 전신치료, 기타 치료, 모니터링과 중증도 수치 평가

- 전신 치료제가 피부질환의 치료에 사용이 늘어나고 있다. 국소 치료가 효과가 없거나 사용이 적절하지 않을 때는 전신치료가 사용된다.
- 피부질환의 치료에 전신 스테로이드의 사용은 줄어들고 있다. 부작용이 적으면서 더 특이한 표적치료가 사용되고 있다.
- 건선에서는 methotrexate, ciclosporin, acitretin과 생물학적제제가 사용가능하다. 생물학적제제는 건선중증도 지표(PASI)에 따라 사용된다.
- 아토피피부염에서는 azathioprine, ciclosporin, methotrexate, dupilumab과 같은 생물학적제제가 사용된다. Dupilumab 사용시에 아토피피부염 중증도 지표(EASI)의 모니터링이 필요하다.
- 이온영동치료법은 손바닥다한증 치료에 도움이 되고 발바닥과 겨드랑이 다한증에도 다소 효과가 낮지만 도움이 된다.

14 | 피부질환의 역학

피부질환은 매우 일반적이다. 일반의의 업무 중 약 10%, 병원 외래 방문의 6%를 피부질환이 차지한다. 피부질환은 경제적으로도 중요하다. 직업으로부터 시간손실을 유발하는 주요 직업적 이유이며 직업과 관련된 질환 중 3번째로 흔하다(p.160).

역학에 대한 토의에서 아래와 같은 용어를 우선 정의하는 것이 중요하다.

- 유병율(prevalence). 유병율은 어떤 주어진 시점에 질환을 앓고 있는 인구집단의 비율
- 발생율(incidence). 발생율은 어떤 정해진 기간내에(일반적으로 1년) 질환을 경험하고 있는 인구집단의 비율

피부질환의 형태, 유병율, 발생율은 모두 사회, 경제, 지리, 인종, 문화, 나이관련 요인에 영향을 받는다.

일반 인구에서 피부질환

믿을만한 인구학적 통계를 얻는 것은 어렵지만 유럽에서는 의학적 치료를 필요로 하는 피부질환의 유병율이 20% 정도인 것으로 나타났다. 습진, 여드름, 감염성 질환(사마귀 포함)이 가장 흔한 질환이다(그림 14.1). 소수에서만 의학적 치료를 받고 있다.

지역사회와 전문 클리닉에서의 피부질환

지역사회에서의 피부질환의 정확한 비율은 인구집단의 나이 구조, 해당 지역의 산업 형태, 사회경제적인 요인에 따라 다양하다(그림 14.2). 인구학적 연구에 따르면 일정한 경향성을 확인할 수 있는데 예를 들어 아토피피부염이 이유는 모르지만 지난 50년간 늘어나고 있다.

피부과 전문의가 진료하는 클리닉에 방문하는 환자는 특정 질환군 환자로 구성된다(그림 14.3). 영국과 같은 몇몇 나라에서는 일반의가 환자를 전문의에게 전원을 하고 다른 나라에서는 의료보험에 따라 전문의로 전원되는 것이 달라진다. 이러한 전원 형태는 병원 설비, 이윤, 관세 등 여러 요인에 따라 지역마다 차이가 난다. 유럽에서는 전 인구의 1% 이상이 1년 내에 피부과 전문의의 의견을 구하기 위해 전원된다. 2020년 초반에는 모든 새로운 전원의 1/4이 수술적 치료를 요하는 것으로 나타났다.

사회경제적 요인

19세기 유럽의 산업화에 의한 삶의 질의 향상은 대부분의 감염성 질환의 발생율을 떨어뜨렸고 유아 사망률 역시 급감하였다. 영양상태가 좋아지고 삶의 환경이 개선되고 위생 방법의 사용 등이 그 중요한 원인으로 생각된다. 피부 감염을 포함하여 대부분의 감염은 서구 사회에서보다 개발도상국에서 더 흔히 나타나고 낮은 삶의 수준이 이런 감염의 원인이 되는 것으로 생각된다.

하지만 산업화 역시 문제점을 야기하였다. 산업화된 나라에서는 직업성 피부염이 매우 흔했고 경미한 경우는 보고조차 되지 않았다. 서구 국가에서 지적 수준의 향상으로 환자들은 과거 세대에서는 신경쓰지 않았던 사소한 문제점이나 질환에 대해 무언가 하기를 원하고 있다.

사회적 유행의 변화 역시 피부 질환의 변화를 가져왔다. 예를 들어 1970년대에 유행했던 일광욕은 1980년대에서 현재까지 악성흑색종의 발생율을 높이는 원인이 되었다.

대중매체도 영향을 주었는데 색소성 모반에 변화가 심각한 문제를 야기할 수 있다는 많은 기사, 프로그램에 의해 자신의 병변에 대해 안심을 하기 위해 걱정이 있는 환자들의 전원이 급격히 늘어났다. 하지만 여전히 사소한 피부 문제를 가진 많은 사람들은 의사를 찾지 않는다는 것은 사실이다.

세계보건기구(WHO)는 개발도상국 국가의 어린이에서 발생되는 피부질환의 역학과 치료에 대한 정보를 pdf형태로 다운로드 받을 수 있도록 중요한 가이드를 제공하고 있다(http://www.who.int/).

지리적 요인

더운 나라의 습도가 높은 환경은 진균과 세균감염의 발생을 높이고 땀띠(prickly heat, miliaria: 막힌 땀샘관에 의해 가려움을 동반한 발진이 생기는 것)와 같은 피부 증상을 유발한다. 햇빛이 강한 기후에서 자외선 노출은 색소가 없는 백인 이주자들의 피부에 광선에 의한 변화와

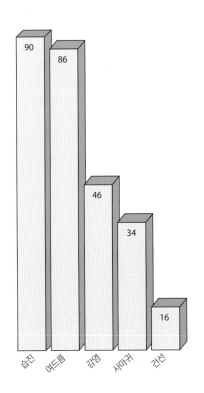

그림 14.1 인구 1000명당 중증도 상관없이 피부질환의 유병율.

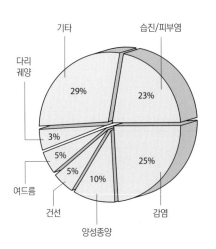

그림 14.2 일반의가 보는 피부질환의 분석 (전체 중의 %).

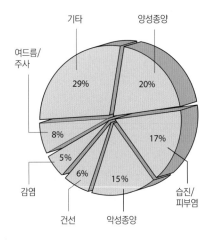

그림 14.3 병원에 있는 피부과 클리닉에서 보는 피부질환의 분석(전체 중의 %).

악성변화를 유발하게 된다.

그림 14.4는 다른 지역적 위치에 있는 국가들에서 나타나는 흔한 피부질환들의 비교를 보여준다. 세균, 진균 감염의 발생은 지역별 차이가 있고 피부암은 호주에서 흔한 편이다. 하지만 습진과 피부염에 대한 수치는 굉장히 일정한 것을 볼 수 있다. 일반적으로 색소가 없는 피부를 가진 사람이 적도로부터 멀리 떨어져 위도가 올라가면 비흑색종 피부암의 발생율이 감소되는 것을 예상할 수 있다.

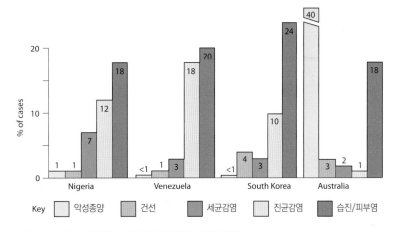

그림 14.4 흔한 피부질환의 병원 방문자(%)의 지역적 차이.

인종과 문화적 요인

인종마다 피부색의 분명한 차이가 있을 뿐만 아니라 피부의 구조도 차이가 있다(p.158). 예를 들어 흑인에서는 털이 종종 꼬여있고 동아시아에서는 똑바르다. 백인에서는 모발이 다양한 양상을 보이는데 똑바를 수도, 웨이브가 있을수도 나선형일수도 있다. 피부종양과 자외선 손상은 흑인보다 백인에서 더 흔히 나타나고 동아시아에서는 중간 정도의 빈도로 나타난다. 켈로이드와 가성모낭염(pseudofolliculitis)과 같은 모발

의 이상은 흑인에서 더 흔히 나타나고 동아시아 피부는 태선화 되는 경향을 보이며 여드름은 적게 발생한다. 백반증은 모든 인종에서 비슷한 발생율을 보이지만 어두운 피부를 갖고 있는 사람에서 더 눈에 띄기 때문에 더 심각한 심리적인 영향을 미치게 된다.

문화적 요인도 문제를 야기할 수 있다. 예를 들어 몇몇 흑인에서 강하게 머리를 꼬아서 땋는 행위는 탈모를 유발할 수 있고 어떤 전통 기름

이나 화장품을 사용하는 것이 피부염이나 색소변화를 야기할 수 있다. 인종에 의해 영향 받는 가장 흔한 피부질환은 피부암이다. 미국의 질병관리예방센터는 인종에서의 피부암에 대한 정보를 제공한다(http://www.cdc.gov 홈페이지에서 'skin cancer rates by race and ethnicity'로 들어가서 확인이 가능하다). 다른 피부질환도 인종마다 다른 유병율을 보일 수 있다. 한 예가 홍반루푸스이며 흑인에서 더 흔히 발생한다.

피부질환의 나이별, 성별 유병율

연령에 따라 발생하는 질환이 다르다(표 14.1). 몇몇 질환은 어느 나이에도 발생이 가능하지만 특정 나이에 더 흔히 발생되고, 어떤 질환은 거의 어떤 특정 나이에만 발생하기도 한다. 예를 들어 아토피피부염은 유아에서 더 흔히 발생하고 여드름은 사춘기에 주로 발생하며 건선은

10-20대에 가장 높은 발병을 보인다. 천포창과 악성흑색종과 같은 질환은 중년에 발생하는 경향을 보인다. 노인에서는 퇴행성 질환과 악성피부질환이 나타난다. 그러므로 인구에서 연령구조는 피부과 진료 형태에도 영향을 미친다.

몇몇 질환들은 성별에 따라 발생빈도의 차이

가 있다(표 14.2). 예를 들어 기저세포암과 편평세포암은 여자보다는 남자에서 더 흔히 발생한다(p.122-125). 물론 두 피부암은 남녀 모두에서 나이가 증가하면서 발생율이 증가하고 대개 60대 이후 발생된다.

표 14.1 피부질환의 연령대별 발생시기

연령	질환
소아	화염모반, 딸기혈관종, 어린선, 적혈구생성프로토포르피린증, 수포표피박리증, 아토피피부염, 유아지루피부염, 색소성두드러기, 바이러스발진, 사마귀, 전염연속종, 농가진
청소년	멜란세포모반, 여드름, 건선(물방울양), 지루피부염, 백반증, 장미색비강진
성인 초기	건선, 지루피부염, 편평태선, 포진피부염, 홍반성루푸스, 백반증, 어루러기
중년	지연피부포르피린증, 편평태선, 주사, 보통천포창, 정맥궤양, 악성흑색종, 기저세포암, 균상식육종
노년	건성습진, 전신 가려움증, 수포유사천포창, 정맥/동맥궤양, 지루각화증, 광선각화증, 일광탄력섬유증(solar elastosis), 체리혈관종(cherry angioma, Campbell-de-Morgan spots), 기저세포암, 편평세포암, 대상포진

표 14.2 성별에 따른 피부질환

성별	질환
여성	손발바닥농포증, 경화위축성태선, 홍반성루푸스, 전신경화증, 피부경화증, 주사, 인공피부염, 정맥궤양, 상피내편평세포암, 악성흑색종
남성	지루피부염, 포진피부염, 지연피부포르피린증, 결절다발동맥염, 항문가려움증, 좀부백선, 음부백선, 균상식육종, 편평세포암, 광선각화증

역학

- 일반 지역사회에서 가장 흔한 피부질환은 습진, 여드름, 사마귀와 같은 감염이다.
- 전 인구의 약 20%가 의학적 치료가 필요한 피부질환은 갖고 있다.
- 일반의가 의뢰하는 질환의 10% 이상이 피부질환을 차지한다.
- 생활환경의 개선은 피부감염을 감소시켰지만 흰 피부를 가진 유럽인들의 과도한 햇빛 노출은, 특히 적도 근처에서 사는 사람에서 피부암의 발생이 늘어난다.
- 피부암은 여성보다 남성에서 더 많이 발생하는 경향을 보이지만 나이가 들면서 양쪽 성별 모두에서 발생이 증가한다.
- 몇가지 질환들은 인종에 따라 발생율의 차이를 보인다. 특히 흑인에서는 홍반성루푸스의 발생이 높게 나타난다.

15 | 신체 이미지, 정신과와 피부

피부질환을 가진 것에 대한 스트레스

만성피부질환이 정신적인 측면에 미치는 가혹한 영향이 과소평가되어 있다. 피부로 인한 외래방문환자의 30%까지 피부질환으로부터 정신적인 고통을 겪고 있다. 여드름이 있는 10대 아이들이나 광범위한 건선, 습진을 갖고 있는 사람에서는 이해할만한 소견이다. 두가지 상황모두 그들이 갖고 있는 피부 문제의 객관적인 중증도에 비해 개인이 느끼는 신체 이미지는 상당히 왜곡되어 있다. 피부질환을 지닌 환자들은 다른 사람들이 같이 지내고 싶어하지 않는다고 느끼기 때문에 사회생활을 제한하여 사회적으로 고립된 사람으로 만들 수 있다. 피부질환의 삶의 질에 대한 영향은 DLQI와 같은 특수한 설문을 통해 평가할 수 있다.

환자들은 종종 자신의 질환이 직접적으로 스트레스에 의해 발생하거나 악화된다고 느낀다. 하지만 스트레스가 정말 원인으로 작용하는지를 감별하기가 종종 어렵기 때문에 이를 증명하기가 어렵다. 많은 피부과 의사들은 정신적인 요인이 습진과 건선을 악화 시킬 수 있다고 믿지만 대부분 피부질환 자체가 본질적으로 스트레스 환경이라는 것에 동의한다. 하지만 실제 정신적 요인이 근본 원인인 몇가지 피부질환이 존재한다는 것도 받아들여지고 있다. 정신과 의사와 함께 치료하는 것이 환자에게 도움을 줄 수 있다.

어떠한 형태의 피부질환이든 놀랍지 않게 불안과 우울증은 유발할 수 있고 피부과 의사는 환자의 치료 시 이에 대해 계속적으로 이해할 필요가 있다. 특별히 손, 발 부위에 피부 색소가 사라지는 백반증, 두피에 탈모가 발생되는 원형탈모증은 개개인이 사회생활에서 어떻게 보여질지에 대해 영향을 준다. 두가지 질환 모두 사회적으로 상당히 곤란한 상황을 만들거나 차별을 만들어 낼 수 있다. 이러한 질환을 갖고 있는 환자의 1/3 이상에서 불안, 우울증, 조절장애가 나타난다는 것은 놀랄 일도 아니다.

피부질환을 갖고 있는 개인과 그들의 정신적, 사회적 기능 사이에 연결 고리를 찾는 것은 의학적 측면 이상으로 사람의 건강을 바라보는 생물정신사회적(biopsychosocial) 접근법의 좋은 실례이다. 대부분 의대 졸업생들은 어쨌든 이러한 부분에 대해 교육을 받고 있다. 정신피부의학은 피부과 수련과정의 중요 분야이다.

정신적 요인에 의한 피부질환

정신피부과(Psychodermatology)는 정신과 피부의 상호작용으로부터 임상양상이 나타나는 환자를 치료하는 비교적 새롭게 나타난 의학분야이다(Box 15.1). 정신피부과 특수클리닉은 피부과 의사와 정신과 의사 사이의 협력에 의한 다학제 접근법을 가지고 있다.

인공피부염(dermatitis artefacta)

인공피부염은 자연적인 질환의 형태를 갖지 않고 비전형적인 모양의 형태(접근이 가능한 부위에 종종 선상 또는 원형의 형태)를 갖는 병변이 있을 때 의심되어야 한다(그림 15.1). 병변은 종종 궤양, 가피를 보이고 밀폐를 해두면 아물기는 하지만 예상과 달리 아물지 않는다. 수포나 멍도 때로 발견된다. 환자는 고의적으로 자해를 하지만 병변이 어떻게 발생했는지에 대해 모른다고 한다. 자해를 통해 자신의 신체를 지배하고 정서적 긴장이 해소되는 것을 느끼게된다.

경미한 찰과상으로부터 심각한 궤양까지 다양한 양상을 보인다.

10대나 20대 초반은 젊은 여성에서 잘 나타나는 경향을 보인다. 아마도 보고가 덜 된 것으로 보인다. 일부의 경우는 물리적, 성적학대와 연관되어 있을 수 있다. 정면대결(confrontation)은 강한 부정을 유발할 수 있으므로 추천되지는 않는다. 치료는 정말 피부질환인지를 배제하고 환자와의 친밀한 관계를 유지하면서 가정과 직장에서 또는 사회적, 성적 관계에서 정신적 스트레스가 있는지 조심스럽게 조사하는 것을 목표로 해야한다. 인지행동치료나 정신치료가 도움이 될 수 있지만 환자가 질환의 원인을 정신적인 요인으로 받아들이지 않거나 질환에 대한 이해가 부족하면 정신과적 치료를 거부하게 된다. 지지를 하면서 기다려주는 것이 결국에는 질환의 이면에 있는 문제를 알아내는데 도움을 줄 수 있다.

신체이형장애(body dysmorphic disorder, delusion of body image)

환자는 객관적인 피부질환을 갖고 있지 않지만 얼굴이 화끈거리거나 붉어지는 증상을 호소하고 얼굴에 털이 많다는 것과 같은 망상적인 생각에 과도하게 집착한다. 어떤 경우에는 아주 사소한 피부의 흠을 갖고 있지만, 실제보다 그보다 과도한 문제가 있는 것으로 생각한다. 이전에 이형공포증(dysmorphophobia)으로 잘못 알려진 이 질환은 여자에서 주로 발생한다. 하지만 고환에 화끈거리는 증상을 호소하는 등 남자에서도 발생한다.

이 질환은 사소한 강박증으로부터 심각한 망상까지 다양한 양상을 보인다. 기분장애(mood problem), 강박증(obsession-compulsion), 사회공포증(social phobia)와 관련되어 있다. 몇몇 환자들은 사회적으로 고립되어 있고 자살의 위험이 있다. 미용수술을 하는 경우도 있다. 우울증 약제와 인지행동치료가 도움이 된다. 망상증이 있는 경우에는 정신과로 전과하는 것이 필요하다.

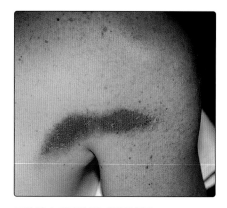

그림 15.1 인공피부염: 선상의 병변.

기생충 감염에 대한 망상(delusion of infestation)

이 질환을 가진 환자들은 자신의 피부가 기생충에 감염되었다고 확신하고 그들의 주장을 증명하기 위해 각질이나 부스러기를 모아온다. 자신이 유발한 긁힌 상처가 관찰된다. 20~30대, 그리고 50대에 주로 나타나고 젊은 나이에서는 남녀가 비슷하게 발생하며 나이가 있는 군에서는 여자에서 더 흔히 나타난다. 기생충 감염에 대한 망상이 단일 증상으로 잘못된 생각인 일차성 질환일 수도 있고 약물중독과 연관되어 정말 감염이 발생한 이차성 질환일 수도 있다. 또한 정신분열증과 같은 정신질환의 임상증상일 수도 있다. 피부 전체와 전반적인 신체 검사를 통해 정말 기생충 감염이 있는지 배제를 해야하며 전신질환을 찾고자 하는 노력이 필요하다. 소양증에 대한 스크리닝 혈액검사도 이루어져야 한다.

치료는 어려우며 정신과 의사와 협력해서 치료해야한다. 정면대결은 의사와의 신뢰를 깰 수 있기때문에 피해야한다. 공감은 바람직하지만 충돌은 피해야한다. 항정신과 약제가 효과적이라고 알려져 있다. Pimozide에 비해 risperidone, olanzapine이 부작용이 적어서 많이 사용되지만 약물 모니터링은 여전히 필요하다. Morgellons disease라 불리는 환자는 피부로부터 식물뿌리가 나온다고 호소하고 기생충 감염에 대한 망상을 보이는 형태의 임상 양상을 보인다.

발모벽(trichotillomania)

어린 아이들이 모발을 비비고 당기고 꼬는 행동은 드물지 않게 나타난다. 이러한 행동은 자연스럽게 회복되기는 하지만 두피 모발이 가늘어지게 된다. 성인에서 이러한 증상이 나타나면 가위나 면도칼 등으로 잘라야 할 수 있고 예후는 좋지 않다.

정신과적으로 발모벽 환자들은 강박적 행동을 보일 수 있지만 불안, 우울증, 학대를 고려해야하고 어린 아이에서는 감정적 방치(emotional neglect)를 생각해야 한다.

병적으로 피부 잡아뜯기 (pathological skin picking, neurogenic excoriations)

전완부와 목뒤와 같은 손으로 접근이 가능한 부위에 병변이 발생되며 궤양에서 아문 흉터까지 다양한 형태로 긁힌 상처가 관찰된다(그림 15.3). 피부 손상은 조절되지 않는 가려움증의 결과로 나타나지만 원발병변은 아니다. 전신 소양증의 원인들을 배제하는 것이 필요하다. 밀폐요법을 적절히 사용하면 상처가 아문다. Acne excoriee는 젊은 여성에서 여드름 병변을 짜거나 잡아 뜯으면서 인공적으로 미란이 형성되는 여드름의 특이한 형태로 젊은 남자에서도 나타날 수 있다(그림 15.4).

강박적으로 피부를 잡아뜯는 현상(compulsive skin picking)은 강박장애(obsessive and compulsive)를 갖고 있거나 완벽주의 성격을 갖고 있는 경우 발생된다. Acne excoriee는 우울증과 강박장애와 같은 정신과적인 문제와 연관되어 있지만 대응기제가 미성숙하거나 자존감이 낮은 사람에서도 나타날 수 있다.

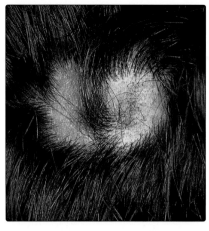

그림 15.2 서로 다른 모발의 길이를 보이고 탈모가 발생되지 않은 부위가 관찰되는 발모벽. (From Bolognia JL, Jorizzo JL, Schaffer JV, 2012. Dermatology, 3rd edn. Saunders, with permission)

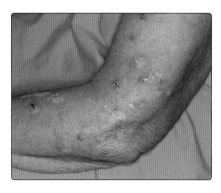

그림 15.3 팔에 병적으로 피부를 긁은 소견. 몇몇 피부 부위는 저색소 흉터를 남기고 아물었다.

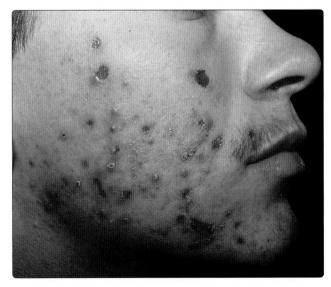

그림 15.4 acne excoriee에서 관찰되는 긁은 상처 병변. (From Bolognia JL, Jorizzo JL, Schaffer JV, 2012. Dermatology, 3rd edn. Saunders, with permission)

신체 이미지, 정신과와 피부

- **정신적 스트레스**는 피부질환과 흔히 연관되어 있기때문에 환자의 정신 상태를 통상적으로 평가해야한다. 삶의 질에 대한 설문 평가가 가능하다.
- 습진, 건선과 같은 피부질환을 가진 환자에서 스트레스 시기에 피부질환이 악화되는 것을 볼수 있다. 환자가 이를 인지하는 것이 도움이 된다.
- **인공피부염**은 가장 흔한 정신피부질환으로, 임상증상이 알려진 피부과적 이상과 맞지 않는 경우 의심해보아야 한다.
- **자해**, 즉 팔에 칼로 상처를 내는 것은 보통 피부과적인 문제로 생각되지 않지만 이런 문제가 있는 경우 의사들은 정신적인 건강에 대해 주의깊게 보아야 한다.
- **환자의 말을 귀기울여 듣는 것**은 환자에게 공감을 하고 환자들의 생각을 무시하지 않으며 서로 충돌하지 않는 방법이다.
- **정신적인 문제를 평가**하고 자살의 위험에 대해서도 평가를 해야한다.
- **정말 정신질환이 의심되는 상황**에서는 적절한 정신과 약물과 인지행동치료를 고려해야한다.
- 치료가 간단하지 않다면 정신과 의사나 정신피부 클리닉으로 연결하여 치료받도록 한다.

2

질환

16 | 건선 – 역학, 병태생리와 임상양상

정의

건선은 경계가 명확한 홍반성 판과 표면에 은백색 인설이 동반된 만성, 비감염성, 염증성 피부질환이다(그림 16.1).

역학

건선은 유럽과 북아메리카에서는 인구의 1.5~3%가 앓고 있지만 아프리카, 중국, 일본에서는 유병율이 낮다. 남녀모두 같은 비율로 발병한다. 이 질환은 어떤 나이에도 발병할 수 있고, 노인이 되어 처음 발병할 수도 있다. 일반적으로는 10~20대와 50대, 두 시기에 발병한다. 8세 이하의 어린이에서 발생하는 것은 드물다. 대사질환(당뇨, 고혈압, 비만)과 연관성이 최근 가장 중요한 발견이다.

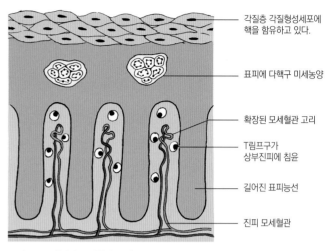

각질층 각질형성세포에 핵을 함유하고 있다.

표피에 다핵구 미세농양

확장된 모세혈관 고리

T림프구가 상부진피에 침윤

길어진 표피능선

진피 모세혈관

그림 16.1 건선의 조직학적 소견.

발생요인

유전

유전전 소인이 건선의 발병에 영향을 주며 다유전자(polygenic)에 의해 나타난다(p.12). 환자의 약 35%에서 가족력이 있고 일란성 쌍둥이 연구에 따르면 64%에서 일치도를 보였다. 부모 한쪽이 건선을 가진 경우 아이에서 건선이 발병할 가능성은 14%이며 부모 양쪽이 모두 건선이 있는 경우는 41%로 발생 가능성이 증가한다. HLA-cw6와 같은 Human leucocyte antigens (HLAs)와 높은 연관성을 갖고 있다. 건선에 대해 유전적으로 취약한 사람에서 환경적인 요인이 가해지면 건선이 발병하는 것으로 생각된다.

표피의 역동학 및 대사

건선 병변은 표피 장벽의 이상과 피부 T세포의 비정상적인 반응, 그리고 염증성 신호전달에 의해 나타난다. 표피의 기저세포와 기저층 위의 세포 증식의 증가로 세포분열을 하는 세포 수가 7배 늘어난다. 세포분열 시간이 짧아지지는 않는다. Transforming growth factor-α와 같은 성장인자가 이러한 현상을 매개한다. 상부 진피 모세혈관총은 확장된다. 적어도 9개의 건선과 연관된 유전자 염색체 부위가 발견되었고 그 중에 하나가 염색체 6p에 PSOR1이다. 건선의 분자학적 요인에 대한 이해를 하면 더 향상된 치료를 할 수 있다(p.30).

악화(유발)요인들

많은 악화 또는 유발 요인들이 건선과 관련되어 있다.

- *쾨브너현상.* 찰과상, 수술흉터(p.21)와 같은 표피, 진피에 외상으로 인해 손상된 피부에 건선이 발생될수 있다(그림 16.2).
- *감염.* Streptococcus에 의한 인후염이 물방울건선을 유발할 수 있다.
- *약물.* 베타차단제, 리튬, 항말라리아제가 건선을 악화 또는 유발할 수 있다.
- *태양광선.* 태양광선 노출은 대부분 건선에 유익한 효과를 보이지만 약 6%의 환자에서 건선을 악화시킬수 있다.
- 정신적 스트레스. 스트레스는 건선의 원인이 되거나 악화요인이 될 수 있다.
- 담배와 음주. 이들은 건선을 악화시킬 수 있다.

병리소견

표피는 두꺼워져 있고 각질층에는 핵을 지닌 각질형성세포가 관찰된다(그림 16.1). 과립층이 보이지 않고 각질이 각질층에 느슨하게 쌓여져 있다. 표피능선은 길어졌고 다핵구가 각질층에 침윤되어 미세농양을 형성한다. 유두진피의 모세혈관은 확장되어 있다. T림프구가 초기 건선 병변에 침윤되어 있다.

임상양상

건선은 경미한 경우로부터 생명에 영향을 주는 경우까지 중증도가 다양하다. 건선의 모양과 진행형태 역시 팔꿈치에 쉽게 인지되는 만성 판으로 나타나는 경우로부터 급성으로 전신에 농포가 발생되는 형태까지 매우 다양하다. 표 16.1은 건선과 감별이 필요한 질환들 기술하였다.

건선의 임상적인 형태는 다음과 같다.

- 판상(plaque)
- 물방울모양(guttate)
- 굴측부(flexural)
- 국소형태(localized forms)

그림 16.2 쾨브너현상. 건선이 수술흉터 부위에 발생하였다. *(From Buxton PK, Morris-Jones R, 2009. ABC of Dermatology, 5th edn. Wiley-Blackwell, with permission).*

표 16.1 건선의 감별진단	
건선의 아형	감별진단
판상건선	건선양 약물발진(베타차단제)
	비후성편평태선
손발바닥건선	과각화성습진
	Reiter병
두피건선	지루피부염
물방울건선	장미비강진
굴측성건선	굴측부의 칸디다증
조갑건선	조갑의 진균감염

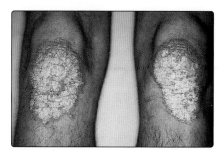

그림 16.3 무릎부위에 인설을 동반한 전형적인 판상 건선.

• 전신농포성(generalized pustular)
• 조갑침범
• 홍색피부증(erythroderma, p.58)

판상건선(Plaque psoriasis)

팔꿈치, 무릎, 두피, 모발경계부 또는 천골부위에 발생하는 경계가 명확하고 융기되어 있는 원반 모양의 판 형태가 전형적인 임상양상이다 (그림 8.1). 판은 보통 붉은색이고 왁스형태의 하얀색 인설로 덮여져 있고 각질을 제거하면 점상출혈을 보인다. 판은 2 cm 이하부터 수 cm 크기까지 다양하고 때로는 소양증을 동반한다.

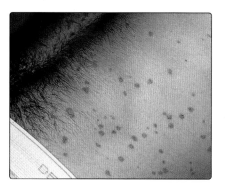

그림 16.4 물방울 형태의 물방울모양건선.

물방울모양건선(guttate psoriasis)

물방울모양건선은 몸통과 사지에 초기에는 거의 인설이 없는 물방울 형태로 전신적인 발진이 나타난다. 이러한 병변은 사춘기와 젊은 성인에서 주로 발생하고 streptococcus에 의한 후두염 이후에 발생한다(그림 16.4).

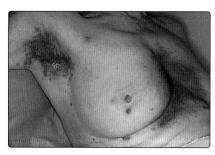

그림 16.5 매끈하고 각질이 없는 굴측부건선.

굴측부건선(Flexural psoriasis)

이 건선 아형은 겨드랑이, 유방 아래, 사타구니, 성기부위, 둔부 아래 주름에 발생하나(그림 16.5). 판은 매끈하고 종종 광택이 나고 인설이 있을 수 있다. 노인에서 주로 발생한다.

국소형건선(Localized form psoriasis)

건선은 다양한 국소형태로 나타날수도 있다.

• 손발바닥농포증(palmoplantar pustulosis): 손발바닥에 노란색 또는 갈색의 무균성 농포로 나타난다(그림 16.6). 일부 환자는 다른 부위에 전형적인 판상건선을 갖고 있다. 흡연을 하는 중년 여성에서 자주 발생하며 만성적인 경과를 보인다.
• 지속말단피부염(acrodermatitis of Hallopeau): 손발가락 끝과 조갑부위에 발생하는 흔하지 않는 농포성 건선의 형태이다 (그림 18.3).
• 두피건선(Scalp psoriasis): 건선의 유일한 임상양상으로 나타날 수 있다(그림 17.4). 비듬과 혼동될 수 있지만 경계가 명확하

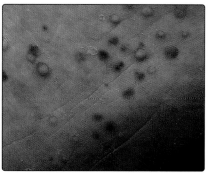

그림 16.6 손발바닥농포증: 발바닥에 발생한 건선의 국소형태 건선.

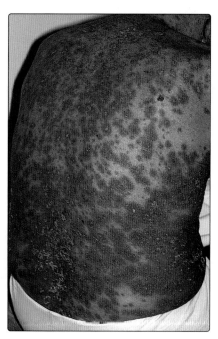

그림 16.7 노인에서 발생한 전신농포성 건선.

고 더 인설이 두꺼운 양상을 보인다.
• 기저귀건선(napkin psoriasis): 유아의 기저귀 부위에 경계가 명확한 건선양 발진으로 나타나며 아수 일부에서 나중에 건선으로 발전한다(p.144).

전신농포성건선 (generalized pustular psoriasis)

전신농포성 건선은 드물지만, 심한 경과를 보이고 생명을 위협할 수 있는 건선의 형태이다. 붉은 홍반의 배경 위에 무균성 작고 노란 농포가 다발성으로 나타나고 급속도로 번질 수 있다(그림 16.7). 발병은 종종 급성으로 나타난다. 환자는 발열, 권태감으로 몸이 불편하고 입원치료를 요할 수 있다.

조갑침범

건선은 25-50%에서 조갑 기질(matrix)이나 조상(nail bed)을 침범한다(그림 16.8). 골무함몰(thimble pitting)이 가장 흔히 나타나는 소견이고 다음으로 조갑박리증(조상으로부터 조갑의 원위부가 벌어지는 현상)이 흔하다. 조상(nail bed)에 oily 또는 salmon pink 색소변화가 조갑박리증 주변에 종종 나타난다. 원위부 조갑 말단 아래 각질이 쌓이는 조갑하 과각화증(subungual hyperkeratosis)는 발톱에 주로 발생한다. 조갑변화는 건선관절병이 있는 경우 흔히 나타난다. 치료는 어려운 경우가 많다.

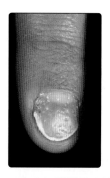 

그림 16.8 건선에서 조갑침범: 조갑함몰(pitting, 좌측)과 조갑박리증과 조갑하과각화증(우측 사진).

건선

• 건선은 서구인구의 1.5-3%에서 발생한다.
• 다유전자에 의해 발생하며 35%는 가족력을 갖고 있다.
• 유전학자들은 연관된 건선 유전자 부위를 찾아냈으며 그 예로 염색체 6p 부위에 PSOR1이다.
• 발생시기는 10-20대와 50대에서 주로 나타난다.
• 증식하는 각질형성세포의 수가 7배 증가하지만 표피의 세포 순환주기는 짧아지지 않는다.
• 임상양상은 다양하지만 팔꿈치, 무릎, 두피에 발생한 만성의 판상 병변이 가장 흔하다.
• 유발인자는 streptococcus 감염, 약물, 태양광선, 알코올, 담배, 정신적 스트레스 등이 있다.
• 조갑침범은 25-50%에서 나타나며 치료는 어렵다.

17 │ 건선 – 국소치료와 질환의 합병증

치료계획

건선은 감염성 질환이 아니고 반복적으로 재발하며 오랫동안 치료를 해야할 필요성이 있다. 환자의 질환에 대해 공감하고 건선협회와 같은 환자 보호 단체로부터 지원을 받도록 하는 것이 도움이 된다. 환자가 특별히 요구한 사항에 맞게 질환의 형태와 범위를 고려하고 환자의 나이와 사회적 배경을 같이 고려하여 치료하도록 한다(표 17.1).

국소치료

처음부터 특히 전신치료가 필요한 경우가 아니라면 국소치료가 일차치료로 사용하는 것이 일반적이다. 중증도가 확실치 않은 경우에는 Psoriasis Area Severity Index (PASI)와 Dermatology Life Quality Index (DLQI) 수치를 측정하는 것이 도움이 된다(p.31).

비타민D 유도체

Calciportriol, tacalcitol, calcitriol이 경증, 중등도의 만성 판상건선의 치료에 사용되는 국소 합성 비타민D 유도체이다. 세포의 증식을 억제하고 각질형성세포의 분화를 유도하여 건선에서 나타나는 표피세포의 증식을 교정할 수 있다. 이 약제는 냄새가 없고 옷에 착색되지 않으며 사용하기 편하고 스테로이드에서 나타나는 피부 위축의 위험이 없기 때문에 환자가 사용하는데 편리성이 있다. 피부 자극이 문제일 수 있다. dithranol과 국소스테로이드제와 유사한 효과를 보인다.

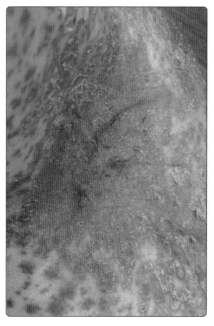

그림 17.1 각질을 동반한 홍반성판 양상을 보이는 겨드랑이에 발생한 굴측성건선. 임상양상이 지루성피부염과 유사할수 있다. *(From Gawkrodger DJ, 2004. Rapid Reference Dermatology. Mosby, with permission).*

최대량 이상을 사용하면 과칼슘혈증이 발생할 수 있다. calcipotriol연고는 주당 100 g(신체 면적의 40%를 하루에 두 번 바르는 양)까지 사용할 수 있고 tacalcitol연고는 주당 35 g(신체 면적의 20%를 하루에 한 번 바르는 양)까지 사용할 수 있다. Calcipotriol은 자극이 있는 있지만 Tacalcitol은 두피와 얼굴에 자극없이 사용 가능하다. 두피에 사용할 수 있는 Calcipotriol 제제가 있다. 비타민D 유도체는 국소 스테로이드와 번갈아 사용할 수 있고 자외선 B와 광화학요법(PUVA)치료와 함께 사용할 수 있다.

국소스테로이드

국소스테로이드는 깨끗하고 자극이 없으며 사용이 편한 장점이 있다. 하지만 부작용의 위험성이고 사용 중단 시 건선이 불안정한 형태로 악화될 수 있기 때문에 사용의 편리성과 함께 같이 고려해야 한다. 국소스테로이드는 얼굴, 성기부, 굴측부의 치료에 최선의 치료이고 손, 발, 두피에 발생한 고질적인 판 병변의 치료에 유용하다(그림 17.1과 그림 17.2). 강한 스테로이드는 손발바닥에는 신중하게 사용할 수 있지만 얼굴에 사용해서는 안된다. 다른 신체부위의 경우에는 중간 강도의 스테로이드로 충분하다. 스테로이드의 사용은 조심스럽게 모니터링되어야 한다. 크림형태가 연고 형태보다 더 선호되며, 로션이나 겔 형태는 두피에 사용 가능하다.

Coal tar제제

Coal tar유분은 건선치료제로 수십년동안 사용되어왔다. 안전하고 DNA합성을 억제하여 효과를 나타낸다. 냄새가 나고 지저분해진다는 단점이 있다. 그럼에도 불구하고 입원 치료시에 유용하게 사용할 수 있고 UVB를 같이 병합하는 Goeckerman 요법에 사용한다. 외래 환자를 위해서는 정제된 tar (1–10%)를 크림 또는 로션형태로 사용할 수 있다. 이러한 제제는 만성판상건선이나 급성기가 지난 물방울건선에 적합하다.

Dithranol (anthralin)

Dithranol은 남미 토착 식물인 araroba 나무 껍질에서 기원된 물질이다. 세포분열을 억제하는 효과가 있고 정상피부에는 자극이 있다. Dithranol은 얼굴과 성기부위에서는 사용될 수 없고 피부, 모발, 침대, 옷, 욕조를 보랏빛 갈색

표 17.1 건선에서 치료 선택에 대한 안내	
건선의 형태	**치료 선택**
안정형태 건선	비타민D유도체와 국소스테로이드
	Dithranol (short contact), coal tar, tazarotene
	좁은파장자외선B
광범위 건선	좁은파장자외선B(국소제제와 함께)
	Methotrexate, ciclosporin, PUVA 또는 레티노이드와 PUVA
	생물학제제
물방울건선	국소스테로이드(경도/중등도), coal tar
	좁은파장자외선B
얼굴, 접힌 부위	국소스테로이드(경도/중등도), tacalcitol
손발바닥	국소스테로이드(강한)
	Acitretin, PUVA 또는 레티노이드와 PUVA
전신농포성; 홍색피부증	Acitretin, methotrexate, ciclosporin
	생물학제제

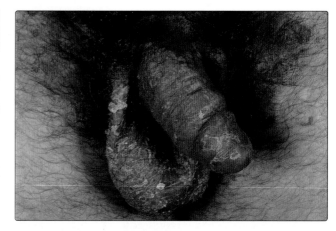

그림 17.2 남성 성기에 발생한 굴측성건선. *(From Bolognia JL, Jorizzo JL, Schaffer JV, 2012. Dermatology, 3rd edn. Saunders, with permission).*

으로 물들게 한다. 입원환자에서는 Lassar's paste 형태로 사용된다(zinc, salicylic acid 된연고). 초기에는 0.1% 강도로 판상건선에 사용되고 필요에 따라 2%로 강도를 올릴 수 있다. White soft 파라핀과 같은 제제로 주변 정상피부를 보호하고 치료부위는 tube gauze로 덮는다. 이 제제의 사용과 함께 매일 tar로 목욕하면서 UVB 자외선을 같이 조사하는 방법을 Ingram요법이라고 부른다. 이 치료를 통해 대부분 건선환자에서 3주 내에 병변의 소실을 확인할 수 있다.

Dithranol을 매일 30분간 바르는 Short contact요법이 안정된 판상건선 외래환자에 적합하다. Dithranol은 샤워를 통해 씻어내는 것이 가장 좋다. Dithrocream은 0.1-2%농도로 치료에 적합한 제제이다.

레티노이드

국소레티노이드, tazaroteine (0.5%와 1%제제)은 만성판상건선에 효과적이다. 피부 자극이 있고 종종 국소스테로이드와 번갈아 사용된다.

각질용해제와 두피제제

손발바닥의 각질이 두꺼운 형태의 건선은 5% salicylic acid연고로 치료할 수 있다. 두피건선은 3% salicylic acid 크림(때로는 3% precipitated sulfur와 함께 사용됨)을 매일 한번 또는 2-3일마다 바르면 효과가 있고, tar를 함유한 샴푸와 함께 사용할 수 있다. 코코넛오일 성분도 tar, salicylic acid, sulfur와 함께 사용하면 각질이 있는 두피에 도움이 된다.

전신치료로 변경해야하는 시기

생명에 영향을 주는 건선이거나 적절한 국소치료제에 반응이 없거나 일하는데 영향을 주는 건선은 전신치료가 필요할 수 있다. 치료로 얻는 이득이 부작용과 비교해서 더 높을 때 전신치료를 사용한다. 부작용이 발생가능한 약을 사용하게 되는 경우 치료를 통해 환자의 삶의

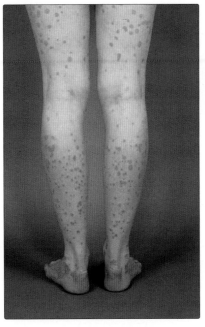

그림 17.3 다리에 발생한 물방울건선. (*From Gawkrodger DJ, 2004. Rapid Reference Dermatology. Mosby, with permission*)

질이 심각하게 제한 받는 것으로부터 거의 정상 상태로 변화시킬 수 있다면 치료가 정당화될 수 있다. 광선요법과 광화학요법은 134쪽에 언급되어 있다.

건선의 합병증

건선은 관절병증, 홍색피부증, 쾨브너현상이 동반될 수 있다(그림 17.5). 대사증후군과 연관되어 있고 심혈관 질환의 위험성을 높일 수 있다. 건선을 지닌 환자는 이러한 기저질환에 대해 검진해야 한다. 정신적인 스트레스도 평가되어야 한다.

대사증후군

대사증후군에는 비만, 당뇨, 지질장애, 심혈관질환, 고혈압이 포함된다. 북미연구에 따르면 일반 인구에서는 23%가 대사증후군이 발

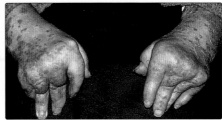

그림 17.5 전신적으로 퍼진 건선 환자에서 발생한 심하게 변형된 대칭성 관절염.

생하는 반면에 건선환자의 40%에서 대사증후군을 갖고있는 것으로 알려져 있다. 이는 치료계획을 수립할 때 고려되어야 한다. 중증 건선에서 만성염증성 사이토카인이 높게 발현되는 것이 건선환자가 높은 빈도로 심혈관질환을 앓고 있는 이유가 된다(p.38). 게다가 건선과 관련된 몇가지 유전자는 심혈관질환과 당뇨의 발병 요인이 될 수 있다.

건선관절병증

건선관절병은 건선환자의 20-30%에서 발생하고 피부증상이 심할수록 흔하게 발생한다. 남녀 같은 빈도로 발생하고 다음 세가지 형태가 존재한다.

1. 비대칭 관절염. 소수의 관절이 침범되고 거의 관절 미란이 없고 기능이 잘 유지되는 형태이다.
2. 대칭성 다발관절염. 이 형태는 관절 미란, 변형과 함께 기능의 소실이 발생한다(그림 17.5). 원위지간관절(distal interphalangeal joints)를 주로 침범하고 류마티스인자가 음성인 소견으로 류마티스관절염과 감별할 수 있다.
3. 척추염이 주된 형태. 이 형태는 강직성척추염과 유사하고 말초관절염과 독립적인 경과를 보이지만 말초관절염이 동반될 수 있다.

건선홍색피부증

이 형태는 입원 치료가 필요하고 전신 약물로 주로 치료하게 된다. 자세한 것은 p.58에 기술되어 있다.

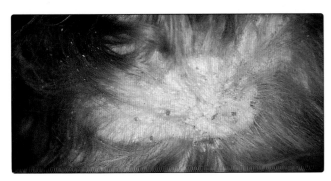

그림 17.4 국소 탈모와 인설을 동반한 판상건선.

건선의 국소 치료

부작용이 건선 치료를 제한하는 요인이 된다.

- 스테로이드: 널리 사용되고 효과적이지만 부작용을 유의해야한다.
- 비타민D유도체: 효과적이지만 피부 자극이 있을수 있다.
- Coal tar: 안전하지만 지저분해지고 환자들이 선호하지 않는다.
- Dithranol: 효과적이나 피부 자극이 있고 집에서 사용하기에 적절치 않다.
- 각질용해제(keratolytics): 두피에 사용하기 유용하고 tar, sulphur와 함께 사용한다.
- 건선이 생명에 영향을 주거나 국소치료에 반응이 없고 환자의 업무를 제한하는 경우 전신치료를 고려하게 된다.

18 | 건선 – 전신치료

연구를 통해 건선은 면역 조절과 관련된 유전자에 이상을 동반한 면역 매개 염증성 질환으로 확인되었다(그림 18.1). 이러한 최근의 발견으로 발병기전에 대한 이해가 늘어남으로써 제약업계에서 건선 및 다른 질환에 효과적인 특이 생물학제제를 개발하는 것이 가능하게 되었다. 생물학제제는 염증매개물질과 세포를 선택적으로 차단할 수 있다. 다른 전신치료 약제는 건선 발병 기전을 변경하는 것으로 생각되지만 작용기전이 생물학제제에 비해서는 잘 이해되지는 않는다.

생물학제제가 아닌 전신치료

전신치료는 다음과 같은 경우에 필요할 수 있다.

- 홍색피부증이나 전신농포성 형태와 같은 생명에 치명적인 경우(그림 18.2)
- 적절한 국소치료에 반응을 하지 않는 경우
- 국소치료에 반응하기 어려울 만큼 광범위한 경우(광범위한 판상건선)
- 지속말단피부염(acrodermatitis continua)과 같이 일을 하기 어려운 경우(그림 18.3)

약물로 얻는 이득이 부작용에 비해 커야한다. 환자의 삶이 질환에 의해 심각하게 영향을 받는 것에서 거의 정상 생활로 돌아갈 수 있다면 잠재적으로 독성이 있을 수 있는 약제를 사용하는 것이 정당화될 수 있다. 건선의 아형은 적절한 치료를 결정하는 데 영향을 미친다. 예를 들어 손발바닥 건선은 acitretin에 잘 반응을 한다(표 18.1). 광선치료와 광화학요법은 134쪽에 기술되어 있는데 psoralen을 이용한 광화학요법은 psoralen을 경구 복용해야하기 때문에 전신치료로 간주된다.

전신치료를 시작하는 조건에 해당되는 경우, 다른 전신치료제를 사용하기에 앞서 methotrexate의 사용을 먼저 고려하는 것이 일반적이다. 물론 이는 methotrexate에 대한 금기사항

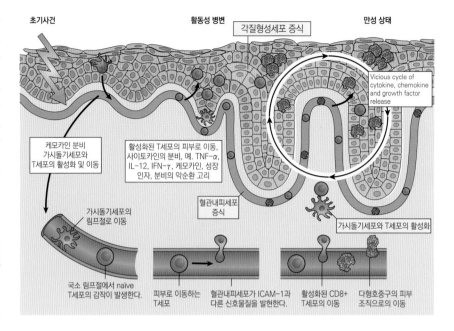

그림 18.1 급성병변을 유발하고 만성 판상병변으로 진행하는 염증성 변화를 보여주는 건선의 분자학적기전. 사이토카인, 케모카인, 성장인자 분비의 악순환 고리가 질환을 활동성 병변으로 만든다. Th1세포로부터 분비된 TNF-α는 일련의 사이토카인 분비를 유도함으로써 염증을 매개한다. 가시돌기세포(dendritic cells)로부터 분비되는 IL-12와 IL-23은 보조T세포의 아형과 T세포 분화를 결정짓는 중요한 역할을 한다. 생물학적제제는 TNF-α, IL-12 그리고 다른 인자들의 염증반응을 억제함으로써 염증의 고리를 끊어주는 역할을 한다.

이 없고 일차 전신치료 약제로서 다른 약제 선택의 정당한 이유가 없을 때에 해당된다.

Methotrexate

Folate 길항제인 methotrexate는 광범위한 만성 판상건선과 같은 중증 건선의 치료에 효과적인 약제로 알려져 있다(그림 18.4). 이 약제는 항염증 효과와 면역조절효과를 갖고 있다.

피하주사나 근육주사로 사용될 수도 있지만 대개 1주에 한번씩 경구로 7.5–15 mg을 복용하게 된다. methotrexate를 사용하기 전에 정상 간, 신장, 골수 기능을 확인해야하고 치료 중에 이러한 기능을 평가해야 한다.

Methotrexate의 금기로 간질환, 알코올중독,

표 18.1 건선에서 전신치료에 대한 안내

건선의 형태	전신치료 선택
광범위 건선	PUVA 또는 레티노이드와 PUVA
	Methotrexate, ciclosporin
	생물학제제
손발바닥	Acitretin, PUVA 또는 레티노이드와 PUVA
전신농포성	Acitretin, methotrexate, ciclosporin
	생물학제제
홍색피부증	Acitretin, methotrexate, ciclosporin
	생물학제제

급성감염이 있고 aspirin, NSAIDs, co-trimoxazole과 같은 약물의 병용은 피하는 게 좋다. 약물 사용 2–4주내에 호전이 건선의 호전을 보인다.

메스꺼움과 같은 경미한 부작용이 흔하지만 간섬유화나 간경화는 오랜기간 약물 사용시 나타나는 부작용이다. 혈중 procollagen III aminopropeptide를 측정하여 간손상을 모니터링 해야한다. 최근 대부분의 전문가들은 정기적인 간조직검사를 위험성과 비용 때문에 근거가 없는 것으로 생각하고 있다. Methotrexate는 또한 기형을 유발할 수 있는 약제이다.

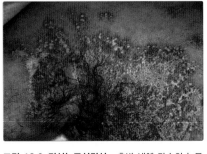

그림 18.2 전신농포성건선. 홍반 내에 다수의 농포가 존재하고 일부에서는 서로 농포가 붙어서 큰 농포를 보인다(From Bolognia JL, Jorizzo JL, Schaffer JV, 2012. Dermatology, 3rd edn. Saunders, with permission).의 고리를 끊어주는 역할을 한다.

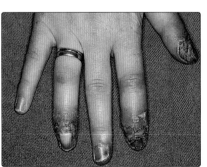

그림 18.3 건선의 한 형태인 지속말단피부염 (acrodermatitis continua). 3개의 손가락에 보이는 무균성 농포를 동반한 손가락염(dactylitis).

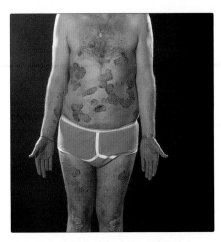

그림 18.4 몸통에 존재하는 만성 판상건선. *(From Gawkrodger DJ, 2004. Rapid Reference Dermatology. Mosby, with permission).*

레티노이드(Retinoid)

비타민A유도체인 acitretin(Neotigason)은 농포성 건선을 치료하고 과각화된 건선을 얇게 만드는데 특히 효과적이다(그림 18.5). Acitretin은 국소치료제로 사용될 수 있고 UVB 또는 PUVA와 병합해서 사용할 수 있다. 이 경우 낮은 자외선 총량에서도 더 빠른 호전을 보일 수 있다.

대부분의 환자들은 점막이 마르거나 소양증, 피부각질이 벗겨지는 등 경미한 부작용이 나타난다. 더 심각한 합병증으로는 골과다증(hyperostosis), 간기능이상, 고지혈증, 기형아유발 등이 있다. 기형아유발의 가능성 때문에 임신가능 연령의 여성에서는 acitretin 사용을 하지 않도록 한다. Acitretin이 50일의 반감기를 갖고 있지만 몇몇 환자의 경우 배출되는데 2년이 걸리는 레티노이드 형태인 etretinate로 대사될 수 있다.

Ciclosporin

이식거부반응을 막기위해 널리 사용되는 면역억제제인 Ciclosporin은 중증건선에 효과적이다. T림프구의 활성화와 IL-2의 생성을 억제하여 효과를 나타낸다.

신장독성은 용량의존적으로 나타나며 약물을 중단하면 회복되는 부작용이다. 치료하는 동안 혈압과 신장기능을 모니터링 해야한다. 피부암이나 림프종의 위험성이 있으며 자외선과 동시에 사용하는 것은 피해야한다.

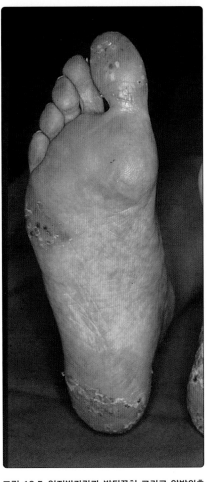

그림 18.5 엄지발가락과 발뒤꿈치 그리고 앞발외측에 발생한 노란 농포를 보이는 손발바닥 농포증. 각질이 동반되어 있다*(From Gawkrodger DJ, 2004. Rapid Reference Dermatology. Mosby, with permission).*

다른 전신치료 약제들

다른 면역억제 약물들이 건선을 조절하기위해 사용되지만 methotrexate만큼 강력하지는 않다.

- Hydroxycarbamide. 간에 영향을 미치지 않는다는 장점이 있으나 골수 억제 기능이 있다. 생물학제제가 사용되는 요즘에는 거의 사용되지 않는다.
- Fumaric acid esters. 다른 치료제로 호전이 되지 않는 중등도 또는 중증 건선을 치료하는데 종종 사용된다. 이 약제는 T세포 면역의 불균형을 교정하는 효과가 있다고 생각된다. 보통 낮은 용량으로 시작하여 적응가능한 추천용량까지 점차적으로 용량을 증량하게 된다. 이 약제 사용의 제한점은 안면홍조, 두통, 메스꺼

움, 위장관 증상과 같은 부작용이다. 백혈구 수치와 신장, 간기능 검사의 모니터링이 필요하다.

생물학제제(Biologics)

Biological response modifiers는 중등도 또는 중증 건선 치료 뿐만 아니라 류마티스관절염과 크론병과 같은 다른 질환의 치료에 획기적인 치료제이다. 생물학제제는 ciclosporin, methotrexate, 광화학요법과 같은 일반적인 전신치료에 반응하지 않는 PASI 10이상, DLQI 10이상의 중증 건선 환자의 치료에 주로 사용된다.

생물학제제는 재조합된 사이토카인, fusion 단백, 마우스 또는 사람의 단일클론항체에 따라 나뉘어진다. TNF-α에 결합하거나, IL-12, IL-23과 같은 사이토카인 수용체, 가지돌기세포에 결합하거나 사이토카인이 작용하는 T세포 수용체를 차단한다.

생물학제제는 건선 치료를 혁명적으로 바꾸었고 많은 환자들의 삶의 질을 획기적으로 변화시켰다. 국소치료와 광선치료를 병합하여 오랫동안 입원치료를 하는 것은 과거 치료법이 되었다.

건선의 전신 치료

전신치료는 중증건선에 사용된다.

- **PUVA**: 흔히 사용되지만 장기적으로 피부암의 위험성이 있다. 규칙적인 병원 방문과 적절한 자외선 용량 조절이 필요하다.
- **Retinoids**: 농포성 건선에 효과적이고 PUVA와 함께 병합치료가 가능하다. 기형아를 유발할 수 있어 임신가능 연령의 여성에서 적절치 않다.
- **Methotrexate**: 건선의 전신치료제로 잘 확립되어 있다. 간독성을 유발할 수 있다. 메스꺼움이 동반될 수 있지만 일반적으로는 잘 견딜만한 치료약제이다.
- **Ciclosporin**: 효과적이지만 신장 독성이 가능하다. 치료하는 동안 혈압과 신장기능에 대한 모니터링이 필요하다.
- **생물학제제**: 표적치료 가능성이 있지만 비용이 비싸다. 약물 사용 전에 생물학제제 사용기준에 맞아야 한다.

19 | 습진 – 급성, 만성, 자극성–1

정의

습진은 소양증, 홍반, 구진, 인설이 발생하는 비감염성 염증성 피부 질환이다. 습진은 다양한 자극에 대한 반응으로 나타나며 이러한 자극은 인지되는 경우도 있지만 알기 어려운 경우가 많다. 습진과 피부염은 같은 질환을 의미하고 서로 상용된다.

분류

습진은 다양한 유병율과 발생기전(표 19.1), 임상소견(표 19.2), 치료법(표 19.3)을 갖는 광범위한 질환이다. 현재 습진의 분류는 일관성이 없다는 점에서 완벽하지 않지만 대부분 습진의 원인을 찾기가 어렵기 때문에 적절한 대체할만한 분류를 찾기가 어렵다. 다양한 형태의 습진이 임상 형태, 부위, 원인에 따라 진단되게 된다. 내인성(내부적 또는 타고난 체질적 요인)과 외인성(외부접촉물질) 요인에 의한 분류가 편리하다(표 19.4). 하지만 실제 임상에서는 이러한 구분이 종종 모호하지만 자주 습진을 이렇게 분류하고 있다. 또다른 분류로 발진의 형태에 따라 급성(그림 19.1)과 만성(그림 19.2)으로 습진을 구분 짓기도 한다.

급성 습진(그림 19.1)

급성습진은 병변 주변에 거의 항상 오래 지속된 습진이 보이는 경우가 많고 갑작스럽게 악화되어 발생하게 된다. 하지만 강력한 자극 물질에 노출되는 경우 만성 병변 없이 바로 나타날 수도 있다. 급성 습진에서는 각질형성세포의 분리와 함께 표피 부종(spongiosis)에 의해 표피내 수포의 형성이 나타나게 된다(그림 19.3a). 진피내 혈관은 확장되고 염증세포가 진피와 표피로 침윤된다. 임상적으로 급성습진은 심한 홍반, 소양증, 때로는 통증이 24–48시간에 걸쳐 갑작스럽게 발생한다. 빈번히 반복적으로 재발하는 습진 부위에 나타나게 된다. 앞서 조직소견을 기술하였듯이 급성 표피부종은 임상적으로 수포, 홍반으로 보이는 진피혈관 확장으로 나타나게 된다. 심한 경우에는 수포가 삼출물을 만들어낸다.

감별진단

갑작스런 습진의 악화는 단순포진 바이러스와 같은 바이러스감염(eczema herpeticum)과 Staphylococcus aureus 같은 세균감염에 의해 유발될 수 있고 적절한 미생물학적 샘플채취를 통한 검사가 필요하고 필요한 경우 이에 대한 치료가 필요하다. 다른 원인으로 강력한 자극물질(강한 세제)와 알레르겐에 대한 노출이 있다.

치료

급성습진의 치료에서는 병변을 유발할 수 있는 원인에 대한 빠른 평가와 필요한 경우 감염에 대한 적절한 치료가 필요하다. 하지만 급성 병변에서는 치료 중 감염이 있거나 배제되면 적절한 항염증 치료제를 사용하는 것도 중요하다. 일반적으로 나이와 병변 부위에 따라 강한 또는 매우 강한 형태의 국소스테로이드를 사용하거나 심한 경우에는 전신 스테로이드를 항염증 목적으로 사용하게 된다. 계속적으로 기름진 습윤제를 규칙적으로 바르는 것도 중요하다. 자세한 것은 원인과 관련된 관련 부분에서 설명될 것이다.

표 19.1 습진: 유병율과 발생기전			
습진	**유병율**	**남녀 발생율**	**발병기전**
아토피습진	소아의 10-30%, 성인의 2-10%	남녀 동일	Filaggrin을 표현하는 유전자의 주요변이가 유전자적으로 중요한 역할을 함. 알레르기반응이 질환의 악화에 역할을 함.
알레르기성 접촉피부염	성인의 20%가 적어도 하나의 알레르겐에 대해 알러지 반응을 보임(가장 흔한 것은 니켈과 향수이지만 methyl-chloroisothiazolinone에 대한 반응이 늘어나고 있음)	여자에서 더 흔함	유전적 소인은 크지않다고 생각됨. 알레르기 화학물질에 환경적으로 노출되는 것이 원인임.
지루피부염	5%의 유병율을 보이지만 일생 발생빈도가 더 높음	남자에서 더 흔함	Malassezia furfur와 같은 자연효모 공생균의 과증식과 피지생성과 연관성이 있다. HIV와 파킨슨병에서 심하게 나타난다.
원판습진	0.1-9.1%	30세 이하의 젊은 환자에서는 여자가 더 흔함. 노인에서는 남자에서 더 흔함.	명확치 않지만 일부에 있어서는 국소 피부감염에 의해 악화될 수 있다.
정맥습진	정맥기능부전을 겪는 성인의 15%에서 흔하다.	남녀 동일	판막기능부전 때문에 정맥고혈압이 발생하고 하지의 조직 부종과 적혈구 유출을 유발한다. 만성염증과 소양증을 유발한다.
건성습진	중등도 또는 중증은 드물지만 경미한 경우가 일반적이다.	남녀 동일	나이가 들어감에 따라 모든 피부가 건조해지지만 낮은 습도, 비누 노출, 영양부족, 신장기능감소가 악화시키는 요인에 해당된다. 각질층 구성성분에 문제가 있을 때 유발된다.
자극성 접촉피부염	전 인구의 1-2%로 추정된다.	여자에서 더 흔함	표피손상에 의해 발생한다. 표백제 등에 의한 각질형성세포의 급성 독성에 의해 발생하거나 용매제, 세정제 등에 의해 지질성분이 제거됨에 따라 피부장벽에 만성적인 손상이 발생되어 나타난다. 물에 반복 노출되면 장벽의 손상을 유발한다.
한포진	전 인구의 0.1% 정도	남녀 동일	보통 아토피습진과 동반된다. 매우 드물게 진균감염이 연관되어 있을수 있다. 발한도 빈번히 악화시키는 인자에 해당된다.
유아성발바닥피부증 (juvenile plantar dermatosis)	드물다	소년에서 더 흔하다.	보통 겨울에 아토피소인이 있는 환자에서 발생한다. 밀폐된 신발과 그에 따른 발의 마찰에 의해 악화된다.

표 19.2 습진: 임상양상

습진	발병나이	증상	임상양상
아토피습진	2세 이하에 50%이상 발생	심한 소양증, 종종 수면을 방해한다.	굴측부에 뚜렷하게 발생되지만 전체적으로 퍼질 수 있다. 얼굴과 손에도 종종 발생한다. 코는 일반적으로 제외된다. 홍반, 구진, 인설. 2차적인 찰과상, 태선화, 감염도 보일 수 있다.
알레르기성 접촉피부염	성인에서 대부분 발생한다. 어린이에서도 유병율이 늘어나고 있다.	소양증, 심한 반응이 있는 경우 때로는 통증	대개 알레르겐이 노출되는 부위에 경계가 명확하게 나타난다. 하지만 아토피습진과 종종 구분이 어렵다. 병변이 잘 발생하는 부위가 있다(예. 얼굴, 성기부, 손, 만성상처).
지루피부염	3개월 이하 유아와 40-60대의 성인	증상이 없거나 경미한 소양증	유아에서는 보통 두피를 침범하여 cradle cap양상 보이고 굴측부와 기저귀 부위에 생긴다. 성인에서는 두피와 함께 얼굴(눈썹, 비구순주름), 흉골부위에 발생한다.
원판습진	50세 이후 가장 흔하다.	심한 소양증	원형의 원판모양 습진성 반, 보통 다리에 국한되거나 때로는 팔에도 발생
정맥습진	노인	소양증	보통 양측성으로 하지에 국한되고 정맥고혈압의 소견을 보인다.
건성습진	노인	경미하거나 중등도. 종종 소양증이 없다.	초기에는 다리에 전반적으로 건조한 피부에 금과 갈라진 균열이 보임. 다른 병변으로 퍼질 수 있다.
자극성 접촉피부염	어느 나이에든 발생되지만 유아와 노인에서 더 흔히 발생한다.	소양증. 급성 병변은 종종 통증이 동반됨.	자극성 물질에 노출된 부위에 국한되어 발생. 종종 알레르기 접촉피부염과 구분하기가 어렵다. 손과 손가락 사이가 잘 발생되는 부위다.
한포진	젊은 성인에서 가장 흔하다.	심한 소양증이 수포가 발생할 때 나타나고 점차 수주에 걸쳐 가라앉고 이후 인설과 갈라짐이 나타난다. 이는 주기적으로 나타난다.	고전적으로 수포가 손가락 외측 경계부에 나타난다. 하지만 더 심한 경우에는 손바닥, 발바닥에 나타날 수 있다.
소아발바닥피부병 (juvenile plantar dermatosis)	3-13세	균열 때문에 불편감이 있다. 소양증은 두드러지지 않는다.	발바닥 앞쪽과 발가락 바닥쪽에 국한된 건조증과 인설

표 19.3 습진: 치료와 예후

습진	치료원칙	합병증	예후
아토피습진	자극물질과 알레르겐과 같은 악화요인을 제거, 피부장벽의 회복, 항염증 물질(국소스테로이드, 국소칼시뉴린억제제), 필요하면 항생제	피부감염(Staphylococcus aureus와 같은 박테리아, 단순포진 바이러스와 같은 바이러스, Malassezia furfur와 같은 진균)	일반적으로 나이가 들어감에 따라 개선됨.
알레르기성 접촉피부염	원인되는 알레르겐을 피함.	심한 경우에는 습진이 비노출 부위로 이차적으로 퍼지거나 전신반응이 발생한다.	알레르겐을 회피하면 증상이 완전히 사라진다. 직업성 알레르기접촉피부염은 직업의 변경이 필요할수 있다.
지루피부염	급성기에는 약한 국소스테로이드를 사용하지만 항효모약제(imidazole)를 샴푸나 크림, 습윤제 형태로 유지요법	보통 이차감염이 되지 않는다.	유아질환은 보통 자연 호전되지만 성인질환은 재발과 회복을 반복한다.
원판습진	국소스테로이드와 칼시뉴린억제제가 보통 효과적이다. 때로는 광선치료나 전신치료제가 필요할 수 있다.	이차감염이 보일수 있다. (보통 Staphylococcus aureus)	
정맥습진	국소스테로이드가 급성염증에 도움이 되지만 유지요법으로 정맥부전에 대해 압박요법과 같은 치료가 필요하다. 매일 습윤제를 바르는 것이 도움이 된다.	정맥궤양은 정맥습진의 직접적인 합병증은 아니지만 위축된 피부를 긁어서 외상에 의해 발생된다. 정맥습진에서 알레르기접촉피부염의 유병율이 증가한다.	근본적인 혈관문제를 교정하지 않으면 점차적으로 악화된다.
건성습진	열심히 습윤제를 발라야 하고 국소스테로이드는 필요하지 않다.		치료에 잘 반응한다.
자극성 접촉피부염	가능하면 자극성 물질을 피해야하고 규칙적으로 습윤제 사용과 짧은 기간 스테로이드를 도포하는 것이 도움이 된다.		종종 치료가 어렵다. 직업성 자극성접촉피부염은 직업의 변경이 필요할 수 있다.
한포진	수포가 발생할 때는 강한 국소스테로이드의 사용이 효과적이다. Postassium permanganate에 담그는 것도 도움이 된다. 심한 경우에는 간간히 전신치료제 사용이 필요할 수 있다.	수포 후에는 균열이 발생된 부위에 이차감염이 생길수 있다.	종종 수년간 지속되는 질환이지만 질환의 회복이 흔히 나타난다.
소아발바닥피부병 (juvenile plantar dermatosis)	습윤제의 사용과 공기가 잘 통하는 신발이 도움이 된다.	균열된 부위에 감염이 발생할 수 있다.	나이가 들면 일반적으로 호전된다.

19 | 습진 – 급성, 만성, 자극성 – 2

만성 습진 (그림19.2)

정의상, 만성습진은 진행하는 급성습진의 주위에 발생한다. 만성습진은 자극성, 알레르기성습진을 포함한 다양한 원인으로 발생하지만 아토피습진에서 가장 흔히 나타난다. 일반적으로 만성습진은 굴측부가 가장 흔히 발생하는 부위이다. 만성습진에서는 가시층이 두꺼워지는 acanthosis(극세포증), 각질층이 두꺼워지는 hyperkeratosis(과각화증), 각질세포에 핵이 남아있는 parakeratosis(이상각화증)이 나타난다 (그림 19.3b). 표피능선이 늘어나 있고 진피혈관이 확장되고 염증성세포 침윤이 관찰된다. 이러한 조직학적 소견은 임상적으로 거칠어진 인설, 분명한 경결을 동반한 두꺼워진 피부 소견을 나타낸다(태선화). 염증은 있을 수 있지만 두꺼워진 피부에 의해 가려진다. 만성습진에서는 소양증이 계속 진행하고 수그러들지 않아서 환자를 힘들게한다. 수면장애가 일반적이고 결과적으로 기분과 행동에 영향을 미친다. 심한 경우에는 습진 병변 내에 국소적 결절성 소양성 병변이 발생할 수 있다.

감별진단

만성습진은 아토피습진에서 가장 흔히 관찰되는 소견이지만 어떠한 이유든 간에 활동성 습진 병변이 잘 조절되지 않고 오랫동안 지속되는 경우 발생된다.

치료

만성습진의 치료를 위해 활동성 습진을 유발시킨 원인을 재평가할 필요가 있다. 첩포검사로 재조사하는 것이 중요하다. 습윤제와 국소 항염증약제(국소스테로이드와 칼시뉴린억제제)가 도포된 양을 명확히 하여 습진을 치료하는 데 사용된 치료요법을 자세히 확인해야한다. 자극성 물질과 알려진 알레르겐을 엄격히 피한 결과를 평가해볼 필요가 있다. 많은 경우 너무 조심하여 적은 양의 국소스테로이드를 도포하여 부족

한 치료(undertreatment)를 하는 것이 문제일수 있지만 몇몇의 경우에는 질환이 치료에 반응을 하지 않을 수 있다. 치료에 반응을 하지 않는 경우에는 국소 스테로이드 용량을 증가시킴으로써 피부 부작용과 전신 부작용을 유발시킬 위험성이 있기 때문에 부족한 치료를 하고 있는 건지 치료가 반응이 없는 건지를 평가하는 것이 중요하다. 부족한 치료에서는 적절한 치료법을 설명하기 위해 환자와 가족의 조언이 필요하다. 국소치료제 사용에 대한 실제적인 시범을 보여주는 것이 매우 유용하다. 심하게 태선화 되어 있는 만성습진은 표피의 두께 때문에 약물이 피부로 투과되는 정도가 낮아 국소치료제로 잘 반응을 하지 않는 경우가 많다. 그러므로 강한 또는 매우 강한 국소치료제나 전신치료제가 질환의 조절을 위해 또는 일반적으로 국소치료제로 효과가 있을 정도의 수준까지 회복시키는데 필요할 수 있다. 일단 조절이 되면 기저 원인에 따라 통상적인 치료 경과를 밟게 되며 만성 변화로의 진행을 막을 수 있게 추가적인 모니터링이 필요하다.

자극성접촉피부염 (Irritant contact dermatitis)

자극성접촉피부염은 피부에 알레르겐이 아닌 염증 자극 물질에 의해 유발된다. 임상적으로는 서로 유사하지만 자극성 물질은 알레르겐에 비해 더 흔한 접촉피부염의 원인이다.

원인기전

자극반응이 나타나는 정도가 개인에 따라 차이가 있을 수 있지만 자극 반응은 어떠한 사람에서든지 충분한 양의 자극성 물질에 노출되면 발생될 수 있고 이러한 반응은 면역 기억 반응에 의한 것이 아니다. 알레르기 반응과의 차이점은 자극성 반응은 첫 노출에서도 발생이 되지만 알레르기 반응은 증상 유발에 5-7일이 걸린다. 하지만 많은 자극반응은 점차적으로 자극성 물질

표 19.4 A classification of eczema	
Type	Variety
Exogenous (contact)	Allergic, irritant Photoreaction
Endogenous	Atopic Seborrhoeic Discoid (nummular) Venous (stasis, gravitational) Pompholyx
Others	Asteatotic (eczema craguelé) Lichen simplex (neurodermatitis) Juvenile plantar dermatosis

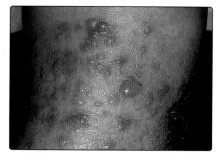

그림 19.1 급성피부염(습진). 홍반, 부종이 구진, 수포, 때로는 큰 수포가 나타날수 있다. 삼출물과 가피 형성이 나타난다. 발진은 통증과 소양증이 동반된다. 이 증례는 국소적으로 도포한 크림에 대해 접촉성 알레르기에 의해 발생했다.

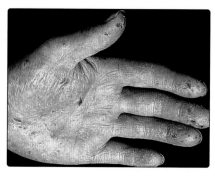

그림 19.2 만성피부염(습진). 자극성 물질에 대해 반복적 노출에 의해 태선화, 인설, 손의 균열이 관찰됨. 알레르기접촉피부염을 임상양상만으로 배제할수 없다.

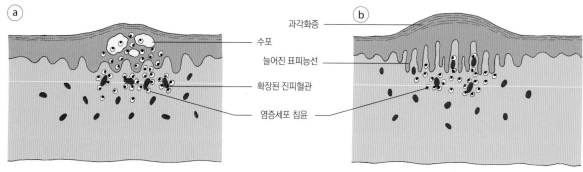

그림 19.3 급성(a), 만성(b)피부염의 조직학적 소견.

표 19.5 일반적인 자극성 물질의 원인	
직업	**물질의 원인**
건축업자	시멘트, 마찰
청소부	세제, 용매제
요리사	고기, 채소, 비누
미용사	샴푸, 표백제
의료인	물, 비누
금속 업무	절삭유, 물
사무직	종이, 건조한 공기
농부	동물 분비물

Adapted from English J, Aldridge R, Gawkrodger DJ, et al. Consensus statement on the management of chronic hand eczema. Clin Exp Dermatol 2009;34:761–769.

표 19.6 손에 발생한 자극성접촉피부염의 치료	
개인관리	냄새제거제, 항균비누, 클렌저는 사용하지 않도록 한다. 머리 샴푸하기 전에 비닐 장갑을 끼도록 한다.
손씻기	손씻기를 피하고 미지근한 물만 사용하도록 한다. 강하거나 향이 있는 비누를 사용하지 않는다. 대신에 습윤 클렌저(비누가 없는)를 사용한다. 물기가 많은 일을 하거나 손을 씻을 때 반지를 제거한다.
건조	손을 건조시키기 위해 문지르기보다는 두드려서 닦는다.
습윤제	손을 씻고 난 후 습윤제를 바른다. 연고(ointment)형태가 크림형태보다 더 효과적이다.
집안일	집안에 클렌저 사용을 피한다. 면장갑을 끼는 것이 집안 일을 할 때 도움이 되고 힘든 일을 할 때는 정원용장갑을 끼도록 하여 손을 씻을 필요가 없도록 한다. 식기 세척은 천을 사용하기 보다는 긴 손잡이가 있는 브러쉬를 사용하여 손이 젖지 않도록 한다. 손으로 씻기보다는 식기세척기를 이용하도록 한다.
온도/발한	과도한 열이나 추위는 피부에 자극이 된다. 장갑으로 밀폐를 시키면 땀을 많이 유발하고 이로 인해 자극이 발생할 수 있다. 밀폐를 최소화하기 위해 꽉 끼지 않는 고무장갑이나 비닐 장갑 안쪽에 면장갑을 끼는 것이 좋다.
음식	과일쥬스, 과일, 채소, 생고기, 양파, 마늘과 접촉을 최소화한다.

Adapted from English J, Aldridge R, Gawkrodger DJ, et al. Consensus statement on the management of chronic hand eczema. Clin Exp Dermatol 2009;34:761–769.

이 누적되어 오랜 기간 노출된 후 나타나게 된다. 자극 반응은 피부장벽의 손상과 피부에 독성물질을 인지하는 선천면역에 의해 유도된다. 표 19.5에는 가장 중요한 자극성 물질이 기술되어 있다.

표피세포의 괴사를 유발하는 강한 자극성 물질은 수시간내에 반응을 유발하지만 많은 경우 만성적인 경우가 더 흔하다. 수개월 또는 수년간 물, 연마제, 화학물질에 반복적으로 그리고 누적되어 노출이 되면 피부염이 주로 손에 발생할 수 있다. 아토피습진의 과거력이 있는 경우 이러한 자극성 물질에 더 민감하게 반응이 나타난다.

임상양상

자극성접촉피부염은 몸의 어느 부위든 발생할 수 있지만 손에 가장 흔히 발생한다. 알레르기접촉피부염과 마찬가지로 환자의 직업, 취미, 매일 하는 일들이 가능한 원인을 파악하는 데 도움을 줄 수 있다.

감별진단

손에 발생한 자극성접촉피부염은 알레르기접촉피부염, 내인성습진, 라텍스접촉피부염(p.48), 건선, 진균감염과 감별이 필요하다.

치료

자극성접촉피부염의 치료를 위해서는 물기가 많은 환경에 일하는 것을 피해야하는 것처럼 일상생활의 변화를 필요로 하기 때문에 치료가 항상 쉽지는 않다. 첩포검사(p.48)는 얼굴, 손, 발에 발생한 피부염에 있어 알레르기접촉피부염을 배제하는데 중요하다. 의심되는 자극성 물질을 피하는 것은 질환을 해결하는데 필수적이다. 하지만 자극성 물질을 피하기 불가능한 경우도 종종 있다. 자극성 물질에 어느 정도 노출되는 것이 직업적 특성상 불가피할 수 있다. 하지만 직업적으로 개인위생이 향상될 수 있다. 자극성 물질에 대한 불필요한 접촉을 제한하거나 고무장갑 등의 보호장구를 끼거나 필요시 적절히 잘 씻고 말리는 것이 좋다. Barrier cream는 개인 피부보호를 도와주기는 하지만 거의 정답이 되기는 어렵다. 국소스테로이드(중등도 강도 또는 강한 강도)가 자극성접촉피부염에 도움이 되지만 자극성물질을 회피하는 방법이 가장 중요시 되어야 한다. 손습진을 위한 일반적인 전문가 조언이 표 19.6에 요약되어 있다.

습진: 급성, 만성 그리고 자극성 피부염

급성습진

- 급성습진은 아토피습진, 알레르기성습진, 자극성습진을 포함한 활동성 습진을 갖고 있는 사람에서 일반적으로 발생한다.
- 급성습진은 매우 가렵고 종종 통증이 나타나며 수포를 동반한 급격한 염증성 변화에 의해 나타난다.
- 급성습진은 단순포진바이러스와 같은 바이러스 감염과 Staphylococcus aureus와 같은 세균감염, 그리고 알레르겐이나 자극성 물질의 노출에 의해 발생된다.
- 치료로는 필요시 항생제, 항바이러스제를 사용하고 강한 국소스테로이드를 나이와 발생 부위에 따라 적절하게 사용한다. 경구스테로이드가 사용될 수 있다.

만성습진

- 만성습진은 끊임없는 소양증에 의해 표피가 두꺼워지는 태선화, 인설의 증가, 염증을 동반하는 점차적으로 악화되는 습진 형태로 나타난다.
- 만성습진은 아토피습진과 같이 병변 주위에 습진이 잘 조절되지 않는 환자에서 발생된다.
- 만성습진은 국소스테로이드의 안정성에 대한 걱정으로 치료를 잘 하지 않아 발생할 수 있다.
- 치료로는 악화되는 이유가 치료를 잘하지 않아서 발생했는지에 아니면 습진이 치료에 저항성이 있는지에 대해 평가해야한다. 부족한 치료를 하는 경우에는 적절하고 안전한 치료법이라는 것을 세세하게 설명하는 교육이 필요하다. 치료에 대해 저항하는 경우는 치료의 강도를 올리는 것이 필요하다.
- 태선화가 심한 만성습진은 조직으로 약물투과가 부족하여 국소치료에 잘 반응하지 않는 경우가 종종 발생한다.

자극성접촉피부염

- 알레르겐에 비해 다양한 종류의 자극성 요인이 접촉피부염을 더 잘 발생시킨다.
- 자극성접촉피부염은 많은 경우 임상양상만으로는 알레르기성 또는 내인성습진과 감별하기 어려울수 있다.
- 아토피 소인이 있거나 민감성 피부를 가진 환자의 경우 자극성 물질에 대해 더 민감하게 반응하게 된다.
- 첩포검사가 알레르기접촉피부염을 배제하는데 도움이 된다.
- 일반적인 자극물질: 물, 마찰성 연마제, 화학물질(특히 알카리성), 용매제, 오일, 세정제, 비누, 낮은 습도, 고온, 저온의 극한 온도
- 예방이 가장 이상적이지만 알레르겐과 자극성 물질을 없애고 피하는 것이 도움이 된다.

20 | 습진 – 알레르기접촉피부염과 첩포검사

정의

알레르기접촉피부염(Allergic contact dermatitis)은 외부 물질, 대개 항원으로 면역세포가 인지하고 그 결과 T세포 염증반응을 유발하는 화학물질에 의해 발생되는 습진이다. 자극성물질과 내인성 요인도 질환의 발생에 연관되어 있다.

원인기전

알레르기접촉피부염에 대한 발생 취약성은 개인에 따라 다양하다. 화장품에 존재하는 화학물질, 약물, 환경에서 노출된 알레르겐에 대해 비슷하게 노출을 하더라도 몇몇에서는 알레르기 반응이 나타나지만 다른 사람에서는 나타나지 않는다. 어떠한 경우에는 적은 노출에도 반응이 나타나지만 다른 사람의 경우에는 여러 회의 반복 자극과 노출로 발생한다. 하지만 유전적 소인에 대해 알려진 것은 없는 실정이다.

알레르기반응의 시작은 피부를 통해 이루어진다. 화학물질 항원이 피부에 있는 자신의 단백에 결합하고 이것이 피부 가지돌기세포에 의해 흡수, 가공되고 주변 림프절로 이동하여 naïve CD4+ T세포에 항원을 전달한다. 5-7일 또는 그 이상의 시간 후, 이러한 effector T세포가 림프절을 떠나 피부로 이주해 올 수 있는 분자적인 조절에 의해 피부로 이동하게 되고 그때 화학물질 알레르겐을 다시 만나게 되면 염증반응이 유도되고 피부염이 발생되게 된다.

임상양상

알레르기접촉피부염은 손, 얼굴에 가장 흔히 발생하지만 신체 어느 부위에든 발생이 가능하다. 특정 위치에 피부염의 발생(그림 20.1)이 어떤 물질에 대한 접촉을 의심하게 한다. 예를 들어 값싼 귀걸이에 대한 반응이 있던 여성에서 손목에 습진이 발생했을 때 시계줄 버클에 대한 니켈

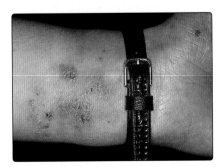

그림 20.2 시계줄 버클에 있는 니켈에 대한 알레르기접촉피부염.

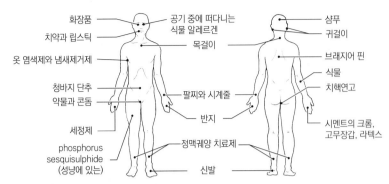

그림 20.1 알레르기접촉피부염의 병변 분포에 따른 의심물질.

표 20.1 일반적인 알레르겐의 원인물질	
알레르겐	**물질의 원인**
acrylates	인조손발톱, 치과재료, 산업용 접착제
chromate	시멘트, 무두질한(tanned) 가죽, 밑칠 페이트, 방식제(anticorrosives)
cobalt	색소, 페인트, 잉크, 장신구, 금속합금
colophonium	접착제, 가소제, 접착 테이프, 니스, 광택제
epoxy resins	두 가지 성분의 접착제, cast mouldings
fragrances	화장품, 크림, 비누, 냄새제거제, 가장용품, 아로마치료제
nickel	장신구, 지퍼, 옷가방의 잠금장치, 가위, 도구들
paraphenylenediamine	머리염색약, 옷염색제, 신발, 컬러현상액
plants	Primula obconia, 국화(chrysanthemums), 마늘, 옻나무, 오크나무
방부제	화장품, 크림과 오일, 페인트, 냉각오일
고무 화학물질	장갑, 옷, 신발, 마스크, 타이어, 콘돔

알레르기 반응이 나타났음을 생각해볼 수 있다(그림 20.2). 알레르겐에 대한 노출 과거력이 항상 알려지지는 않기 때문에 진단이 쉽지는 않다. 환자의 직업, 취미, 화장품이나 약물 사용 과거력, 집안에서 사용하는 물질에 대한 접촉, 직장에서 노출되는 물질에 대한 조사를 하는 것이 가능한 원인을 확인하는 데 도움을 준다. 일반적인 알레르겐의 주변환경에서 노출되는 원인에 대해서 표 20.1에 기술되어 있다. 약물, 화장품, 가정에서 사용되는 물품, 식물, 직장에서의 노출이 모두 알레르기성 그리고 자극성접촉피부염을 유발할 수 있다.

알레르기접촉피부염은 때로는 자가감작(autosensitization)에 의해 이차적으로 퍼져서 전신적으로 나타날 수 있다. 선크림이나 향수와 같은 국소제제가 자외선 노출에 의해 활성화 되는 경우 일광노출부위에 광접촉반응을 유발할 수 있다(p.60).

감별진단

접촉피부염에서 알레르기 원인과 자극성 원인이 공존할 수는 있지만 두 가지 원인은 서로 구분될 필요가 있다. 내인성습진, 라텍스 접촉두드러기, 건선, 진균감염도 고려해 볼 필요가 있다. 얼굴에 급성접촉피부염이 발생하는 경우 혈관부종이나 단독과 유사하게 보일 수 있다.

치료

알레르기접촉피부염은 자극성 물질, 알레르겐, 내부인자가 복합적으로 작용하므로 치료가 항상 쉽지는 않다. 원인 알레르겐과 자극성 물질을 찾는 것은 최우선적으로 중요한 목표이다. 후반부 언급할 첩포검사가 접촉성 알레르기가 유발의 원인인지 평가하는데 유용하고 얼굴, 손, 발의 피부염에 있어 특히 중요하다.

일단 관련성이 확인이 되며 주변 환경에서 원인 알레르겐을 피하는 것이 바람직하고 이렇게 할수만 있다면 증상이 깨끗이 사라진다. 가장 흔한 알레르겐은 니켈, 향료, 방부제, paraphenylenediamine, 고무화학물, colphonium과 식물이다. 알르르겐에 평상시 계속 노출하는 것을 피하는 것은 거의 불가능하다.

알레르겐 회피

니켈 감작은 여성환자의 10%를 차지하고 남자

의 1%가 나타난다. 보통 장신구나 금속 접촉 위에서 불편한 습진이 나타날 수 있지만 산업 피부염으로 니켈 기브스, 금속 기계제작/수리 기술자에서 나타날 수 있다.

향료는 현대사회에 어디에서나 존재하고 향수(그림 20.3), 냄새제거제(그림 20.4)와 같은 화장품에서 뿐만 아니라 많은 생활용품에서도 발견된다. 비슷하게 방부제는 개별의 피부관리 제품 외에 다양한 제품에 사용된다. 유럽에서는 비누나 샴푸와 같은 화장품에 발견되는 methylisothiazolinone이라는 방부제에 대한 접촉 알레르기의 유행이 있었고 페인트와

절삭유와 같은 직업에서 사용되는 제품도 알레르겐으로 작용한다.

고무장갑에 있는 thiuram과 같은 고무 화학물질은 흔한 알레르겐에 해당된다. 물로 고무에 반응을 보이는 환자에서는 라텍스 접촉 두드러기도 고려되어야 한다. 국내식물과 농업에 사용되는 식물 역시 알레르기 또는 자극성 접촉피부염을 유발할 수 있다. 미국에서는 옻나무 피부염(urushiol이라는 식물 화학물질에 대한 접촉 알레르기 반응)이 큰 문제가 되고 있다.

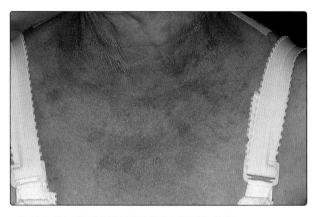

그림 20.3 향수 때문에 목에 발생한 알레르기성접촉피부염.

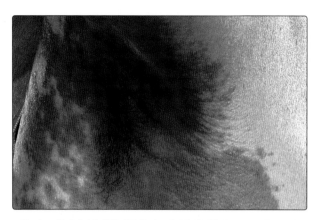

그림 20.4 냄새제거제 성분 때문에 겨드랑이에 발생한 알레르기접촉피부염.

첩포검사

피부 위로 첩포검사를 시행하는 것은 세포매개과민반응(제4형)(p.10)을 확인하는 것이다. 접촉피부염을 조사하는 데 매우 유용하다. 첩포검사를 위해 상업적으로 구비되어 있는 알레르겐을 petrolatum이나 때로는 물에 희석시켜 올바른 농도로 사용한다. 자세한 검사 설명은 그림 20.5에 기술되어 있다.

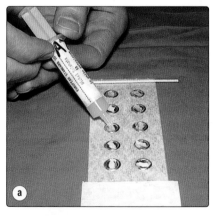

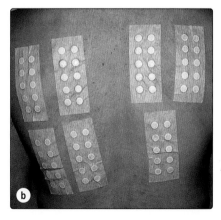

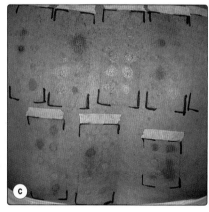

그림 20.5 첩포검사 방법.
(a) 첩포검사를 준비한다. 첩포검사에 사용될 물질을 접착테이프에 붙어 있는 8 mm직경의 aluminium disc(Finn chamber)에 소량씩 바른다. 검사할 물질을 고르는 것은 임상적 문제, 피부염의 부위, 사용하는 화장품이나 직장내 물질에 성분표시에 따른 주변환경에서의 접촉물질, 환자의 직업과 같은 자세한 과거력, 문진에 따라 결정된다.
(b) 첩포를 붙인다. 약 45개의 standard series물질을 모든 환자에게 검사하고 추가적인 알레르겐에 대해 필요하면 검사할 수 있다. 검사 기록지를 보관해야

한다. 첩포를 등 위에 2일간 고정시키고 그 이후 접착테이프 경계부위에 마커펜으로 표시를 한 후 첩포를 제거한다.
(c) 첩포검사를 판독한다. 수많은 알레르겐에 대해 양성 결과를 보여주고 있다. 양성 알레르기 반응은 다음과 같은 국소 습진성 반응으로 나타난다.
?+ 의심: 희미한 홍반만
+ 약한 반응: 홍반, 구진이 있을수
++ 강한 반응: 수포, 경결
+++ 심한 반응: 대수포
IR 자극성 반응(다양한 형태로 나타나지만 피부

marking의 증가와 함께 광택이 있는 경계성 병변을 종종 보여준다)

양성반응이 4일째까지 잘 나타나지 않기 때문에 검사 부위를 4일째에 두번째 판독을 하게 된다. 결과는 임상적인 상황에 맞게 해석되어야 하는데 양성 반응이 항상 현재 피부의 문제로 연결지을 수 없다. 환자가 알레르기 반응을 보인 알레르겐을 함유하고 있는 물질에 노출된 적이 있는 경우 연관성을 지을 수 있다. 일반적인 알레르겐과 그 주요 원인물질은 표 20.1에 기술되어 있다.

알레르기접촉피부염

- 알레르겐에 특이하게 감작된 T세포의 활성화가 국소적인 염증을 유발시키고 결과적으로 알레르기접촉피부염을 만들어낸다.
- 알레르기접촉피부염을 진단할 수 있는 중요 소견의 위치은 알레르겐이 접촉 과거력과 습진이 발생된 특정 위치이다.
- 자극성 물질과 내인성 인자는 종종 알레르기접촉피부염에 공존하는 경우가 많다.
- 알레르기접촉피부염은 이차적으로 습진이 퍼져나갈 수도 있지만 대개 알레르겐이 접촉된 부위에 국한되어 발생한다.

- 첩포검사는 특히 얼굴, 손, 발에 발생한 알레르기접촉피부염을 확인하는데 유용하다. 라텍스와 같은 경우에는 특이 immunoglobulin E검사와 알레르기 단자검사가 필요할 수 있다.
- 일반적인 알레르겐: nickel, 고무 화학물질, 향료(향수), chromate, cobalt, colphonium, 방부제, 식물 알레르겐, paraphenylenediamine
- 알레르겐과 그 유사물질의 제거와 회피이 치료에 도움이 되지만 초기부터 감작이 안되도록 하는 것이 이상적이다. 몇몇 알레르겐에 대해서 환경에서 노출이 되지 않도록 하는 법안이 필요할 수 있다.

21 | 아토피습진 – 역학, 병태생리와 임상양상

정의

아토피습진(Atopic eczema)은 소아에서 주로 발생하는 경계가 명확치 않은 만성의 소양성 구진성 염증 질환이다. 긁는 행위가 조절되지 않는 것이 일반적이다. 소아의 약 50%에서 성인이 되어도 아토피피부염 소견의 증거가 남아 있지만 대부분의 경우 나이가 들면 개선된다. 아토피라는 것은 천식, 알레르기비염, 결막염, 아토피습진이 발생할 수 있는 타고난 성향을 보이는 것을 일컫고 전 인구의 15~25%가 이러한 소인을 보인다. 아토피환자는 일반적으로 혈액 내에 호흡기 알레르겐(예, 집먼지진드기)에 대한 immunoglobulin E 항체가 높게 관찰된다. 혼란스럽게도 아토피습진의 임상양상을 보이는 모든 환자에서 높은 IgE가 관찰되지는 않는다. 그러므로 진단기준에 IgE의 수치가 포함되지 않는다.

원인기전

피부장벽

아토피습진을 갖고 있는 환자는 피부장벽이 손상되어 피부로부터 과도한 수분의 손실이 나타나 피부가 건조해지게 되고 외부의 자극성 물질과 알레르겐이 피부로 투과력이 늘어남으로써 염증이 발생한다. 표피의 바깥층에 발현되는 피부장벽 단백질인 filaggrin을 발현하는 유전자의 기능소실 돌연변이와 아토피습진과의 강한 연관성이 밝혀짐으로써 아토피습진의 발생에 표피의 기능의 중요성이 제시되었다.

면역학

아토피습진을 갖고 있는 환자는 외부 환경의 알레르겐에 대한 비정상적인 면역반응에 의해 Th2 면역반응으로 편향되어 있고(p.10) 이로 인해 알레르겐 특이 IgE의 생성이 늘어나게 된다. 이러한 면역적 이상에 대한 근본적인 원인은 아직 불명확하다. 하지만 아토피습진 환자의 20%는 혈중 IgE 수치가 정상이다.

발생율

영국 유아의 20~30%에서 아토피습진이 발생한다. 대개 생후 첫 6개월내에 발생되고 60% 환자가 생후 1년까지 아토피습진이 발생된다. 2/3 환자가 아토피 가족력을 갖고 있다. 나중에 재발하는 경우도 있지만 40~60% 환자에서 10~20년 내에 질환이 호전되게 된다.

임상양상

아토피습진의 양상은 환자의 나이에 따라 다르게 나타난다.

유아

아기에서는 얼굴, 머리, 손에 가려움증을 동반한 수포와 삼출성 습진이 보이고 종종 2차 감염이 동반된다(그림 21.1). 절반에서 18개월 넘어서까지 습진을 계속 갖고 있다.

소아

18개월후에는 병변의 양상이 굴측부(팔오금, 다리오금, 목, 손목, 발목)에 발생하는 것으로 변화된다(그림 21.2와 21.3). 얼굴은 종종 홍반과 눈아래 주름을 보인다. 태선화, 찰과상, 건조한 피부가 흔히 나타난다(그림 21.4). 손바닥 주름이 두드러진다. 피부색이 어두운 사람에서는 염증후과색소침착이 나타난다. 대부분의 임상 소견이 긁고 문질러서 나타나며 이 때문에 밤에 수면을 방해하는 것이 큰 문제이다. 행동장애가 나타날 수 있고 소아습진이 가족의 인생을 망가트릴 수 있다. 때로는 신측부(무릎, 팔꿈치)에 병변이 발생하는 역형태의 임상 소견을 보일 수 있다.

성인

성인에서 가장 흔히 나타나는 임상양상은 자극성 물질에 의해 악화되는 손 피부염이고 이런 양상을 보이는 환자는 아토피습진의 과거력을 갖고 있는 경우가 있다. 하지만 일부 성인환자는 만성적인 중증의 전신성, 태선화 아토피습진(그림 21.5)을 갖고 있고 이로 인해 취직과 사회활동에 영향을 받는다. 시험과 부부생활의 문제와 같은 스트레스 상황이 질환의 악화와 동시에 나타난다.

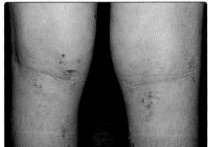

그림 21.3 소아에서 다리오금 부위에 발생한 아토피습진.

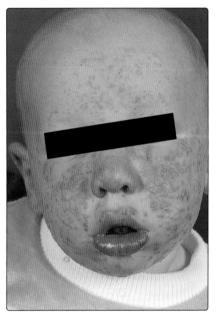

그림 21.1 유아에서 발생한 아토피습진. 건이차세균 감염이 발생하였다.

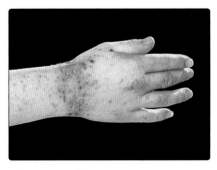

그림 21.2 소아에서 발생한 아토피습진. 손목에 찰과상과 태선화 병변을 보인다.

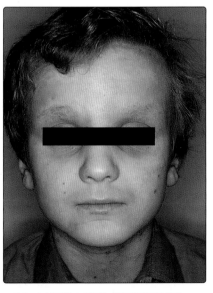

그림 21.4 건조하고 가려운 형태의 아토피습진. 얼굴을 계속적으로 비벼 눈썹의 소실이 관찰된다.

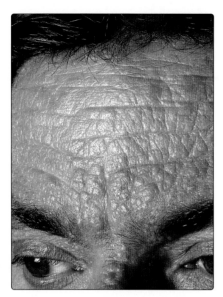

그림 21.5 성인의 얼굴에 육안적으로 태선화되고 결절화된 형태를 보이는 아토피습진.

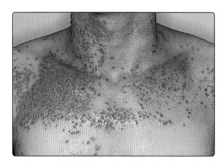

그림 21.6 포진성습진. 아토피습진에 단순포진 바이러스 감염이 합병증으로 발생함.

감별진단

옴이 배제되어야 한다. 드물게 면역결핍증후군이 습진으로 나타날 수 있다(p.78). 표준치료에 잘 반응하지 않는 환자나 알레르기접촉피부염의 위험신호를 갖고 있는 환자에서는 첩포검사가 중요하다(p.48).

합병증

아토피습진은 여러가지 합병증이 발생할 가능성이 높다. 몇가지는 일반적이고 몇가지는 드물다.

- 세균감염. 대부분의 아토피습진 환자는 Staphylococcus aureus (p.62)가 피부에 군집되어 있고 질환을 악화시킬 수 있다.
- 포진성습진(그림 21.6), 전염성연속종과 같은 바이러스감염.
- 백내장. 심한 아토피습진을 지닌 젊은 성인에서 드물게 특정 형태의 백내장이 발생할 수 있다.
- 성장지연. 심한 아토피습진을 지닌 어린이는 작은 키를 가질 수 있다. 국소스테로이드 치료가 원인이 되는 경우는 흔하지 않다.

치료

일반적인 치료법은 환자와 부모에게 질환과 치료에 대해 설명하고 정상적으로는 좋은 예후를 보인다는 점을 강조하는 것이다. 손톱은 짧게 유지해야한다. 간호, 미용, 청소 등의 직업은 아토피습진을 지닌 환자에서는 더 힘들다. National Eczema Society와 같은 환자를 지지하는 그룹은 많은 도움이 된다.

아토피습진을 위한 특정치료법들은 표21.1에 요약되어 있다.

국소치료법
목욕과 습윤제 치료

습윤제(p.29)가 가장 중요한 치료이고 다양한 제품이 compliance를 높일 수 있게 사용될 수 있고 어떻게 바르는 것이 좋을 지를 시간을 내어 설명을 해야한다. 건조한 피부에 보습을 유도하고 긁고싶은 욕망을 감소시키며, 국소스테로이드의 사용 필요성을 줄일 수 있다. 기름진 습윤제(연고)는 피부장벽을 회복하는 데 더욱 효과적이기 때문에 일반적으로 더 효과적으로 사용된다. 모든 비누와 거품나는 제품을 피해서 몸을 씻고 습윤제를 함께 사용해야 한다.

국소스테로이드와 칼시뉴린억제제 (Calcineurin inhibitof)

어린이에서는 1% hydrocortisone연고를 하루에 한번 사용하는 것이 보통 적당하다(연고가 크림보다 더 좋다). 중등도 강도의 스테로이드는 치료에 저항하는 습진을 가진 어린아이에서 짧은 기간 사용하고 성인에서는 더 오랜 기간 사용할 수 있다. Tacrolimus 연고(어린이에서는 0.03%, 성인에서는 0.1%) 또는 pimecrolimus를 포함한 칼시뉴린억제제는 얼굴과 손 습진에 특히 스테로이드 대체 약물로 아주 유용하다.

치료를 위한 붕대/옷

표 21.1 아토피습진의 치료	
치료	**적응증**
습윤제	모든 습진, 어린선
국소스테로이드	대부분의 습진
국소칼시뉴린억제제	스테로이드를 줄이는 국소치료제
Tar 붕대	태선화, 찰과상이 있는 습진
경구항히스타민제	소양증
경구항생제	세균의 중복감염
식이제한	음식 알레르기/치료에 저항하는 습진
자외선 B	국소치료에 저항하는 습진
Methotrexate, ciclosporin, mycophenolate, azathioprine	국소치료와 광선치료에 저항하는 중등도/중증 습진
Dupilumab(anti-IL4Rα)	국소치료, 광선치료, 전신면역억제제에 저항하는 중등도/중증 습진

Coal tar나 ichthammol 된연고 붕대를 밤사이 감아두는 것은 태선화 또는 찰과상이 있는 습진에서 유용하다. 삼출물이 있는 습진에 젖은 wrap이나 건조한 wrap을 짧은 기간 사용하는 것이 필요하다. 소아에서 신축성이 있고 silk형태의 옷을 입히는 것이 잘 적응하고 유용한 경우가 많다. 울 형태의 옷은 자극이 되기 때문에 사용을 피해야한다.

광선치료와 전신치료

감염으로 악화된 경우 경구용 항생제를 사용해 치료할 필요가 있지만 오랜 기간 사용하는 것은 추천되지 않는다. 포진성습진은 응급으로 평가되고 aciclovir로 치료해야한다. 좁은파장 UVB(p.134)치료는 유용하지만 오랜 치료기간을 요한다. 치료에 저항하는 습진을 가진 환자는 methotrexate, azathioprine, mycophenolate mofetil, ciclosporin과 같은 면역억제제로 치료할 수 있다. 하지만 발생 가능한 부작용을 고려해야 하고 혈액검사로 조심스럽게 모니터링해야한다.

생물학제제와 다른 새로운 약제들

Dupilumab (anti-IL4Rα) 단클론항체치료는 중등도, 중증 습진에 아주 훌륭한 효과를 보인다. 결막염 외에는 부작용이 견딜만할 정도로 낮다. 다른 생물학제제와 JAK 억제제와 같은 새로운 치료제들이 곧 사용될 예정이고 좋은 효과를 보일 것으로 생각된다.

식이조절

식이제한은 습진이 입주위, 성기주위에 있거나 위장관 증상을 동반하거나 성장이 잘 안되는 경우가 아니면 일반적으로 도움이 되지 않는다. 심한 습진을 가진 환자의 경우 음식알레르기에 정상 IgE를 보이면서 음식을 먹을 때 팽진, 혈관부종, 아나필락시스를 보일 위험성이 높아 증상을 확인해볼 필요가 있다. 통상적 IgE검사는 추천되지 않는다. 영양사의 조언이 없이 어린아이에서 식이를 제한하는 것은 추천되지 않는다.

아토피습진
• 영국 유아의 20-30%에서 나타난다. 60%에서 1년 이내 발병한다.
• 필라그린 돌연변이를 포함한 피부장벽 기능의 손상이 질환의 발병에 중요하다.
• 일반적으로 유아에서는 얼굴에 발생하고 나중에는 다리와 팔 오금부위에 발생한다.
• 가려움증과 긁음의 고리가 태선화병변을 유발시킨다.
• 감염이 아토피피부염을 악화시킬 수 있는데 Staphylococcus가 주로 악화요인이다.
• 습윤제, 국소스테로이드, tacrolimus, 붕대/옷, 전신 항히스타민제, 항생제 등이 치료로 사용된다.

22 | 습진 – 기타

피부염의 다른 형태로 지루피부염, 손피부염, 한포진, 원판양습진, 정맥습진, 건성습진이 있다.

지루피부염 (Seborrheic dermatitis)

지루피부염은 두피, 눈썹에 주로 발생하는 인설성 발진이며 다른 형태로 나타나기도 한다. 아토피습진에 비해 보통 가려움증이 덜하지만 때로는 두가지 질환의 임상적 구분이 어렵다. 치료는 약한 국소스테로이드와 항진균제를 사용한다.

손피부염

손피부염은 급성의 수포형태에서부터 만성의 과각화된 균열성 형태로 다양한 임상을 보이는 흔한 재발성 피부염이다. 다양한 원인에 의해 발생하고 여러 요인이 함께 영향을 준다. 어린이에서 손습진은 아토피습진 때문에 가장 흔히 발생한다. 아토피 소인이 있는 경우 특히 자극성 물질에 반복적으로 노출되게 되면 성인이 되어 손피부염이 나타난다.

알레르기성 원인이 배제될 필요가 있고 손피부염의 대부분 성인에서 첩포검사가 필요하다. 손의 한쪽에만 피부염이 발생된 경우에는 현미경검사 및 배양에 의해 진균감염이 배제되어야 한다. 족부백선이 id 현상(p.72)을 통해 손 습진을 유발할 수 있기 때문에 발도 함께 살펴보아야 한다. 대부분의 환자는 손가락의 가장자리, 손바닥, 때로는 발바닥에 수포가 특징적으로 나타나는 반복 재발하는 내인성 손피부염 소견을 보인다.

Box 22.1 손피부염 환자에서 손관리 방법

손씻기
따뜻한 물과 향이 없는 비누를 사용한다. 종이 타월과 뜨거운 드라이기를 피한다. 대신에 건조한 면타월을 사용한다.

보호
가능하면 습한 환경에서 일하지 않는다. 그러기 어려운 경우 안에 면장갑을 끼고 밖으로 비닐 또는 고무장갑을 끼도록 한다. 추운 날씨와 더러운 일을 할 때는 장갑을 낀다.

약물치료
규칙적으로 습윤제를 사용하고 국소스테로이드연고를 하루에 두번씩 바른다.

손에 닿는 것을 피해야할 것들
샴푸, 머리제품, 세제, 용매제, 광택제, 토마토, 감자 등의 야채, 오렌지와 같이 벗겨서 먹는 과일, 생고기를 자르는 일들

임상소견

손피부염은 종종 만성습진 양상을 보이지만 다음에 언급될 한포진과 같이 수포성 발진으로 나타날 수 있다. 수포 형태는 아토피습진이나 접촉피부염에서도 나타날 수 있다.

치료

대부분의 손습진은 적어도 일부라도 자극성이 원인이기 때문에 자극성 물질(예, 비누, 세제, 젖은일)의 노출을 피하는 것과 습윤제의 사용을 늘리는 것이 항상 필수적이다. 손피부염이 있는 환자에게 손관리법에 대한 조언이 Box 22.1에 기술되어 있다. 손에 광화학요법(PUVA)을 하는 것은 국소치료제에 저항하는 일부 환자에서 적절한 치료법이 될 수 있다. Alitretinoin (p.30)은 강한 국소스테로이드에 잘 반응하지 않는 중증 만성 손습진에 최근에 허가된 약제이다.

한포진(Pompholyx, cheiropompholyx)

한포진은 손발바닥에 심한 가려움증을 동반한 발진으로 나타나고 아토피습진과 종종 동반된다.

임상소견

환자는 손가락 가장자리에 아주 작은 수포성 발진이 심한 가려움증을 동반하며 재발하는 소견을 보이며 인설과 간간히 균열이 생긴다. 이러한 임상은 한포진의 특징적인 소견이다. 한포진은 작은 수포 소견으로 진단되지만 때로는 합쳐져서 큰 수포가 발생할 수 있다. 손발바닥에 나타나며 손가락 외측부위에 가장 흔히 발생한다. 가려움은 심하고 긁어서 생긴 찰과상으로 심한 염증을 유발할 수 있다. 수포가 수주에 걸쳐 표피를 거쳐 위로 이동함에 따라 1–2주 동안 인설이 발생하며 호전된다. 발생 부위에 경증의 과각화증이 보이고 피부 굴곡부위에 균열이 발생한다. 드물지만 주기적으로 반복되는 경우가 있고 한달 간격으로 재발하기도 한다. 심한 임상양상을 보이는 경우가 드물지 않다. 이 질환의 발생은 젊은 성인에서 특히 따뜻한 날씨에 발생하고 재발하는 경향을 보인다. 다한증과 동반되는 경우가 오랫동안 알려져 왔고 일부 환자에서는 땀을 억제하는 치료적 접근으로 효과를 볼 수도 있다. 손가락에 몇 개의 소수포로 국한되어 나타나는 경우도 있고 손 전체에 큰 수포로 광범위하게 나타날 수도 있다(그림 22.1). 일부 환자에서 니켈에 감작되어 발생하기도 한다.

치료

급성 한포진은 큰 수포에서 물을 빼내고 0.01% potassium permanganate나 0.65% aluminium acetate Burrow 용액에 하루에 1–2회씩 담그는 습윤 드레싱을 하는 것을 필요로 한다. 세균감염이 존재하면 경구용 항생제를 사용한다. 일부 피부과의사들은 전신스테로이드를 처방하지만 보통 전신스테로이드를 필요로 하지는 않는다.

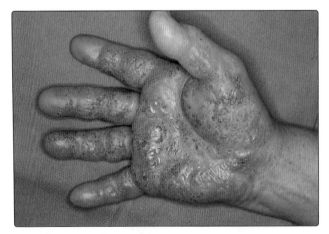

그림 22.1 니켈에 감작된 여성에서 손바닥 전반에 발생한 급성 한포진.

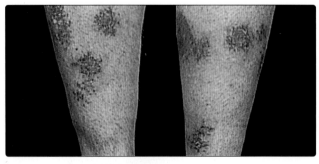

그림 22.2 하지에 발생한 원반양습진.

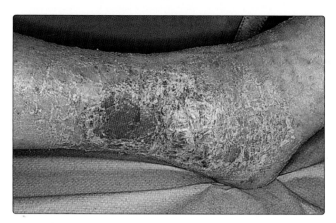

그림 22.3 정맥습진.

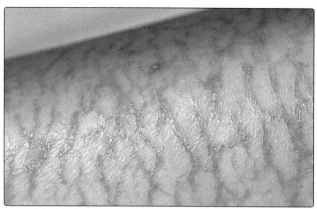

그림 22.4 건성습진.

급성기가 가라앉으면 강한 또는 매우 강한 스테로이드로션 또는 크림을 면장갑과 함께 사용한다. 만성 또는 아급성 병변의 경우는 스테로이드연고와 습윤제를 사용하는 것이 도움이 된다.

원판양습진, 화폐상습진 (Nummular eczema)

원판양습진은 팔다리에 동전모양으로 나타나는 원인이 명확치 않은 습진이다. 일반적으로 중년 또는 노인 남성에서 발생한다(그림 22.2). 젊은 환자는 아토피습진을 갖고 있을 수 있다.

임상소견

동전모양의 습진성 병변이 종종 대칭적으로 발생하고 가려움증이 심하다. 습진은 수포성일수도 있고 만성 태선화 병변일수도 있다. 수주 이후에 깨끗해지지만 재발하는 경향을 보인다. 이차 세균감염이 일반적이다.

치료

종종 체부백선과 접촉피부염과 혼동될 수 있다. 강한 또는 매우 강한 국소스테로이드를 때로는 항생제와 함께 사용하는 것이 도움이 된다.

정맥습진(울체피부염) (Stasis dermatitis)

정맥습진은 하지에 발생하고(그림 22.3) 정맥질환과 연관되어 있다(p.88). deep perforating vein의 기능부전이 진피 모세혈관의 압력을 높이게 되고 모세혈관 주변에 fibrin이 침착되면서 산소의 확산이 방해되어 이러한 피부염을 유발시키게 된다.

임상소견

환자의 대부분은 중년 또는 노인 여성이다. 발목주위에 줄모양의 소정맥과 헤모시데린 색소침착이 초기 소견이다. 습진이 때로는 진피와 피하지방층에 섬유화 형태(lipodermatosclerosis)와 궤양으로 발전할 수 있다. 정맥습진을 치료하는데 사용되는 국소 치료제에 접촉피부염이 합병증으로 발생할 수 있다.

치료

습윤제 단독 또는 약한 또는 중등도 강도의 스테로이드 연고를 병합하여 사용한다. Tar가 함유된 반창고를 1주일에 1-2회 부착하는 것이 노움이 되고 특히 궤양이 동반되었을 때 유용하다. 정맥질환 또는 궤양을 같이 치료해야한다.

건성습진(Xerotic eczema)

건성습진은 노인의 하지에 주로 발생하고 피부에 균열, 갈라짐을 보이는 피부가 건조한 습진이다(그림 22.4).

목욕을 자주하거나 건조한 겨울, 갑상선기능저하증, 이뇨제의 사용 등에 의해 노인의 위축된 피부에 습진이 발생한다. 팔다리, 몸통의 피부가 빨갛고 건조하며 소양증이 동반되며 크기와 모양이 다양한 돌을 깔아둔 것처럼 가는 균열이 나타난다. 피부에 습윤제를 바르고 샤워 시 사용하는 것으로 종종 질환을 호전시킬 수 있지만 때로는 약한 스테로이드가 필요할 수가 있다.

그 외의 습진들

다른 형태의 습진들을 종종 볼수가 있는데 만성단순태선(lichen simplex chronicus), 선상태선(lichen striatus), 유아발바닥피부증(p.146), 기저귀발진(p.146) 등이 있다.

만성단순태선(신경피부염) (Lichen simplex chronicus)

습관적으로 또는 스트레스로 인해 반복적으로 피부를 문지르고 긁음으로써 태선화된 습진이 나타나는 신경피부염이다. 보통 하지, 목뒤, 음부(음문소양증, 항문소양증, p.156)에 한 개의 판(single plaque)으로 보통 나타난다. 피부의 표시(skin markings)가 두드러지고 색소가 발생할 수 있다. 특히 아시아, 중국 사람들에서 이 질환이 더 잘생긴다. 때로는 소양성결절(prurigo nodularis)로 알려진 결절성 태선화 병변이 정강이와 전완부에 발생할 수 있다. 습윤제, 국소스테로이드, 약한 tar 된연고, tar 함유 붕대/반창고가 치료에 사용된다.

선상태선(Lichen striatus)

선상태선은 청소년에서 발생하는 다리에 발생하는 드문 선상의 습진으로 자연적으로 소실된다(p.21).

습진

- **지루피부염**은 흔히 두피와 얼굴에 발생한다. 항균성분과 hydrocortisone 성분이 함유된 크림에 잘 반응한다.
- **손피부염**: 다발성 복합요인으로 발병한다. 여러 요인들을 배제하면서 원인을 찾도록 한다.
- **한포진**: 손가락 가장자리에 반복적으로 재발하는 소수포가 특징적으로 발생한다.
- **원판양습진(화폐상피부염)**은 중년 또는 노인의 팔다리에 동전모양의 병변으로 나타난다. 중등도 강도의 국소스테로이드에 의해 호전된다.

- **정맥습진(울체피부염)**은 정맥질환과 동반된다. 습윤제와 약한 또는 중등도 강도의 국소스테로이드에 잘 반응한다.
- **건성습진**: 노인에서 피부 건조증에 의해 발생한다. 습윤제와 약한 강도의 국소스테로이드로 치료한다.
- **만성단순태선**: 하지와 목 뒤에 주로 발생하며 지속적으로 긁어서 발생한 태선화된 습진 병변이다.
- **선상태선**: 드문 선상의 습진

23 | 태선양 발진

편평태선과 광택이 있는 편평한 구진의 태선화 병변을 보이는 질환들이 여기에 포함된다.

편평태선(Lichen planus)

편평태선은 비교적 흔하게 발생하는 가려움증을 동반하는 구진성 피부질환으로, 굽힘부위, 점막, 성기부위에 잘 발생한다. 원인은 확실치 않으나 T세포가 피부에 침윤되어 있고 IgM이 표피진피 경계부에서 발견되며 태선화 발진이 이식숙주반응(p.89)의 한 양상으로 나타나는 점, 일부 자가면역질환과 동반되는 점을 볼 때 면역학적 요인이 관여할 것으로 생각된다.

병리조직소견

편평태선에서는 과립층이 두꺼워져 있으며 기저세포는 액화변성을 보이고 림프구가 상부 진피에 밴드모양으로 침윤된다(그림 23.1).

임상양상

환자의 2/3에서 30-60세 사이에 발생한다. 나이가 어리거나 많은 경우에는 드물고 남녀발생의 차이는 없다. 상지에서 시작하는 경향을 보인다. 4주내 급속도로 전신으로 퍼질 수도 있지만 더 흔한 국소 형태는 더 천천히 진행한다. 전형적인 병변은 소양증이 심한 편평한 다각형의 구진이 직경 수 mm 정도의 크기로 나타난다. 병변의 표면에는 하얀 선상의 가는 줄이 관찰될 수 있다(Wickham's striae). 초기에는 붉은 색으로 나타나지만 보라색으로 변한다(그림 23.2).

발진은 대칭적이고 다음과 같은 부위에 발생한다.
- 전완부, 손목
- 하지, 대퇴부
- 성기부와 점막
- 손발바닥

점막침범, 특히 볼점막이 흔하며 2/3까지 나타나며 피부증상없이 발생할 수 있다(그림 23.3). 편평태선은 쾨브너현상을 보이며 선상 병변의 발생을 이로 설명할 수 있다. 모낭성 아형과 다른 아형들이 존재한다. 대부분의 경우 구진은 수개월에 걸쳐 편평해지면서 색소를 남기지만 일부의 경우는 병변이 두꺼워진다. 환자의 절반에서 9개월내 호전되지만 15%에서는 18개월 이후에도 증상이 지속된다. 20%까지 다시 재발한다. 편평태선은 표 23.1에서 기술 되었듯이 다른 질환들과 혼동될 수 있다.

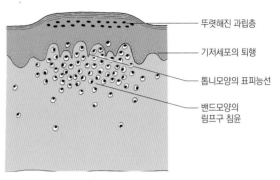

그림 23.1 편평태선의 병리조직소견.
- 뚜렷해진 과립층
- 기저세포의 퇴행
- 톱니모양의 표피능선
- 밴드모양의 림프구 침윤

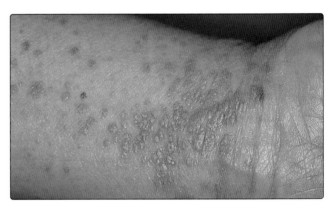

그림 23.2 손목에 발생한 전형적인 자주색의 구진성 편평태선.

편평태선의 아형들

많은 편평태선의 아형이 존재한다.
- 윤상형(annular): 10%에서 나타나며 남성 음경에 흔히 발생한다.
- 위축형(atrophic): 드문 아형으로 비대형 편평태선에서 보일 수 있다.
- 수포형(bullous): 편평태선에서 드물게 수포가 나타난다.
- 모낭형(follicular): 전형적인 편평태선과 함께 발생될 수 있다. 두피에만 침범하며 반흔성탈모를 유발시킨다.
- 비대형(hypertrophic): 사마귀양 판이 하지나 팔에 발생한다(그림 23.4). 수년 동안 지속될 수 있다.
- 점막형: 점막 어느 부위에든 발생하고 다른 부위에는 병변이 있을 수도 없을 수도 있다. 구강에서는 amalgam충전제에 있는 수은에 대한 접촉 알레르기에 의해 발생할 수 있다(그림 23.3).

합병증

편평태선은 다음과 같은 합병증이 발생할 수 있다.
- 조갑침범: 환자의 10%에서 나타난다. Longitudinal grooving, 조갑함입은 가역적이나 조갑이영양/위축성 병변은 흉터나 영구적인 조갑 소실을 유발할수 있다. 조갑에 발생하는 편평태선은 심할수 있고 광범위한 조갑손상의 원인이 된다.
- 두피병변: 모낭성 병변을 보일수 있지만 가성원형탈모(pseudopelade) 모양의 영구적인 반흔성탈모가 더 흔하다.
- 악성변화: 매우 드물다.

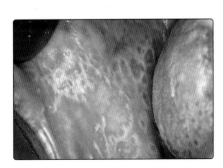

그림 23.3 볼점막에 발생한 흰색의 끈 형태의 Wickham's striae.

표 23.1 편평태선과 감별진단

편평태선의 아형	감별진단
전신형	태선양약물발진
	물방울건선
	비전형 장미비강진
성기부위	건선, 옴
	경화태선
비대형(hypertrophic)	단순태선(lichen simplex)

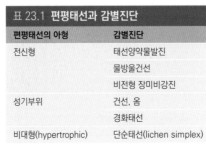

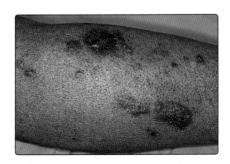

그림 23.4 과색소를 보이는 비후성편평태선.

치료

대부분의 환자에서는 자연 소실된다. 중간 또는 강한 강도의 국소스테로이드가 대개 증상의 호전을 가져온다. 구강병변은 스테로이드를 함유하는 된연고(예를 들어 triamcinolone acetone 0.1% 치과용 된연고)와 국소 타크로리무스가 도움이 된다. 비대형 편평태선은 매우 강한 강도의 국소스테로이드제가 필요하고 때로는 밀폐요법이나 병변내 스테로이드 주사요법으로 사용된다. 병변이 광범위하고 궤양성 점막 병변이 있거나 흉터성 조갑변형이 유발될 가능성이 있는 경우, 경구 prednisolone (10–20 mg/day)를 1–3개월간 시도할 수 있다. 장기간의 전신스테로이드 투여는 권장되지 않으며 치료에 잘 반응하지 않는 경우에는 acitretin이나 광화학요법 등을 사용할 수 있다.

경화태선(Lichen sclerosus)

경화태선은 백색의 경화된 태선화된 위축성 병변이 성기부위에 나타나는 것이 특징인 드문 질환이다. 자가면역질환과의 연관성을 있으나 아직 정확한 원인은 모른다.

병리조직소견

피부는 두꺼워지거나 얇거나 과각화증을 보일 수 있다. 상부 진피는 세포가 거의 없고 부종을 보인다. 콜라겐은 유리질화 되어 있다. 림프구 침윤이 하부 진피에 관찰된다.

임상양상

여성에서 10배 정도 더 흔히 발생한다. 중년에 가장 흔히 생기나 소아에서도 발생할 수 있다 (소아에서 나타나는 경우에는 예후가 더 좋다). 성기부위에 발생하는 경우가 대부분이나 몸통이나 팔에 나타날 수 있다. 각각의 병변은 수 mm 정도의 크기로 상아색의 위축성 병변으로 보이고 이후 서로 융합되어 주름진 판을 형성한다(그림 23.5). 과각화증, 모세혈관확장, 자반, 심지어 수포가 나타날 수 있다. 여성 음문부, 항문 주위에 나타나는 경우 가려움증과 통증을 유발한다(p.154). 남성의 경우는 요도협착과 포경(귀두가 포피에 쌓인 상태)를 유발하여 폐쇄

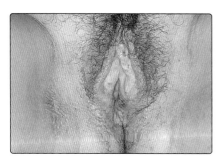

그림 23.5 여성의 외음부에 발생한 경화태선.

성건성귀두염(balanitis xerotica obliterans)이 발생된다. 때로는 구강에서도 나타난다. 경화태선은 만성적이며 성인에서는 영구적으로 지속된나. 소아에서 발생되는 경화태선은 사춘기 때 대개 자연 호전된다.

감별진단

여성의 성기부에 발생시 만성단순태선(p.154), 상피내편평세포암(p.154), 유방외파젯병과 유사하게 보일수 있다. 남성의 성기부에서 발생하면 편평태선, 건선, 드문 염증성 또는 전암병변의 귀두염과 유사하게 보일 수 있다.

합병증

여성의 음문부가 좁아지고 성교통이 발생할 수 있다. 남성에서는 반복적인 귀두염과 음경부위의 궤양이 발생할 수 있다. 남녀모두 오래 지속된 병변에서 드물게 편평세포암이 발생할 수 있다.

치료

성기 외의 병변은 치료가 필요하지 않다. 여성의 성기에 발생한 병변은 중등도 또는 강한 강도의 스테로이드 크림을 사용하여 소양감을 줄여주고 흉터를 예방한다. 합병증이 동반되지 않은 경우에는 외음부 절제술이 금기이다.

남성의 성기에 발생한 경우에도 치료는 유사하며 포경이 유발되면 포피절제술을 시행할 수 있다. 남녀 모두에서 오랜기간 동안 경과관찰이 필요하며 악성 변화가 의심되는 경우 조직검사를 시행하여야 한다.

광택태선(Lichen nitidus)

광택태선은 매우 작은 동일한 모양의 피부색의 구진으로 나타나는 드문 발진이다. 원인은 미상이다. 병리조직학적으로 림프조직구의 침윤이 진피유두에 밀집되어 침윤되어 있는 소견을 보인다.

임상양상과 치료

발진은 무증상이며 우연히 발견되곤 한다. 소아 및 젊은 성인에서 발생한다. 균일한 형태의 핀머리(pinhead) 크기의 작은 구진들이(그룹지어 나타날 수 있다) 전완부, 음경, 복부, 엉덩이에 나타날 수 있다. 주요 감별질환으로 편평태선(함께 존재할 수도 있다), 모공각화증(p.114) 등이 있다.

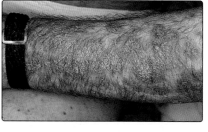

그림 23.6 건선양 소견을 보이는 태선양약물발진, 이 사진에서는 quinine에 의해 발생.

표 23.2 편평태선양 발진을 유발시키는 약제	
원인 약제 종류	약물
관절염약	Gold, penicillamine, NSAIDs
당뇨약	Tolbutamide, chlorpropamide
항균제제	Ketoconazole, tetracyclines
고혈압약	Captopril, enalapril, beta-blockers, nifedipine
항말라리아제	Chloroquine, hydroxychloroquine, mepacrine, quinine
항정신과약	Phenothiazine, lithium
항결핵제	Isoniazid, ethambutol, streptomycin
생물학제제	Infliximab, etanercept, adalimumab, imatinib, pembrolizumab, nivolumab
이뇨제	Thiazide, furosemide
Prostaglandin 유사제	Misoprostol
Statin	Simvastatin, pravastatin

치료는 필요하지 않으며 수주 이내 소실될 수 있고 계속 지속될 수도 있다.

편평태선양 약물발진(Lichen planus−like drug eruption)

편평태선과 유사한 발진이 여러가지 약제를 복용 후 발생할 수 있다.

임상양상

수년동안 금과 mepacrine 치료를 하는 경우 편평태선 유사 발진이 발생되는 것으로 알려져 있다. 발진은 편평태선에 비해 종종 건선양을 보이거나 과색소 병변으로 보인다(그림 23.6). 병리조직학적으로는 많은 호산구를 보인다. 약을 중단한 후에도 병변의 호전이 느린 경우가 있다. 표 23.2에는 원인이 되는 약제들이 나열되어 있다.

태선양 발진

- **편평태선**은 비교적 흔한 가려움증을 동반한 구진성 발진으로 대개 18개월내에 호전된다.
- **편평태선양 약물발진**은 편평태선과 임상양상이 유사하지만 더 오래 지속된다. 금, chloroquine, thiazide와 같은 약물에 의해 나타난다.
- **광택태선**은 복부, 팔, 음경부위에 발생하는 단일 형태의 작은 무증상 구진병 발진으로 느낀다.
- **경화태선**은 여성에서 흔하고 성기부위에 주로 발생한다. 음문부위 수축이 발생할 수 있다. 국소스테로이드가 도움이 된다. 악성화 변화의 위험이 있다.

24 │ 구진인설성 발진

구진인설성 발진은 융기되어 있고 인설을 동반하며 경계가 잘 지어지는 병변으로, 건선, 편평태선, 그리고 Box 24.1에 기술된 질환들이 포함된다. 습진은 가장자리가 경계가 뚜렷하지 않기 때문에 이 질환군에 포함되지 않는다. 이러한 발진들은 원인이 서로 연관되어 있지는 않다. 이 질환에 속하는 여러 질환들이 미세한 인설이 동반되는 특징을 갖고 있고 비강진(pityriasis)이라는 단어는 사용되는데 이는 쌀겨와 같은 인설을 의미한다.

장미비강진(Pityriasis rosea)

장미비강진은 급성의 자연소실되는 감염이 원인이 되는 것으로 생각되는 질환으로 인설을 가진 원형의 구진, 판이 몸통에 주로 발생한다.

임상양상

대부분의 환자에서 전신적인 발진이 생기기 전에 herald patch로 불리는 직경 2-5 cm의 단발성 병변이 선행하는 특징이 있다(그림 24.1). herald patch가 발생하고 수일이 지나 다발성의 작은 판이 몸통에 주로 발생하고 상부 팔과 허벅지에도 발생한다. 개개의 판은 타원형으로 핑크색을 지니며 가장자리에 섬세한 collarette을 갖는 인설을 보인다. 척추 선을 따라 평행하게 분포하며 척추로부터 방사성으로 퍼져나가는 양상을 보인다. 소양증은 경미하거나 중간 정도이다. 발진은 4-8주후 자연적으로 사라진다. 사춘기와 젊은 성인에서 발생하는 경향을 보인다. 원인은 명확치 않지만 무리지어 나타나는 역학적 특징에 따라 감염 원인이 의심이 된다.

감별진단과 치료

물방울건선, 어루러기, 2기매독이 감별에 혼란이 되는 질환이다. 매독혈청검사가 의심스러운 경우 필요하다. 자연소실되는 질환으로 중간 강도의 국소스테로이드가 소양증 호전에 도움이 될 수 있지만 치료가 질병의 소실을 촉진시키지는 않는다.

어루러기

어루러기는 만성의 종종 무증상의 진균감염으로, 색소변화를 유발하고 체간에 발생한다. 이 질환에 대해 74쪽에 자세히 기술되어 있다.

라이터병(Reiter's disease)

라이터병은 다발성관절병증, 요도염, 홍채염, 건선양 발진을 특징으로 하는 증후군이다.

임상양상과 치료

라이터병은 HLA-B27 유전형을 갖는 20-40세 사이의 남성에서 거의 항상 발생한다. 흔히 비뇨생식기 또는 위장관 감염이 발생된다. 관절, 눈의 변화가 종종 심하게 나타난다. 피부에 발생하는 경우 귀두염(balanitis, p.156)과 "농루성각피증(keratoderma blennorrhagicum)" (그림 24.2)이라고 알려진 발바닥에 홍반과 인설, 농포를 동반한 건선양 판이 발생한다. 심한 피부변화는 국소치료에 반응을 하지 않고 methotrexate 또는 acitretin을 복용하는 것이 종종 필요하다.

태선양비강진(Pityriasis lichenoides)

태선양비강진은 소아와 젊은 성인에서 발생한다. 두가지 형태가 존재하며 두가지 모두 발생이 드물다. 최근 연구에 따르면 태선양비강진은 T세포 림프구증식질환으로 생각된다.

임상양상과 치료

급성형태는 대칭적으로 타원형 또는 원형의 핑크색 반, 구진으로 나타난다. 만성형태는 급성형태와 비슷한 분포를 가진다. 전형적으로 직경 3-10 mm의 단단한 태선화된 구진이며 붉은 갈색의 색조를 보이고 특징적으로 표면에

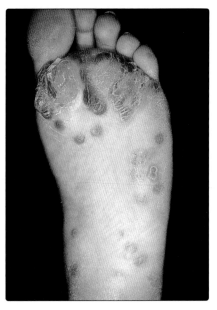

그림 24.2 **농루성각피증의 임상소견을 보이는 라이터병.** (From Callen JP, Jorizzo JL, Bolognia JL, Piette WW, Zone JJ, 2003. Dermatological Signs of Internal Disease, 4th edn. Saunders, with permission.)

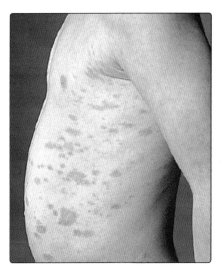

그림 24.1 **소아에서 발생한 장미비강진으로 하복부에 herald patch와 주변의 원형의 인설을 동반한 판이 관찰된다.**

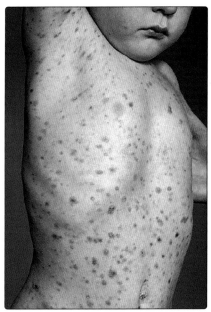

그림 24.3 **소아에서 발생한 급성 형태의 태선양비강진**

운모양 인설(mica scale)이 보인다. 수주에 걸쳐 새로운 병변이 나타날 수 있기 때문에 가변적인 경과를 보인다. 재발이 발생할 수는 있지만 대부분 6개월내 소실된다.

감별진단

급성형태는 수두, 혈관염, 림프구성구진증(p.128)과 감별해야한다. 만성형태는 물방울건선, 편평태선과 감별이 필요하다.

치료

광선치료와 국소스테로이드가 증상 호전에 도움이 될 수 있다. 공격적인 급성형태는 면역억제제 치료가 필요할 수 있다.

만성표재성인설성피부염 (Chronic superficial scaly dermatitis)

과거에는 유사건선(parapsoriasis)로 알려져 있었으나 이제는 이 질환명을 사용하지 않는다. 이 질환은 주로 체간에 발생하고 인설을 동반한 핑크색 또는 갈색, 타원형 또는 원형의 작은 판으로 나타나는 드문 만성 피부염이다. 큰 판(large plaque)의 임상을 보이는 아형은 균상식육종(피부 T세포림프종)으로 진행할 수 있고 발생 당시부터 균상식육종일수 있다.

임상양상

만성표재성피부염에서는 인설을 가진 반점이 복부, 엉덩이, 대퇴부에 주로 발생한다(그림 24.4). 젊은 또는 중년의 성인에서 발생되기 시작하고 판은 대개 변함없이 지속된다. 진행이 수년에 걸쳐 이루어지기 때문에 균상식육종(p.128)으로 진행하는 것을 미리 예측하기 어려울 수 있다. 하지만 양성 병변은 작고 선상의 형태로 손가락 모양을 갖는 경향을 보이고 전암병변은 더 크고 비대칭적이며 위축된 형태,

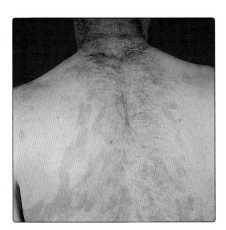

그림 24.4 중년 남성의 등에 만성표재성피부염 판이 관찰된다.

그리고 다형피부증 양상(망상의 색소형성, 혈관확장, 위축)을 보일 수 있다. 균상식육종의 변화를 찾기위해 조직검사가 필요하고 어떠한 변화가 나타나면 추가적인 조직검사가 필요하다. 수년에 걸쳐 변화없이 지속될 수 있다.

감별진단과 치료

건선, 원판상습진, 체부백선이 감별진단으로 고려되야 한다. 하지만 만성표재성피부염의 판은 변화없이 지속되는 특징으로 감별하게 된다.

중등도 강도의 국소스테로이드가 1차치료제 사용되며 치료에 도움이 된다. UVB 또는 PUVA 자외선 치료가 큰 판 형태 병변의 치료에 사용된다. 장기간의 경과관찰이 필요하다.

기타 비강진(Other pityriases)

다음과 같은 다양한 비강진 질환이 구진인설성 질환에 포함된다.

- 모공홍색비강진: 드문 인설을 동반한 모공성 발진으로 홍색피부증으로 진행할수 있다(p.58).
- 백색비강진: 소아 또는 젊은 성인에서 발생하고 얼굴, 팔에 가늘고 하얀 인설성 반으로 나타난다(p.144). 습진의 한 형태로 아토피습진에서 잘 나타난다.
- 석면모양비강진(pityriasis amiantacea): 크고 두꺼운 하얀 각질성인설이 머리털에 단단히 붙어서 관찰되며 건선이나 지루피부염에서 자주 나타난다.

2기매독(Secondary syphilis)

정의

2기매독은 Treponema pallidum 나선균(spirochaete)이 몸에 전파되면서 피부와 점막에 염증성 반응이 나타나 발생된다. 최근에 매독이 다시 늘어나는 경향을 보인다.

임상양상

매독 2기는 1기 매독인 경성하감(chancre)가 발생한지 4–12주 후 시작되고 피부발진, 림프선병증, 권태/피로감이 나타난다. 핑크색 또는 구리색의 반이 나중에는 구진으로 발전하고 체간, 상하지에 대칭적으로 분포하며 가려움증은 동반하지 않는다(그림 24.5). 윤상의 고리모양 형태가 드물지 않게 발생한다. 손발바닥에 발생하는 것이 특징적인 소견이다. 항문생식기에 축축한 사마귀양 병변으로 나타나거나(condyloma lata), 아치형으로 볼점막에 미란이 발생

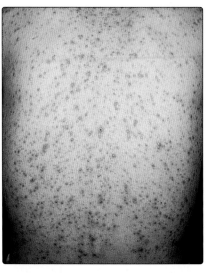

그림 24.5 2기매독. 구리색의 붉은 반과 구진이 체간에 관찰된다.

할 수 있으며(snail-tract ulcer) 미만성의 탈모반이 나타날 수 있다. 점막병변은 전염성이 있다. 치료를 하지 않으면 2기 매독 병변은 1–3개월 사이에 자연 소실된다.

감별진단과 치료

장미비강진, 건선, 약물발진, 감염성단핵구증(infectious mononucleosis), 풍진, 홍역과 같은 질환과 감별이 필요하다. 2기 매독 환자는 모두 매독혈청검사가 양성이다. benzathine benzylpenicillin 근육주사로 치료한다(p.152). 비뇨생식기 감염의 치료에 익숙한 의사가 매독환자를 잘 치료한다.

구진인설성 발진

- **장미비강진은** 젊은 성인의 체간에 발생하는 자연소실되는 꽤 흔한 발진이다. 인설을 동반한 타원형의 판이 herald patch 후에 나타난다. 발병 원인이 감염에 의해 나타날 수 있다.
- **어루러기는** 젊은 성인의 체간에 발생하는 흔한 발진으로, 우리 피부에 공생하는 효모균인 *Malassezia*에 의해 발생한다. 어두운 피부 근처에 하얀 형태로 여름에 종종 드러나 보인다.
- **라이터증후군은** 전형적으로 젊은 남성에서 발생하고 비뇨생식기 또는 위장관 감염을 보인다. 각화성 피부 병변이 눈, 관절 변화와 함께 나타난다.
- **만성표재성피부염은** 젊은 또는 중년의 성인에서 체간에 발생하는 드문 질환이다. 큰 판 형태로의 병변은 초기 피부 T세포림프종일 수 있다.
- **태선양비강진은** 체간과 상하지에 발행하는 표면에 인설을 동반한 구진으로 발생하는 드문 만성 질환이다.
- **2기매독은** *Treponema pallidum* 감염에 의해 발생하며 체간에 소양증이 없는 발진이 대칭적으로 나타나며 손발바닥 병변을 동반한다.

25 | 홍색피부증(Erythroderma)

정의

홍색피부증 또는 전신성 박탈피부염은 피부 전체 또는 피부표면 거의 전부 (때로는 90% 이상 침범한 경우를 일컫는다)에 발생하는 염증성 피부질환이다. 이차적인 이유로 발생되고 피부질환의 전신적인 진행 또는 피부에 걸쳐 발생하는 전신질환에 의해 발생된다.

병리조직학소견

기저 질환보다는 염증성 변화의 기간과 중증도에 의해 병리조직학적 소견이 결정된다. 급성 발진에서는 표피와 진피의 부종이 뚜렷하고 염증세포의 침윤이 관찰된다. 병변이 만성적으로 진행하면 표피능선이 길어지고 표피가 두꺼워지게 된다. 림프종에 의해 발생된 경우는 결국 비정상적인 림프구의 소견이 뚜렷이 관찰된다. 건선, 어린선형 홍색피부증 또는 모공홍색비강진이 원인인 경우에는 전형적인 병변의 특이한 조직소견이 관찰된다.

임상양상

홍색피부증은 드물지만 전신에 미치는 영향에 의해 생명에 지장을 줄 수 있기 때문에 중요한 피부과적 응급질환이다. 남성에서 2배 가량 더 많이 발생하고 주로 중년 또는 노년에서 발생한다. 이 질환은 특히 백혈병이나 습진에 의해 발생되는 경우 갑자기 발생되게 된다.

전신증상과 징후

홍반이 갑자기 번져서 12–48시간 내에 전신적으로 퍼지고 발열, 권태/피로감, 오한이 동반된다. 인설이 2–6일후 발생되고 이 시기에 피부는 뜨겁고 붉으며 건조하며 두꺼워진다. 환자는 피부의 자극감과 조이는 느낌을 갖게 되고 추위를 느낀다. 각질의 박탈이 엄청나게 늘어나고 계속 발생한다. 홍색피부증이 발생하는 수주간 두피와 몸의 모발이 탈락된다. 조갑은 두꺼워지고 빠질 수 있다. 색소변화가 발생하고 어두운 피부를 가진 사람에서는 저색소반이 나타난다. 환자의 상황은 전신상태와 기저원인에 의해 영향을 받는다. 가장 흔한 홍색피부증의 원인은 습진, 건선, 림프종이다(표 25.1). 약물발진, 모공홍색비강진과 같은 다른 피부질환도 원인이 될 수 있다. 여러 개의 조직검사가 진단에 도움을 줄 수 있다.

습진

아토피습진이 어느 나이에든 홍색피부증을 유발할 수 있다. 습진에 의해 발생하는 홍색피부증은 노인에서 가장 흔하고 이러한 경우 습진을 분류하기 어려울 수 있다. 소양증이 종종 매우 심하다.

건선

초기에는 발진이 통상적인 건선과 유사한 소견을 보이지만 박탈성 변화를 보이는 경우 건선의 특이한 소견을 잃게 된다(그림 25.1). 강한 국소스테로이드나 전신스테로이드의 사용 중단, 약

표 25.1 홍색피부증의 원인과 발생빈도

원인	발생빈도(%)
습진(접촉피부염/아토피피부염/지루피부염/미분류)	40%
건선	25%
림프종/백혈병/Sezary증후군	15%
약물발진	10%
모공홍색비강진/어린선양 홍색피부증	1%
기타 피부질환	1%
원인미상	8%

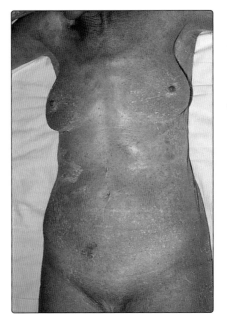

그림 25.1 홍색피부증 건선.

물발진이 병발하는 경우 홍색피부증 건선이 유발되게 된다. 때로는 무균성의 핀머리 크기의 농포가 발생할 수 있고 전신농포성건선(p.38)으로 진행할 수 있다.

림프종/Sezary 증후군

전신의 홍색피부증, 피부의 침윤소견, 심한 가려움증이 진단에 도움이 될 수는 있지만(p.128) 초기 조직검사소견이 특이하지 않을 수 있어 림프종 진단이 지연될 수 있다. 림프선병증이 종종 뚜렷하게 나타나지만 림프절종대가 림프종에서 항상 나타나는 것은 아니다. Sezary증후군(그림 25.2)은 전형적으로 노인 남성에서 발생하고 구불구불한 큰 핵을 가진 비정상적인 T림프구가 혈액과 피부에 존재하는 경우 진단된다. 환자는 수년동안 안정적이고 이후 급속도로 악화된다.

약물발진

급성약물발진(p.106), 종종 약물과민증후군이 홍색피부증으로 나타나게 된다(그림 25.3). carbamazepine, phenytoin, diltiazem, sulphonamides가 가장 흔한 원인 약물이다.

모공홍색비강진(pityriasis rubra pilaris)

모공홍색비강진은 성인 두피의 홍반과 인설로 시작해서 팔다리, 체간으로 진행하는 원인미상의 질환이다(그림 25.4). 모공중심의 발진과 특징적으로 발진 내에 정상피부 소견을 보이는 섬이 관찰되며 손바닥에 노란색의 과각화증이 관찰된다(그림 25.5).

acitretin으로 치료하는 것을 고려해 볼 수 있다. 1–3년 후 자연적으로 병변의 소실을 보인다. 재발하는 소아형 모공홍색비강진도 보고되어 있다.

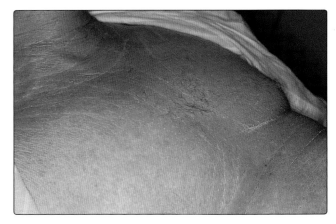

그림 25.2 Sezary증후군에 의해 발생한 홍색피부증과 피부침범.

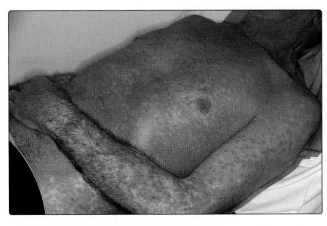

그림 25.3 항염증약물에 의해 발생한 홍색피부증 반응.

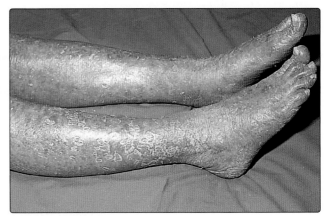

그림 25.4 다리에 발생한 모공성홍백비강진.

기타 피부질환

어린선형 홍색피부증은 유전성 어린선의 형태로(p.110), 생후 또는 유아 초기에 발생한다. 급성숙주반응과 때로는 중증 옴, 광범위한 천포창의 경우도 홍색피부증의 원인이 될 수 있다. 홍색피부증의 10% 가량은 원인을 찾기 어렵다. 잠복해있던 림프종의 가능성도 고려되어야 한다.

합병증

홍색피부증은 극심한 생리적, 대사적 변화와 연관되어 있다(표 25.2). 심부전, 저체온증이 노인에서 특히 위험하다. 피부 또는 호흡기 감염도 발생할 수 있다. 부종은 거의 나타나고 이는 심부전의 징후로 생각되지는 않는다. 심장박동수가 항상 증가한다. 심부전과 감염은 진단하기 어렵다. 혈액배양시 피부 미생물로 인해 쉽게 오염된다. 림프절병증이 흔히 동반되고 이는 항상 림프종을 시사하지는 않는다. 스테로이드 사용 이전에는 홍색피부증으로 1/3에서 사망하였고 대개 심부전과 감염에 의해 발생하였다.

치료

발생이 천천히 나타나고 환자가 의학적으로 면역억제 상태가 아니면 입원을 할 필요가 없다. 급성으로 발생한 경우는 입원 치료 및 숙련된 간호가 필수적이다. 적절한 온도(30–32℃)의 따뜻한 방에서 심박수, 혈압, 체온, 체액균형을 적절히 모니터링하면서 간호해야 한다. 때로는 피부에 압력을 줄이는 매트리스를 사용한다. 피부를 진정시키는 습윤제와 약하거나 중간 정도 강도의 국소스테로이드의 사용이 국소 치료에서 가장 중요하고 보통 적절하다. 전신스테로이드는 심한 경우에는 생명을 구하는데 중요하다.

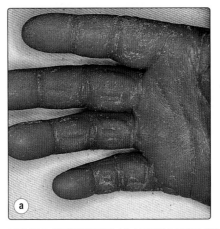
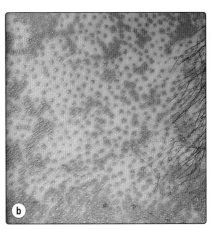

그림 25.5 모공홍색비강진. **(a)** 손바닥에 노란색의 과각화증, **(b)** 전형적인 모공성병변.

표 25.2 홍색피부증의 병태생리

합병증	병태생리
심부전	피부혈류 증가, 혈장 부피 증가
피부부종	모세혈관 투과력 증가, 혈장 부피 증가, 저알부민혈증
저알부민혈증	혈장 부피 증가, 알부민 합성 감소, 대사 증가 각질에서 단백질 소실
탈수	경피수분 소실 증가, 모세혈관 투과력 증가
온도조절장애	과도한 열손실, 발한의 장애
피부병적 림프선병증 (dermatopathic lymphadenopathy)	피부염증과 감염

홍색피부증

- 드물지만 생명에 치명적일 수 있고 종종 급격히 나타나며 거의 전신적으로 발생하는 질환이다.
- 가장 흔한 원인들: 습진, 건선, 림프종, 약물발진
- 특징적으로 뜨겁고 붉으며 피부 부종과 건조하면서 박탈하는 피부의 소견을 보인다.
- 심부전, 저체온증, 감염, 림프선병증의 합병증이 발생할 수 있다.
- 입원치료와 면밀한 관리가 필요하다.
- 치료는 초기에는 평범한 습윤제와 국소스테로이드를 사용한다. 생명에 위협을 주는 경우에는 전신스테로이드와 전적인 지지요법이 필요하다.

혈액역동학적으로 정상 상태를 유지하고 전해질 균형에 집중하며 적절한 영양분 공급(특히 단백질 손실을 최소화하는)을 하는 것이 심하게 아픈 환자에서는 필수적이다. 심부전과 병발하는 감염은 필요한 경우 치료되어야 한다.

26 | 광피부과학(Photodermatology)

광피부질환 – 특발성

다형광발진 (Polymorphic light eruption)

다른 질환인 땀띠로 잘못 불려지는 경우가 있는 다형광발진은 태양광선 노출 부위에 수일간 지속하는 소양성 구진, 판, 때로는 수포가 발생되는 질환이다.

임상양상
가장 흔히 발생하는 광피부질환이며 여성에서 남성보다 2배 더 흔하게 발생한다. 가려움증을 동반한 두드러기양 구진, 판, 수포가 태양광선 노출부위에 햇빛 노출 후 24시간 정도에 발생한다(그림 26.1). 봄에 시작되고 여름에 걸쳐 지속될 수 있다. 중증도는 다양하다.

감별진단과 치료
광알레르기접촉피부염, 약물유발 광민감증, 홍반성루푸스와 감별해야한다. 선크림과 자외선 차단 조치를 취하는 것이 1차 치료법이다. 후반기 봄에 짧은 시간 자외선을 쬐는 것이 피부에 hardening 효과를 통해 여름 동안 이 질환없이 지낼 수 있도록 도와준다. 경구스테로이드를 급성기 악화에 사용할 수 있고, hydroxychloroquine이 예방요법으로 사용될 수 있다.

만성광선피부염(chronic actinic dermatitis, actinic reticuloid)

만성광선피부염은 중년 또는 노년의 남성에서 햇빛 노출부위에 두꺼운 판 형태의 피부염을 보이는 자외선에 의해 발생되는 원인불명의 드문 피부질환이다.

조직학적으로 피부에 밀집된 림프구 침윤이 관찰되고 일부 림프구는 비전형적인 소견을 보일 수 있어 림프종을 시사할 수 있다.

임상양상
오랜 기간 지속된 만성피부염이 광선피부염으로 진행하거나, 광알레르기접촉피부염이 처음부터 발생될 수 있다. 만성피부염의 태선화 판이 광노출 부위와 노출 부위를 넘어서 발생하고 1년내 지속되는 경향을 보이지만 여름에 악화되는 소견을 보인다(그림 26.2). 환자들은 UVA와 UVB 파장에 민감하고 종종 가시광선에도 민감한 경우가 있다. 식물인 sesquiterpene lactones (airborne allergen)이나 화장품 구성 성분에 접촉 혹은 광접촉 민감성을 보일 수 있다. 하지만 이러한 물질의 접촉이 전반적 질환의 발생에 어떻게 기여하는지는 확실하지 않다.

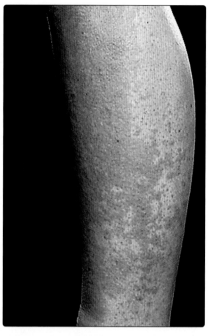

그림 26.1 다리 아래쪽에 발생한 다형광발진.

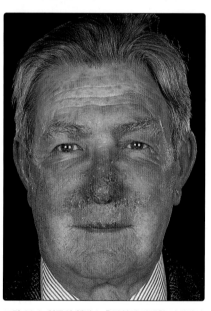

그림 26.2 얼굴의 햇빛 노출부위에 발생한 만성광선피부염.

감별진단과 치료
통상적으로 공기에 떠다니는 물질에 대한 접촉피부염이나 약물에 의한 광민감질환이 감별 진단으로 고려되어야 하지만 보통 진단에 거의 의심할 여지가 없다. 광검사가 진단에 도움이 된다.

가장 먼저 사용되는 치료는 일광 노출을 피하거나 일광차단제를 사용하고 국소스테로이드제를 사용하는 것이다. 다음으로 azathioprine, cyclosporine, mycophenolate 또는 전신스테로이드제가 필요할 수 있다.

일광두드러기와 광선양진 (actinic prurigo)

일광 두드러기와 광선 양진은 드문 질환이다. 일광 두드러기의 경우, 일광 노출 수 분 안에 팽진이 발생한다. 소아에서는 특히 적혈구생성성 프로토포르피린증(erythropoietic protoporphyria)과 감별이 필요하다. 광선양진은 소아에서 발생되며 주로 햇빛 노출부위에 구진 및 긁은 상처(excoriation)가 특징적으로 관찰된다. HLA-DRB1*0401 또는 07과 밀접하게 연관되어 있다.

광피부질환 – 기타 원인

유전질환

드문 유전질환들 중에 광민감증을 나타내는 경우가 있다. Bloom syndrome과 같은 염색체 불안정에 의해 나타나는 질환과 색소성건피증(xeroderma pigmentosum, p.112)과 같이 DNA 손상을 수리하는 과정에 문제로 발생하는 질환이 이에 속한다.

대사질환

포르피린증(Porphyria)
포르피린은 hemoglobin, myoglobin, cytochrome 형성에 중요하다. 포르피린증은 드물고, 대개 유전성이며, 포르피린 생합성 과정 효소의 결핍으로 중간 대사물이 축적되어 나타나는 대사성 질환이다(p.60). 대사물들을 소변, 대변, 혈액에서 검출 가능하며, 신경계에 독성이 있으며 피부에는 광민감을 초래한다. 주된 피부 포르피린증은 다음과 같다.

- 적혈구생성성프로토포르피린증(erythropoietic protoporphyria): 보통염색체 우성유전이고 유년기에 시작된다. 통증이 있는 붉은 수포성 발진이 나타난다. 함몰된 선상 흉터들이 코와 손에 남게 된다. α-MSH 합성유사체를 이용해 피부를 태워서 광보호를 유도하는 새로운 치료법이 임상 연구중이다.

- 만발피부포르피린증(porphyria cutanea tarda): 포르피린증 중 가장 흔한 형태로, 종종 간 질환이나 음주와 연관되어 나타난다. 태양 광선에 의한 표피하 수포가 얼굴과 손에 나타나(그림 26.3) 피부가 쉽게 손상되고 흉터와 피부에 털이 발생하게 된다. 알코올과 악화시키는 약제(예. 에스트로겐)들은 피하여야 한다. 정맥절

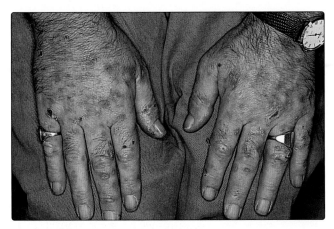

그림 26.3 만발피부포르피린증(porphyria cutanea tarda). 손등부위 피부에 변화가 관찰된다.

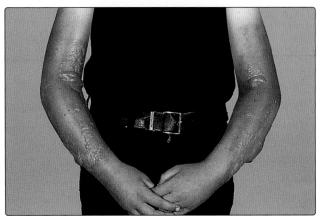

그림 26.4 common rue(루타, 운향)에 의해 발생한 식물성광선피부염. 환자는 강한 햇빛 아래 식물을 채집하였고 심한 수포성 변화가 발생하였다. 기전은 광독성반응으로 알레르기성보다는 자극성이다.

개술(venesection)과 저용량의 chloroquine 치료가 사용될 수 있다.

- 반문포르피린증(variegate porphyria): 보통염색체 우성유전이고 남아프리카에서 흔히 발생하며, 만발피부포르피린증과 같은 피부 증상을 보인다. 하지만 복통과 신경증상의 급성 발작이 나타나며 피부 병변이 없는 급성간헐포르피린증(acute intermittent porphyria)과 유사하다.

펠라그라(Pellagra)
영양결핍이나 알코올 남용에서 보통 발생하는 비타민 B3 (nicotinic acid)의 결핍에 의해 설사와 치매를 동반하는 광과민피부염을 유발할 수 있다.

약물과 화학물질에 의해

약물 유발
여러 가지 약물들은 광노출 부위에 광독성(약물 용량과 연관) 혹은 광알레르기 기전으로 발진을 유발할 수 있다. 임상 양상은 습진양, 수포성(예. griseofulvin, p.19), 색소성(예. amiodarone, p.107), 혹은 과도한 일광화상 형태로 나타날 수 있다. 드물게, 광손발톱박리(photoonycholysis)도 발생할 수 있다(예. tetracycline). 흔한 광과민 약제들은 Box 26.1에 기술되어 있다.

국소적으로 도포한 화학물질
가장 흔한 국소 광과민물질(예. allergens)에는 일광차단제(예. benzophenones), 비스테로이드성 항소염제(NSAIDs), 콜 타르 유도체와 향수 등이 있다. 국소 광독성반응(자극성 기전)은 대개 식물에서 기원한 psoralen에 의해 일어나며, 보통 당근, 샐러리, 회향(fennel), 미나리과 식물(parsnip), 루타(common rue), 잡초(giant hogweed)와 같은 식물에서 발견된다. 식

물광피부염(phytophotodermatitis)은 식물에 있는 psoralen과 접촉 후 국소 광과민 반응에 의해 발생한 광접촉피부염을 일컫는다(그림 26.4). Berloque 피부염은 종종 목의 측면에 선상 색소 침착이 psoralen을 함유한 향수, 보통 oil of Bergamot에 의해 발생한다.

태양광선에 의해 호전 또는 악화되는 피부질환

자외선은 몇가지 질환(표 26.1)을 호전 시키므로 자연태양광선, UVB나 PUVA를 치료로 사용할 수 있다. 하지만, 모든 질환에서 효과가 나타나는 것은 아니며, 지외선이 예를 들어 건선이나 아토피피부염을 악화시키는 경우도 있다. 태양광선은 건선을 유발할 수도 있다. 태양광선이 여러 가지 다른 질환들을 악화시킬 수도 있다(표 26.1에 기술되어 있다).

표 26.1 태양광선에 의해 호전 또는 악화되는 피부질환들

호전	악화 또는 유발
여드름	아토피습진(약 30%)
아토피습진	단순포진
균상식육종	홍반성루푸스
장미비강진	포르피린증
건선	주사
요독성소양증(uremic pruritus)	백반증

광피부과학

- 정상피부에서는 태양광선이 피부를 태우고 일광화상을 입히며 피부노화, 광발암현상(p.124, 편평세포암)을 야기한다.
- 중요한 특발성 광선피부질환으로 다형광발진, 만성광선피부염, 일광두드러기가 있다.
- 태양광선에 의해 악화되는 피부질환은 일부 습진, 단순포진, 홍반성루푸스, 만발피부포르피린증, 백반증이 있다.
- 태양광선에 의해 호전되는 피부질환은 여드름, 아토피습진, 균상식육종, 장미비강진, 건선, 신부전에 의한 소양증이 있다.
- 광과민증을 유발시키는 드물지않은 약제로는 tetracycline, phenothiazines, ACE inhibitors, NSAIDs, furosemide, thiazides 등이 있다.

Box 26.1 광피부과학

Amiodarone
Angiotensin-converting enzyme inhibitors
Ciprofloxacin
Furosemide
Isotretinoin

NSAIDs
Nifedipine
Phenothiazine
Tetracycline
Thiazides

27 │ 세균감염 – 포도알균과 사슬알균

피부는 감염에 대한 장벽이지만 방어장벽이 관통되거나 손상이 되면 수많은 미생물들이 질환을 일으킬 수 있다(표 27.1).

정상피부미생물

정상 피부에는 세균, 효모균, 진드기와 같은 무해한 미생물이 상주하는 균총(skin microbiome)을 갖고 있다. 새로운 배양 분석을 통한 최근 연구에 따르면 가장 주요한 균종은 *corynebacteria* (22.8%; *diphtheroids*), *propionibacteria* (23.0%), *staphylococci* (16.8%)이다. 흥미롭게도 동일 사람의 신체 부위 사이에서 보이는 미생물의 다양성보다 사람 사이에서 같은 신체 부위에 보이는 미생물의 다양성이 더 비슷하다. 예를 들어 *micrococci*는 겨드랑이에서는 50만/㎠개가 존재하지만, 팔에서는 60/㎠ 개만 존재한다. 어떤 사람은 다른 사람들에 비해 많은 수의 균을 갖고 있다.

포도알균 감염

1/3의 사람에서 황색포도알균(*Staphylococcus aureus*)이 코, 그리고 드물게 겨드랑이나 회음부에 존재한다. 포도알균은 피부에 직접적으로 감염되기도 하고, 습진이나 건선에서 이차적인 감염을 일으킨다.

농가진(Impetigo)

농가진은 포도알균이나 사슬알균, 혹은 두가지 모두에 의한 전염성 표재성 피부 감염이다.

임상양상
농가진은 사회적 환경이 호전되면서 현재 서양에서는 비교적 드문 질환이나, 개발도상국가에서는 흔히 발생한다. 어린이에서 주로 발생하고 종종 얼굴에 얇은 막을 가지고 쉽게 터지는 물집으로 나타나며 노란 딱지가 있는 삼출물이 있는 병변을 남기게 된다(그림 27.1). 병변은 빠르게 번지며 전염성이 있다. 직경 1~2 cm 정도의 물집으로 나타나는 수포형(그림 27.2)은 모든 연령대에서 발생하고 얼굴과 사지에 나타난다. 아토피피부염, 옴, 단순포진, 및 이 감염도 모두 농가진화 될 수 있다. 농가진은 단순포진이나 진균감염과 혼동될 수 있다.

치료
대부분의 국소적인 병변의 경우는 생리식염수에 적셔 딱지를 제거하고 국소항생제(예. mupirocin, fusidic acid, neomycin/bacitracin) 도포에 잘 반응한다. flucloxacillin 이나 erythromycin 과 같은 전신 항생제는 광범위한 감염에서 사용된다. 화농성사슬알균(*Streptococcus pyogenes*)에 의한 농가진은 심각한 합병증인 사구체신염을 유발할 수 있다. Methicillin 저항성 황색포도알균(MRSA) 을 갖고있거나 감염되는 경우가 광범위한 항생제의 사용으로 증가 추세에 있다.

농창(ecthyma)

농창은 경계가 명확하고 궤양성의 딱지가 있는 감염성 병변으로 호전되면서 흉터를 남긴다. 곤충 교상이나 경미한 외상이 포도알균 혹은 사슬알균(혹은 둘 모두)에 감염되어 발생할 수 있다. 농창은 대개 다리에 발생하며(그림 27.3) 약물 중독자나 쇠약해진 환자에서 나타날 수 있다. 치료는 전신, 국소 항생제를 사용한다.

표 27.1 피부의 세균감염건선의 감별진단

세균	감염질환
공생균(commensals)	홍색음선(erythrasma), pitted keratolysis, trichomycosis axillaris
포도알균	농가진, 농창, 모낭염, 이차감염
사슬알균	단독, 연조직염, 농가진, 농창, 괴사근막염
그람음성균	이차감염, 모낭염, 연조직염
마이코박테리움	결핵(보통루푸스, 사마귀양피부결핵, 피부선병), 수조육아종(fish tank granuloma), Buruli ulcer, 나병
스피로헤타(*Spirochaetes*)	매독(예, 일차성, 이차성), 라임병(만성이동홍반)
Neisseria	임질(농포), 수막알균혈증(자반)
기타	탄저병(농포), 유사단독(농포)

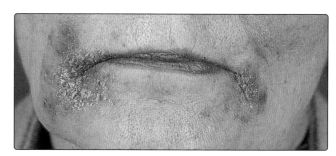

그림 27.1 황색포도알균에 의한 얼굴의 농가진.

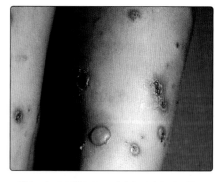

그림 27.2 포도알균 독소 생성에 의해서 발생한 수포성 농가진. (From James WD, Berger TG, Elston DM, 2011. Andrew's Diseases of the Skin, 11th edn. Saunders, with permission).

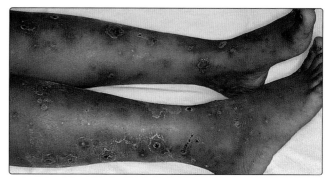

그림 27.3 사슬알균에 의해 다리에 발생된 농창.

모낭염(Folliculitis)과 연관질환
모낭에 감염이 발생할 수 있다. 모낭염은 다수의 모낭에 발생한 급성 농포성 감염이고 종기(furuncle)는 인접 모낭에 급성 농양이 형성된 것이며,

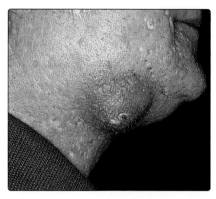

그림 27.4 큰 종기. 이 병변은 수술적 배농이 필요하다. 환자는 선행하는 포도알균 감염이 있었다.

큰종기(carbuncle)는 여러 모낭에 형성된 깊은 농양으로 통증을 동반한 화농성의 결절로 나타난다.

임상양상

모낭성 농포는 다리, 두피, 얼굴과 같은 털이 있는 부위에서 관찰된다. 남성의 경우, 모낭염이 수염 부위에서 발생할 수 있다(모창, sycosis barbae). 여성에서는 면도나 왁싱 등의 제모 후 다리에서 발생할 수 있다. 황색포도알균이 대부분 원인균이다. 독성인자인 Panton-Valentine leucocidin (PVL)을 갖고 있는 균종은 더 공격적인 질환과 연관되어 있다. 그람음성모낭염(Gram-negative folliculitis) (예.Pseudomonas에 의한)은 여드름에서 장기간의 항생제 치료 후 발생할 수 있다. Pityrosporum 모낭염은 공생 효모균에 의해 발생하는 독립된 질환이다 (p.74).

종기(furuncles, boils)는 압통이 있는 붉은 농포로 나타나서 화농되고 흉터를 남기고 아문다. 종종 얼굴, 목, 두피, 겨드랑이 및 회음부에 발생한다. 어떤 환자는 겨드랑이나 회음부에 반복적으로 포도알균 종기를 보인다. 황색포도알균에 의한 거대한 화농성의 큰종기(그림 27.4)는 전신 증상을 야기할 수도 있다. 화농한 선염과 구분이 중요하다(p.83).

치료

병변이나 보균 부위(예. 코, 겨드랑이, 사타구니)에서 면봉으로 세균 배양을 실시한다. 비만, 당뇨, 의복으로의 밀폐 등이 선행 악화인자이다. 급성 포도알균감염은 전신(예. flucloxacillin, erythromycin) 혹은 국소(예. fusidic acid, mupirocin, neomycin/bacitracin) 항생제로 치료할 수 있다. 만성 재발성 질환의 경우 치료가 더욱 어렵다. 코와 같은 보균 부위는 mupirocin 과 같은 국소 항생제로 치료할 필요가 있다. 위생 상태의 개선, 규칙적인 목욕이나 샤워, 목욕 시 항균제 사용(예. chlorhexidine)과 같은 일반적인 방법이 도움이 될 수 있지만, 경구 항생제의 사용이 필요할 수 있다. 큰종기는 종종 신속한 수술적 배농이 필요하다. 드문 합병증으로 안면 감염과 연관되어 해면동(cavern-ous sinus)에 혈전 형성될 수 있다.

포도알균화상피부증후군 (staphylococcal scalded skin syndrome)

포도알균화상피부증후군은 급성 독성 질환으로, 대개 영유아에서 발생하며, 피부나 다른 부위에 국소 포도알균 감염과 동반되어 표피가 종이처럼 벗겨지게 된다. 표피 표층이 큰 종이장처럼 탈락되고 화상을 입은 것과 유사하게 피부가 벗겨져 홍반성 병변이 노출된다. 포도알균이 epidermolytic toxin을 혈중으로 분비하여 표피 바깥의 desmoglein 1에 손상을 유발하고 그 결과 표피가 독소에 의해 벌어지게 된다. 같은 위치의 표피가 갈라지는 질환으로, 같은 단백(desmoglein 1)에 대한 자가면역 IgG항체에 의해 발생되는 낙엽상천포창이 있다(p.96). 입원 치료를 요하는 심각한 질환임에도 불구하고, flucloxacillin 이나 erythromycin과 같은 전신 항생제를 투여하면 예후는 좋다.

사슬알균 감염

주된 피부 병원균인 화농성사슬알균은 종종 인후두에서 발견되고 감염 후에 지속 될 수 있다. 코에 종종 보균 상태로 존재하며 외상을 받은 피부에 오염되거나 집락을 이룰 수 있다.

단독(erysipelas)

단독은 화농성사슬알균에 의해 발생한 진피의 급성 감염이다. 경계가 명확하게 융기된 홍반, 부종 부종 및 피부 압통이 동반된다.

임상양상

피부병변 발생 전에 발열, 피곤, 독감 증상 등이 선행 될 수 있다. 단독은 대개 얼굴(양측으로 나타날 수도 있다)이나 다리에 발생하며, 통증을 동반한 뜨거운 홍반성 부종(그림 27.5)으로 나타난다. 병변은 경계가 명확하여 수포가 발생할 수 있다. 연조직염이 동반되기도 한다. 포도알균은 대개 귀 뒤, 발가락 사이의 족부백선과 연관되어 피부의 갈라진 틈으로 침투하게 된다.

감별진단과 합병증

얼굴에서, 단독은 혈관부종이나 알레르기접촉피부염과 혼동되기 쉽다. 그러나 병변이 압통이 있고 전신 증상이 동반되기 때문에 대개 구분할 수 있다. 같은 부위에 반복적으로 발생하는 경우 림프관의 손상에 의해 림프부종을 유발할수 있다. 쇠약한 환자에서는 치명적인 사슬알균 패혈증이 발생할 수도 있다. 사슬알균 감염 후 물방울건선(p.38)과 급성사구체신염이 발생하기도 한다.

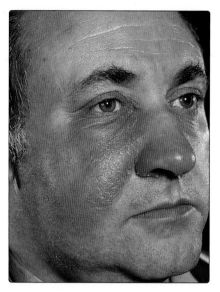

그림 27.5 사슬알균 감염에 의한 우측 볼의 단독.

치료

신속한 치료를 하면 대개 좋은 치료반응을 보인다. 국소 치료만으로는 충분하지 않으며, penicillin 을 처방하여야 한다. 화농성사슬알균은 대부분 이 항생제에 잘 반응한다. 심한 감염시에는 처음에 정맥 치료가 필요하며, 대개 benzylpenicillin을 약 2일간 사용하게 된다. 그 이후 경구 penicillin V는 7-14일간 투여하게 된다. 심하지 않은 경우에는 penicillin V가 적절하다. Penicillin 알레르기가 있는 경우 erythromycin을 사용할 수 있다. 같은 부위에 2회 이상 발생한 재발성 단독의 경우에는 예방적 장기간 penicillin V(하루에 250-500 mg을 1회 혹은 2회) 치료하여야 하며, 균이 들어온 부위에 대한 위생에 특별한 주의를 기울여야 한다.

괴사근막염(necrotizing fasciitis)

괴사근막염은 급성의 심한 감염증이다. 평소 건강한 사람에서 경미한 외상 후 발생한다. 두경부나 사지에 경계가 불명확한 홍반이 고열과 동반되면서 빠르게 괴사되는 소견을 보인다. 조기에 신속한 수술적 괴사조직제거술과 전신 항생제가 필수적이다.

> **포도알균과 사슬알균의 감염**
>
> - **정상 피부균총(normal skin microflora)** 으로 corynebacteria, propionibacteria, staphylococci가 포함되고 50만개/㎠ 정도이다. 일부 사람은 다른 사람에 비해 많은 수의 균을 갖고 있다.
>
> - 피부에 발생되는 **포도알균 감염(staphylococcal infection)**은 농가진, 농창 또는 모낭염과 같은 일차성 병변과 습진, 건선, 다리 궤양에 2차 감염이 된 이차성 병변이 존재한다.
>
> - **사슬알균 감염(streptococcal infection)**은 단독, 년소식염, 모낭염과 같은 일차성 병변과 피부염, 다리 궤양에 2차 감염이 된 이차성 병변이 존재한다.

28 | 기타 세균감염

공생균의 과증식에 의한 질환들

때때로 정상 공생균이 질병을 유발할 수 있다. 이 중 다음과 같은 질환이 가장 흔하다.

- 오목각질용해증(pitted keratolysis). 케라틴을 분해하는 상재균의 과증식으로 발생하고 밀폐된 신발을 신거나 발에 땀이 많은 경우 잘 발생한다(그림 28.1). 악취를 풍기는 얕은 구멍의 미란성 병변과 큰 구멍의 변색된 피부병변이 관찰된다. 위생에 신경을 쓰고 국소 neomycin이나 0.01% KMnO4 수용액, 3% formaldehyde 수용액을 도포하는 것이 도움이 된다.
- 홍색음선(erythrasma). 접히는 부위에 주로 발생하며 건조하고 적갈색의 인설을 포함하는 무증상 발진이다(그림 28.2). Corynebacteria가 생성하는 포르피린에 의해 Wood등 검사에서 산호 분홍 빛의 형광을 낸다. Imidazole 크림, 국소 fusidic acid 또는 경구 erythromycin 등

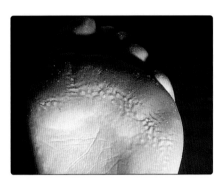

그림 28.1 상주하는 미생물의 과증식에 의해 발생한 오목각질용해증(pitted keratolysis).

이 효과적이다.

- 겨드랑이 털진균증(Trichomycosis axillaris). Corynebacteria의 과증식에 의해 겨드랑이 털에 노란색 응결물이 형성된다. 국소 항균제에 의해 보통 완치 효과를 보인다.

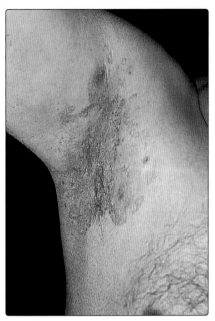

그림 28.2 겨드랑이에 발생한 홍색음선. Corynebacteria의 과증식으로 발생하였다.

마이코박테리움

다른 종들도 감염을 일으키기는 하지만, 결핵균(Mycobacterium tuberculosis)과 나병균(M. leprae)은 사람에서 병을 일으키는 가장 중요한 마이코박테리아이다. 서양 국가들에서는 최근 이민과 인간면역결핍바이러스(HIV)와의 동시 감염과 관련하여 결핵균이 재유행을 보이고 있다. 개발도상국에서는, 인간면역결핍바이러스 감염자의 50%가 결핵에도 감염되어 있다. Anti-TNF 생물학제제(예, 건선치료)로 치료받는 사람에서 특히 결핵의 위험성이 있고 잠복결핵이 약물 치료 전에 배제되어야 한다. 결핵은 다양한 피부 증상들을 일으킬 수 있다(표 28.1).

표 28.1 결핵의 피부증상

보통루푸스(lupus vulgaris): 적갈색의 판 (목 등에 발생)

결핵진(tuberculides): 피부 과민반응

피부선병(scrofulderma): 하부 림프절 위에 발생한 피부 증상

사마귀양피부결핵(warty tuberculosis): 사마귀 모양의 판 (엉덩이 등에 발생)

진단

피부결핵 감염의 진단은 피부조직검사를 통해 결핵균의 배양을 통해 확인된다. 이는 특수한 배양 조건이 필요하기 때문에 임상적인 정보를 실험실 직원에게 명확히 알려줄 필요가 있다. 배양 결과는 보통 매우 늦게 나오고 8-12주가 걸릴 수

있다. 배양에 의해 확인하는 방법에 이어 마이코박테리아 DNA에 대한 PCR 검사가 결핵균 아형을 확인하고 치료에 대한 저항성의 가능성에 대한 정보를 줄 수 있다. 하지만 양성 결과를 얻기 위해서는 많은 마이코박테리아 균 수가 필요하여 일반적으로 진단 검사로 유용하지 않다. 피부조직검사로 Ziehl-Neelsen염색을 통해 acid fast bacilli를 확인할 수 있지만 신뢰할 수 없다. 결핵균 항원에 대한 T세포 IFN-γ분비검사(IGRAs)가 현재 감염과 잠복 감염에 매우 특이성이 높고 비교적 민감한 검사이므로 다른 검사법을 대개 대체할 수 있다. IGRAs검사가 결핵균 외의 다른 마이코박테리아에 대해 양성을 보일 수 있지만 가변적이고 검사로서 신뢰하지 못한다. 가장 널리 사용되는 IGRAs는 다음과 같다.

- QantiFERON-TB Gold In-Tube test (QFT-GIT)
- T-SPOT.TB test (T-Spot)

보통루푸스(lupus vulgaris)

흔히 머리와 목 부위에 적갈색 판을 형성하며 결핵균의 피부 감염 중 가장 흔한 소견이다.

임상양상

보통루푸스은 결핵균의 일차 접종에 의해 발생하고 면역력이 어느 정도 있는 사람에서 발생한

다. 무통성의 적갈색 결절로 시작하여 점점 커져 판을 형성하고(그림 28.3), 흉터를 남기거나 때로는 연골과 같은 깊은 조직을 파괴하기도 한다. 노인에서 발생되는 경우 부적절하게 치료되었던 기존 병변이 재활성화 되면서 나타난다.

피부선병은 결핵균에 의해 발생한 림프절이나 관절병변이 직접적으로 상방의 피부를 침범하여 발생하고 목과 소아에서 종종 나타난다. 누공과 흉터가 발생한다.

사마귀양피부결핵은 사마귀 형태의 적색 또는 갈색의 판이 대개 손, 무릎, 엉덩이에 발생하며 발생 원인은 결핵균이 선행 감염에 대한 면역이 있는 사람의 피부로 접종되어 발생하게 된다. 서구 국가에서는 발생이 드물지만 개발도상국에서는 피부결핵의 흔한 형태이다.

감별진단과 합병증

보통루푸스의 구진은 유리슬라이드로 압박해서

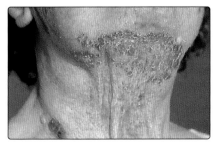

그림 28.3 M. tuberculosis에 의한 보통루푸스.

누르면(압시경검사) 전형적으로 사과-젤리색을 보인다. 조직 생검에서 균이 관찰되는 결핵모양 육아종이 관찰된다. Mantoux test는 양성이다. 때때로 다음과 같은 질환을 고려하여야 한다.

- 경피증양 기저세포암
- 사르코이드증 또는 나병
- 원반모양 홍반루푸스

편평세포암이 오래된 흉터에서 발생할 수 있다. 신체 어느 부위든 결핵균이 존재하면 '결핵진(tuberculides)'이라고 불리는 피부반응을 유발할 수 있다. 결절홍반(erythema nodosum)(p.102)이 가장 잘 알려진 예이다. 또 다른 예는

경결 홍반(erythema induratum)이며 이는 여성 하지에 통증을 동반한 궤양성 결절로 나타나고, 이는 결핵에 대한 과민 반응으로 생각된다.

치료

보통 rifampicin, isoniazid, pyrazinamide, ethambutol 네 가지 약물을 첫 8주 동안 투여한다. 이 후에 isoniazid 와 rifampicin을 6개월 동안 지속 투여한다. 치료 순응도가 문제가 된다면, 약 먹는 것을 보고 확인하는 직접적인 감시 치료가 치료 성공율을 높인다. 결핵 약물들의 부작용은 흔하다.

수조육아종(fish tank granuloma)

열대어를 다루는 사람의 손이나 팔에 붉은색의 약간의 인설이 있는 판을 형성한다. 이는 물고기를 감염시키고, 수영장, 바닷물, 민물에서도 발견되는 M. marinum에 의한 감염이다. 감염은 보통 사지말단(예, 손가락의 찰과상)의 경로로 들어와서 잘 아물지 않는 만성 상처병변을 유발한다. 이어서 림프관으로 확산되어 사지의 근위부에 결절을 만들어 낸다. M. marinum배양은 종종 음성으로 나오고 진단은 임상적으로 이루어질 필요가 있다. 경구 clarithromycin이 보통 효과적이다.

스피로헤타(Spirochaeta) 감염

스피로헤타는 가늘고 나선형의 운동성 균이다. Treponema pallidum에 의한 감염으로 발생하는 매독(p.152)이 가장 잘 알려진 스피로헤타 질환이지만, Borrelia burgdorferi와 같은 또다른 스피로헤타도 병을 발생시킨다.

비성병 트레포네마 감염

비성병 트레포네마 감염은 극히 빈곤환경에서 살아가는 열대, 아열대 지역에서 잘 발생한다. T.pallidum과 매우 유사한 스피로헤타에 의해 발생한다. 매독 혈청검사가 양성이다. 다음 세가지 질환이 장시간 작용하는 penicillin에 잘 반응한다.

- Yaws는 중앙 아프리카, 중앙 아메리카와 동남 아시아 지역에서 발생한다. 소아에서 treponeme이 피부의 찰과상 부위로 들어와서 수주 후에 궤양성 유두종이 발생하고

흉터를 남기고 치료된다. 이차성 병변이 나타나고 추후에는 뼈 변형이 발생한다.
- Bejel(풍토성 매독)은 비위생적인 환경에서 살아가는 시골의 중동 부족에서 나타나고 yaws와 유사하고 입주위에서 시작된다. 피부접촉을 통해 전염된다.
- Pinta는 중앙, 남아메리카 지역에만 국한되어 발생한다. 저색소와 과색소가 동반된 관절의 폄쪽부위에 과각화 병변이 나타난다.

라임병(lyme disease)

라임병은 스피로헤타인 B. burgdorferi 에 의해 피부와 전신감염이 발생하고 진드기에 물려 퍼지게 된다. 대부분의 사례들은 유럽과 미국에서 보고된다. 진드기에 물린 자리에 대개 사지에 서서히 커져가는 홍반성 고리모양 병변이 나타난

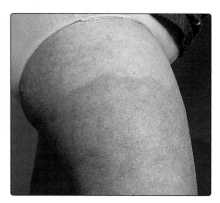

그림 28.4 만성이주홍반(erythema chronicum migrans)으로 나타난 라임병.

다(erythema chronicum migrans)(그림 28.4). 관절염, 신경질환이나 심질환이 발생될 수 있다. 대개 고용량 amoxicillin 이나 doxycycline에 잘 반응한다.

다른 세균 감염

그람음성 세균감염

녹농균(Pseudomonas aeruginosa)과 같은 간균이 피부 상처, 특히 다리 궤양에 감염될 수 있다. 또한 모낭염과 연조직염을 유발할 수도 있다.

연조직염(cellulitis)

연조직염은 피하 조직의 감염이다. 주로 사슬알균 때문에 발생하지만 단독보다는 좀더 깊고 광범위하게 발생한다. 주증상은 부종, 발적, 전신증상과 열을 동반한 국소 통증이다. 주로 하지에 발생한다(그림 28.5). 균은 발가락 사이 틈이나 하지 궤양을 통하여 침투된다. 림프관염이 흔하게 나타나고, 림프관 손상이 발생할 수 있나. 흔히 입원 지료가 필요한데 특히 하지를 침범할 때 필요할 수 있다. 단순한 연조직염 환자

에서는 항사슬알균에 대한 항생제를 사용한다. 하지만 하지 궤양 합병증을 동반한 연조직염에서는 광범위 항생제를 처방하는데, 이는 원인 균주를 확인해야 하기때문이다. 혈액 배양과 면봉을 이용한 궤양에서의 배양이 항생제 선택에 도움을 준다. 임상연구(PATCH I&II)는 예방적

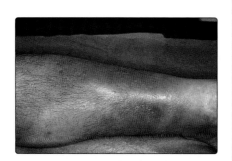

그림 28.5 하지에 발생한 연조직염.

으로 penicillin V 250 mg을 하루에 2회(처음 감염 후 6개월, 재발성 감염은 12개월) 사용하는 것을 지지하는 분명한 증거를 보여주었다.

포도알균과 사슬알균의 감염

- 공생균(commensal organism)의 과증식은 가벼운 피부 질환을 일으킬 수 있다.
- 피부의 마이코박테리아 감염(mycobacterial infection)은 주로 M. tuberculosis에 의해 발생하지만, M. marinum과 같은 비정형 미코박테리아 감염도 피부질환의 원인이 된다.
- M.tuberculosis 잠복 또는 활동성 감염은 IGRA검사로 진단할 수 있다.
- 라임병은 B. burgdorferi균이 진드기를 매개로 감염되는 것으로 피부 증상은 종종 관절염이나 신경 질환과 관련이 있다.
- 연조직염(cellulitis)은 주로 하지에 발생하고, 다른 균도 원인이 되지만 사슬알균에 의해 주로 발생한다.

29 | 바이러스 감염 – 사마귀와 다른 바이러스 감염

박테리아나 효모균과는 달리, 바이러스는 피부 표면에 상재균/공생균으로 존재하는 것으로 생각되지 않는다. 하지만 사마귀 바이러스를 가진 환자들을 대상으로 한 연구에서 사마귀병변에 인접한 부위에 외견상 정상 피부로 보이는 표피 세포에서 바이러스 DNA가 발견되었다.

사마귀 바이러스(Viral warts)

사마귀는 인간유두종 바이러스가 표피 세포에 감염되어 발생하는 흔한 양성 피부 종양이다.

원인병인론과 병리
100가지 이상의 인간유두종 바이러스(HPV) 유전자 아형이 밝혀졌다. 바이러스는 직접 접종으로 감염되고, 접촉이나 성교, 수영장에서 감염된다. 특정 인간유두종 바이러스 아형은 특정 임상 병변과 관계되어 있다. 2, 27, 57형은 흔한 손 사마귀와, 1, 2, 4, 27, 57형은 발바닥 사마귀, 3, 10형은 편평사마귀, 6, 11형은 항문성기 사마귀와 연관되어 있다. 16, 18형 항문성기 사마귀는 자궁 경부와 성기, 항문주위에 세포학적 이형성을 일으키며 이는 전구암 병변이 된다. 신장 이식자와 같은 면역이 저하된 사람들은 특히 사마귀 바이러스에 쉽게 감염된다(p.70). 사마귀 바이러스 감염은 표피를 두꺼워지게 하고 과각화증을 유발한다. 과립층의 각질형성 세포들은 공포형성을 보여준다.

임상양상
- 보통사마귀(verruca vulgaris, common warts). 돔 형태의 구진이나 유두모양의 표면을 갖는 결절 형태로 나타난다. 대개 다발성으로 나타나고 소아의 손(그림 29.1)이나 발에 가장 흔하고 얼굴이나 성기에도 나타난다. 사마귀 표면은 피부 선을 방해한다. 얼굴에 발생한 어떤 사마귀들은 손가락 모양으로 뻗어있는 '실모양(filiform)'형태를 보인다.
- 편평사마귀(verruca plana, plane warts). 매끄럽고 편평한 표면을 갖는 구진이 종종 연한 갈색을 띄고 얼굴과 손등에 가장 흔히 나타난다(그림 29.2). 보통 다발성으로 나타나고 치료에 저항하지만 결국 종종 염증성 변화를 보이다가 자연적으로 소실된다. 쾨브너현상을 보일 수 있다.
- 발바닥사마귀(plantar warts). 발바닥에 소아와 청소년기에 나타난다. 압력에 의해 사마귀 병변이 진피까지 확장할 수 있다. 통증을 동반하고 굳은살에 덮여 있을 수 있다. 굳은살을 벗겨내면, thrombosed capillaries에 의해 검은 반점이 관찰된다. 모자이크 사마귀는 발바닥에 여러 개의 개별 사마귀가 모여 판 형태를 이룬 형태이다.
- 항문성기 사마귀(anogenital warts). 남성에서는 음경 부위에 발생하고 동성애자에서는 항문 주위에 발생한다. 여성에서는 외음부와 질, 항문 주위를 침범할 수 있다(그림 29.3). 사마귀는 크기가 작거나 서로 합쳐져 cauliflower처럼 '첨규콘딜로마'를 형성하기도 한다. 항문주위에 사마귀가 있

는 경우는 직장내시경, 여성의 성기 사마귀의 경우에는 질확대경검사를 시행하여 항문 또는 자궁경부 상피내암이나 침습암종을 치료할 필요가 있다(p.154-157). 성관계 상대도 검사를 시행해야 한다.

감별진단과 합병증
사마귀 바이러스의 진단은 대체로 명백하다. 때로는 발바닥이나 손의 티눈 또는 전염성연속종과 혼동되기도 한다. 손발톱 아래 사마귀 병변의 경우, 멜라닌결핍 악성흑색종, 조갑주위 섬유종(periungal fibroma) (p.112 결절경화증), 그리고 조갑하 외골종 등과 감별하는 것이 중요하다. 항문성기 사마귀는 이차 매독의 편평콘딜로마와 유사하게 보일 수 있다. 음문부, 음경, 항문 상피내암(때로는 보웬양 구진증이라 불림)이 사마귀 바이러스와 지루각화증과 유사하게 보일 수 있다. 장기 이식 환자에서의 인간유두종 바이러스는 피부암 발생과 관련이 있다.

치료
소아에서는 발바닥 사마귀의 30-50%가 6개월 내에 자연적으로 소실된다. 손과 발의 사마귀는

작은칼이나 손톱 가는 줄로 각질을 깎아내야

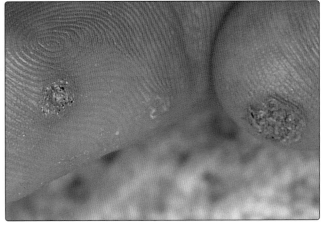

그림 29.1 손에 발생한 보통 바이러스성 사마귀.

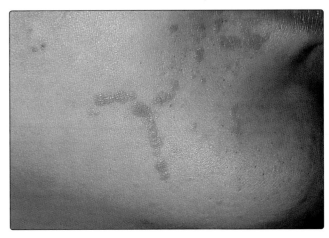

그림 29.2 선상분포를 보이는 얼굴에 발생된 편평 바이러스성 사마귀.

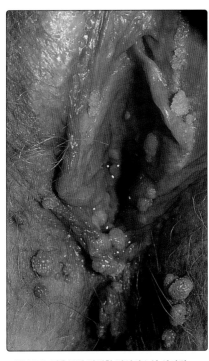

그림 29.3 외음부에 발생한 바이러스성 사마귀.

한다. 각질화 된 피부를 제거하면 치료가 쉬워진다. 표 29.1은 사용 가능한 치료법들을 보여준다. 장기 이식 환자와 같은 면역 억제 환자는 사마귀 감염에 쉽게 걸리기에 특별한 관리가 필요하고 이식을 하기 전에 사마귀에 대한 확인을 하고 치료되어야 한다. HPV 백신은 성기 부위 암, 특히 자궁경부암의 예방을 위해 청소년 여성에게 요즘 사용되고 있다.

기타 바이러스 감염

다른 바이러스 감염으로 전염성연속종(molluscum contagiosum), orf, 인간면역결핍바이러스(HIV, p.70)와 표 29.2에 기술된 바이러스 등이 있다.

전염성연속종

전염성연속종은 개별의 진주 같은, 분홍빛의, 배꼽 모양의 함몰된 구진으로 나타나는 질환으로 DNA pox 바이러스에 의해 발생한다. 주로 소아와 젊은 성인에서 나타나고 성관계나 타월에 의한 접촉을 통해 주로 전파된다. 직경 수 mm의 돔 형태의 구진이 가운데 점을 갖고 있고 짜면 치즈모양의 물질이 분비된다. 병변은 대개 다발성으로 그룹을 지어 나타나고 때로는 국소 습진을 동반한다. 얼굴, 목, 몸통(그림 29.4)에 가장 흔히 나타난다. 치료하지 않을 경우, 수개월간 지속될 수 있다.

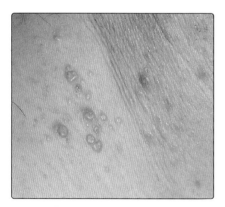

그림 29.4 목에 발생한 전염성연속종.

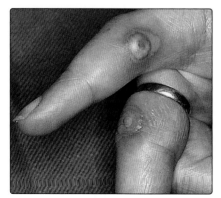

그림 29.5 농부의 손가락에 발생한 Orf.

표 29.1 바이러스 사마귀의 치료

치료법	세부치료	적응증	금기, 부작용
국소	살리실산과 젖산 (예. duofllm, occlusal, salactol, salatac)	손발의 사마귀	얼굴, 항문성기 사마귀, 아토피 피부염, collodion 제제에 있는 colophonium에 대한 접촉 알러지
	Glutaraldehyde (예. Glutarol)	손발의 사마귀	얼굴, 항문성기 사마귀, 습진
	Formaldehyde (예.Veracur)	발 사마귀	얼굴, 항문성기 사마귀, 습진
	Podophyllotoxin (0.15%)	항문성기 사마귀	임신(기형아 발생 가능)
	Imiquimod 크림	항문성기 사마귀	임신, 국소반응
냉동치료	3-4주마다	손발의 사마귀, 성기 사마귀	통증, 물집이 형성될 수 있다.
Curettage and cautery	국소마취(또는 크기가 크면 전신마취)	특히 얼굴에 발생한 단발성의 실모양 사마귀	손발의 사마귀에는 흉터가 발생될 수 있어 추천되지 않는다. 사마귀가 재발할 수 있다.
		큰 항문성기 사마귀	
기타	병변내 bleomycin	치료에 저항하는 손발의 사마귀	치료가 통증이 있을 수 있다.
	레이저 치료	어느 형태의 사마귀든 가능	시술 후 통증 흉터가 발생할 수 있다.
	Interferon-β 또는 -γ	치료에 저항하는 성기 사마귀	전신 부작용

표 29.2 기타 바이러스 감염

질환	원인	임상양상	경과와 치료
감염홍반(fifth disease, erythema infectiosum)	Parvovirus B19	뺨을 맞은 듯한 발진 소견, 손, 발, 몸통에 걸쳐 레이스 모양의 홍반, 때로는 관절염 증상 동반	소규모 발생이 전형적으로 2-10세 소아에서 발생. 11일후 사라짐. 치료는 불필요함.
Gianotti-Crosti 증후군	Hepatitis B와 기타 바이러스	얼굴, 엉덩이 및 사지에 작고 작은 홍반성 태선모양 구진	1-12세 소아에 발생. 2-8주후 소실
수족구병(hand-foot-mouth disease)	Coxsackievirus A16과 기타 바이러스	구강 내 수포/궤양, 손발의 붉은 경계의 소수포, 미열	소아에 유행, 1주일후 소실. 치료가 필요하지 않다.
Kawasaki disease	원인 미상의 미생물, COVID-19;? 초항원에 대한 반응	전신적인 홍반, 손발 피부 벗겨짐, 딸기혀, 발열, 심근염, 림프절병증, 관상동맥 동맥류	소아에 호발. 일반적으로 2주후 소실. 심장 침범 여부를 조사. γ-globulin 정맥주사와 아스피린으로 치료
홍역(measles)	RNA 홍역바이러스	볼 점막에 붉은 바탕위 흰색 구진 (Koplik's spot), 홍역양 발진, 전신 합병증	잠복기 10일. 전구증상. 6-10일 후 발진이 소실.

자연 소실이 느릴 경우에는 imiquimod 크림이 도움을 줄 수 있다. 성인이나 청소년에서는, 국소 마취 하에 긁어내거나 냉동요법이 적절한 치료법이다. 이러한 치료법은 어린 소아에서는 견디기 어려울 수 있다. 부모들로 하여금 아이들이 목욕하고 난 후 터질듯한 병변을 부드럽게 제거하도록 하는 것도 하나의 방법이다.

Orf

Orf는 대개 단발성으로 빠르게 자라는 구진으로 손에 종종 나타난다. orf pox 바이러스는 양에 나타나며 주둥이 주변에 농포성 발진을 일으킨다. 사람에서의 감염은 시골지역에서 잘 관찰되는데 양치기, 수의사, 염소에게 젖병을 물리는 사람에서 전형적으로 잘 발생한다. 단발성 적색 구진은 주로 손가락에서 6일간의 잠복기간 이후에 나타난다(그림 29.5). 이는 1cm 이상으로 빠르게 커지고, 괴사성의 배꼽 모양의 중심부를 가지는 통증이 있는 보라색 농포로 진행한다. 합병증으로는 다형 홍반(erythema multiforme, p.102)과 림프관염이 있다. 2-4주 후 자연 소실 된다. 이차 감염의 경우 국소 혹은 전신 항생제가 필요하다.

기타 세균감염

바이러스성 사마귀(viral warts)
- 손, 발의 사마귀는 흔하며, 전반적으로 2년 이내에 65%에서 자연 소실된다.
- 편평사마귀는 매끄럽고 편평한 표면을 갖는 구진이 종종 얼굴과 손등에 발생한다.
- 냉동치료를 시행하기 전에 손발 사마귀에 사마귀 바르는 약을 시도한다.
- 항문성기 사마귀 환자는 다른 성기 감염에 대한 스크리닝이 필요하다.
- 인간유두종바이러스와 연관된 항문성기 이형성증은 침윤암종으로 진행할 수 있다.

전염성연속종(molluscum contagiosum)
- pox바이러스에 의해 발생되고 imiquimod 크림, 냉동요법, curettage로 치료한다.
- 치료를 하지 않아도 자연 치유 될 수도 있으나 수개월의 기간이 걸릴 수 있다.

Orf
- 농촌 지역에서 발견되고 농부나 수의사에서 주로 발생하며 이 병변은 양에서 옮겨진다.
- 진단은 일반적으로 어렵지 않으며, 2차 감염을 치료하고 다형홍반(erythema multiforme) 발생 여부를 관찰한다

30 | 바이러스 감염 – 단순포진과 대상포진

단순포진(Herpes simplex)

단순포진은 단순포진바이러스(herpes virus) 감염에 의해 발생하는 매우 흔한 급성 수포성 발진으로 자연 소실된다.

원인병인론과 병리

단순포진바이러스는 전염력이 높고 개인간의 직접 접촉에 의해 전파된다. 바이러스는 표피와 점막의 상피를 침투하여 상피세포에서 증식한다. 일차 감염 이후, 비증식성 잠복 바이러스가 주로 후근신경절(dorsal root ganglion)에 잠복해 있다가, 재활성화되어 피부를 침범하고 재발성 병변을 만들어 낸다. 단순포진바이러스에는 두 가지 형태가 있다. 1형은 얼굴과 비성기 부분에, 2형은 성기 부분에 주로 질병을 일으킨다. 하지만 이러한 구분이 절대적이지는 않다. 단순포진바이러스에 의한 표피세포의 병적 변화에 의해 표피 내 수포와 다핵거대세포가 형성된다. 감염된 세포에는 핵내봉입체(intranuclear inclusion)가 관찰될 수 있다.

임상양상

1형 단순포진바이러스의 일차 감염은 주로 소아에서 나타나고 종종 무증상이다. 증상이 있는 환아에서는 급성 치은구내염(gingivostomatitis)이 일반적으로 나타나는 임상 소견이다. 입술과 점막의 수포가 빠르게 벗겨지고 통증을 유발한다. 때로는 각막을 침범하기도 한다. 종종 열, 권태감, 국소 림프절병증을 동반하기도 하며 약 2주간 증상이 지속된다.

헤르페스손끝염(herpetic whitlow)은 또 다른 임상 소견이다(그림 30.1). 통증이 있는 수포 혹은 농포가 손가락에서 발견되는데 바이러스를 배출하는 환자를 보는 간호사나 치과 의사에서 발생하곤 한다. 유사한 직접 접종에 의한 병변이 레슬러와 같은 운동 선수에서도 종종 관찰된다(herpes gladiatorum).

2형 단순포진바이러스 일차 감염은 보통 젊은 성인에서 성접촉후에 나타나며 급성 음문질염(vulvovaginitis), 음경 또는 항문주위에 병변을 유발한다. 임산부에서 분만 시점에 음부 단순포진바이러스 배양 결과가 양성일 경우 신생아 감염이 치명적일수 있어서 제왕 절개의 적응증이 된다.

재발은 단순포진바이러스 감염의 특징이다. 재발은 유사한 부위에 발생하며 주로 입술, 얼굴(그림 30.2), 성기부위(그림 30.3)에 발생한다. 드물게 단순포진바이러스가 띠모양의 피부 신경분절의 분포를 보이기도 한다. 군집된 수포가 나타나기 수 시간 이전에 따끔거림이나 작열감 등이 종종 선행되어 나타난다. 24~48시간 이내에 딱지가 형성되고, 일주일 후 감염은 사라진다. 재발은 호흡기 감염, 햇빛, 국소 외상에 의해 촉발된다.

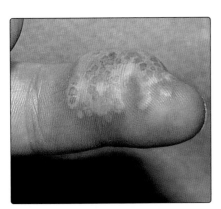

그림 30.1 손가락에 헤르페스손끝염으로 발생한 일차성 단순포진.

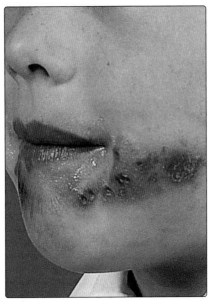

그림 30.2 소아의 뺨에 발생한 단순포진.

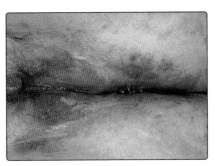

그림 30.3 재발성 단순포진의 성기 병변.

감별진단

때로는 단순포진바이러스가 농가진과 혼동될 수 있다. 하지만 재발성 질환에서는 재발하는 특성으로 감별할 수 있다. 필요한 경우, 바이러스 배양검사나 면역형광검사를 통해 확인할 수 있다.

합병증

합병증은 드물지만 심각할 수 있다. 다음과 같은 합병증이 있을 수 있다.

- 이차 세균감염. 주로 황색포도알균에 의해 발생된다.
- 포진상습진(eczema herpeticum). 광범위한 단순포진바이러스 감염으로 심각하고 치명적일 수 있는 합병증이며 아토피피부염(p.50)이나 Darier병(p.110)을 가진 환자에서 나타날 수 있다.
- 파종성 단순포진바이러스(disseminated herpes simplex). 광범위한 포진성 수포가 신생아나 면역억제 환자에서 나타날 수 있다.
- 만성 단순포진바이러스(chronic herpes simplex). 비전형적이며 만성적인 병변이 인간면역결핍바이러스(HIV) 감염 환자들에서 보일 수 있다.
- 헤르페스뇌염(herpes encephalitis). 단순포진바이러스의 심각한 합병증이며 항상 피부 병변을 동반하지는 않는다.
- 자궁경부암(carcinoma of the cervix). 자궁경부암의 선행요인일 수 있는 2형 단순포진바이러스 감염의 혈청학적 증거가 있는 여성에서 더 흔히 나타난다.
- 다형홍반(erythema multiforme). 단순포진바이러스가 재발하는 다형홍반의 가장 흔한 원인이다(p.102).

치료

경증의 헤르페스 병변은 어떠한 치료도 필요하지 않다. 경증의 재발성 얼굴, 음부 단순포진바이러스의 최선의 치료로는 acyclovir (Zovirax) 크림(하루 5번씩 5일간 도포)이며 이는 질환의 기간을 줄이고 바이러스 배출 기간을 감소시킨다. 재발 시에 첫 치료로 사용되어야 한다. 좀 더 심한 경우에는 경구 acyclovir (200 mg씩 하루 5회 5일간 복용)를 사용하는 것이 좋고 질환의 기간을 단축시킨다.

재발이 빈번하게 발생하는 경우에는 장기간의 항바이러스제 경구 복용이 유용하다. 정맥 내 acyclovir 투여는 면역억제 환자나 포진성습진이 있는 유아에서 생명을 구할 수 있는 치료법이 될 수 있다. 음부포진 역시 경구 famciclovir나 valacyclovir로 치료할 수 있다. 음부포진을 가진 환자에서는 성관계시 barrier 피임법이 추천되며 증상이 있는 시기에는 성관계를 피해야 한다.

대상포진(Herpes zoster)

대상포진(Herpes zoster, shingles)은 피부 신경절을 따라 발생하는 급성, 자연적으로 소실되는 수포성 발진이다. 이는 varicella zoster 바이러스의 재활성화에 의해 발생한다.

원인병인론과 병리

대상포진은 이전에 수두를 앓았던 사람에서 거의 항상 발생한다. 바이러스는 척수의 감각신경절에 잠복해 있다가, 재활성화되면 바이러스의 증식이 일어나고 신경을 따라 피부로 이동하여 통증을 발생시키고 대상포진의 피부 병변을 유발한다. 바이러스 혈증이 빈번하게 나타나고, 파종상으로 널리 퍼지는 병변이 나타날 수 있다. 병리학적 변화는 단순포진바이러스와 동일하다.

임상양상

피부 신경절에 통증, 압통, 혹은 이상감각이 피부 발진 3–5일 이전에 나타난다. 홍반과 무리지은 수포들이 피부 신경절 부위에 흩어져 나타난다(그림 30.4). 수포는 농포화되고 이후 딱지가 만들어지고 2–3주 후에 흉터를 남기며 떨어진다. 이차 세균감염이 발생할수 있다. 대상포진은 보통 편측성으로 나타나고 인접 피부 신경분절을 침범할수 있다. 흉부 신경분절을 침범하는 경우가 50% 정도 차지하고, 노인에서는 삼차신경의 안가지(ophthalmic branch)를 침범하는 경우가 특히 흔하다(그림 30.5). 대상포진 환자의 2/3은 50세 이상이고, 소아에서는 드물다. 수포 병변은 바이러스를 배출하고 이전에 바이러스

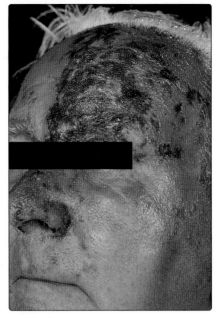

그림 30.5 삼차신경의 안분지(ophthalmic branch)에 발생한 대상포진.

에 노출하지 않은 사람과 접촉할 경우 수두를 발생시킬 수 있다.

피부 신경분절 밖으로 산재되어 수포가 발생되는 경우가 드물지는 않지만, 파종성이거나 드물게 출혈성 수포로 나타나는 경우 면역 저하와 악성종양이 있을 가능성을 고려해야 한다. 국소 림프절병은 흔하고 통증, 감각마비, 이상감각 등을 포함한 다양한 정도의 감각 장애가 나타난다. 대상포진은 5%에서 재발한다.

감별 진단

대상 포진의 전구 증상으로 발생한 통증은 심장이나 흉막 통증이나 급성 복통과 같은 응급상황과 유사할 수 있다. 일단 발진이 나타나면, 단순포진이 피부분절을 따라 드물게 발생할 수는 있지만 대상포진의 진단이 어렵지 않다. 때로는 바이러스 배양 검사가 필요하다.

합병증

심각한 합병증이 대상 포진에서 나타날 수 있다. 다음과 같은 합병증이 존재한다.

- 안질환. 각막 궤양과 흉터가 삼차 신경의 첫째 분지에 대상 포진이 침범한 경우 발생할 수 있다. 안과적인 치료가 필수적이다.
- 운동마비. 드물게 바이러스가 척수의 dorsal horn에서 anterior horn으로 퍼질 수 있고 그 결과 운동 장애를 일으킬 수 있다. 뇌신경 마비, 횡경막이나 다른 근육의 마비가 발생할 수 있다.
- 파종성 대상포진(disseminated herpes zoster). 면역저하자들, 특히 호지킨병 환자들은 병변이 퍼지고 합쳐져서 출혈성 병변이 발생하고 병변의 괴사와 괴저를 일으킬 수 있다. 수두 폐렴이나 뇌염은 치명적일수 있다.
- 포진후신경통(post–herpetic neuralgia). 신경통은 40세 이하의 환자에서는 드물지만 60세 이상의 환자의 1/3에서 나타낸다. 통증은 12개월 이내에 대부분 사라진다.

치료

대상포진의 치료는 빠른 호전, 바이러스 배출 감소, 포진후신경통이 덜 발생하도록 한다. 증상이 발생된 후 3일이내에 가능한 빨리 약물치료를 해야한다. 경구로 acyclovir (800 mg을 하루에 5번씩 7일간 사용), famciclovir (750 mg을 하루에 한번씩 7일간 사용), valaciclovir (1 g을 하루에 3번씩 7일간 사용하고 병변이 딱지로 바뀐 후 2일간 사용)을 사용한다. 이차 세균감염에는 국소 소독제와 항생제의 사용이 필요할 수 있다. 면역저하 환자들은 acyclovir의 정맥주사가 종종 필요하다. 포진후신경통은 국소 capsaicin에 효과가 있을 수 있지만 amitriptyline, gabapentin, pregabalin과 같은 경구제제가 흔히 필요하다. 고역가 수두생백신(Zostavax)이 50세 이상의 사람에서 대상포진을 예방하는데 도움을 준다.

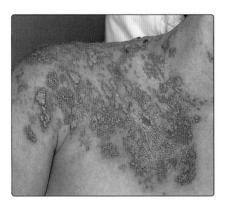

그림 30.4 C4 피부신경분절에 발생한 대상포진.

단순포진과 대상포진

단순포진
- 1형 감염: 주로 입과 얼굴에 발생하고 소아에 시작. 수포가 미란화 된다.
- 2형 감염: 대부분 성기 부위 발생, 어른에서 시작.
- 동일한 부위에 재발하는 것이 특징.
- 국소 혹은 전신 acyclovir 치료가 효과적.

대상포진
- 잠복되어 있던 수두바이러스의 재활성화에 의해 발생. 무리지어 있던 수포가 딱지로 변화.
- 피부신경분절, 특히 가슴과 삼차신경 분절을 따라 발생
- 포진후신경통이 주로 노인에서 합병증으로 잘 발생한다. 백신은 이러한 합병증 발생을 줄인다.
- 파종성 대상포진은 악성종양이나 면역저하의 가능성을 제시해준다.

31 | 인간면역결핍바이러스 질환과 면역결핍증후군

면역 저하는 면역 체계에 하나 이상의 요소가 결핍되거나 망가진 경우에 일어난다. 이는 후천성면역결핍증후군(AIDS)과 같이 후천성일 수도 있고, 만성피부점막칸디다증과 같은 선천성일 수도 있다.

인간면역결핍바이러스 질환 (Human immunodeficiency virus disease)

인간면역결핍바이러스(HIV) 감염은 진행하여 대개 후천성면역결핍증후군을 야기시킨다.

원인병인론

HIV1과 HIV2(서아프리카에서 주로 발견) 바이러스는 세포의 DNA에 삽입될 수 있도록 해주는 역전사효소를 지니는 레트로바이러스이다. 바이러스가 감염되면 CD4+ T 림프구를 감소시키고 세포매개면역 저하를 일으켜 기회감염을 유발한다. HIV는 혈액이나 정액과 같은 감염된 체액을 통해 전염된다. HIV감염의 고위험군은 남성 동성애자, 마약중독자, 감염된 혈액을 수혈받은 혈우병 환자들이다.

임상양상

급성 감염은 증상이 없거나 비특이적으로 몸통에 반구진성 발진과 동반된 림프선종창 및 발열 증상이 나타날수 있다. HIV감염 초기에는 피부 변화, 피로, 체중 감소, 전신 림프절병증, 설사와 발열이 후천성면역결핍증(AIDS)을 정의할수 있는 기회감염 없이 발생한다. 기회감염으로는 어디에나 존재하는 *Mycobacterium avium complex, cryptococcus neoformans*, toxoplasmosis, cytomegalovirus 등이 있다. 카포시육종은 AIDS나 AIDS 관련 질환이 있는 환자의 1/3에서, 특히 남성 동성애자에서 다발성 장기에서 발생하는 혈관내피세포 기원 종양이다. 얼굴, 사지, 몸통 또는 입에 발생되는 보라색 결절 또는 반으로 관찰되지만(그림31.1), 내부장기와 림프절에서도 종종 발생한다. 카포시육종은 human herpes virus(HHV)-8 동시감염에 의해 발생한다. 동부 유럽의 유대인 남성 노인에서 발생하는 카포시육종은 더 양성소견을 보이고 산발적인 형태로 발생하며 HIV와는 관련되어 있지 않다.

병이 진행함에 따라, CD4+림프구의 수는 줄어들어 HIV 감염의 후기 단계(AIDS)에는 50 cells/ml 이하가 되고, M. avium complex 감염, 림프종과 뇌병증이 발생할 수 있다. 치료를 하지 않으면 HIV 감염과 후천성 면역 결핍증(AIDS) 사이의 평균 잠복기간은 10년이다. 피부에 나타나는 징후는 표 31.1에 기술되어 있다.

진단

추천되는 1차 진단 피검사는 HIV에 대한 항체와 p24항원을 동시에 확인하는 것이다. 이러한 검사는 감염 후 1개월부터 HIV를 확인할 수 있지만 그 이전에는 검사가 음성일 수 있다. 두번째 검체 채취가 확진을 위해 필요한데 HIV RNA 바이러스 양 검사와 CD4+ 세포 수 검사이다. 매독이나 C형간염과 같은 다른 전염성 질환과 결핵에 대한 검사가 필요하다. 손가락을 바늘로 찌르거나 구강을 면봉으로 해서 샘플을 채취하는 현장의료진단은 수 분내에 결과를 확인할 수 있지만 낮은 민감도와 특이도 때문에 반복 정규검사로 확진을 할 필요가 있다.

치료

환자는 HIV질환의 전문가에 의해 치료되어야 한다. 많은 나라에서 HIV감염의 위험성이 높은 HIV음성인 사람들에게 노출 전 예방요법(pre-exposure prophylaxis)이 추천된다. 노출에 의해 감염의 위험성이 1:1000에서 1:10000 정도로 계산되는 지역에 사는 사람에서는 노출 후 예방

표 31.1 HIV감염에서의 피부과 의사의 역할과 HIV검사를 해야하는 경우

질환	경과와 치료
혈청전환증후군(seroconversion syndrome)	발진(종종 구강궤양이 동반)
	발열
	근육통
	인후염
	두통/무균성뇌막염
초기 피부징후	소양증, 건조피부 – 흔히 나타나지만 비특이적
	중증 소양성 발진, 예. 소양성결절
	딱지옴(crusted scabies)
	지루피부염 – 치료에 저항하거나 중증(그림31.5)
	건선 – 중증 또는 치료에 저항(그림31.6)
	대상포진감염– 중증, 다발성 피부신경분절, 재발성
	구강모백색판증(oral hairy leukoplakia)(그림31.2)
	구강칸디다증, 피부진균감염
	성인의 전염성연속종
	인간유두종바이러스 감염(보통사마귀)– 광범위한 경우
	궤양성 단순포진바이러스
후기 피부징후	호산구성모낭염
	항문상피내종양(anal intraepithelial neoplasia)
	Bacillary angiomatosis
AIDS-defining mucocutaneous conditions	카포시육종(그림31.1)
	피부에 발생한 cryptococcus/histoplasmosis(전신감염)
Anti-retroviral therapy의 피부 부작용	Stevens-Johnson 증후군, 독성표피괴사용해(toxic epidermal necrolysis) 지방이영양증

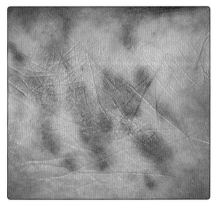

그림 31.1 중기, 후기 HIV감염에서 발생된 카포시육종.

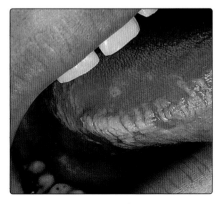

그림 31.2 후기 HIV감염(AIDS)에서 관찰되는 구강모백색판증.

예방적 치료는 CD4+세포수에 의해 결정된다. 200 cells/ul이하인 경우는 Pneumocystis pneumonia에 대한 예방적 치료가 필요하지만 수치가 더 떨어지면 다른 기회감염, Toxoplasmosis, Mycobacterium avium complex에 대한 치료도 고려되어야 한다. 카포시육종은 방사선치료, 세포독성약물, interferon-α로 치료할 수 있다.

항레트로바이러스치료제의 합병증

ART에 의해 CD4+세포수가 회복되면서 면역이 재형성에 의한 염증반응(immune reconstitution inflammatory syndrome, IRIS)이 나타날 수 있다. 이 증후군은 경미하거나 심각한 경우까지 나타나고 바이러스, 진균, 세균, 마이코박테리아 등 오래 지속된 균에 대한 면역반응을 반영한다. 때로는 IRIS반응이 자가면역의 형태로 자가 단백항원을 표적하여 피부 루푸스나 다른 자가면역 질환의 악화를 유발할 수 있다. 카포시육종과 비호지킨림프종과 같은 악성종양도 인식되게 된다.

추가로 ART는 다양한 피부 약물부작용과 연관되어 있다. 이러한 부작용은 nucleoside/nucleotide reverse transcriptase inhibitors 같이 단위 약제에 특이하게 나타나거나 non-nucleoside reverse transcriptase inhibitors (NNRTIs)와 같이 치료그룹에 더 일반적일수 있다.

선천성 면역결핍증후군 (Congenital immune deficiency syndromes)

200개 이상의 서로 다른 일차성 면역결핍질환이 존재한다. 이러한 질환의 대부분은 매우 드물고 유아때 존재하여 성장이 어렵다. 피부에 종종 발생하는 기회감염이나 화농성감염이 임상증상이다. 다음과 같은 예들이 존재한다.

- X-linked agammaglobulinemia. 어머니로부터의 항체가 고갈되면 유아 때 감염이 발생한다.
- IgA 결핍증. 백인의 700명중에 1명에서 발생한다. 환자의 절반에서 반복감염이 생긴다.
- Severe combined immune deficiency. 골수이식으로 치료되지 않으면 강력한 감염으로 유아 때 사망에 이른다.
- Wiscott-Aldrich 증후군(Wiscott-Aldrich syndrome). T세포 결함, 혈소판 감소, 관련 습진이 발생되는 X염색체 연관 유전질환이다.
- 만성점막피부칸디다증(chronic mucocu-

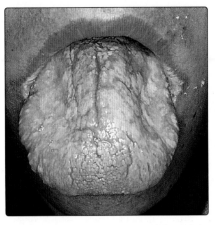

그림 31.3 주로 T세포 결손에 의해 발생되는 만성점막피부칸디다증.

taneous candidiasis). 중증의 면역 결핍, 다발성내분비 기능장애가 발생하고 산발적으로 발생할수 있다. 주로 T-세포 결함에 의한다. 칸디다증은 대체로 입, 피부, 손톱을 침범한다(그림 31.3).
- 만성 육아종성 질환(chronic granulomatous disease). 탐식작용에 결함이 있다.

장기이식환자에서 면역억제에 의한 피부 증상

동종 이식 기부 반응 을 억제하기 위헤 면역억제제의 사용은 일반적으로 잘 알려져 있다. 피부 부작용은 약발진과 약물에 의한 부작용뿐만 아니라 다음과 같은 문제도 발생한다.

- 감염과 기생충침입. 대상포진(p.68), 단순포진, cytomegalovirus 감염은 면역억제치료에 의해 재활성화 된다. 전염성연속종, 종기와 연조직염이 흔하고 딱지옴(노르웨이옴, Norwegian scabies)이(p.78) 발생할 수 있다.
- 인간유두종바이러스 감염. 신장이식환자의 약 50%가 바이러스성 사마귀를 갖고 있다(그림 31.4). 이 바이러스는 햇빛 노출 부위에서 광선각화증 혹은 다른 이형

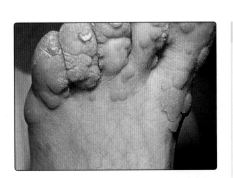

그림 31.4 면역이 억제되어 있는 신장이식환자에서 발생된 광범위한 바이러스성 사마귀 병변.

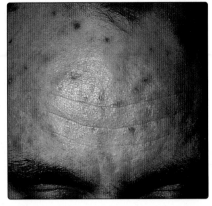

그림 31.5 초기, 중기 HIV감염에서 종종 관찰되는 지루피부염.

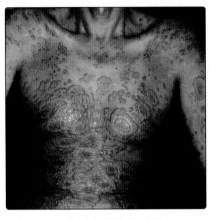

그림 31.6 HIV환자에서 발생한 중증 건선. *(From Bolognia JL, Jorizzo JL, Schaffer JV, 2012. Dermatology, 3rd edn. Saunders, with permission.)*

성 병변과 관련되어 있다. 인간유두종바이러스는 햇빛 노출과 함께 발암물질로 작용한다.
- 피부암. 신장이식환자에서 피부암의 위험도는 정상 인구와 비교하였을 때 20배로 증가한다. 편평상피세포암이 기저세포암보다 더 흔하게 발생한다. 종양은 임상적으로 조직학적으로 평범해 보이지만 공격적인 양상을 보인다.악성흑색종도 정상 인구에 비해 더 흔하게 발생한다.
- 이식편대숙주질환(p.103)

32 | 진균감염

인간에서의 곰팡이 감염은 흔하며 주로 두 가지 종류의 곰팡이균에 의해 발생한다.
- 피부사상균(dermatophytes): 다세포 미세섬유 또는 균사
- 효모(yeasts): 발아에 의해 복제되는 단세포 형태

이러한 균들은 보통 각질층에 국한되어 분포하나, 심부 곰팡이균들은 다른 조직을 침투해 들어간다(p.77). 효모균에 의한 감염은 33장에 기술되어 있다.

피부사상균 감염(Dermatophyte infections)

피부사상균은 사람과 사람으로 전염되는 anthropophilic, 동물에서 사람으로 전염되는 zoophilic, 흙에서 사람으로 전염되는 geophilic으로 나누어진다. 이중에 동물친화성(zoophilic) 피부사상균은 전형적으로 가장 염증반응을 잘 일으켜 종종 농포성으로 나타나고 심하게 가렵다. 동물친화성 피부사상균에 속하는 것으로는 Microsporum canis (고양이, 개), Trichophyton mentagrophytes var. mentagrophytes (작은 포유류), Trichophyton verrucosum (소)가 있다. 인간친화성(anthropophilic) 피부사상균은 더 경미한 형태로 더 습진성 변화를 보이며 종종 만성이 되는 경향을 보인다. Trichophyton rubrum (주로 체부백선), Trichophyton tonsurans (종종 두피감염), Epidermophyton floccosum, Trichophyton concentricum, Trichophyton mentagrophytes var. interdigitale가 이에 속한다. Geophilic 피부사상균은 흔하지 않지만(예, Microsporum gypseum) 꽤 염증반응을 유발할수 있다.

피부사상균은 포자를 만들어 번식한다. 각질층, 조갑, 머리에 감염되고 지연형 과민반응 또는 대사 작용을 통해 염증을 일으킨다.

세 가지의 무성생식 종(genera)이 있다.
- Microsporum은 피부와 머리에 감염된다.
- Trichophyton은 피부, 조갑, 머리에 감염된다.
- Epidermophyton은 피부와 조갑에 감염된다.

30가지 종의 피부사상균이 인간에서 병을 일으킨다. 동물에서 사람에게 전파되는 동물친화성 피부사상균(예, T. verrucosum)은 인간에서만 감염되는 인간친화성 피부사상균에 비해 더 많은 염증을 유발한다.

병리

피부사상균은 가지를 내뻗는 균사 형태로 각질층에서 서식한다. 피부 병변을 긁어 각질을 유리슬라이드에 올려 놓고, 10%의 수산화칼륨을 처리한 후 커버글라스를 덮어 현미경으로 균사를 관찰할 수 있다(p.23). 병변에서 긁어낸 각질을 Sabouraud 배지에 3주간 배양하여 피부사상균을 확인한다.

임상양상

백선증(tinea, 라틴어로 벌레)은 종종 고리 모양의 형태를 보이는 진균 피부감염이다. 정확한 임상양상은 발생한 장소에 따라 다르며, 다음과 같은 다양한 임상양상을 보인다.
- 체부백선(tinea corporis, 몸통과 사지). 가장자리에 인설과 홍반을 동반한 하나 또는 여러 개의 판이 특징적이다. 병변은 가운데가 호전되면서 가장자리로 반지 모양으로 천천히 커져 ringworm이라고 불린다(그림 32.1과 32.2). 농포나 수포가 관찰되기도 한다.
- 완선(tinea cruris, 사타구니). 남자에게 훨씬 흔하고 운동선수에서 잘 발생하고 족부백선증도 갖고 있을 수 있다. 허벅지 위로 퍼져가지만 음낭은 거의 침범하지 않는다. 진행하는 가장자리에는 인설이 있거나 농포 또는 수포가 있을 수 있다. 원인균은 표 31.1에 기술되어 있다.
- 잠행성백선(tinea incognito): 진균 감염의 임상 양상이 변형되어 보일 수 있고 국소 스테로이드의 항염증 작용으로 인해 퍼질 수 있다(그림 32.3).
- 수부백선(tinea manus, 손). 전형적으로 전반적인 가루모양의 각질이 한쪽 손바닥에 나타난다(그림 32.4). T. rubrum이 흔한 원인이고 족부백선이 같이 존재할 수 있다.
- 두부백선(tinea capitis, 두피, 모발, 그림32.5). p.84
- 손발톱백선(tinea unguium, 조갑). P.86
- 족부백선(tinea pedis, athlete's foot, 발, 그림 32.6).

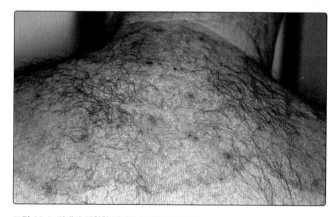

그림 32.2 경계가 명확한 경계를 보이는 체부백선.

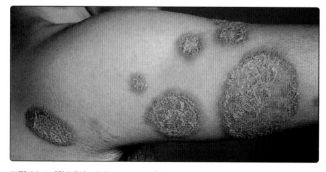

그림 32.1 체부백선. 동물 ringworm(Trichophyton verrucosum)에 의한 감염으로 심한 염증반응을 보인다.

표 32.1 표재성 진균감염: 원인균과 감별진단		
부위	가장 흔한 균주	감별진단
몸과 사지(corporis)	Trichophyton verrucosum, Microsporum canis, T. rubrum	원판피부염, 건선, 장미색비강진
발(pedis)	T. rubrum, T. interdigitale, Epidermophyton floccosum	접촉피부염, 건선, 한포진, 홍색음선
사타구니(cruris)	T. rubrum, E. floccosum, T. interdigitale	간찰진, 칸디다증, 홍색음선
손(manuum)	T. rubrum	만성습진, 건선, 고리육아종
조갑(unguium)	T. rubrum, T. interdigitale	건선, 외상, 칸디다증
두피(scalp)	M. canis, M. audouinii, T. tonsurans, T. schoenleinii	원형탈모증, 건선, 지루피부염, 종기증

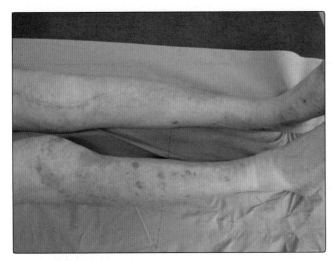

그림 32.3 잠행성백선. 이 발진은 초기에 정맥습진으로 생각되어 국소스테로이드를 도포하여 잘못 치료되었고 병변이 더 확장되었다. 잠행성백선에서는 잘 보이지 않는 경계가 명확한 병변을 확인해야한다.

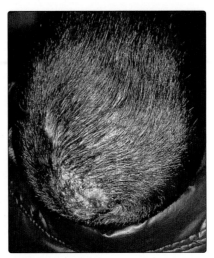

그림 32.5 Trichphyton rubrum에 의해 한쪽 손에 발생한 수부백선.

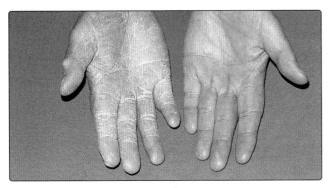

그림 32.4 탈모를 동반한 종창(kerion). 웅덩이같은 농포성 병변이 동물친화성 피부사상균 감염에 의해 발생한다.

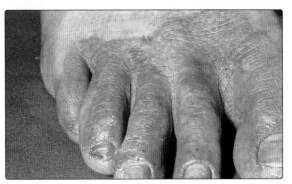

그림 32.6 족부백선. 각질을 동반한 경미하게 홍반성 병변을 보이는 피부사상균 감염으로 인간친화성 피부사상균에 의해 발생되었을 것으로 보임.

족부백선(athlete's foot, 그림 32.6)은 성인에서, 특히 젊은 남자에서 흔하고 어린이는 드물며 공동 목욕탕, 수영장, 꽉끼는 신발을 신거나 날씨가 더울 경우 잘 발생한다. 네번째, 다섯 번째 발가락 사이에 가려움증을 동반한 짓무른 피부 소견이 가장 흔하지만 전반적인 신발 모양의 피부침범을 보일 수 있다. 재발성 수포도 발생하며 때로는 id반응으로 한포진과 함께 나타나기도 한다. 가장 흔한 감염균주는 T. rubrum, T. mentagrophytes var. interdigitale, Epidermophyton floccosum이다.

표재성 진균감염의 감별진단은 표 32.1에 나와있다.

피부 각질층을 긁어 현미경검사로 균을 확인하거나 균을 배양하는 방법이 진단에 도움이 된다. 우드등 검사법은 두피백선의 진단에 도움이 되고 특히 질환이 유행처럼 발발할 때는 선별검사로 사용된다. Microsporum audouinii 와 M. canis에 의한 머리 감염은 초록색 형광으로 보이지만 T. tonsurans는 형광을 보이지 않는다.

치료

꽉 조이는 신발을 비롯한 습하고 땀이 많이 나는 환경을 최소화 해야한다. 파우더를 발라 발이나 피부 접히는 부위를 건조하게 유지하는 데 도움이 된다. 경미한 진균감염은 국소치료에도 반응하지만, 광범위하게 발생한 경우나 조갑, 두피에 발생한 경우에는 전신적인 치료가 필요하다.

국소치료

체부백선, 족부백선, 완선은 국소 imidazole (예, clotrimazole, miconazole) 크림, 스프레이, 파우더에 잘 반응한다. Terbinafine 크림을 하루에 한번 바르는 것도 효과적이다. 1-2개의 조갑에 발생된 조갑백선의 경우 amorolfine을 1주에 한번씩 하르는 것은 40-50%의 완치율을 보인다. 비슷하게 ciclopirox 8%, tioconzaole 28%, 최근에는 efinaconazole 10%, tavaborole 5% 용액이 유용하게 사용된다.

전신치료

두부백선, 수부백선, 조갑백선, 광범위한 체부백선은 종종 전신치료가 필요하다. 소아의 두부백선에 있어서는 grisefulvin (10 mg/kg/day, 1-2달)이 여전히 허가된 최선의 치료이지만 다른 적응증에는 새로운 항진균제인 terbinafine (Lamisil), itraconazole (Sporanox)로 대체될 수 있고 이들은 더 효과적이고 부작용이 적으며 짧은 기간에 치료할 수 있다.

두부백선, 체부백선, 완선, 수부백선, 족부백선에서는 terbinafine 250 mg/day 또는 itraconazole 100 mg/day를 2-4주 사용할 수 있다. 조갑백선에서는 terbinafine 250 mg/day를 6-12주 사용하는 것이 선택치료제이고 itraconazole 200 mg/day를 12주간 사용하거나 주기요법으로 사용하는 방법도 있다. 노인에서 합병증이 동반하지 않은 발톱의 진균감염은 어떠한 치료도 요구되지 않는다. Itraconazole은 잠재적으로 간독성을 일으킬 수 있고 심부전이 있는 경우에는 주의 깊게 사용되어야 한다.

Ketoconazole을 경구로 투여하는 것은 효과적이기는 하나 간독성 때문에 그 사용에 제한이 있다.

진균감염

- **피부사상균은 발, 사타구니, 몸, 조갑, 손과 두피에 감염을 일으킨다.** 가장 흔한 균종으로는 T. rubrum, T. mentagrophytes var interdigitale와 E. floccosum이다.

- **국소 imidazole과 경구 terbinafine이나 itraconazole은 대부분의 피부사상균 감염에 효과적이나.**

- **광범위한 진균감염은 전신치료제가 필요하다.**

33 | 효모균감염과 관련질환

Malassezia와 Candida albicans와 같은 효모균은 공생균(상재균)으로 존재하고 피부 마이크로바이옴의 정상 부분을 형성하고 피부에 미세한 염증을 유발한다. 피부사상균과 같은 다른 곰팡이는 각질을 활발하게 분해하고 상당한 염증을 유발한다(32장). 효모균 감염은 면역이 결핍되어 있는 상황(예, 면역억제제 사용, HIV)에서 가장 흔히 관찰된다.

지루피부염

지루피부염은 홍반, 각질을 동반한 만성염증성 발진으로 주로 두피와 얼굴에 발생한다(표 33.1).

원인병인론

피지분비는 정상적이지만 발진이 두피, 얼굴, 가슴과 같이 피지선이 많은 부위에 종종 발생한다. 내인적 요인, 유전적 요인, 그리고 Malassezia(전에는 Pityrosporum ovale라고 불림) 효모 상재균의 과증식이 연관되어 있다. HIV감염이 있는 환자들에서 증상이 심하다.

임상양상

네가지 흔한 형태가 있다.
1. 두피, 얼굴 침범. 과도한 비듬과 함께 코, 두피 가장자리, 눈썹, 귀부위에 가려움증을 동반한 각질성 홍반발진으로 나타난다(그림 33.1). 안검염이 발생할 수 있다. 젊은 성인 남자에서 가장 흔히 발생한다.
2. Petaloid. 흉골 앞에 건조하고 각질이 있는 습진성 반.
3. P. folliculitis. 등에 구진, 농포의 형태로 발생한 홍반성 모낭성 발진(그림 33.2).
4. Flexural(굽힘부위). 습한 간찰진 병변이 겨드랑이, 사타구니, 가슴아래 부위에 발생하고 이차적으로 C. albicans가 군집화된다. 노인에서 발생된다.

치료

두피 병변은 의료용 샴푸(예. coal tar, seleni-

표 33.1 지루피부염의 감별진단

지루피부염의 부위	감별진단
얼굴	건선, 접촉피부염, 주사
두피	건선, 진균감염
몸통	건선, 어루러기, 진균감염

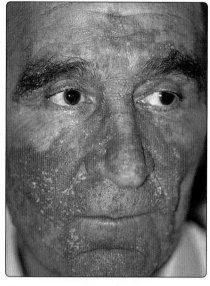
그림 33.1 얼굴에 발생한 지루피부염.

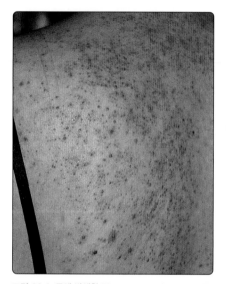
그림 33.2 등에 발생한 Pityrosporum folliculitis 종류에 의한 지루피부염

um sulphide, ketoconazole을 함유한)를 사용하거나 샴푸와 함께 2% suphur와 2% salicylic acid 크림을 수 시간동안 도포한 채 두는 것이 도움이 된다. 얼굴, 몸통, 굽힘 부위 침범은 국소 imidazole 또는 항균 연고를 1% hydrocortisone 크림 또는 연고제와 함께 사용하는 것이 도움이 된다. 경구 itraconazole 또한 효과적이다. 재발이 흔하고 반복치료가 종종 필요하다.

어루러기(Tinea versicolor, pityriasis versicolor)

Malassezia(전에는 P. ovale로 불림) 효모균에 의해 발생하는 어루러기는 경미하게 각질이 동반된 염증성 발진이 가슴 위쪽과 등에 발생하며 젊은 남자에서 더 흔히 발생한다. 어루러기는 보통 몸통에 색소변화를 특징적으로 보이는 만성 무증상 진균감염이다.

임상양상

Malassezia 상재효모균의 균사형태가 과증식되어 발생한다. 특히 습하거나 열대기후에서 흔하다. 유럽에서는 주로 젊은 성인에서 몸통, 사지 근위부에 발생한다(그림 33.3). 피부가 잘 타지 않는 백인에서는 계란형 또는 원형 형태로 갈색 또는 분홍색의 표면에 각질이 있는 반으로 나타나지만 피부가 잘 타거나 색소가 있는 피부에서는 저색소반으로 관찰된다. 저색소반은 색소형성을 억제하는 dicarboxylic acid를 균이 분비함으로써 발생한다.

감별진단

백반증과의 감별진단이 중요하다. 보통 어루러기는 가는 각질을 가지고 있고 각질을 긁어서 검사를 하면 쉽게 'grapes and bananas(포도와 바나나)'형태의 포자와 짧은 균사를 현미경으로 관찰할 수 있다. 장미비강진과 체부백선이 때로는 유사하게 보인다.

치료

Imidazole계 항진균제 중 하나를 국소 도포하거나 2.5% selenium sulphide 샴푸나 ketoconazole 샴푸를 30분간 도포한 뒤 씻어내는 것이 도움이 된다(샴푸는 2주간 매주 3회 사용을 추천한다). Itraconazole 200 mg/d을 7일간 복용하는 것이 치료에 저항하는 경우 효과적이다. 재발은 흔하고 환자에게는 반복치료가 필요할 수 있다는 점을 알려야 한다.

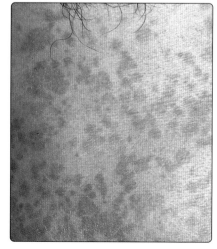
그림 33.3 가슴에 발생한 어루러기: 갈색의 인설성 반이 관찰됨.

표 33.2 **만성점막피부칸디다증**			
결손	발생나이	주요부위	연관질환
IL-17 경로 결손(STAT1, Ⅱ-17F, IL-17RA 돌연변이와 Job 증후군)	2세이히	점막, 조갑	나앙함. (예, 습신)
흉선에서 T세포 negative selection의 손상이 발생한 Autoimmune regulator (AIRE) 유전자 결손	5세이하	얼굴, 두피	Autoimmune polyendocrinopathy, 원형탈모증, 백반증, ectodermal dystrophy
CARD9, Dectin1와 같은 유전자 돌연변이로 인해 선천면역 반응의 손상	소아	경구 및 음부부	
원인미상으로 가족형 만성조갑칸디다증, 만성 국소칸디다증, 지연형 만성점막피부칸디다증이 발생된다.			

두피 병변은 coal tar, selenium sulphide, ketoconazole이 함유된 의료용 샴푸를 사용하거나 샴푸와 함께 2% suphur와 2% salicylic acid 크림을 수 시간동안 도포한 채 두는 것이 도움이 된다. 얼굴, 몸통, 굽힘 부위 병변은 imidazole 또는 항균제를 1% hydrocortisone 크림 또는 연고제와 함께 사용하는 것이 도움이 된다. 경구 itraconazole 또한 효과적이다. 재발이 흔하고 반복치료가 종종 필요하다.

Candida albicans 감염

*Candida albicans*는 입과 소화기관에 정상적으로 존재하는 상재균(공생균)으로 기회감염을 일으킬 수 있다. 질환을 유발하는 요인은 다음과 같다.

- 습하거나 피부가 서로 맞닿는 주름부위
- 비만 또는 당뇨
- 면역저하(p.71)
- 임신
- 불량한 위생상태
- 습한 환경
- 축축한 환경에서 일하는 사람
- 광범위항생제를 사용하는 경우

임상양상

감염 시, 각질층에서 C. albicans의 균사를 관찰할 수 있다. 감염 시 다음과 같은 임상소견을 보인다.

- 생식기. 아구창이 일반적으로 가렵고 따가운 외음부질염의 형태로 염증이 있는 점막에 하얀 판이 달라붙고 하얀 질분비물이 발생한다. 남자도 음경에 비슷한 변화가 나타난다. 성관계를 통해 전파될 수 있다.
- 간찰진(intertrigo). C. albicans의 중복감염과 종종 세균도 감염되어 있을 수 있으며 유방아래, 겨드랑이 또는 사타구니 접히는 부위에 습하고 윤기가 나며 짓무른 형태로 관찰된다. 손을 적절히 말리지 못하는 축축한 환경에서 일하는 사람에서 손가락 사이의 틈새에서 나타날 수 있다 (그림 33.4)
- 만성점막피부칸디다증. 이 드문 유전적

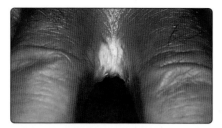

그림 33.4 Candida albicans에 의한 손가락 사이 갈라진 틈에 발생한 간찰진.

면역억제질환은 유아에서 시작된다. 조갑, 구강 감염과 만성 C. albicans 간찰진으로 나타난다(표 33.2).

- 구강. 홍반성 볼점막에 하얀 판이 붙어있다(그림 33.5). 광범위 항생제와 틀니의 사용, 불량
- 한 구강위생상태가 병을 유발시킨다. 구각구내염(angular stomatitis)이 같이 존재할 수 있다.
- 조갑주위염(paronychia). p.87
- 전신. 전신칸디다증은 면역억제환자에서 나타날 수 있다. 피부에 붉은 결절이 관찰된다.

치료

C. albicans 감염은 반드시 다른 질환과 감별되어야 한다(표 33.3). 일반적인 관리법이 중요한데 몸이 접히는 부분들은 분리시켜주고 파우더를 발라 건조하게 유지해야 한다. 손도 건조하게 유지되어야 하며 구강위생도 신경써야 한다. 전신적인 항생제 사용은 중단될 필요가 있다. 칸디다에 대한 특이한 약제들을 국소적 또는 전신적으로 사용한다.

국소치료

Imidazole이 효과적이고 크림, 파우더, pessary, 로션의 형태가 있다. 구강 칸디다의 경우에는 amphotericin, nystatin, miconazole을 정제, 현탁액, 겔 형태로 사용한다.

전신치료

경구 nystatin을 사용함으로써 재발성 칸디다증이 장으로 퍼지는 것을 줄일 수 있다. Itraconazole 100 mg/day, fluconazole 50 mg/day (griseofulvin은 아님)를 지속적인 칸디다 감염증이 있을 때 단기간 사용할 수 있고, 점막피부

그림 33.5 경구칸디다증(아구창). (From James WD, Berger TG, Elston DM, 2011. Andrews' Diseases of the Skin, 11 edn. Saunders, with permission)

표 33.3 **감별진단: Candida albicans 감염**	
아형	감별진단
성기	건선, 편평태선, 경화위축태선
간찰진	건선, 지루피부염, 이차세균감염
구강	편평태선, 상피이형성증
조갑주위염	세균감염, 만성습진

칸디다증이 있을 경우에는 장기적으로 사용할 수 있다. 질칸디다증은 clotrimazole 500 mg을 한번 또는 econazole 150 mg을 좌약으로 사용하거나 itraconazole, fluconazole을 경구 복용한다. C. glabrata 배양이 증가되고 있는데 이 균은 흔히 fluconazole에 잘 반응하지 않는다.

효모균감염

- **지루피부염**은 두피와 얼굴에 일반적으로 발생한다. 항균제와 hydrocortisone복합제가 도움이 된다.
- **Candida albicans**는 몸의 접히는 부위, 구강, 성기부, 조갑주름에 기회감염을 일으킨다. 습도, 비만, 당뇨, 경구 항생제 사용이 발생을 증가시킨다.
- **국소 imidazole**은 칸디다증에 보통 효과적이다.
- **어루러기**는 젊은 성인의 몸통에 흔히 발생하는 발진으로 공생 효모균인 Malassezia에 의해 발생한다. 어름에 이두운 피부 주변에 저색소형태로 종종 나타난다.

34 | 열대 감염과 기생충감염

감염성 질환은 열대 지방에 위치한 개발도상국에 있어서 중요한 피부과적 질환이다. 하지만 여러 나라에서 여행객, 이주민 또는 해외 방문을 통해 풍토병이 아니게 발병하고 있다.

나병(Leprosy)

나병은 Mycobacterium leprae의하여 발생하는 만성 감염질환이다. 이 균은 anti-acid and alcohol-fast bacillus로서 실험실에서 배양이 되지 않는다. 나균은 비강 분비물에 의해서 전염이 되고, 잠복기는 수년에 이른다. 감염은 주로 소아에서 일어나며, 노출된 성인에서 감염될 위험은 5% 가량된다. 나병은 현재 북유럽에서는 거의 발병하지 않는다. 세계보건기구에서는 여러 개발도상국에 나병퇴치 프로그램을 성공적으로 운영하고 있다. 여전히 앙골라, 브라질, 중앙아프리카, 콩고, 인도, 인도네시아, 마다가스카르, 모잠비크, 네팔, 탄자니아에서 유행하고 있다.

임상양상은 감염된 환자의 지연형 과민반응의 발생 정도에 따라 다르게 나타난다. 강한 세포면역력을 가진 환자에서는 결핵양형 균이 적은 나병(tuberculoid paucibacillary leprosy)가 발병되고 세포면역이 약한 환자에서는 나종형 균이 많은 나병(lepromatous multibacillary leprosy)이 발생한다. 그리고 그 중간의 면역일 경우 중간군 나병(borderline leprosy) 형태로 나타난다.

M. leprae는 신경과 진피를 선호하여 자라며 나종형 나병에서는 감염이 더 광범위하게 나타난다. 결핵형 나병은 신경과 진피에 육아종 형성이 특징이며 Ziehl-Neelsen 염색상 항산성 간균이 잘 관찰되지 않는다. 이와 대조적으로 나종형 나병에서는 간균이 진피에 다수 존재하고, 많은 수의 대식세포가 관찰된다.

임상양상

결핵양형 나병은 신경과 피부를 침범한다. 신경이 두꺼워질수 있고 감각마비, 근육 위축을 보인다. 피부 병변은 종종 얼굴에 나타나며, 한 두 개의 소수의 병변이 관찰된다. 대개 건조하고 털이 없는 저색소 중심 병변에 가장자리로 융기된 홍색판의 형태를 보인다(그림 34.1). 감각이 판 병변 부위에 손상되어 있다.

나종형 나병에서는 병변의 수가 더 많고 반점, 구진, 결절, 판 등의 형태로 나타난다. 병변은 양측성으로 얼굴, 팔, 다리, 엉덩이 등에 나타난다. 감각은 손상되어 있지 않다. 치료하지

않을 경우 비강 분비물을 통해 균의 전파가 가능하다. 진행할 경우 피부가 두껍고 주름지며 눈썹이 사라지는 사자양 얼굴(leonine facies, 그림 34.2)를 보인다. 중간군 나병의 경우 위 두 가지의 중간적인 임상양상을 보인다.

나병은 다른 피부과 질환과 반드시 감별이 필요하다(표 34.1).

합병증

결핵양형 나병 환자에서 감각이 저하된 신체 부위에 반복적인 외상이 가해져 손과 발의 뼈 손상이 올 수 있다. 나종형 나병 환자에서 코의 손상에 의해 안창코로 진행할 수 있다. 어린선, 고환위축 그리고 하지 궤양도 관찰될 수 있다. 말초 신경병으로 인한 반복적인 외상에 의해 손가락과 발가락이 짧아질 수 있다. 면역 반응이

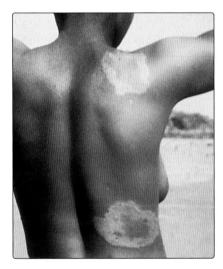

그림 34.1 결핵양형 나병의 저색소 판

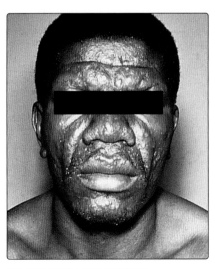

그림 34.2 나종형 나병의 사자양 얼굴.

상향 또는 하향되면서 나반응(lepra reaction)이 나타날 수 있고 이로 인해 신경 손상 및 급성 피부 병변이 발생할 수 있다.

치료

나종형 나병은 rifampicin, dapsone, clofazimine으로 치료하며 치료기간은 24개월에서 12개월로 감소되었고 피부도말검사에 음성 소견이 나타날 때까지 계속 치료해야한다.

결핵양형 나병은 rifampicin과 dapsone으로 6개월간 치료한다. 나반응은 경구스테로이드의 사용이 요구된다. 나병의 합병증으로 재활의학과, 정형외과, 성형외과 전문가의 도움이 요구될 수 있다.

나병이 유행하는 지역에서는 나병으로 고통받는 환자에게 낙인을 찍지 않도록 질환에 대한 대중적인 교육이 필요하다.

리슈마니아증(Leishmaniasis)

리슈마니아증은 Leishmania 원충류에 의해 발생되는 질환으로 모래파리(sand fly)에 의해 감염이 매개된다. 열대와 아열대 지방에서 피부형, 피부점막형, 내장형의 형태로 발병한다. 원인이 되는 세 가지 원충은 다음과 같다.

- 열대리슈만편모충(*Leishmania tropica*)은 피부 oriental sore의 원인으로 지중해연안 국가, 중동과 아시아에 발생한다.
- 브라질리슈만편모충(*L. braziliensis*)은 중남미에서 호발하며 피부와 점막 질환을 일으킨다.
- 도노반리슈만편모충(*L. donovani*)은 아시아, 아프리카, 남아메리카에 널리 분포하고 피부병변과 함께 내부 장기질환(kala-azar)의 원인이 된다.

임상양상

Oriental sore는 유행지역에서는 흔한 감염이며 보통 소아에서 발생하고 나중에 면역이 생기게

표 34.1 나병의 감별진단	
나병의 형태	**감별진단**
결핵양형	백반증, 어루러기, 백색비강진, 유육종증, 보통루푸스, 고리육아종, 염증후저색소증
나종형	파종상 피부리슈마니아증, yaws, 물방울양건선, 원판상홍반성루푸스, 균상식육종

된다. 유행지역이 아닌 지역에서는 지중해로 휴가를 다녀온 여행객에서 드물지 않게 발생한다. 얼굴 목 팔에 주로 호발하며 접종 부위에 붉은 또는 갈색의 결절이 궤양이나 딱지를 동반한 판의 형태로 진행하는 소견을 보인다(그림 34.3). 만성 형태가 될 수 있지만 치료하지 않더라도 6~12개월 후에 치유된다. 점막피부 리슈마니아증에서는 피부병변이 oriental sore와 유사하지만 괴사성 궤양이 코, 입술, 구개에 발생하여 변형을 유발한다. 내부 장기질환(kala-azar)은 주로 소아에서 발생하고 심각한 사망을 초래할수 있다. 간비대, 비장비대, 빈혈, 쇠약 등의 증상이 나타난다. 피부 증상으로는 얼굴과 손, 배에 색소 반으로 나타난다.

리슈마니아증은 몇몇 다른 질환과 감별되어야 한다(표 34.2).

치료

피부리슈마니아증은 자연적으로 치유될 수 있고 작은 병변은 냉동치료를 통해 치료한다. 특별한 치료가 필요한 경우에는 보통 sodium stibogluconate(Pentostam)을 20일 동안 정맥주사를 한다. 점막피부형이나 내부장기형의 치료도 비슷하다.

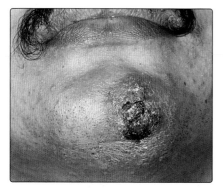

그림 34.3 피부리슈마니아증의 oriental sore. 작은 병변은 냉동치료에 반응할 수 있다. 반응이 없으면 정맥 내 sodium stibogluconate를 주사한다.

표 34.2 **리슈마니아증의 감별진단**	
아형	감별진단
피부형	보통루푸스, 나병, 원판상홍반성루푸스
점막피부형	결핵, yaws, 나병, blastomycosis
내장형 (Kala-azar)	나병

유충이동증(Larva migrans)

유충이동증은 유충기의 동물 구충이 피부를 관통하여 기어다님으로써 발생하는 발진이다. 열대 해변에서 종종 발생하며, 개나 고양이의 구충 알에서 부화한 유충이 사람의 피부를 침범하여 발생한다. 보통 발을 통해 피부로 들어온다. 유충은 하루에 수 mm의 속도로 사행성으로 진행하며 심하게 가려운 홍반성 길자국을 만들어낸다(그림 34.4). 유충은 사람에서 온전한 생활주기를 형성할 수 없기 때문에 수주 후에 자연적으로 죽게 된다.

국소 10% thiabendazole 크림이나 경구 ivermectin (200 µg/kg) 일회 투여로 대개 효과적이다.

심재진균증(Deep mycoses)

심재진균증은 곰팡이가 살아있는 조직을 침범하여 전신질환을 일으키는 경우를 일컫는다. 표 34.3에 간단하게 정리되어 있다.

사상충증(Filariasis)

사상충증은 열대지방에서 발생하며 선충류인

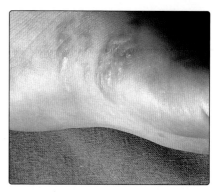

그림 34.4 서인도 해변에 방문했던 소아에서 발생한 유충이동증(larva migrans).

반크롭트 사상충(Wuchereria bancrofti)에 의해서 발생한다. 림프관 손상을 일으켜 결국 하지와 음낭에 림프부종을 유발한다(코끼리피부증, elephantiasis). Diethylcarbamazine이 치료로 사용된다.

Onchocerciasis

Onchocerciasis는 눈과 피부를 침범하는 질환으로 Onchocerca volvulus에 의해서 발병한다. 아프리카와 중앙아메리카에 호발하며, 실명의 중요 원인이 된다. 각다귀(gnat, 날아다니는 작은 곤충)가 전염의 매개역할을 한다. 태선화를 동반한 진피 결절과 색소변화가 가려움을 동반한 구진성 병변 이후에 발생한다. Microfilariae가 눈을 침투하면 실명을 초래한다.

Ivermectin을 단일 용량으로 사용하는 것이 onchocerciasis의 선택약제이다. 6개월 또는 12개월 간격으로 재치료하는 것이 기생충이 죽을 때까지 필요할 수 있다.

표 34.3 **심재진균증**		
진균증	임상양상	치료
Actinomycosis (실모양의 세균)	노란 granule을 배출하는 다발의 굴을 형성하는 만성 화농성 육아종감염으로 특히 턱, 가슴, 복부 주위에 발생.	장기간 고용량 페니실린, 수술적 절제
Blastomycosis	분비물을 배출하는 궤양성 결절이 흉터를 남기고 중심부 위가 호전된다. 폐감염으로부터 번질수 있다.	경구 itraconazole, 전신 amphotericin이나 ketoconazole
Histoplasmosis	면역억제 환자에서 육아종성 피부병변과 폐질환이 유발된다.	경구 itraconazole, ketoconazole, 전신 amphotericin
Mycetoma	피부와 피하지방층, 뼈를 침범하고 주로 발에 발생하는 만성 육아종성감염. 다양한 종류의 곰팡이와 actinomycetes에 의해 발생하고 농양, 굴, 궤양, 조직 괴사가 동반된 결절이 발생한다.	균주에 따라 치료가 다르다. 수술적 절제, cotrimoxazole과 dapsone 그리고 itraconazole이 도움이 될 수 있다.
Sporotrichosis	결절이 동반된 농양의 형태로 발생하고 점차 림프관 주행방향을 따라 근위부로 진행된다.	Potassium iodide, itraconazole, terbinafine

열대감염

- **나병:** 결핵양형과 나종형이 주로 피부와 신경을 침범한다. 치료는 dapsone, rifampicin, clofazimine을 사용한다.
- **리슈마니아증:** 피부형, 점막피부형, 내부 장기형이 존재하고 치료는 sodium stibogluconate가 사용된다.
- **유충이동증:** 동물 구충에 의해 기어다니는 발진의 소견을 보이고 thiabendazole 크림이나 경구 ivermectin이 효과적이다.
- **심재진균증:** 완전한 박멸이 어려운 심한 감염
- **Onchocerciasis:** 실명을 일으키는 중요한 원인이며 피부는 태선화된 결절과 색소변화를 보인다. 경구 ivermectin이 치료로 사용된다.

35 | 곤충, 진드기 감염

몸에 곤충이나 기생충이 숨겨져 들어온 경우 infestation이라고 한다. 열대지역 이외의 나라에서 피부에 벌레나 기생충이 있는 것은 드물지 않다. Demodex folliculorum이라고 하는 진드기처럼 얼굴의 모낭에 해를 끼치지 않고 살아있을 수는 있지만 피부에서 곤충의 삶이 온대기후에서는 보통 일시적이다.

곤충은 다양한 피부반응의 원인이 된다(표 35.1). 곤충과 접촉 또는 곤충교상에 의해 벌쏘임과 같은 화학반응과 caterpillar의 접촉에 의한 피부염 같은 자극반응, 딱정벌레로부터 유리된 cantharidin에 의한 물집이 발생할 수 있다. 접촉은 세포면역반응을 유발할 수 있다.

라임병(p.64)에서는 동물의 진드기(tick)가 Borrelia burgdorferi을 전염 매개하는 것처럼 곤충은 피부질환의 벡터의 역할을 한다. 옴과 같이 피부에 직접적으로 굴을 파는 경우도 있고 알을 까서 유충형태로 부화되어 발생하는 구더기증(myiasis)이 존재한다.

곤충교상(Insect bite)

곤충에 물린 후 피부반응은 주입된 외부 물질에 대해 약리학적, 자극성, 알러지 반응에 의해 나타난다.

임상양상

곤충교상의 병변은 가려움을 동반한 팽진(그림

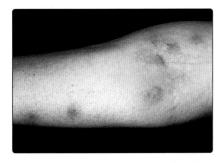

그림 35.1 군집성, 선상의 병변을 보이는 구진성 두드러기.

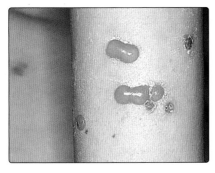

그림 35.2 곤충교상에 의한 군집된 수포.

표 35.1 피부에 발생한 곤충 효과

곤충	효과
Animal ticks	물림, 질병매개
개미, 빈대, 벼룩	물림
벌, 말벌	쏘임
Caterpillars 애벌레	피부염
Cheyletiella	구진성 두드러기
Demodex folliculorum	정상 서식자
음식, 곡물 진드기	물림
이	이감염(물림), 질병매개
모기	물림, 구더기증, 질병매개
Sarcoptes scabiei	옴

35.1), 구진, 거대한 물집(그림 35.2) 등 다양한 소견을 보인다. 병변의 모양은 곤충의 종류(표 35.1)와 피부 반응 종류에 따라 다르다. 곤충교상은 무리를 지어 나타나거나 사지를 따라 생긴다. 진단은 어려울 수 있다. 구진성 두드러기는 재발성의 가려움을 동반한 두드러기성 구진이 소아의 사지와 체간에 발생한다. 규명하기 어려운 원인으로 정원의 곤충이나 애완동물의 벼룩, 진드기가 있다. 빈대는 얼굴, 목, 손을 문다. 낮에는 주로 가구의 틈에서 숨어 있다가 밤에 나타난다. 찰과상이 발생한 곤충교상에 이차 세균감염이 흔히 발생한다.

감별진단

병변이 선상 또는 무리 지어 존재하는 양상은 보통 곤충교상을 시사하지만 때로는 두드러기, 옴, 아토피피부염, 포진피부염 등도 고려해야 한다.

치료

원인 곤충을 밝히는 것이 어렵기 때문에 원인을 없애는 것이 쉽지 않다. 필요하면 애완동물을 조사하고 치료해야한다. 고양이 벼룩은 고양이가 없더라도 카페트에서 수개월간 있을 수 있다. 창가 옆에 새집이나 새둥지로부터 Cheyletiella가 집으로 들어올 수 있다. Crotamiton-hydrocortisone 크림과 calamine lotion 등이 곤충교상의 치료에 도움이 된다.

이감염증(Pediculosis)

이는 날개가 없는 납작한 흡혈 곤충이다(그림 35.3). 이는 알을 머리나 옷에 놓는다. 다음과 같은 두 종류의 인간친화형 이가 있다.
• 사면발이(pubic louse)
• 몸니(body louse). 머릿니는 몸니의 아형이다.

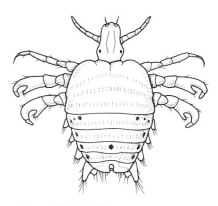

그림 35.3 암컷 사면발이.

머릿니(head lice)는 학령기 소아에서 호발하며, 머리와 머리의 접촉에 의해 전염된다. 이의 알(nit)이 이보다 더 쉽게 발견된다(p.22). 몸니는 위생이 불량하거나 좋지 않은 사회상황에서 살고 있는 부랑자에서 흔히 발생한다. 감염된 침구나 옷을 통해서 전염된다. 사면발이는 성 접촉에 의해 전염되고 젊은 성인에서 흔히 발생한다. 이는 심한 가려움증을 유발하고 반복적으로 긁게 되어 피부에 찰과상이 생기고 이차 세균감염이 발생한다.

임상양상

머릿니의 가려움증은 주로 두피의 측면과 뒤에서 시작된다. 긁으면 이차감염이 발생되고 그로 인해 엉겨붙은 머리카락 소견을 보인다. 몸니는 몸통에 찰과상을 유발하고 만성 감염에서는 피부의 태선화와 색소침착을 초래한다. 몸니는 옷의 이음새 부위에서 발견된다. 사면발이도 심한 소양증을 초래하고 그로 인한 이차 습진과 감염을 일으킨다. 눈썹에도 감염을 일으킨다. 이 감염증은 다른 피부질환과 혼동해서는 안된다(표 35.2).

치료

머릿니는 malathion 로션으로 치료하며 두피에 12시간 동안 바른 채로 유지했다가 씻어내며 7일후 반복하여 치료한다. Dimeticone이 대체약제로 사용된다. Nit은 젖은 빗으로 제거하도록 한다. 접촉자도 치료해야한다. 몸니의 박멸을 위해 옷을 회전하는 드라이어나 세탁 또는 드라이 크리닝을 이용해 소독한다. Malathion이나 per-

표 35.2 이감염증의 감별진단

이감염증	감별진단
몸니	옴, 만성습진
머릿니	농가진, 습진
사면발이	옴, 습진

methrin 로션이 피부에 사용될 수 있다. 사면발이 감염은 malathion이나 permethrin 로션을 온몸에 사용해야 한다. 성접촉 상대도 반드시 치료해야한다.

옴(Scabies)

*Sarcoptes scabiei var. hominis*로 불리는 옴진드기는 0.4 mm 크기로(그림 35.4), 성접촉을 포함하여 직접적인 물리적 접촉에 의해 전파된다. 집먼지진드기와 연관되어 있다. 수정된 암컷 진드기는 각질층을 2 mm/day의 속도로 파고들어 하루에 2~3개의 알을 깐다. 알은 3일 후 부화되어 유충이 만들어지고 각질층의 얕은 구멍을 만들어 2주내에 탈피와 성장을 하게 된다. 진드기는 구멍에서 교미를 하고 수컷은 죽으나 수정된 암컷은 굴을 파고 다음 주기를 이어간다. 처음 감염 후 진드기에 대한 과민반응이 나타나는 데까지 3~4주가 걸리고 심한 소양증이 발생한다. 평균적으로 가려움증 시기에 약 12마리의 진드기가 있지만 더 많을 수도 있다.

임상양상

불규칙하고 구불구불하며 각질성 굴(burrow)이 1cm 까지의 길이로 존재한다 굴은 손가락 가장자리에 가장 흔히 발생하고(그림 35.5) 손목, 발목, 유두에도 존재할 수 있다. 성기부위에는 고무같은 결절을 형성한다. 작은 물집이 종종 관찰된다. 소양감으로 인해 찰과상이 발생한다(그림 35.6). 유아에서는 발에 가장 흔히 침범되며 성인에서 잘 침범되지 않는 얼굴에도 발생된다. 진드기는 때로는 굴의 끝에 흰 점으로 관찰될 수 있다. 바늘을 통해 채취하여 현미경으로 관찰하면 진단이 확실하다.

옴은 종종 몸통에 경계가 불명확한 습진성, 두드러기양 구진 과민반응이 동반된다(그림 35.7). 치료를 하지 않는 경우 만성적인 경과를 보인다.

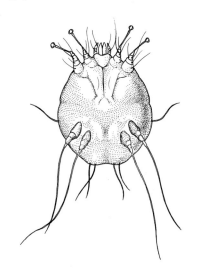

그림 35.4 암컷 옴진드기.

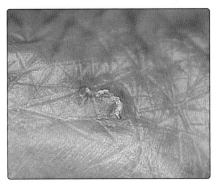

그림 35.5 노인 환자에서 손가락 가장자리에 옴 굴.

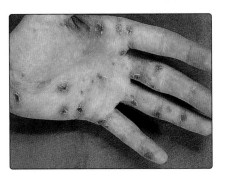

그림 35.6 옴감염에 의한 손에 발생한 다발성 찰과상.

감별 진단

편평태선, 포진피부염, 구진성 두드러기, 습진과 같은 심한 소양성 발진들과 감별해야 하지만 옴만 굴을 만들어낸다. 동물진드기에 의한 동물 옴은 소양성 발진을 초래하나 굴이 관찰되지 않는다.

합병증

옴은 이차 세균감염을 흔히 동반한다. 단체생활을 하거나 면역억제 환자에서는 매우 많은 수의 옴진드기가 증식하여 광범위한 딱지를 동반한 피부발진, 즉 '노르웨이' 옴이 나타나기도 한다(p.148).

환자들은 적절한 치료 후에도 수일간 소양증을 일반적으로 느낄 수 있으며 소양성의 비감염성 결절(postscabetic nodule)이 수주간 지속될 수 있다. 옴치료제 사용 후 종종 자극성 피부염이 유발되기 때문에 이러한 증상이 지속된 감염 혹은 재발성 감염인지 구분할 필요가 있다.

치료

적절한 연고 도포방법과 모든 접촉자들을 치료하는 것이 가장 중요한 옴 치료방법이다. 어느 하나라도 제대로 이루어지지 않으면 지속감염 또는 재감염이 발생할 수 있다. 환자를 위해 이러한 치료법과 주의사항에 대한 설명서를 제공하는 것이 도움이 된다. permethrin제제와 malathion이 효과적이다. Benzyl benzoate,

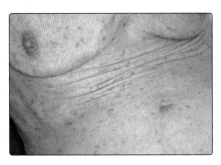

그림 35.7 옴과 연관된 구진성 이차 발진. (From Gawkrodger DJ, 2004. Rapid Reference Dermatology, 6th edn. Mosby, with permission.)

crotamiton, 10% sulphur ointment도 대체약제로 사용가능하다. 경구용 ivermectin (200 μg/kg) 1주 간격 2번 사용하는 것이 국소제제만으로 효과를 보이지 않는 경우 사용될 수 있다. 특히 경구제제는 노르웨이 가피옴이나 단체생활을 하는 곳에서 대규모로 발생했을 때 도움이 된다. 국소제제는 다음과 같은 방법에 따라 치료되어야 한다.

- 로션이나 크림을 두피, 얼굴, 목, 귀를 포함한 전신에 도포한다.
- 특히 손가락과 발가락 사이, 손톱과 발톱 아래 등에 신경 써서 도포한다.
- 로션을 12-24시간 동안 도포해 두고 이후에 목욕이나 샤워로 씻어낸다.
- 이 기간 사이에 손을 씻게 되면 다시 로션이나 크림을 바른다.
- 1주 후에 다시 치료를 반복한다.

최근 감염이 된 환자는 소양감이 없으며, 가족 등의 긴밀한 접촉을 하는 사람이나 성접촉 상대자도 함께 치료를 받아야 한다. 옴은 종종 요양원이나 노인 보호시설에서 집단 발발하는데 어느 정도까지 치료가 이루어져야 할지가 문제가 된다. 안전한 방법은 최초 감염자와 접촉한 간호사를 포함한 요양원이나 노인 보호시설의 모든 구성원을 치료하는 것이 좋다. 옷과 침구를 세탁해야한다. 진드기는 피부로부터 떨어져 나와 수일내에 죽게 된다.

곤충, 진드기 감염

- **곤충교상**은 종종 몸통과 사지에 가려움을 동반한 수포와 구진형태로 무리지어 발생한다. 이차감염이 흔하다.
- **머릿니 감염**은 학령기 소아들 사이에서 머리 접촉에 의해 발생한다. 이차감염이 흔하다. 반복적인 치료가 종종 필요하다.
- **몸니**는 좋지 않은 사회상황에서 사는 사람에서 발생하고 찰과상과 태선화가 발생된다.
- **사면발이**는 성접촉에 의해 발생한다. 가려움증과 이차감염으로 나타난다.
- **옴**은 직접접촉으로 전파되며 강한 가려움증이 발생한다. 모든 접촉자들을 치료할 필요가 있다. 대규모 발병이 요양원에서 흔히 발생하고 가피옴을 지닌 사람이 최초 발생인인 경우가 꽤 종종 있다.

36 | 피지선과 한선 – 여드름

여드름(Acne)

여드름은 모피지선단위(pilosebaceous units)에 발생하는 만성 염증질환으로, 면포(comedone), 구진, 농포, 낭종, 흉터가 발생한다. 거의 대부분 청소년에 발생한다. 남녀간의 발생 차이는 없으며 평균적으로 18세 때 가장 호발하지만 여성에서 좀더 빨리 발생하는 경향이 있다. 가족력이 있는 경향성을 보인다. 여드름은 다음의 여러 인자에 의해 발생한다.

음의 인자들이 여드름 발생에 영향을 준다.

- 증가된 피지(sebum) 분비– seborrhea(기름진 피부)
- 모피지선관(pilosebaceous duct)에 과각화증과 면포 형성
- 모피지선관에서 Propionibacterium acnes의 군집
- 사이토카인 등 염증 매개물의 분비

원인병인론

여드름은 안드로겐에 민감한 모피지선단위(p.4)가 안드로겐에 과도한 반응을 보여 많은 양의 피지가 분비됨으로써 발생된다. P. acnes의 군집이 효소(예, lipase), 사이토카인, prostaglandins과 같은 화학 매개물질의 분비를 유도하여 염증을 유발한다(그림 36.1). 이와 함께 피지에서의 다른 요인에 의해 모피지선단위에 미세해부학적 변화(모피지선관의 과각화증)가 유발되고 면포 형성과 다른 임상 소견이 연달아 발생한다.

임상양상

면포(comedones)에는 개방면포(blackhead: 멜라닌을 함유한 각질의 검은 마개로 채워진 확장된 모공)와 폐쇄면포(whitehead: 작은 크림색의 돔모양의 구진)가 있다. 면포는 주로 12세경에 나타나며, 염증성 구진(그림 36.2)이나 농포, 낭종(그림 36.3과 36.4)으로 진행한다. 얼굴, 어깨, 등, 가슴 상부와 같은 피지선이 많이 존재하는 곳에 호발한다. 여드름의 중증도는 병변의 범위와 형태에 따라 다르며 낭종이 가장 조직 소상이 심하다.

여드름은 보통 20대 초반까지 지속되며 소수에서는, 주로 여성에서 40대까지 지속되기도 한다. 특히 낭종이나 농양은 아문 뒤 흉터를 남길 수 있다. 흉터는 'ice-pick'형, 위축형(그림 36.5), 켈로이드형이 있을 수 있다.

다음은 여드름의 몇가지 변형들이다.

- Acne excoriee: 우울증이나 강박증이 있는 젊은 여성에서 종종 발생하며 병변을 쥐어짜고 뜯어서 발생

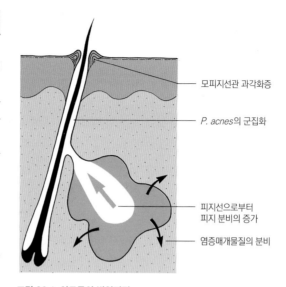

모피지선관 과각화증

P. acnes의 군집화

피지선으로부터 피지 분비의 증가

염증매개물질의 분비

그림 36.1 여드름의 병인기전.

- 염소여드름(chloracne): 방향성 할로겐화 공업 화학물질의 전신 독성에 의해 발생 (p.160)
- 응괴여드름(conglobate): 굴, 농양, sinus 형성과 흉터가 동반되는 종괴 양상으로 나타남
- 화장품 여드름(cosmetic): 머리기름이나 화장품에 의해 면포와 구진성 여드름의 발생(미국에서 흔히 발생)
- 약물유발성(drug-induced): 전신스테로이드, 안드로겐, 국소스테로이드에 의해 발생
- 유아여드름(infantile): 주로 남자 유아의 얼굴에 발생하며 원인을 아직 잘 모른다.
- 물리적여드름(physical): 휠체어를 하는 사람의 등이나 바이올린 연주에 의한 턱에 모공이 막혀 발생함.

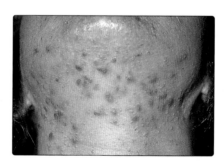

그림 36.2 턱 부위의 구진-농포성 여드름과 일부 흰 면포.

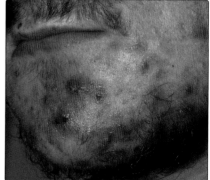

그림 36.4 얼굴에 발생한 농포와 구진, 면포를 동반한 염증성 여드름.

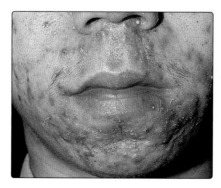

그림 36.3 얼굴에 농포성 낭종 여드름.

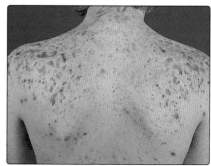

그림 36.5 등에 흉터를 남긴 여드름.

여드름의 중증도 등급 (grading the severity of acne)

여드름의 치료는 환자의 필요에 따라 맞춤식으로 치료되어야 한다. 환자의 치료 전 평가로써, 의사는 환자 개인의 여드름의 중증도를 평가하고 이전 치료법, 생활방식, 심리적 영향을 확인한다. 몇 개의 산발적인 구진과 농포와 함께 면포만 있는 경우 경증, 구진과 농포가 주로 있는 경우 중등도, 결절과 낭종이 있는 경우 중증으로 분류하지만 더욱 확실한 중증도 지표가 있는 것이 중요하다. 개인에 대한 여드름의 영향은 Assessment of the Psychological and Social Effects of Acne (APSEA) 설문지를 이용해 평가할 수 있다(http://www.medscape.com/를 통한 Medscape 웹사이트).

여드름의 물리적인 병변은 여러가지 방법으로 등급을 나눌 수 있다. 유럽에서 가장 흔히 사용되는 방법은 'the Leeds'이다. 이 방법은 얼굴, 가슴, 등 부위에 발생한 여드름의 정도에 따라 여러 실례가 되는 사진을 이용하는 것이다(https://theacneproject.com/). 개인마다 본인의 여드름의 심한 정도를 보는 시각은 의사의 객관적인 소견과 종종 다르며 이는 기록될 필요가 있다.

합병증 및 감별진단

심리적 불편함, 사회적 위축, 우울증이 여드름의 중요한 후유증이다. 효과적인 여드름 치료로 이런 후유증을 호전시킬 수 있다. 청소년기 남성에서 드물지만 심한 전격성여드름(acne fulminans)이 발생할 수 있고 발열, 관절염, 혈관염이 동반된다. 장기간의 항생제 치료는 그람음성 모낭염을 유발시킬 수 있다.

여드름은 보통 주사와 감별이 필요하다 (p.82). 주사에서는 면포가 없고 종종 홍조 증상을 동반한다. 세균성모낭염은 여드름과 혼동될 수 있다. 세균성모낭염은 여드름보다 더 급성으로 발생되고 여드름과 동시에 나타날 수 있다.

여드름을 동반하는 드문 증후군

화농성관절염, 괴저성농피증(pyoderma gangrenosum), 여드름이 동반하는 PAPA 증후군과 같은 드문 다장기 질환이 있다. 이는 자가염증성증후군으로 새롭게 알려진 질환군 중 하나이며 일부의 질환들은 유전적 원인을 갖고 있다. 괴저성농피증, 여드름, 화농한선염이 동반하는 PASH 증후군과 활막염(synovitis), 여드름, 농포증, 골형성과다증(hyperostosis), 골염(osteitis)이 동반하는 SAPHO 증후군은 또다른 예이다. IL-1β이 이러한 질환들의 원인과 연관되어 있다.

치료

치료는 여드름의 종류와 범위, 환자의 심리상태에 따라서 달라질 수 있다. 일반의약품이 이미 종종 사용되고 있다. 여드름의 중증도를 점수화하는 것이 치료를 결정하는데 유용하며 여드름 치료법에 대한 지침을 http://cks.nice.org.uk에서 확인할 수 있다.

국소치료는 경증 여드름에 적절하고 더 심한 여드름에서는 전신약제와 같이 사용된다.

- Benzoyl peroxide 크림, 겔을 하루에 2회 사용하면 *P. acnes*의 수를 감소시킬 수 있다. 피부에 자극이 있을 수 있고, 알레르기접촉피부염을 발생시킬 수 있으며, 옷의 탈색을 유발할 수 있다.
- Retinoids: isotretinoin은 면포 수를 감소시키는데 도움이 되지만 자극이 있을 수 있다. 이러한 경우 adapalene 크림, 겔 (Differin)이 대체약제이다.
- 항생제. Clindamycin 단독 또는 benzoyl peroxide과 복합제제(Duac), erythromycin 단독 또는 zinc 혼합제제는 경증 그리고 중등도 여드름에 도움이 될 수 있다.
- 기타 국소제제(예, azelaic acid, nicotinamide)

항생제, 레티노이드, 호르몬과 같은 경구제제는 중등도, 중증 여드름, acne excoriee, 우울증이 있는 환자에서 처방된다.

항생제

일차 전신 항생제 치료는 oxytetracycline 500 mg을 하루에 2번 (식사전 30분에 물과 함께 복용) 적어도 4달간 복용하는 방법이다. 소아나 임산부에서는 tetracycline이 금기이고 Candida albicans 감염이나 광과민성이 유발될 수 있다. Lymecycline, doxycycline이 더 잘 흡수되는 대체 tetracycline 제제이다.

Erythromycin (500 mg을 하루 2회)이나 trimethoprim이 2차 약제로 사용가능하다. 경구피임제를 사용중인 여성에서 항생제를 복용하면서 설사가 발생하면 추가적인 피임법이 나머지 생리주기동안 필요하다.

항안드로겐제

항안드로겐제와 에스트로겐제 복합제제(co-cyprindiol-cyproterone acetate, ethinylestradiol)가 기존 치료에 반응하지 않는 중등도 이상의 여드름을 가진 여성(남자는 아님)에 사용된다. 항안드로겐제는 피지 분비를 억제한다. Co-cyprindiol은 6-12개월간 사용되며 피임효과가 있다.

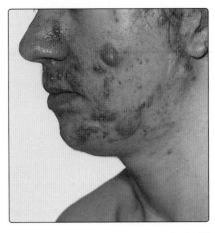

그림 36.6 낭종을 지닌 안면 여드름. 큰 낭종은 배액과 triamcinolone acetonide 주사가 필요할수 있다. (*From Gawkrodger DJ, 2004. Rapid Reference Dermatology, 6th edn. Mosby, with permission*)

레티노이드

피지분비를 감소시키고 *P. acnes*를 억제하며 항염효과를 지닌 isotretinoin(Roaccutane)은 여드름 치료에 효과적이다. Isotretinoin은 중증 여드름, 기존의 치료에 반응하지 않는 경우, 항생제를 끊으면 금방 재발하는 경우에 사용된다. 치료는 4개월이상 지속하며 간기능검사와 공복지질 검사가 필요하다. Isotretinoin은 기형아 출산을 일으킬 수 있다. 약물을 복용하는 여성은 임신을 절대해서는 안되며 약물 복용 기간동안 그리고 약물치료 전후로 1개월 간은 경구피임약을 복용할 필요가 있다. 부작용으로는 입술 갈라짐, 건조피부, 코피, 탈모, 근육통, 감정변화 등이 있을 수 있다.

수술 및 기타 치료

여드름과 연관된 낭종(그림 36.6)의 치료에는 triamcinolone acetonide 주사나 수술적 제거, 냉동치료를 할 수 있다. 면포는 extractor를 이용해 제거 가능하다.

보통여드름(acne vulgaris)

- **원인:** 피지 분비의 증가, 면포형성, Propionibacterium acnes, 염증 등이 원인이다.
- **임상양상:** 면포, 농포, 낭종, 흉터가 얼굴, 가슴, 몸통에 존재한다.
- **아형:** acne excoriee, 화장품 여드름, 물리적 여드름; 드물게 염소여드름, 응괴여드름, 약물 유발 여드름, 유아여드름
- **합병증:** 정신장애, 전격여드름, 그람음성모낭염
- **감별진단:** 주사, 세균모낭염
- **국소치료:** Benzoyl peroxide, tretinoin
- **전신치료:** 항생제(예, tetracyclines, erythromycin), co-cyprindiol, isotretinoin

37 │ 피지선과 한선 – 주사와 기타 질환

주사(Rosacea)

주사는 종종 홍조를 동반하면서 홍반과 농포를 특징으로 하는 안면에 발생되는 만성 염증성피부병이다. 원인은 아직 정확하지 않으며, 조직학적으로 진피의 혈관확장과 피지선의 증식, 염증세포의 침윤이 관찰된다. 피지 분비는 정상이다.

원인병인론

주사는 선천면역체계의 불균형, 모낭에 존재하는 Demodex mites와 같은 상재균의 증식, 비정상적인 신경혈관신호가 연관되어 있다고 알려져 있지만 여전히 원인 미상이다. 몇몇 연구자들은 햇빛 노출에 의한 결합조직의 손상이 원인으로 제시하였다. 주사는 모든 피부형태에서 발생이 가능하지만 밝은 피부를 지닌 사람에서 더 흔히 발생할 수 있다.

임상양상

여자에서 더 흔히 발생한다. 중년에 호발하나 젊은 성인이나 노인에서도 발생한다. 초기증상은 종종 홍조(flushing)이다. 홍반, 혈관확장증, 구진, 농포(그림 37.1), 때로는 림프부종이 뺨, 코, 이마, 턱에 나타난다. 주사는 여드름의 면포가 없으며 더 나이가 많은 사람에서 발병한다.

주사는 다음과 같은 임상양상으로 진행할 수 있다.

- 경미한 혈관확장증을 보이는 홍조
- 더 지속적인 혈관확장증을 보이는 구진, 농포
- 후기에는 비류(rhinophyma)와 단단한 경화증상(그림 37.2)

하지만 많은 경우 이러한 순서를 따라 진행하지 않는다.

햇빛과 국소스테로이드가 이 질환을 악화시키며 알코올, 뜨거운 음료, 혈관확장 약물, 매운 음식도 악화시킬 수 있다. 주사는 수년간 지속되지만 보통 치료에 잘 반응하는 편이다.

합병증과 감별진단

남자에서 더 흔히 발생되고 코부위에 피지선과 결합조직의 과증식으로 나타나는 비류가 주사의 합병증에 속한다. 안검염, 결막염, 각막염과 같은 눈의 침범이 흔하다. 환자는 눈에 모래가 들어간 것 같은 느낌을 호소한다. 얼굴 위, 특히 눈꺼풀 아래쪽에 림프부종이 때로 발생된다.

감별진단은 접촉피부염, 광과민성발진, 지루피부염, 홍반루푸스가 포함된다. 이러한 질환들은 얼굴에 종종 관찰되지만 더 급성으로 나타나고 각질을 동반하며 농포는 잘 관찰되지 않는다.

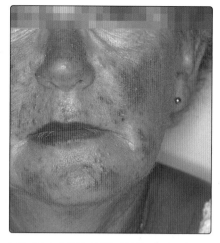

그림 37.1 홍반과 구진을 보이는 주사. (From Gawkrodger DJ, 2004. Rapid Reference Dermatology, 6th edn. Mosby, with permission.)

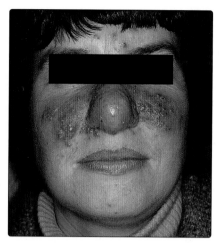

그림 37.2 한 여성에서 나타난 비류를 동반한 주사. 비류는 보통 남자에서 발생한다.

치료

국소치료제로 metronidazole 0.75% cream (Rozex) 또는 azelaic acid 15% 겔이 도움이 될 수 있다. Brimonidine 겔(Mirvaso)는 안면 홍조를 줄일 수 있다. 국소 ivermectin (10 mg/g) 크림(Soolantra)이 Demodex에 주로 효과가 있을 것으로 생각되며 염증성 구진 및 농포성 주사에 허가되었다. 4개월후 반복치료가 필요할 수 있다.

국소치료에 효과가 없다면 경구 약제로서 oxytetracycline을 초기에는 하루에 1 g씩 사용하다가 수주후에는 하루에 250 mg으로 감량하며 2–3개월간 사용한다. Erythromycin도 대체 약제로 사용된다. 반복적인 치료가 종종 필요하다. Isotretinoin도 사용될 수 있지만 여드름에서 보다는 덜 효과적이다. 성형외과 수술이나 레이저가 비류의 치료에 필요하다.

주사의 주증상이 홍조라면 치료가 어려울 수 있지만 propranolo과 같은 심장에 선택적으로 작용하지 않는(non-cardioselective) beta차단제 또는 clonidine을 통해 효과를 볼 수 있다. 혈관확장증은 레이저로 치료를 하거나 화장으로 가릴 수 있다.

입주위피부염 (Perioral dermatitis)

입주위피부염은 작은 구진, 농포가 입술주위와 턱에 발생하는 질환으로 때로는 눈 주위에 발생하여 눈주위피부염(periocular dermatitis)으로 불리기도 한다. 일반적으로 국소스테로이드제를 사용하는 경우 발병하고 거의 대부분 젊은 여성에서 나타난다. 구진과 농포는 스테로이드 사용 중단과 경구 tetracycline 치료로 호전된다. 입주위피부염은 주사의 한 형태로 간주되지만 홍조와 혈관확장증인 보통 적은 편이다.

화농한선염 (Hidradenitis suppurativa)

화농한선염은 겨드랑이, 사타구니, 회음부와 같이 아포크린한선이 주로 존재하는 위치의 모낭누두(infundibulum)에 발생하는 불쾌한 만성 자가염증성 질환이다. 아포크린한선과 한관이 터져서 염증이 생기고 이차감염이 발생한다. 결절, 농양, 낭종, 굴 등이 형성되고 흉터가 남는다(그림 37.4). 응괴여드름이 같이 존재할 수 있다. 초기에는 흉터가 농양형성을 하지 않지만 반복되는 경우 광범위한 침범으로 굴이 서로 연결되면서 흉터를 남기게 된다(그림 37.5).

20–40세 사이에 주로 시작되고 남자보다 여

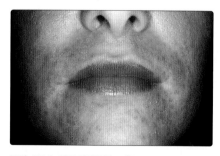

그림 37.3 입주위피부염. (From James WD, Berger TG, Elston DM, 2011. Andrews' Diseases of the Skin, 11th edn. Saunders, with permission)

자에서 더 흔하다. 비만, 인슐린저항성, 담배, 크론병, 가족력이 위험인자이다.

치료

치료는 어렵고 오래 걸린다.

- 체중감량과 금연이 추천된다.
- 국소드레싱에 신경을 쓰면서 국소소독제를 사용하는 것이 적절하다.
- 경구 clindamycin, rifampicin, 또는 acitretin과 같은 장기간의 전신치료 약제가 필요할 수 있다. 항안드로겐제가 여성에서는 고려될 수 있고 metformin이 도움이 될 수 있다.
- adalimumab와 같은 항TNF 생물학제제가 중증 질환에서는 가장 효과적이다.
- 국소적 수술적 절제가 지속되는 질환에서는 하나의 옵션으로 사용될 수 있다.

다한증

에크린선의 과다활동에 의해 다한증이 국소적으로 또는 전신적으로 발생할 수 있다. 손발바닥, 겨드랑이에만 땀이 많이 나는 요인이 전혀 확인이 안되더라도 가능한 기저 요인을 밝히도

록 해야한다. 땀은 종종 감정변화, 운동, 매운 음식 등으로 악화되게 된다. 전신다한증에서는 감염, 신경학적이상, 악성종양, 폐경, 내분비질환, 심부전, 약제 등이 원인이 될 수 있다.

손바닥다한증은 컴퓨터 자판 작업이나 글쓰기와 같이 손으로 하는 일들에 영향을 준다. 발바닥의 과도한 다한증은 불쾌한 냄새를 만들어낼 수 있고 신발을 부식시킨다. 겨드랑이다한증은 평소에 당황스러운 상황을 만들 수 있다.

치료

20% aluminium chloride의 국소 도포가 효과적이다. 이온영동치료가 손다한증에 사용된다 (p.30). 겨드랑이와 손바닥 피부에 botulinum toxin A(보톡스, dysport)를 주사하는 것은 다한증을 조절하는데 도움이 되지만 9개월마다 반복적으로 치료될 필요가 있다(p.142). 'MiraDry'라는 새로운 치료법은 영구적인 다한증 치료법이 될 수 있는 이차 치료법이다. 이 기기는 국소마취후 겨드랑이에 microwave 에너지를 전달하여 땀샘의 수를 감소시키게 된다. 수술적으로 교감신경절제술을 시행하는 것은 부작용과 합병증이 발생될 수 있어서 매우 심한 다한증에만 사용되는 것이 좋다.

다한증의 전신적 원인이 제거되어야 하는 과도한 전신다한증은 경구 propantheline 15 mg을 하루에 3번 복용함으로써 조절할 수 있다. Oxybutynin, diltiazem이 대체약제이다.

한선의 기타 질환

에크린땀샘관이 막히거나 파열되거나 한선의 기능이 고갈될 수 있다.

- 땀띠(miliaria). 땀띠는 땀샘관이 막히거나 파열되어 발생한다. 습하고 더운 기후에서 잘 나타나고 너무 따뜻하게 몸을 감싸놓고 키우는 아기에서도 잘 생긴다. 수정땀띠(miliaria crystalline)에서는 다발성의 매우 작은 수포가 관찰되고 적색땀띠(miliaria rubra, pricky heat)에서는 심하게 가려운 작은 홍반성 구진의 무리가 관찰된다(그림 37.6). 치료는 시원한 환경에 지내도록 하고 calamine로션을 바르는 것이 도움이 된다.
- 열사병(heat stroke). 열사병은 한선의 기능이 고갈되어 발생하며 치명적일 수 있는 고체온증이 나타나므로 의학적으로 응급상황이다. 더운 기후에서 과도한 운동을 하는 경우 발생될 수 있고 군인들에서 잘 관찰된다. 충분한 지지 치료가 필요하다.

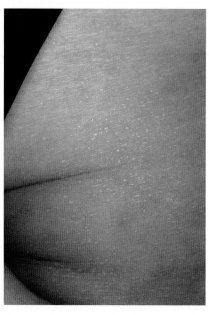

그림 37.6 수정땀띠. 매우 작은 다발성의 표재성 수포가 투명한 액체를 함유하고 있다. (*From Bolognia JL, Jorizzo JL, Schaffer JV, 2012. Dermatology, 3rd edn. Saunders, with permission.*)

피지선, 아포크린선, 에크린선 질환

주사
- 중년이나 노령에 호발하며 대개 안면홍조를 초기 증상으로 시작된다.
- 임상양상: 안면에 홍반, 혈관확장증, 농포가 관찰되며 비류, 결막염 등의 증상을 보일 수 있다.
- 치료: 국소 metronidazole 0.75% cream, 경구 oxytetracycline 등을 사용할 수 있다.

화농한선염
- 임상양상: 겨드랑이, 사타구니 등에 만성 결절이나 농양이 발생하고 굴을 형성하거나 흉터를 남긴다.
- 치료: 국소 소독제, 장기간의 경구항생제나 레티노이드, 수술적 절제술 등이 사용된다.
- 심한 경우: adalimumab과 같은 항TNF 항체 약제가 사용된다.

다한증
- 국소형: 국소 aluminium chloride를 도포하여 호전될 수 있다.
- 전신형: 전신적인 원인들을 확인하고 제거되어야 한다. 항콜린성 약제가 도움이 될 수 있다.

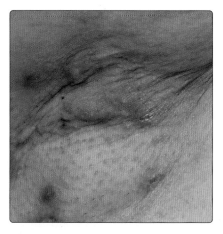

그림 37.4 화농한선염. 국소적인 농포, 구진, 결절, 굴의 형성이 겨드랑이에 관찰된다. (*From Bolognia JL, Jorizzo JL, Schaffer JV, 2012. Dermatology, 3rd edn. Saunders, with permission.*)

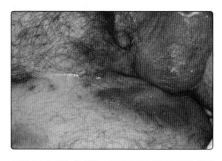

그림 37.5 화농한선염. 사타구니에 광범위하게 다발성 염증성 결절, 굴 형성이 관찰된다.

38 | 모발 질환

탈모(Hair loss, alopecia)

탈모는 미만성 탈모와 국소성 탈모로 분류하거나 흉터를 유발하거나 유발하지 않는 탈모로 분류하는 것이 진단에 도움이 된다(표 38.1). 어떠한 원인에 의한 탈모이든, 과도한 탈모는 남녀 모두에서 정신적 스트레스를 유발할수 있다. 두피의 모발은 개인의 이미지와 세상에 본인이 비치는 모습의 중요한 부분을 차지한다. 그러므로 머리를 자르거나 머리에 화장품을 사용하는데 많은 시간과 돈을 투자한다.

미만성 비반흔성탈모 (Diffuse nonscarring alopecia)

미만성 비반흔성탈모 환자는 베개, 브러쉬, 빗질을 할때와 머리를 감은후 과도한 수의 모발이 빠지는 것을 확인하게 된다. 두피에 모발의 밀도가 전반적으로 감소된다.

남성형/여성형 탈모 (안드로겐탈모, androgenic alopecia)

남성형탈모는 유전성이며(정확한 유전형태는 명확치 않다), 안드로겐 호르몬에 의해 일어난다. 여러 사이클에 거쳐 안드로겐 호르몬에 민감한

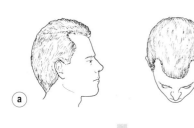

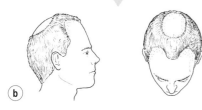

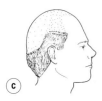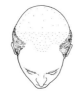

그림 38.1 남성형탈모. 탈모가 양쪽 측두부의 모발선 후퇴로부터 진행될수 있고(a), 두정부 탈모로진행하거나(b), 더 심한 형태로 진행하면(c) 말발굽모양으로 모발이 귀로부터 후두부로만 남게된다.

표 38.1 탈모의 원인

탈모의 형태	원인
미만성 비반흔성탈모	남성형/여성형탈모, 갑상선기능저하, 뇌하수체기능저하, 부신기능저하, 약물 유발, 철분결핍, 휴지기탈모, 생장기탈모, 미만성 원형탈모
국소성 비반흔성탈모	원형탈모, 두부백선, 외상, 모발당김, 2기 매독
국소성 반흔성탈모	화상, 방사선, 대상포진, 종창, 3기 매독, 홍반루푸스, 경피증, 가성원형탈모증, 편평태선

모낭은 성모에서 연모(vellus hair)로 소형화된다. 남성에서 10대에서부터 나타나기 시작하여 60대까지 남성의 80%까지 발생하게 된다. 이러한 탈모양상은 여성에서도 나타나며 대부분의 여성은 정상 호르몬 수치를 보인다. 폐경기 이후에 이러한 탈모가 더 두드러지고 80세 여자의 70%에서 발생한다. 남성에서는 양측 측두부의 모발선의 후퇴가 나타나고 이후 두정부 탈모가 발생하는 것이 일반적인 탈모 형태이다(그림 38.1). 여성에서도 이러한 양상이 나타날수 있지만 전반적으로 모발이 가늘어지는 것이 더 일반적인 양상이다. 대개 치료가 필요하지 않지만, 치료가 필요한 경우 국소 minoxidil이 환자의 1/3에서 어느 정도 효과가 있고 finasteride는 남성에서 효과적이다. 혈청 ferritin을 낮은 정상 범주 이상으로 유지하기 위해 철분제를 복용하는 것은 여성에서 도움이 된다. 남성에서는 모발이식이 치료 옵션이다.

내분비와 영양소 관련 탈모

내분비 질환은 종종 탈모가 관찰된다. 갑상선기능항진증과 함께, 갑상선, 뇌하수체, 부신 등의 기능저하는 미만성 탈모를 초래할 수 있다. 여성에서 안드로겐을 분비하는 종양이 있을 때 남성화와 함께 남성형탈모가 발생한다. Kwashorkor(단백질 결핍)와 같은 영양결핍에서는 모발이 창백하고 붉어지는 등 건조하고 부서지기 쉽다. 미만성 탈모는 철분, 아연 결핍에서도 관찰된다.

휴지기탈모(telogen effluvium)

모발은 보통 한 주기에 있지 않지만 휴지기로 동시에 진행하게되면 약 3개월 후 머리가 한꺼번에 빠지게 된다. 휴지기탈모는 고열, 분만, 수술, 약물 사용, 스트레스 등에 의해 유발될 수 있다.

약물에 의한 탈모

Thallium과 같은 독성 물질의 섭취로 인해 모낭의 성장이 갑자기 중단되어 탈모가 발생하는데 이를 성장기탈모라고 한다. cyclophospha-mide와 같은 세포독성 약물, heparin, warfa-rin, carbimazole, colchicine이나 vitamine A와 같은 약물이 성장기탈모를 더 잘 일으킨다.

국소성 비반흔성탈모 (Localized nonscarring alopecia)

탈모반이 아래와 같이 다양한 요인에 의해 발생할 수 있다.

원형탈모(alopecia areata)

원형탈모는 자가면역 질환과 관련하여 나타나는 흔한 탈모질환으로, 생장기 모발이 조기에 종결되어 나타난다. 10대나 20대에서 주로 나타나기 시작하고, 두피에 경계가 명확한 비염증성 탈모반이 발생한다. 두피에 가까울수록 털의 굵기가 가늘어지는 양상의 진단적 가치가 있는 감탄부호모발(exclamation mark, !)이 관찰된다. 눈썹이나 턱수염에서도 발생하며 조갑에 미세한 오목(nail pitting)도 관찰될 수 있다.

질병의 진행은 예측할 수 없으며, 탈모반은 점차 크기가 커질 수 있지만 처음 발생한 경우에는 대부분 다시 모발이 재생된다(주로 처음에는 흰머리로 나타난다)(그림 38.2). 사춘기 이전 발생, 광범위한 발생(특히 후두부에 나타난 경우), 아토피 징후가 있는 경우에 예후가 나쁘다. 두피 전체가 빠지는 전두탈모증(alopecia totalis)나 두피 뿐만 아니라 신체의 모발이 빠지는 전신탈모(alopecia universalis)도 종종 발생한다. 드물게 미만성 두피 탈모가 발생한다.

치료는 침범 범위에 따라 달라지며, 국소적으로 나타났을 경우 자연 회복이 가능하며 스테로이드의 병변내 주사(triamcinolone acetonide)가 모발의 호전을 촉진시킨다. 광범위하게 탈모

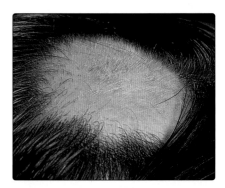

그림 38.2 감탄부호모발과 흰털이 자라나는 것을 보여주는 원형탈모.

가 발생한 경우 치료 효과가 낮다. Diphency-prone (DPCP)을 이용한 접촉 면역치료법가 효과적이지만 약제를 구하기 어려운 경우가 많다. Ruxolitinib과 같은 Janus kinase (JAK)익제제가 가능한 효과적인 치료법이다(p.132). 가발이 종종 필요하다.

감염

두부백선이 탈모반을 형성할수 있고 이차 매독에 의해서도 탈모반이 발생한다.

외상과 물리적당김

지속적으로 두피를 문지르거나 모발을 당기면 탈모가 발생할수 있다. 꽉 조이는 머리 롤러나 머리를 당겨묶는 것은 두피 가장자리에 탈모를 유발하게 된다. 머리카락을 펴거나, 탈색, 파마(permanent waving)를 하면 모간에 손상을 유발하여 쉽게 부러진다.

국소성 반흔성탈모 (Localized scarring alopecia)

반흔성탈모에서는 모낭이 파괴된다. 이러한 질환은 다음과 같은 원인에 의해 발생한다.

- 화상이나 방사선 조사. 화학 혹은 열에 의한 화상이 두피에 흉터를 유발시키게 된다. 과거에는 두부백선 치료에서 탈모를 유발하기 위해 X-선 조사를 하여 두피에 흉터를 남겼다.
- 감염. 삼차신경의 첫번째 분지를 침범한 대상포진(p.68), 종창(kerion), 3기 매독 등은 두피에 흉터를 남길 수 있다.
- 편평태선/홍반루푸스. 홍반, 인설, 모낭변화가 반흔성탈모에서 관찰된다(그림 38.3). 병변은 어디에서나 나타날 수 있다. 국소 혹은 병변내 스테로이드 주사와 전신 치료가 사용된다. 여성에서 발생하는 전두부섬유화탈모(frontal fibrosing alopecia)는 편평태선의 한 아형으로 생각된다.
- 가성원형탈모증(pseudopelade of Broq). 원인 미상 또는 원인 불명의 두피 모낭을 파괴하는 염증성 질환에서 마지막 시기에 나타나는 반흔성탈모 형태이다.

탈과다증(남성형다모증과 다모증, hirsutism and hypertrichosis)

남성형다모증(hirsutism)은 여성에서 남성과 같이 성모가 많이 자라는 것을 말한다. 꽤 흔하며 벽부위, 유두수위에 털이 많이 자라고 치골부위에도 남성과 같은 형태를 보인다. 이러한 증상

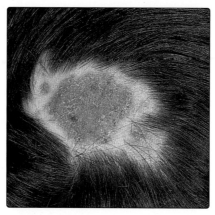

그림 38.3 홍반, 인설을 동반한 원판홍반성루푸스에 의해 발생한 반흔탈모.

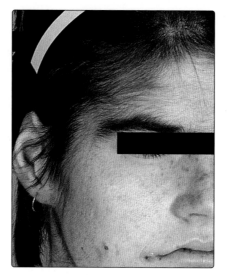

그림 38.4 미녹시딜을 복용하여 발생한 볼과 이마에 다모증.

은 경미하더라도 많은 불안감을 만들어낸다. 많은 여성에서 남성형다모증은 인종에 따라 나타나거나 원인미상이지만(표 38.2) 다낭난소증후군과 연관되어 있을수 있다. 다낭난소증후군은 여드름, 고안드로겐혈증, 불규칙적인 생리주기, 난소 초음파에서 낭종을 동반한다. 드물지만 여성음핵비대, 남성형탈모, 굵은 목소리와 같은 남성화 형태를 보이는 경우 안드로겐 분비종양을 의심해보는 것이 중요하다. 남성형다모증에서는 내분비 검사가 보통 필요하다. 다모증은 덜 흔하며 안드로겐에 영향을 받는 부위가 아닌 곳에 성모의 수가 증가하는 경우를 일컫는다. 얼굴, 사지, 몸통에 가는 성모가 나타난다(그림 38.4). 대개 약물에 의해 유발된다(표 38.3). 남성형다모증의 치료는 종종 만족스럽지 않다. 전기수술은 부위가 넓을 경우 시간이 많이 소요된다. 왁싱, 면도, 모나 면도, 표백 등도 사용이 된다. 레이저를 이용한 제모가 널리 이용되는 방법이다. 항안드로겐 제제(cyproterone acetate)와 ethinylestradiol을 치료하는 것이 효과적이다. Eflornithine cream은 얼굴의 털을 감소시킬수 있다. 다낭난소증후군은 metformin, spironolactone으로 치료될 수 있다. 다모증은 그 원인을 찾고자 하는 검사가 필요하다.

표 38.2 남성형 다모증

형태	예
뇌하수체	말단비대증
부신	쿠싱증후군, 남성화를 유발하는 종양, 선천성부신과증식증(congenital adrenal hyperplasia)
난소	다낭난소증후군, 남성화를 유발하는 종양
의인성(iatrogenic)	안드로겐, 프로게스테론
특발성(idiopathic)	안드로겐에 대해 말단장기의 과민반응

표 38.3 다모증의 원인

형태	예
국소형	멜라닌세포모반(예, 베커모반, p.119), 이분척추를 동반하는 faun tail, 만성반흔 또는 염증
전신형	소아에서 영양결핍, 신경성식욕부진(anorexia nervosa), 만발피부포르피린증, 악성종양, 약물(예, 미녹시딜, phenytoin, ciclosporin)

기타질환

염주모(monilethrix)와 같은 모간이상(hair shaft defects)은 드문질환으로 유전적 요인에 의해 발생하며 모발이 잘 부러지고 염주알 형태로 비정상적으로 보인다.

비듬(dandruff)는 정상 두피에 가는 인설이 생리적으로 과도하게 벗겨지는 형상이다. 더 심한 경우에는 두피의 지루피부염과 함께 발생한다(p.52). 건선(p.30)에서도 인설이 발생되고 국소적 탈모가 발생할수 있다.

두부백선은 주로 소아에서 발생한다. 흔한 원인균과 추천 치료법은 p.72에 기술되어 있다. 인간친화성 종은 경한 염증과 인설성 벼변, 그리고 부러진 모간을 동반한 탈모가 관찰된다. Trichophyton verrucosum과 같은 동물친화성 감염은 종창이라 불리는 염증을 동반한 화농성의 부종을 보이고 흉터를 남길수 있다. T. schoenleinii 감염은 만성 가피성 반흔탈모증인 favus의 원인이 된다.

흔한 모발질환

- **남성형 탈모(androgenic alopecia):** 가장 흔한 형태의 탈모로서 치료가 필요한 경우에는 국소 minoxidil 이나 경구 finasteride가 도움이 될수 있다.
- **원형 탈모(alopecia areata):** 흔한 질환으로서 경계가 명확한 탈모반을 형성하고 감탄부호모발이 관찰된다. 초기 병변은 자연스럽게 회복된다. 치료는 어렵다. 병변내 스테로이드 주사가 국소적 병변에는 도움이 된다.
- **반흔성탈모(scarring alopecia):** 내부의 원인을 조사하는 것이 필요하다.
- **남성형다모증(hirsutism):** 다낭난소증후군에 의해 발생할수 있으나. 내분비 이상에 대한 조사가 필요하다. 안드로겐을 분비하는 남성화를 유발하는 종양도 드물게 원인이 된다.

39 | 조갑 질환

선천 질환

드문 선천 질환들이 조갑에 영향을 끼칠 수 있다. 손발톱-슬개골 증후군(nail-patella syndrome)에서는 손발톱 및 슬개골이 없거나 흔적만 남아 있다. 선천조갑비대증(pachyonychia congenita)에서는 출생 시부터 조갑이 두껍고 변색되어 있다. 라켓 손톱(racket nail)은 가장 흔한 선천 조갑이상으로 넓고 짧은 엄지 손톱이 특징적이며, 여성에서 더 흔하고 우성 유전된다. 조갑이상증(nail dystrophy)은 퇴행위축수포표피박리증(dystrophic epidermolysis bullosa)의 특징이다.

외상

외상, 특히 스포츠에 의한 외상은 조갑 이상을 흔히 유발한다. 조갑하혈종(subungual hematoma)은 손발톱을 찧거나 밟았을 때 흔히 발생하지만, 악성 흑색종의 가능성도 항상 고려해야 한다. 선상출혈(splinter hemorrhage)은 외상에 의해 유발되지만, 감염성 심내막염에 의해서도 나타날 수 있다. 잘 맞지 않는 신발은 내성발톱을 유발하고, 만성 외상을 받으면 발톱이 두껍고 뿔처럼 자라는 조갑만곡증(onychogryphosis)이 호발한다. 지속적으로 엄지를 뜯으면, 가로로 융기와 홈을 보이는 습관틱 변형(habit-tic dystrophy)를 보인다. 취약조갑(brittle nail)은 흔하게 발생하며, 일반적으로 세제나 물에 반복적으로 노출되며 발생하지만, 철결핍, 갑상선저하증, 말단허혈에 의해서도 발생할 수 있다.

피부질환

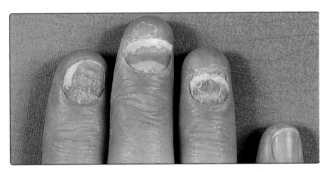

그림 39.1 건선 손톱. 함몰(pitting), 조갑박리(onycholysis)와 갈색 변색이 나타난다.

표 39.1 흔한 피부질환의 조갑 침범

피부질환	조갑 변화
원형탈모	미세한 함몰, 거친 조갑 표면
다리에병(Darier's disease)	세로능선(longitudinal ridges), 손톱 끝의 쐐기모양 홈(triangular nicks)
습진	거친 함몰, 가로능선(transverse ridges), 이영양증, 마찰로 인한 광택
편평태선	얇은 조갑판, 세로고랑(longitudinal groove), 익상편(pterygium, 조갑주름과 조상이 붙음), 완전한 조갑 소실
건선	오목함몰, 조갑비대, 조갑해리(onycholysis, 조상에서 조갑이 분리됨), 갈색 변색, 조갑 밑 과각화증

조갑은 피부질환에서 흔히 침범되며(그림 39.1, 39.2), 피부과 진료 시 늘 평가되는 부분이다. 표 39.1에 자세한 질환과, 표 39.2에 증상에 따른 감별진단이 기술되어 있다. 치료는 연관된 피부질환의 치료를 통해 이루어지며, 손 관리(p.48)가 특히 중요하다.

조갑거침증(trachyonychia)은 모든 20개 손발톱이 전반적으로 거칠어지고, 조갑판이 얇아지며, 과도한 세로능선이 생기는 변화이다. 원형탈모, 편평태선, 건선, 습진과 관련이 있다.

감염

세균/진균 감염이 조갑주름(조갑주위염(paronychia)을 유발) 또는 조갑 자체를 침범할 수 있다.

조갑백선
(Onychomycosis, tinea unguium)

조갑의 진균감염(조갑백선증)은 나이가 들면서 증가하고, 소아에서는 잘 나타나지 않는다. 발톱, 특히 엄지발톱을 손톱보다 잘 침범한다(그림 39.3). 일반적으로 조갑 원위부 끝에서부터 발생하여 근위부로 진행하면서 전체 조갑을 침

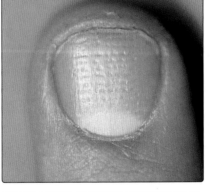

그림 39.2 원형탈모. 작고 얕은 규칙적인 함몰이 나타난다.

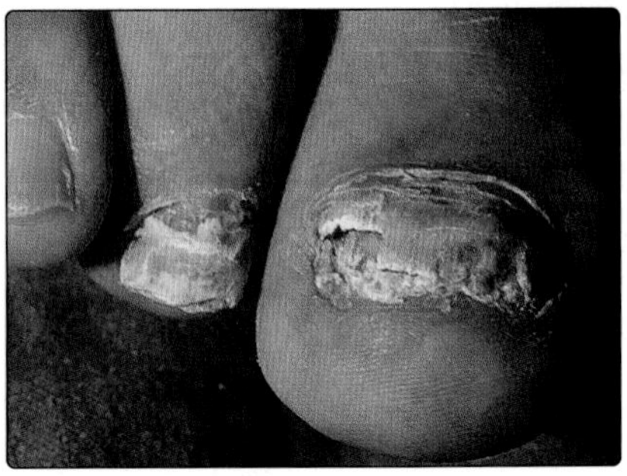

범해 간다. 조갑이 조상에서 분리되고(조갑박리, onycholysis), 잘 부서지면서 노랗게 변하며, 조갑하 과각화를 보인다. 여러 개의 발톱 침범을 보일 수 있는데, 전체 발톱 모두를 침범하는 경우는 거의 없다. 발 백선증(tinea pedis)이 종종 동반되어 있고, 손톱을 침범한 경우에는 손의 *Trichophyton rubrum*감염이 나타난다. 경구 터비나핀(terbinafine, Lamisil) 또는 이트라코나졸(itraconazole, Sporanox)로 치료한다.

만성 조갑주위염
(Chronic paronychia)

손발이 젖는 일에 종사하는 작업자에서 Candi-

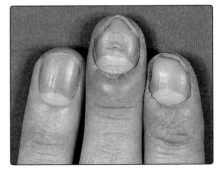

그림 39.3 발톱의 진균감염. 발톱이 두껍고 부서지며 변색된다. 인접한 발톱은 침범되지 않았다. 피부사상균, *Candida albicans*, 그리고 가끔 *Fusarium, Scopulariopsis brevicaulis*과 같은 사상균이 원인균이다.

그림 39.4 만성 조갑주위염. 가장 흔한 원인균은 칸디다(*Candida albicans*)이다. 조갑주름이 염증을 이며 붓고, 손톱은 가로능선을 보인다.

표 39.2 조갑변화에 따른 피부/전신 질환의 감별진단

조갑 변화	조갑 모습	감별진단
보우선(Beau's lines)	가로고랑	조갑기질의 성장에 영향을 끼칠 수 있는 모든 중증 전신질환
취약조갑(Brittle nails)	조갑이 쉽게 부서짐(특히 말단 끝 경계에서 부서짐)	물/세제 노출, 철 결핍, 갑상선기능 저하, 말초 허혈
변색	검은 가로 띠	세포독성 약물
	청색	청색증, 항말라리아약물, 혈종
	청록색	녹농균 감염
	갈색	진균감염, 흡연으로 인한 착색, 클로르프로마진(chlorpromazine), 금, 에디슨병
	황갈색 반점(oil stain patch)	건선
	갈색 세로 선조	멜라닌세포모반, 악성흑색종, 에디슨병, 인종에 따른 양상
	붉은 선상출혈(splinter hemorrhage)	감염성 심내막염, 외상
	백색점	조갑기질의 외상
	백색 가로 띠	중금속 중독
	백색/갈색 반반조갑(half and half nail)	만성 신부전
	백색(leukonychia)	저알부민혈증(예; 간경화로 인한 저하)
	황색	건선, 진균감염, 황달, 테트라사이클린(tetracycline)
	황색조갑증후군(그림 39.5)	림프 순환장애- 흉막삼출이 동반될 수 있음
곤봉형성(clubbing)	조갑주름과 조갑판 사이의 각도 소실, 부풀어오른 손끝, 스폰지같은 조갑기질	호흡기: 기관지 악성종양, 만성 감염, 섬유화 폐포염, 석면증 심장: 감염성 심내막염, 선천 청색증 질환 그 외: 염증성장질환, 갑상선중독증(thyrotoxicosis), 담관간경화증(biliary cirrhosis), 선천 변이
숟가락조갑(koilonychia)	숟가락 모양으로 움푹 들어간 조갑판	철 결핍성 빈혈, 편평태선, 세제에 반복 노출
조갑주름 모세혈관확장 (nail fold telangiectasia)	조갑주름의 확장된 모세혈관과 홍반	결합조직질환(전신경화증, 전신홍반루푸스, 피부근육염)
조갑박리(onycholysis)	조상에서 조갑이 분리됨	건선, 진균감염, 외상, 갑상선중독증, 테트라사이클린(광-조갑박리, photo-onycholysis)
함몰	조상의 미세한 또는 거친 홈	건선, 습진, 원형탈모, 편평태선
능선(ridging)	가로(조갑을 가로지름), 세로(위/아래)	보우선, 습진, 건선, 틱-변형, 만성 조갑주위염, 편평태선, 다리에병

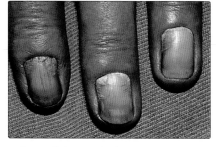

그림 39.5 황색 조갑 증후군(yellow nail syndrome). 조갑이 매우 천천히 자란다. 림프 배출이 정상적이지 않고, 흉막삼출을 보일 수 있다.

da albicans에 의한 만성 조갑주위염이 흔하다. 조갑각피(cuticle)가 소실되고, 근위부 조갑주름이 부어 오르며(그림 39.4), 약하게 눌러도 고름이 나온다. 조갑판이 불규칙하고 변색된다. 그람음성균이 동시 감염 될 수 있고, 이 경우 조갑이 청록색을 띤다. 치료를 위해서는 손을 건조하게 유지하여야 하고, 이미다졸(imidazole) 로션/크림을 조갑주름에 하루 2회 도포하거나 경구 이트라코나졸(itraconazole)을 14일 복용한다.

급성 조갑주위염(Acute paronychia)

급성 조갑주위염은 일반적으로 세균성으로, 포도알균(staphylococci)이 흔한 원인균이다. 경구 flucloxacillin 또는 erythromycin을 사용한다.

전신 질환

조갑변화를 보이면 기저 내과적 질환이 있는 경우가 드물지 않다. 표 39.2에 전신질환과의 연관성이 기술되어 있다.

종양

조갑/조상의 악성종양은 드물지만, 조갑주름 주위의 양성종양은 드물지 않다. 그 예는 아래와 같다.

- 사마귀(viral warts). 조갑주위 사마귀(periungual wart)는 흔하다. 치료는 다른 부위의 사마귀 치료와 동일하다(p.66, 29장).
- 조갑주위섬유종(periungual fibromas). 결절경화증(tuberoud sclerosis) 환자들에서 사춘기 이후에 나타난다(p.112, 51장).
- 점액낭종[myxoid (mucous) cysts]. 주로 손가락의 근위부 손톱주름 옆에서 발생한다. 투명한 젤리 같은 액체가 든 물렁하고 반투명한 구진 형태로 나타난다. 윤활막 주름에 발생할 수 있다. 냉동치료, 스테로이드(트리암시놀론) 국소 주사 또는 절제술을 시행한다.
- 악성 흑색종(malignant melanoma). 조갑에서 색소성 세로선조(longitudinal

streak)를 보이면 조직검사로 조갑하 악성흑색종을 감별해야 한다. 말단흑색종은 색소가 없을 수도 있어(amelanotic) 화농육아종(pyogenic granuloma)이나 만성 조갑주위염과 유사하게 보일 수 있다. 조갑주름 주위에 비전형적이거나 궤양을 형성하는 병변이 있으면 악성흑색종 감별을 위해 조직검사를 해야 한다.

조갑질환

- **선천조갑질환**은 라켓 손톱(racket nail)을 제외하고는 드물다.
- **스포츠에 의한 외상**은 종종 조갑하혈종(subungual hematoma), 조갑만곡증(onychogryphosis), 조갑박리(onycholysis)를 유발한다.
- **흔한 피부질환**(건선, 편평태선, 습진)은 특징적인 조갑 변화를 보인다.
- **진균감염**은 특히 노인의 엄지발톱에서 흔하다. 경구 터비나핀(terbinafine) 또는 이트라코나졸(itraconazole)을 사용한다.
- **만성 조갑주위염(chronic paronychia)**은 손톱에서 칸디다(Candida albicans)에 의해 발생한다. 피부관리, 국소 이미다졸(imidazole) 도포 또는 경구 이트라코나졸(itraconazole)을 사용한다.
- **급성 조갑주위염(acute paronychia)**은 보통 세균성이며, 항생제를 사용한다.
- **전신 질환**들은 보우선(Beau's line), 취약조갑(brittle nails), 곤봉형성(clubbing), 숟가락조갑(koilonychia), 선상출혈(splinter hemorrhage)과 같은 조갑 변화를 일으킬 수 있다.
- **악성흑색종(malignant melanoma)**은 조갑하 색소 또는 조갑 손상을 보일 때 반드시 고려해야 한다.

40 | 혈관, 림프관 질환

혈관 질환

홍반(Erythema)

홍반은 피부가 붉어지는 것으로, 보통 혈관확장 때문에 나타난다(표 40.1). 국소적[임신, 간질환(손바닥 홍반), 고정약물발진, 감염(라임병)] 또는 전신적[약물발진, 독성홍반(바이러스성 피진), 결합조직질환] 일 수 있다.

홍조(Flushing)

홍조는 혈관확장에 의한 홍반이다. 원인은 다음과 같다.

- 생리적(감정, 열, 운동에 따른 교감신경 반응)
- 폐경(호르몬 변화; 종종 발한과 동반)
- 음식(매운 음식, 알코올—알데하이드 관련)
- 약물[Angiotensin—converting enzyme (ACE) 억제제, 5—hydroxytryptamine (5—HT3) 길항제, 니페디핀(nifedipine)]
- 주사(기전 불명)
- 카르시노이드 증후군(Carcinoid syndrome) (세로토닌—5—HT)
- 크롬친화세포종(Pheochromocytoma) (카테콜아민)

홍조는 흔하며, 얼굴, 목, 상체를 침범한다. 보통은 양성이나, 갑자기 발생하며 전신 증상(예; 설사, 실신)을 동반할 경우는 카르시노이드 증후군이나 크롬친화세포종을 감별해야 한다. 치료를 위해서는 우선 원인(매운 음식, 알코올 등)을 회피해야 하며, 심리적 홍조에서는 저용량 프로프라놀롤(propranolol) 사용이 도움이 될 수 있다.

모세혈관확장증(Telangiectasia)

모세혈관확장증은 진피 세정맥(venule) 또는 거미혈관종(spider angioma, spider nevi)에서 세동맥(arteriole) 확장이 육안적으로 보이는 것이다. 다음과 같은 원인으로 발생한다.

- 선천성(예; 유전성 출혈성 모세혈관확장증[hereditary hemorrhagic telangiectasia)]
- 피부 위축(스테로이드 도포, 피부 노화, 방사선 피부염)
- 에스트로겐 과다(예; 간 질환, 임신, 피임약 복용)
- 결합조직질환(전신경화증, 전신홍반루푸스, 피부근육염)
- 주사(얼굴)
- 정맥질환(하지)

1~2개의 거미혈관종은 흔히 나타날 수 있지

표 40.1 혈관, 림프관 질환의 분류

혈관	병태 생리	피부변화
작은 혈관	확장(혈류량 증가)	홍반, 홍조, 모세혈관확장증
	세포외 체액 누출	두드러기(p.94), 부종
	혈액 누출	자반, 모세혈관염
	혈류량 감소	망상청피반(livedo reticularis), 동창(chilblains), 레이노현상 (Raynaud's phenomenon)
	염증성 손상	혈관염, 열성홍반(erythema ab igne)
동맥	동맥경화, 버거씨병(Buerger's disease)	허혈, 궤양
	염증	혈관염(p.102)
정맥	염증, 혈류량 감소, 혈전장애	혈전증(thrombosis), 피부변화, 궤양(p.90)
	확장	정맥호(venous lake)
림프관	선천 형성이상	림프부종(일차성)
	막힘 또는 염증	림프부종(이차성)
	감염	림프관염

만, 임산부나 간질환자에서는 그 숫자가 증가한다. 정맥호(venous lake)는 후천적 정맥확장증으로, 노인의 아랫입술에서 종종 나타난다. 모세혈관확장증은 미세침소작술(fine needle cautery), 전기소작술(hyfrecation) 또는 레이저로 치료한다(p.138, 64장).

자반증(Purpura)

자반증은 적혈구의 혈관 외 유출로 피부가 청갈색으로 보이는 현상이다(그림 40.2). 다음과 같은 다양한 기전으로 발생한다.

- 혈관벽손상:
  - 혈관염[예; 면역복합체(immune complex) 유발], 파라단백혈증(paraproteinemia) [예; 한랭글로불린혈증(cryoglobulinemia)]
  - 감염(예; 수막알균)
  - 혈관 정수압 증가(예; 정맥질환)
- 진피 지지 결함:
  - 진피 위축[노화, 스테로이드, 질환(예; 경화태선)]

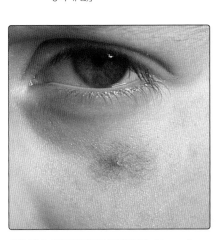

그림 40.1 소아 뺨에서의 거미혈관종(spider angioma, spider nevus.

- 괴혈병(비타민 C 결핍)
- 응고장애:
  - 응고인자 결핍[예; 파종성 혈관내 응고(disseminated intravascular coagulation) 또는 유전성]
  - 항응고제(헤파린, 와파린)
  - 다양한 원인에 의한 저혈소판증
  - 혈소판 기능 장애
- 특발성 색소 자색반:
  - 하지에서 무증상으로 적갈색의 출혈점 또는 점 모세혈관염이 나타난다(예; Schamberg 병).

출혈점(petechiae)은 작은 점 형태의 자반이며, 반출혈(ecchymosis)은 보다 광범위한 자반이다. 자반증은 종종 노인, 스테로이드를 사용하는 환자에서 나타나며, 작은 외상 후 또는 자연적으로 발생하기도 한다.

대부분은 치료법이 없다. 원인 질환(예; 혈액질환 또는 혈관염)의 치료가 필수적이다.

레이노 현상 (Raynaud's phenomenon)

레이노 현상은 보통 추위에 의해 유발되며, 손가락이 허혈로 하얗게 되고, 혈류가 정체되면서

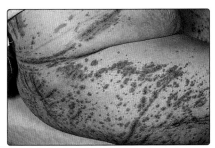

그림 40.2 저혈소판증 환자에서의 자반증.

모세혈관 확장이 일어나 청색이 되고, 이후 반응성으로 충혈되는 변화를 보이는 말단 동맥의 발작성 혈관 수축반응이 특징적이다. 다른 특별한 원인이 발견되지 않으면, 레이노병(Raynaud's disease)로 명명한다. 원인은 다음과 같다.

- 동맥 폐쇄: 동맥경화, 버거씨 병(Buerger's disease)
- 결합조직질환: 전신경화증(CREST 증후군, p.98, 45장), 전신홍반루푸스(p.98, 45증)
- 과다점성증후군(hyperviscosity syndrome): 적혈구증가증(polycythemia), 한랭글로불린혈증(cryoglobulinemia)
- 신경 손상: 척수공동증(syringomyelia), 말초 신경병증(peripheral neuropathy)
- 역류성 혈관수축(reflux vasoconstriction): 진동 기계 사용(p.160, 74장)
- 독성/약물: 맥각(ergot), 염화비닐(vinyl chloride), 베타차단제(beta blockers)

레이노 현상은 여자에게 주로 나타나며, 결합조직질환의 전조증상일 수 있다. 손은 항상 따뜻하게 유지되어야 하며, 금연하여야 한다. 칼슘통로차단제[예: 니페디핀(nifedipine)] 또는 naftidrofuryl이 도움이 될 수 있다. 저항성이 있는 환자들에서는, 에포프로스테놀[epoprostenol(프로스타사이클린(prostacyclin))]을 주입한다.

망상청피반(Livedo reticularis)

망상청피반은 주로 여자에서 나타나며, 동맥세관의 혈류량 감소로 피부에 대리석 무늬의 청색증이 나타나는 질환이다. 아래와 같은 원인들이 있다.

- 생리적 반응(예: 추위 유발성)

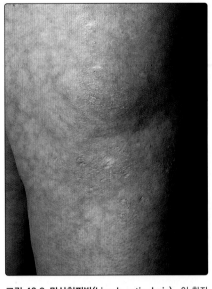

그림 40.3 망상청피반(Livedo reticularis). 이 환자에서는 전신홍반루푸스가 동반되어 있었다.

- 혈관염[결합조직질환 (예: 전신홍반루푸스, 결절다발동맥염)]
- 과다점성(한랭글로불린혈증, 적혈구증가증)
- Sneddon 증후군(울혈 혈관염, 뇌혈관질환, 항인지질항체 양성)

추위 유발 망상청피반은 소아에서 허벅다리 바깥쪽에 얼룩덜룩한 그물모양 무늬로 나타나고 가역적이다. 비가역적 청피반은(그림 40.3) 혈관염으로 인한 증상으로, 관찰을 요한다. 치료는 기저질환의 치료이다.

열성홍반(Erythema ab igne)

열성홍반은 열 손상에 의한 그물모양의 색소

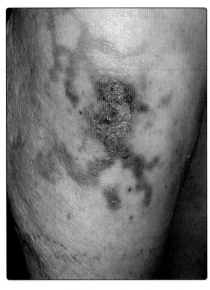

그림 40.4 열성홍반(Erythema ab igne 불 앞에 앉아서 발생한 앞 정강이 위쪽의 열성 홍반.

홍반이다(그림 40.4). 불 앞에 앉았던 노인의 정강이나, 온열패드, 노트북을 사용한 경우 관찰된다.

동창(Chilblains)

동창은 추위에 반응해서 손가락, 발가락 또는 귀가 염증성, 통증을 동반하면서 보라색-선홍색으로 부어오르는 질환이다. 추위에 세동맥/세정맥이 과반응성으로 혈관수축이 일어나면서 발생한다. 주로 여자에서 겨울에 나타난다. 젊은 성인에서는 코로나19 (Covid-19)가 원인이 되기도 한다. 집과 옷의 보온이 권장되고, 경구 니페디핀(nifedipine)이 도움이 된다.

림프관질환

림프부종(Lymphedema)

림프부종은 림프배출이 원할하지 못해 주로 사지에서 부종이 나타나는 질환이다. 허벅지나 엉덩이에 만성적으로 비정상적인 지방분포를 보이는 지방성 부종(lipoedema)과는 혼동하지 말아야 한다. 림프부종은 원발성(primary)과 속발성(secondary)으로 나뉘며, 원발성은 선천적인 림프형성 이상으로 인해 발생한다. 속발성의 원인은 아래와 같다.

- 반복된 감염 – 림프관염
- 폐쇄 – 사상충증(filariasis), 종양
- 손상 – 수술, 방사선 조사

원발 림프부종(primary lymphedema)은 청소년기에 나타나며 감염이 동반될 수 있다. 보통 하지에서 나타난다. 만성 림프부종에서는 비오목부종(non-pitting edema)을 보이고 섬유화와 표피의 과각화증이 나타난다(그림 40.5). 자기공명영상(MRI) 림프관조영술이나 림프관섬광조영술(lymphoscintigraphy)로 결손을

확인할 수 있다.

림프관염(Lymphangitis)

림프관염은 림프관의 염증으로, 주로 사슬알균(streptococci)이 원인이다. 압통을 동반한 붉은 선이 감염 원발부위부터 팔다리 근위부로 퍼지면서 나타난다. 입원치료가 필요하고, 적절한 항생제를 정맥 주사한다.

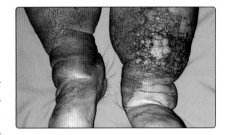

그림 40.5 만성 림프부종. 하지에 나타나며 유두종증(papillomatosis)가 동반되어 있다.

혈관, 림프관 질환

- **홍반**: 국소적(간성 손바닥) 또는 전신적(독성홍반)
- **홍조**: 주로 감정반응으로 나타나고 드물게 카르시노이드 증후군, 크롬친화세포종으로 나타난다.
- **모세혈관확장증**: 피부위축과 동반해서 주로 나타난다. 에스트로겐 과다 또는 결합조직질환과 함께 나타나기도 하며, 치료는 전기소작술(hyfrecation)이나 레이저로 한다.
- **자반증**: 혈관벽이나 지지하는 진피의 결손, 혈전장애 또는 특발성으로 나타나고 기저질환을 치료해야 한다.
- **망상청피반**: 생리적 반응이거나 기저 과다점성질환이나 결합조직질환으로 인해 발생한다. 기저 전신질환을 찾아야 하고, 코로나19(covid-19)가 원인이 될 수 있다.
- **동창**: 추위 유발성으로 손가락, 발가락, 귀에서 나타나고, 코로나19(covid-19)가 원인이 될 수 있다.
- **레이노증후군**: 색헌와늘 농반안 발냔 농백의 혈관수축반응이나.
- **림프부종**: 림프관의 결손이나 손상으로 발생한다. 만성인 경우는 장기간 예방적 항생제 사용이 감염 예방에 도움이 된다.

41 | 하지궤양

하지궤양은 성인 인구의 1%에서 나타난다. 여자에서 남자보다 두 배 더 흔하게 나타나며, 의료서비스에서 큰 비중을 차지한다. 절반이 정맥성, 10%가 동맥성, 5%가 당뇨병과 연관해서 나타나고, 25%가 동정맥 혼합성으로 나타난다. 이외에는 드문 원인들로 발생한다.

정맥질환

하지의 정맥순환장애는 색소침착, 습진, 부종, 섬유화와 궤양을 유발한다.

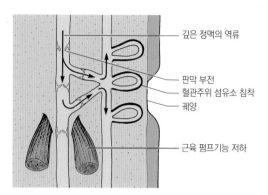

깊은 정맥의 역류

판막 부전
혈관주위 섬유소 침착
궤양

근육 펌프기능 저하

그림 41.1 정맥궤양을 발병기전.

발병기전

낮은 압력의 표성성 하지정맥들은 관통정맥들로 높은 압력의 깊은 정맥과 연결되어 있다. 혈류순환은 주변 근육의 펌핑(pumping)과 판막 기능으로 이루어지는데, 판막이 선천적 결함이나 혈전, 감염에 의해 손상되면 모세혈관의 정수압, 혈관투과성이 증가한다(그림 41.1). 모세혈관 주변으로는 섬유소(fibrin)가 둘러싸면서 침착 되어 영양소 확산을 방해하여 질환을 유발한다.

임상양상

정맥질환은 주로 중년에 발생하기 시작한다. 여자에서 더 흔하며, 비만, 정맥혈전증이 위험요인이다. 하지정맥류(varicose vein)가 종종 나타나지만, 항상 나타나는 것은 아니다. 다음과 같은 단계로 진행된다.

- 다리 무거움과 부종: 초기증상. 다리가 무겁게 느껴지고 붓는다.
- 변색: 혈관 유출(extravasation)된 적혈구로 인해 갈색의 혈철소(hemosiderin)가 침착된다. 발목의 모세혈관확장증(telangiectasia)과 백색의 레이스모양 흉터[백색위축(atrophie blanche)]가 나타난다(그림 41.2).
- 습진: 흔하게 나타나며(p.52, 22장), 종종 알레르기 접촉피부염 또는 자극성 접촉피부염도 보인다.
- 경화지방층염(lipodermatosclerosis): 진피와 피하지방층의 섬유화로 발목주위에서 단단한 경화가 나타난다.
- 궤양: 작은 외상 이후에 나타나며, 전형적으로는 안쪽 복사뼈에서 나타나지만 바깥쪽 복사뼈에서도 나타난다(그림 41.3). 궤양이 방치되면 커지면서 다리를 둘러쌀 수 있다. 처음에는 정맥궤양이 삼출성이지만, 이후 육아 조직을 형성하면서 상처회복기에 들어가면 바깥에서부터 표피가 자라 들어오고 가운데는 작은 표

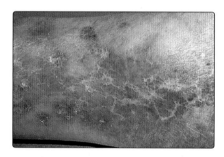

그림 41.2 백색위축 (Atrophie blanche). 백색의 레이스 모양 (lace-like) 흉터와 혈철소 (hemosiderin) 침악을 보인다.

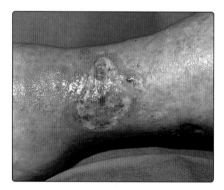

그림 41.3 바깥쪽 복사뼈의 정맥궤양.

피가 섬 모양을 형성한다. 상처 회복은 느리고 보통 수 개월이 소요된다. 일부 큰 궤양은 회복이 되지 않는다.
- 궤양 후 다리: 섬유화가 되면서 발목이 가늘고 경화된다.

감별진단과 합병증

병력, 자세 및 다른 임상징후들로 정맥궤양을 다른 궤양질환들과 감별진단할 수 있다(표 41.1). 동맥궤양은 깊고 통증이 있으며 괴저를 보이고, 발이나 정강이 중간에 나타난다. 정맥궤양의 합병증은 흔하고 다음과 같다.

- 감염. 세균이 궤양에서 거의 항상 집락을 형성한다. 전신 항생제는 화농성 삼출물이 있거나, 궤양 가장자리가 빠르게 진행

표 41.1 다리 궤양의 원인

분류	질병
정맥 질환	판막 손상(예: 심부정맥혈전증), 혈전 질환, 선천판막부전
동맥 질환	동맥경화, 버거씨 병(Buerger's disease), 결절다발동맥염 (polyarteritis nodosa)
작은 혈관 질환	당뇨, 류마티스관절염, 혈관염, 낫적혈구병 (sickle cell disease), 고혈압
감염	결핵, 브룰리 궤양(Buruli ulcer) (p.77, 34장), 진균증(mycetoma) (p.77, 34장), 매독(p.152, 70장)
신경병증	당뇨, 나병(leprosy), 매독, 척수공동증(syringomyelia)
종양	편평세포암, 카포시육종, 악성흑색종
외상	직접적 손상, 인공물
불명	괴저화농피부증(pyoderma gangrenosum) (p.106, 48장), 지방괴사 (necrobiosis lipoidica) (p.104, 47장), hydroxycarbamide

되거나, 봉와직염이나 패혈증이 동반되는 등의 명백한 감염이 있을 때만 사용한다.
- 림프부종. 만성정맥궤양이 있을 때는 림프 배출이 저하되어 있고, 부종이 발생한다.
- 접촉 피부염. 도포약제나 반창고에 (특히 라놀린(lanolin), 네오마이신(neomycin), 고무 합성물, 향료, 보존제) 대한 접촉 피부염이 자주 발생한다. 알레르기 접촉피부염은 정맥습진과 유사하게 보일 수 있는데, 전신적으로 퍼지는 양상을 보이면 의심할 수 있다. 몇몇 국소 치료제나 궤양 삼출물 자체가 자극이 될 수도 있다.
- 악성변화. 드물게 편평세포암이 궤양에서 발생한다.

치료

다리궤양의 치료는 오래 걸리고 호전이 느리다. 초기 검사에서는 말초 맥박을 촉진하고, 비만, 빈혈, 심혈, 심부전, 관절염 같은 요인을 평가하여야 한다. 압박요법은 발목 상완지수 (ankle-brachial pressure index, ABPI)를 측정

표 41.2 정맥궤양의 국소치료

상처종류	드레싱의 역할	드레싱 예	드레싱 특성
건조한 상처, 괴사성 (necrotic), 검은색, 노란색, 딱지 형성 (sloughy)	건조한 경우 습윤 환경을 조성, 습한 경우 삼출물 흡수, 냄새 흡수, 항균작용 상처회복을 방해하지 않도록 자주 교체하지 않음	세척(예; 생리식염수)	자극성 소독제 사용은 피한다. 찌꺼기들은 식염수 세척으로 제거 가능하다.
		하이드로콜로이드(hydrocolloid) (예; Comfeel plus, Granuflex, DuoDERM Extra Thin, Aquacel)	하이드로콜로이드(hydrocolloid): 공기 투과성 필름에 흡수층 폐쇄; 마른 딱지, 괴사 조직의 수분공급과 죽은 조직의 자가분해; 육아조직 촉진; 매일 또는 더 긴 주기로 교체
		구더기 치료 (적절한 경우에 시도)	
		냄새 흡수(예; Actisorb Silver 220, Lyofoam C)	냄새 흡수; 세균 흡착 가능; 매일 또는 더 긴 주기로 교체
깨끗한 상처, 많은 삼출물, 육아조직 형성(granulating)	삼출물 흡수, 상처회복에 적절한 온도 유지를 위한 단열작용, 항균작용, 상처회복을 위한 적절한 산성도(pH) 유지	Alginate (예; Kaltostat, Sorbsan, SeaSorb Ag)	높은 흡수력; 중등도 이상 삼출물이 있는 상처에 적합; 마른 상처나 가피에는 적절하지 않음; 매일 또는 더 긴 주기로 교체
		폼(foam) (예; Allevyn Thin, Lyofoam)	삼출물이 있는 상처에 적합; 육아조직 과형성에 유용함; 이차 드레싱
		낮은 접착력의 툴(tulle) (예; Jelonet, Neotulle)	이차 흡수성 드레싱의 아래층인 접촉면에 사용; 약물이 발린 툴은 권고되지 않음
건조한 상처, 적은 삼출물, 재상피화(epithelializing)	습윤환경 유지, 적은 접착력, 단열작용	하이드로겔(hydrogel) (예; Aquaform, Intrasite Conformable)	무정형 응집성 물질; 상처 모양에 따라 자리잡음; 이차 드레싱을 요함; 습윤작용/ 마른 상처의 죽은 조직 제거

해서 동맥질환 동반이 없는지 확인한 후에 시행해야 한다(p.30, 13장). 치료는 다음과 같다.

- 압박요법. 부종을 줄이고, 정맥 환류를 촉진한다. 압박붕대는 발가락부터 무릎까지 감는다. 접착력이 있는 붕대(예; Coban2)가 선호되고, 2~7일간 둔다. 4층 붕대요법은 정형외과용 모(wool, 예; Softexe), 크레이프붕대(예; Setocrepe), 탄력 붕대(예; Elset), 탄력 접착성 붕대(예; Coban2)의 4층으로 적용한다. 동맥질환이 있으면 압박붕대 사용을 피해야 한다. 궤양이 회복되고 나면, 정맥환류를 위해서 발가락부터 무릎까지 압박 스타킹을 유지한다.
- 다리 높이기, 운동, 체중감량. 걷기 운동을 권장한다. 비만 환자에서는 체중감량을 권고되고, 관절 가동성을 위해서 발목운동이 권장된다. 쉴 때는 다리를 올린다.
- 국소 치료. 궤양의 죽은 조직을 제거, 삼출물 조절, 재상피화가 목적이다(표 41.2). 정맥습진에는 약함–중등도(mild–moderate potency)의 국소 스테로이드와 연화제(emollient)를 도포한다.
- 경구 약제. 적절한 진통제 사용이 중요하다. 심부전에 의한 부종에는 이뇨제를, 명백한 감염 소견에는 항생제를 사용한다. 지방피부경화증(lipodermatosclerosis)에는 스타노졸롤(stanozolol)이 도움이 된다. 옥세루틴[oxerutins (Paroven)]은 혈관투과성을 감소시키고 부종 호전에 도움이 된다.
- 수술. 젊은 환자에서는 정맥 수술이 합병증 예방에 도움이 되지만, 노인에서는 시행이 어렵다. 부분층피부이식(Split skin grafts) 또는 허벅지로부터의 소편이식술(pinch graft)은 제한적으로 사용된다. 양층 동종피부이식(bilayer skin allograft)은 호전이 느린 정맥궤양의 치료에 도움이 된다.

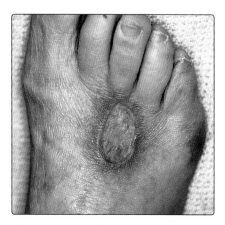

그림 41.4 발등의 동맥성 궤양.

동맥질환

동맥질환이 하지 허혈과 궤양을 유발할 수 있다. 허혈은 파행(claudication), 차가운 발, 털소실, 발톱 변형, 청회색 변화를 보인다. 발이나 정강이 중간에 깊고 잘 경계 지어진 궤양이 나타난다(그림 41.4). 다리의 맥박은 느껴지지 않거나 감소되어 있다. 버거씨 병(Buerger's disease)은 중증 동맥질환으로, 흡연을 하는 젊은 남성에서 나타난다.

혈관재건술이나 혈관성형술이 가능한 동맥병변을 찾기 위해 도플러 초음파와 자기공명혈관조영술(magnetic resonance angiography)을 시행한다. 만약 ABPI가 0.5미만이면 압박요법은 금기이며, ABPI 0.6–0.8인 경우는 약한 압박 요법을 시도할 수 있다.

당뇨발궤양 및 다른 원인에 의한 하지궤양

족부궤양은 당뇨 환자의 10%에서 나타나는데, '신경병성(neuropathic)' 병변은 발바닥과 발가락에, '신경허혈성(neuroischemic)' 병변은 발 가장자리와 발꿈치에 나타난다(그림 41.5). 신경병증, 높은 발 압력, 굳은살 형성, 발 뼈 변형, 잘

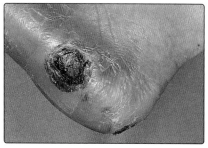

그림 41.5 발 가장자리에 나타난 괴사하는 신경허혈성 (neuroischemic) 궤양.

맞지 않는 신발, 그리고 말초혈관질환이 발생과 관련이 있다. 발 관리에 주의하면서 예방하는 것이 중요하다.

혈관염 궤양(vasculitis ulcer)은 자반으로 시작해서 점차 괴사가 일어난다. 브룰리 궤양(Buruli ulcer)과 깊은 진균종은 열대지방에서 주로 발생한다. 혈액암에 사용되는 hydroxy-carbamide도 때때로 하지궤양의 원인이다.

진균감염

정맥 궤양
- 정맥고혈압으로 인해 발생한다.
- 피부 변색, 습진, 섬유화가 나타난다.
- 안쪽 또는 바깥쪽 복사뼈에 나타난다.
- 압박요법을 시행하기 전에 동반된 동맥 질환을 확인하기 위해 ABPI를 측정해야 한다.

동맥 궤양
- 하지 허혈의 다른 증상, 징후들과 동반되어 나타난다.
- 발 또는 정강이 중간에 나타나고, 보통 깊고 통증을 동반한다.
- 압박 요법은 금기된다.

당뇨발궤양
- 흔하지만 치료가 어렵다. 다양한 치료적 접근이 필요하다.
- 신경병증, 혈관병증, 뼈 이상, 굳은살, 그리고 잘 맞지 않는 신발의 요인들이 복합적으로 작용하여 발생한다.

다른 원인들
- 혈관염, 외상, 신경병증, hydroxycarbamide, 일부 감염증(특히 깊은 진균증)

42 | 색소 침착

피부색은 멜라닌 색소(p.8, 4장), 혈액의 옥시헤모글로빈(oxyhemoglobin), 그리고 각질층과 피하지방층의 카로틴의 혼합으로 결정된다. 색소질환은 흔하고, 특히 어두운 피부의 사람들에게 고통스럽다. 색소질환은 주로 멜라닌세포와 연관되어 발생하지만, 다른 원인들도 언급할 예정이다.

색소침착저하증(저색소침착증, Hypopigmentation)

색소 소실은 전신적 또는 국소적으로 나타난다. 전신 저색소침착은 백색증(albinism), 페닐케톤뇨증(phenylketonuria), 뇌하수체저하증에서 나타나고, 국소 저색소침착은 백반증(vitiligo), 염증 후, 특정 화학물질 노출 후 또는 특정 감염증에서 나타난다(표 42.1).

백반증(Vitiligo)

백반증은 후천적 특발성 질환으로, 백색의 비늘을 동반하지 않은 반이 나타나는 질환이다. 일부 환자에서 갑상선 질환, 악성빈혈(pernicious anemia), 에디슨병(Addison's disease)이 동반되어서 자가면역성 병인 기전을 시사한다. 갑상선 기능이 확인 되어야 하고, 30%의 환자는 가족력이 있다. 조직학적으로 병변 부위의 멜라닌세포가 소실되어 있다.

임상양상

백반증은 인구의 0.5%에서 나타나고, 인종적 차이는 없지만 어두운 피부의 환자들에서 더 문제가 된다. 남녀 발생률은 동일하며, 일반적으로 10–30대에 발병하는데 외상이나 일광화상에 의해서 촉진될 수 있다. 잘 경계 지어진 백색반은 보통 대칭적으로 나타난다(그림 42.1). 주로 침범하는 부위는 손, 손목, 무릎, 목, 그리고 입, 눈 등의 구멍 주위이다. 때때로 백반증은 분절을 따라 나타나기도 하며 (예; 아래팔), 전신적으로 나타나기도 한다. 질병 경과는 예측이 어려운데, 병변 범위가 그대로 멈추거나 진행되거나 또는 드물게 색소재침착 되기도 한다. 백반증 환자들은 심리적 어려움을 겪을 수 있다. 밝은 피부의 사람들에게서는 햇볕에 그을리는 여름에만 상대적으로 백반증이 눈에 띄기도 한다.

감별진단

염증 후 저색소침착은 종종 다른 피부질환과 동반해서 발생한다(표 42.1). 화학적 백색피부증(leukoderma)의 경우 페놀 화합물에 대한 노출이 확인되어야 한다. 나병에서 나타나는 백색반은 보통 감각이 없다.

치료

치료는 만족스럽지 못하다. 위장화장품(camouflage cosmetics)은 바르는데 인내심과 기술을 필요로 한다. 밝은 피부의 환자들에게는 자외선 차단제가 백반증 비병변 부위의 그을림을 감소시켜 상대적으로 덜 눈에 띄도록 도움이 된다. 어두운 피부 환자들에게는 국소 스테로이드나 타크로리무스(tacrolimus) 도포가 색소재침착을 유도할 수 있다. 자외선B 또는 소랄렌(psoralen)을 사용한 자외선A (PUVA) 치료가 도움이 되지만, 수 개월 이상 소요되고 이후에 재색소침착이 다시 없어질 수 있다. 백반증이 거의 전신적이고 다른 치료가 모두 실패하면, 드물게 p(Benzyloxy)phenol을 이용한 탈색소 치료가 고려되기도 한다.

최근에는 janus kinase (JAK) 억제제 [국소 룩소리티닙(ruxolitinib), 경구 토파시티닙(tofacitinib)]와 광선치료의 병합요법이 백반증

표 42.1 색소침착저하증의 원인

원인	예
화학물질	치환 페놀(substituted phenol), 하이드로퀴논 (hydroquinone)
내분비질환	뇌하수체저하증
유전질환	백색증(albinism), 페닐케톤뇨증(phenylketonuria), 결절경화증(tuberous sclerosis), 부분백색증(piebaldism)
감염	나병(leprosy), yaws, 어루러기(pityriasis versicolor)
염증 후	냉동치료, 습진, 건선, 국소피부경화증(morphea), 백색비강진(pityriasis alba)
기타	백반증, 경화태선(lichen sclerosus), 운륜모반(halo nevus), 흉터

에서 색소재침착을 유도하는 것으로 알려져 있으며, 다른 생물학적 제제들도 연구되고 있다.

백색증(Albinism)

백색증은 상염색체 열성 유전 질환으로, 멜라닌세포가 표피, 모낭, 눈에서 색소 합성을 하지 못하는 질환이다.

백색증에는 여러 증후군이 포함되어 있으며, 모두 상염색체 열성 유전되고, 피부, 모발, 홍채, 망막의 색소 소실을 보인다. 멜라닌세포 숫자는 정상이지만, 티로시나제(tyrosinase) 유전자 이상으로 멜라닌소체(melanosome) 생성이 되지 않는다(p.8, 4장).

백색증은 드물지만(유병률 1/20,000), 진단은 명확하다. 피부는 하얗거나 핑크색이고, 백모를 보이며 눈의 색소도 소실되어 있다(그림 42.2). 백색증 환자들은 시력이 저하되어 있고, 광과민과 안구진탕(nystagmus)을 보인다. '티로시나제(tyrosinase) 양성' 백색증 환자들은 나이가 들면서 약간의 색소 형성을 보이고, 아프리카흑인종 피부가 노랗고 주근깨를 보이게 된다. 열대지방에서는 백색증 환자가 조기 광노화를 보이고 빠른 피부암(특히 편평세포암) 발병을 보인다.

특히 적도 근처 지방에서는 어릴 때부터 햇빛 노출을 엄격하게 피하는 것이 중요하다. 불투명한 옷, 챙이 넓은 모자, 자외선차단제의 사용이 필요하다. 산전진단이 가능하다.

페닐케톤뇨증(Phenylketonuria)

페닐케톤뇨증은 상염색체 열성 유전되는 선천적인 대사장애이다. 페닐알라닌(Phenylalanine)을 티로신(tyrosine)으로 전환시키는 Phenylalanine hydroxylase가 결핍되어 있다. 페닐알라닌과 대사물들이 축적되고, 발생 중인 신생아의 뇌를 파괴한다. 출생아의 1/10,000에서 나타난다.

페닐케톤뇨증은 출생 이후 정기검진에서 발견된다. 만약 치료하지 않으면, 정신지체와 무

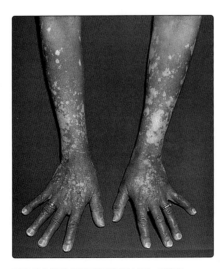

그림 42.1 팔에 대칭적인 분포를 보이는 백반증.

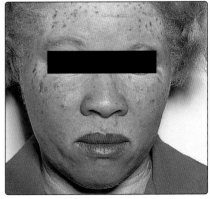

그림 42.2 아프리카흑인종 백색증 환자.

도무정위운동(choreoathetosis)이 나타난다. 환자는 멜라닌 합성 이상으로 밝은 모발과 피부색을 보이며, 아토피 습진이 흔하다. 일찍 저페닐알라닌 식이를 시행하는 것이 신경계 손상을 예방할 수 있다.

과다색소침착증 (Hyperpigmentation)

과다색소침착증은 대부분 멜라닌과다증이지만(표 42.2), 가끔 다른 색소 요인이 피부색에 영향을 끼친다. [예; 혈색소증에서 철과 멜라닌 침착, 당근 과섭취시 카로틴혈증에서 카로틴 침착(오렌지색 변색 유발)] 어두운 피부의 사람들에게서 습진과 같은 피부질환 이후에 염증 후 과다색소침착은 흔히 나타난다.

표 42.2 과다색소침착의 원인

원인	예
약물	광과민약물, 소랄렌(psoralen), 에스트로겐, 페노티아진(phenothiazine), 미노사이클린(minocycline), 아미오다론(amiodarone)
내분비질환	에디슨병(Addison's disease), 쿠싱증후군(Cushing's syndrome), 그레이브스병(Graves' disease)
유전	인종, 주근깨, 신경섬유종증(neurofibromatosis), Peutz-Jeghers syndrome
대사질환	쓸개관간경화증(biliary cirrhosis), 혈색소증(hemochromatosis), 포르피린증(porphyria)
영양소	카로틴혈증(carotenemia), 흡수장애, 영양결핍, 펠라그라(pellagra)
염증 후	습진, 편평태선, 전신경화증, 아밀로이드성 태선(lichen amyloidosis)
기타	흑색극세포증(acanthosis nigricans), 모반, 악성흑색종, 은중독(argyria), 만성신부전

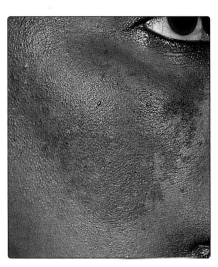

그림 42.3 뺨에 나타난 기미. 환자는 미용적으로 불만이 생긴다.

주근깨(Freckles)와 흑자(lentigines)

주근깨(freckles, ephelides)는 얼굴에 전형적으로 나타나는 작은 연갈색반늘로, 햇빛 노출 시 진해진다. 흑자(lentigines)도 갈색반 모양으로 보이지만, 산재되어 있고 햇빛 노출에 진해지지 않는다. 주근깨는 기저층의 멜라닌세포 숫자는 정상이나 멜라닌 합성이 증가되어 있다. 흑자는 멜라닌세포의 숫자가 증가되어 있다.

주근깨는 특히 붉은 머리의 소아에서 흔하다. 흑자는 소아에서도 발생할 수 있지만, 햇빛 노출이 있는 노인에서 더 흔하다. 주근깨는 특별한 치료가 필요하지 않으며, 흑자에는 냉동치료를 시행할 수 있다.

기미(Melasma, chloasma)

기미는 얼굴의 특징적인 분포를 보이는 색소침착질환이다. 임신 또는 경구피임약을 복용하는 여자에서 나타나고, 남자에서도 나타날 수 있다. 색소침착은 대칭적으로 주로 뺨이나 이마에서 보인다(그림 42.3). 임신은 멜라닌세포를 자극해서 유두, 하복부의 색소침착을 유발하고, 원래 있던 멜라닌세포모반도 진해질 수 있다. 기미는 저절로 좋아질 수 있다. 국소 트레티노인(tretinoin), 아젤라산(azelaic acid) 또는 하이드로퀴논(hydroquinone) 도포가 색소를 감소시킬 수 있다. 자외선차단제와 위장화장품(camouflage cosmetics)도 도움이 된다. 어떤 의사들은 화학적 박피나 레이저를 사용하기도 한다(예; Q-switched Nd:YAG).

포이츠-예거스(Peutz-Jeghers) 증후군 (Peutz-Jeghers syndrome)

포이츠-예거스(Peutz-Jeghers) 증후군은 드문

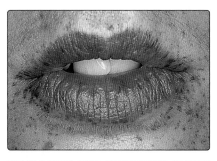

그림 42.4 포이츠-예거스 증후군에서 보이는 입 주위의 흑색점증.

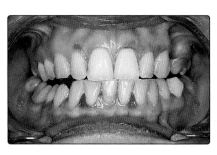

그림 42.5 에디슨병. 잇몸과 입술점막의 과다색소침착

표 42.3 약물 유발 색소침착

약물	반응
아미오다론(Amiodarone)	노출 부위의 청회색 색소침착(p.106, 48장)
블레오마이신(Bleomycin)	굴측부에 주로 나타나는 전체적인 색소침착, 채찍 모양
부설판(Busulfan)	전체적인 갈색 색소
클로로퀸(Chloroquine)	얼굴과 팔의 청회색 색소침착
클로르프로마진(Chlorpromazine)	햇빛 노출 부위의 석판회색(slate-gray) 색소
클로파지민(Clofazimine)	적색, 흑색 색소
메파크린(Mepacrine)	황색 (약물 침착)

상염색체 우성 유전질환이다. 흑자가 입술 주위(그림 42.4), 볼 점막, 손가락에 나타나고, 소장 폴립(polyp)과 연관성이 있다. 폴립은 장중첩증(intussusception)을 일으키거나 드물게 악성 변화를 보일 수 있다.

에디슨병(Addison's disease)

에디슨병은 부신기능저하증과 뇌하수체의 부신피질자극호르몬(adrenocorticotrophic hormone, ACTH) 과다 분비가 특징적이다. 과도한 ACTH분비로 멜라닌 합성이 촉진되어 피부 변화가 나타난다. 색소침착은 전신적이거나 볼점막(그림 42.5), 손바닥주름, 흉터, 굴측부 또는 마찰부위에 국소적으로 나타난다. 에디슨병과 유사한 색소침착이 쿠싱증후군, 갑상선기능항진증, 말단비내증에서도 나타난다.

약물 유발 색소침착

약물 유발 색소침착은 약물에 의한 멜라닌합성 촉진이나 약물 자체의 피부 침착으로 발생할 수 있지만, 대부분은 그 기전이 잘 알려져 있지 않다(표 42.3, p.106, 48장). 흔하게 쓰이는 약제 중에서는 아미오다론(amiodarone), 페노티아진(phenothiazine), 미노사이클린(minocycline)이 종종 색소침착을 유발한다.

색소 침착 질환

- **백반증**: 흔함, 자가면역성; 잘 경계 지어진 탈색반
- **백색증**: 드뭄, 상염색체 열성 유전; 피부와 눈의 색소 결핍; 철저한 햇빛 회피가 필요함; 피부암 고위험
- **페닐케톤뇨증**: 상염색체 열성 유전 효소 결핍; 밝은 피부와 모발
- **주근깨**: 햇빛에 진해지는 갈색반; 멜라닌세포 숫자 정상
- **흑자**: 갈색반; 멜라닌세포 숫자 증가
- **포이츠-예거스 증후군**: 상염색체 우성 유전, 입 주위의 흑자와 장 폴립증
- **기미**: 안면 색소침착; 임신, 경구 피임약과 관련
- **에디슨병**: ACTH로 촉진된 점막과 굴측부의 멜라닌 합성
- **약물 유발 색소침착**: 색소 침착 또는 멜라닌 합성 증가

43 │ 두드러기

두드러기(urticaria, hives)는 흔한 발진으로, 두드러기팽진(wheals)과 혈관부종(angi>edema)이 특징적이다. 두드러기팽진은 혈장의 혈관 외 유출로 나타나는 급성 진피 부종이고, 깊은 진피와 피하지방에 부종이 나타나면 혈관부종으로 나타난다. 분류는 표 43.1과 같다.

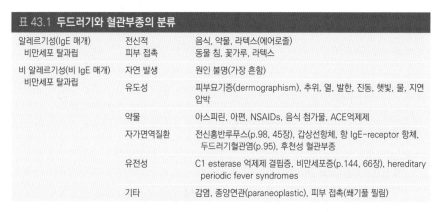

표 43.1 두드러기와 혈관부종의 분류

알레르기성(IgE 매개) 비만세포 탈과립	전신적	음식, 약물, 라텍스(에어로졸)
	피부 접촉	동물 침, 꽃가루, 라텍스
비 알레르기성(비 IgE 매개) 비만세포 탈과립	자연 발생	원인 불명(가장 흔함)
	유도성	피부묘기증(dermographism), 추위, 열, 발한, 진동, 햇빛, 물, 지연 압박
	약물	아스피린, 아편, NSAIDs, 음식 첨가물, ACE억제제
	자가면역질환	전신홍반루푸스(p.98, 45장), 갑상선항체, 항 IgE-receptor 항체, 두드러기혈관염(p.95), 후천성 혈관부종
	유전성	C1 esterase 억제제 결핍증, 비만세포증(p.144, 66장), hereditary periodic fever syndromes
	기타	감염, 종양연관(paraneoplastic), 피부 접촉(쐐기풀 찔림)

병인기전

두드러기는 비만세포(mast cell)에서 활성물질을 분비하면서 발생하는데, 특히 히스타민(histamine)은 혈관확장을 유발하고 혈관 투과성을 증가시킨다. 비만세포의 탈과립(degranulation)은 면역학적 기전(알레르기성) 또는 비면역학적 기전으로 발생한다(표 43.1). 약물에 의한 비면역학적 기전의 두드러기는 약물이 직접 비만세포에 결합해서 발생할 수 있다. [아편두드러기에서 아편수용체(opiate receptors) 또는 반코마이신(vancomycin), NMBA 마취제에 의해 MAS-related G protein coupled receptor-X2 (MRGPRX2)]

조직학적 소견

진피는 혈관확장과 비만세포 탈과립으로 부종성 변화를 보인다. 두드러기 혈관염에서는 혈관 손상과 림프구 침윤이 관찰된다.

임상양상

가려운 핑크색 구진, 판 모양으로 팽진이 피부 표면 어느 곳에나 발생한다(그림 43.1). 전형적으로 24시간 이내에 소실되고 자국을 남기지 않는다. 두드러기팽진은 원 모양, 고리 모양, 다룬형일 수 있고 수 mm부터 수 cm까지 다양한 크기를 보인다. 질환 중증도에 따라 병변 숫자는 다양하게 나타난다. 혈관부종은 일반적으로는 눈, 혀, 입술의 부종으로 나타나지만, 아무 곳에서나 나타날 수 있다(그림 43.2).

급성 두드러기(Acute urticaria)
(발병기간 <6주)

갑자기 발생하는 두드러기/혈관부종은 IgE 매개 알레르기반응으로 인한 것일 수 있고, 아나필락시스 반응을 예방하기 위해서 빠르게 약물 치료를 해야한다. 하지만 증상이 재발성이고 수일간 나타나면 알레르기 유발성일 가능성이 낮기 때문에 비알레르기성 원인을 고려해야 한다(표 43.1). 비알레르기성 두드러기의 많은 경우

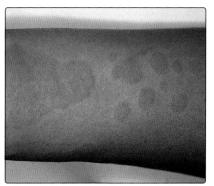

그림 43.1 팽진(wheals). 전형적인 두드러기팽진이 팔에 보인다.

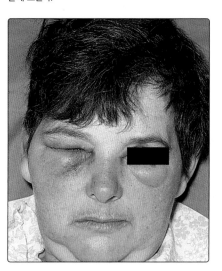

그림 43.2 얼굴의 혈관부종.

에서 원인을 발견하지 못한다. 알레르기성 두드러기에서 원인 알레르겐은 음식(예; 달걀, 생선, 땅콩), 약물(예; 항생제) 또는 접촉물(예; 라텍스)일 수 있다. 급성 두드러기는 코로나19(Covid-19)에 의한 중증 급성 호흡기 증후군 코로나 바이러스-2 (SARS-CoV-2)의 증상일 수도 있다.

만성특발두드러기
(Chronic spontaneous urticaria)

특별한 원인 없이 6주 이상 발생하는 두드러기

를 만성특발두드러기로 진단한다. 50%에서는 6개월 이내에 자연 호전되지만, 일부에서는 수년 이상 지속된다.

유도성(물리적) 두드러기
[Inducible (physical) urticarias]

추위, 열, 발한, 진동, 햇빛 노출, 압박 그리고 물도 두드러기를 유발할 수 있다. 정상인의 5%에서 발견되는 피부묘기증(dermographism)은 피부를 강하게 긁었을 때 팽진이 발생하는 현상이다(그림 43.3). 일부 환자에서는 악화되어 증상을 유발할 수 있다. 콜린성두드러기(cholinergic urticaria)에서는 열, 감정변화, 매운 음식, 운동으로 인한 땀에 의해 매우 가려운 작은 구진 모양의 팽진이 발생한다. 발진은 수 분에서 수 시간 지속된다.

혈관부종 단독 발생

- ACE억제제(Angiotensin-converting enzyme inhibitors)는 두드러기팽진 없이 혈관부종만 나타나는 흔한 원인이다. 약물을 중단해야 하고, 중단한 후에도 수 주 동안 증상이 나타날 수 있다.
- 보체 경로 이상(Complement pathway defects). ACE억제제를 복용하지 않는 경우에, 유전혈관부종(hereditary angioedema)이나 후천혈관부종(acquired angioedema)이 두드러기팽진 없이 혈관부종만 유발할 수 있다.

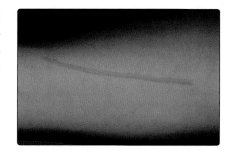

그림 43.3 피부묘기증(Dermographism). 팔을 긁어서 발생하였다.

유전혈관부종(hereditary angioedema)(C4저하, C1q정상)은 드물고 위험한 상염색체 우성 유전질환이다. 주로 소아기에 발병하고, 혈관부종이 종종 구토, 복통과 함께 나타난다. 유전적으로 C1 esterase inhibitor (C1-INH)의 결핍 또는 기능장애로 보체 활성에 문제가 생기고 혈관 활성 매개 물질이 쌓이게 된다. 발작 시에 C4가 저하된다. 드물게는 C1-IHN와 C4가 정상이고, 응고인자 돌연변이로 kallikrein에 의한 bradykinin 생성이 일어나 혈관부종이 발생한다.

후천혈관부종(acquired angioedema)(C4저하, C1q저하)은 C1-INH가 소모되거나 비활성화 되어서 발생하는데 (예; 자가항체로 인한 비활성화), 유전 검사가 음성인 것을 제외하고는 유전혈과부종과 동일한 양상을 보인다. 급성 발작에는 C1-INH를 정맥주사하고, 새로운 bradykinin B2 receptor나 kallikrein에 대한 질병 특이적 합성 차단제도 시도해 볼 수 있다.

두드러기 혈관염 (Urticarial vasculitis)

두드러기 혈관염은 보통 광범위한 두드러기 발진이 급성으로 발생하고, 24시간 이상 지속되는 발진이 자반을 남기면서 소실되는 특징을 보인다(그림 43.4). 전신적인 이상이나 저보체혈증을 보일 수 있다. 전신홍반루푸스와 쇼그렌증후군에 대해 확인해야 한다.

자가염증성 질환 (Autoinflammatory syndromes)

IL-1 경로의 장애는 'hereditary periodic fever syndromes'라고 불리며 두드러기를 유발할 수 있고, 그동안 과소평가 되어 왔다. 드물지만, 어린 나이에 만성 두드러기가 발병한 경우나, 재발성 발열이 동반된 경우, 전신 염증 징후가 동반된 경우(예; 관절통, 뼈 통증, 무력감), 또는 ESR/CRP가 증가하거나 파라단백질이 있는 경우에는 이 질환을 의심해야 한다.

감별진단

두드러기는 보통 다른 피부질환과 쉽게 감별되지만, 유전포창(pemphigoid)이나 포진피부염(dermatitis herpetiformis)도 (p.96, 44장) 때때로 두드러기 발진을 보일 수 있다. 독성홍반(toxic erythema)이나 다형홍반(erythema multiforme)도 (p.106, 48장) 초기에 두드러기 모양을 보일 수 있지만, 병변이 48시간 이상 지속되면 두드러기를 배제할 수 있다. 얼굴의 단독(erysipelas)은 혈관부종과 유사하게 보일 수 있지만, 좀 더 경계가 잘 지어져 있고 발열이 동반된다.

검사

기저원인이나 유발요인은 혈액검사보다 병력청취로 더 쉽게 찾을 수 있다. 하지만 전신질환을 배제하기 위해서 혈구검사, 간 기능, 항핵항체, CRP, ESR검사와 소변검사를 종종 시행한다(표 43.1). 피부묘기증은 피부를 강하게 긁어서 확인하고, 한랭두드러기는 팔에 얼음조각을 20분 간 댐으로써 유발할 수 있다. 혈관부종만 단독으로 있는 경우 C4와 C1q수치를 스크리닝한다. 대부분의 아나필락시스 환자와 비만세포증 환자에서 24시간 혈청 비만세포 트립타제(tryptase)수치가 증가한다.

치료

모든 원인 요인은 제거해야 한다. 자극 요인은 (예; NSAIDs 섭취, 수영 (한랭두드러기 환자)) 회피한다. 하지만 주된 치료는 항히스타민제 복용이다.

항히스타민제(Antihistamines)

H₁ 항히스타민제(Histamine type 1 receptor blockers, H1 blockers)가 대부분 효과적이다. 진정작용이 특별히 필요하지 않는 한, 비진정 항히스타민제(non-sedative antihistamines) 사용이 선호된다. 세티리진(cetirizine) 10 mg, 펙소페나딘(fexofenadine) 180 mg 하루 1회, 데스로라타딘(desloratadine) 5 mg 하루 1회, 아크리바스틴(acrivastine) 8 mg 하루 3회) 최근 유럽, 미국 그리고 전세계 가이드라인에서는 비진정 항히스타민제를 승인된 용량의 4배까지 증량하는 것이 안전하고 증상 조절에도 도움이 된다고 권고하고 있다. H₂ 항히스타민제(H₂ blocker)를 추가 복용하면 약간의 추가 효과만 얻을 수 있다.

스테로이드(Corticosteroids)

경구 프레드니솔론(prednisolone)은 중증 급성 두드러기나 혈관부종, 두드러기 혈관염을 조절하는 데에 아주 가끔 사용된다. 하지만 만성특발두드러기에는 사용하지 않는다.

아드레날린, 에피네프린(Adrenaline, epinephrine)

급성 기도폐쇄나 아나필락시스 쇼크에는 아드레날린 근육내 주사와 항히스타민제를 사용한다. 스테로이드 정맥주사도 종종 사용되지만, 약 효과가 발현되기까지 수 시간이 걸린다. 병원으로 응급 이송해야 한다.

식이

음식 내의 살리실산염(salicylates)이 1/3정도의 경우에서 만성두드러기를 악화시키고, 10% 정도에서는 azo 식용색소와 벤조산 방부제가 두드러기를 악화시킨다. 일반적인 두드러기에 대한 조치들이 효과가 없으면, 이런 화합물들에 대한 제한 식이를 해 볼 수 있다.

전신약물

일부 경우에서 몬테루카스트(montelukast)가 도움이 된다. 항히스타민제에 저항성인 경우 사이클로스포린(cyclosporin)과 오말리주맵(omalizumab, anti-IgE) 투약이 효과적이다. 오말리주맵(omalizumab)은 매월 피하주사하며, 항히스타민제에 저항성인 만성특발두드러기의 70% 이상에서 빠른 개선을 보인다. 물리적 두드러기에서도 효과는 비교적 낮지만 사용할 수 있다.

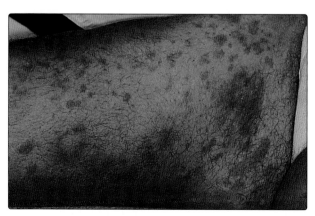

그림 43.4 두드러기 혈관염(Urticarial vasculitis). 소실된 부위에 멍이 남았다.

두드러기와 혈관부종

- 두드러기는 흔한 발진으로, 전형적으로 하루 이내에 사라지는 일시적인 가려운 팽진을 보이고 종종 혈관부종과 동반된다.
- 보통 원인을 발견하지 못하지만, 히스타민 분비 자가항체, IgE 매개 알레르기 반응, 물리적 자극, 약물작용, 음식 첨가물 또는 보체 결핍으로 발생할 수 있다.
- 원인물질이나 촉발요인은 피해야 하고, 비진정 항히스타민제를 투약한다.
- 전신 스테로이드는 드물게 사용된다. 아스피린은 피한다. 아나필락시스 반응에는 아드레날린 근육주사를 시행한다.
- 다른 전신약물을 시도하기 전에 항히스타민제를 증량하는 것이 권고된다. 사이클로스포린이나 오말리주맵이 항히스타민제 저항성 환자들에서는 효과를 보일 수 있다.

44 | 수포질환

수포는 피부질환에서 흔히 나타난다. 급성 접촉피부염, 한포진, 단순포진, 대상포진, 농가진과 같은 흔한 피부질환 외에도 벌레물림, 화상, 마찰 또는 추위 노출에 의해서도 발생한다. 수포는 분리 되는 층에 따라서 분류되는데, 각질 하(subcorneal) 또는 표피 내(intraepidermal) 수포는 쉽게 터지고, 표피 하 (subepidermal) 수포는 쉽게 터지지 않는다(그림 44.1). 여기서 다루어질 후천성 원발 자가면역 수포질환들은 드물지만 중요한 질환들이며, 주로 직접면역형광검사 또는 최근 유용하다고 알려지고 있는 ELISA 검사로 진단한다.

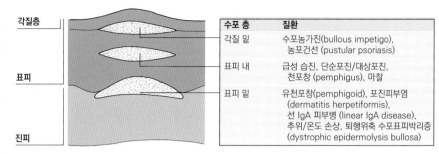

수포 층	질환
각질 밑	수포농가진(bullous impetigo), 농포건선 (pustular psoriasis)
표피 내	급성 습진, 단순포진/대상포진, 천포창 (pemphigus), 마찰
표피 밑	유천포창(pemphigoid), 포진피부염 (dermatitis herpetiformis), 선 IgA 피부병 (linear IgA disease), 추위/온도 손상, 퇴행위축 수포표피박리증 (dystrophic epidermolysis bullosa)

그림 44.1 수포질환의 분리 층.

천포창(Pemphigus)

천포창(Pemphigus)은 피부와 점막을 침범하는 자가면역 수포질환으로, 흔하지 않지만 중증의 위험한 질환이다.

병인 기전
80%가 넘는 환자의 혈청 내에서, 간접면역형광검사로(p.162, 75장) 표피의 세포간 결합에 관여하는 카드헤린(cadherin)인 데스모글레인(dermoglein)에 대한 자가 IgG항체를 발견할 수 있다. 이러한 항체들은 보체 활성과 프로테아제(protease) 분비를 함께 유발하여, 표피 내의 결합을 저하시키고 분리한다. 직접면역형광검사 시 기저막 위 표피의 세포 간 IgG침착을 관찰할 수 있다. 천포창은 중증근무력증과 같은 다른 자가면역질환과 함께 발생할 수 있다.

임상 양상
유럽에서는 천포창의 발생빈도가 유사천포창보다 훨씬 낮으며, 중년 또는 젊은 성인에게서 나타난다. 한국에서도 천포창의 발생빈도는 유사천포창보다 낮으나, 50-60대 중장년에서 가장 호발한다. 입점막 까짐이 보통천포창 환자의 50-70%에서 초기증상으로 나타나고, 종종 피부 수포가 발생하기 수 개월 이전에 선행해서 나타난다. 수포는 항상 명확하게 나타나지는 않고, 딱지나 까짐으로만 보이기도 한다. 치료를 하지 않으면 수포는 계속 진행한다. 스테로이드가 도입되기 이전에는, 주로 수분과 단백 손실이나 이차 감염으로 4년 내에 4명 중 3명의 환자가 사망하였다.

드문 아형으로는, 두피, 얼굴, 가슴에 표재성 미란이 발생하는 낙엽천포창(pemphigus foliaceus)과 (그림 44.2), 액와와 사타구니에 농포와 증식성 병변이 나타나는 증식천포창(pemphigus vegetans)이 있다. 브라질에서는 감염원으로 인해 발생하는 것으로 보이는 풍토성 낙엽천포창인 *fogo selvagem*이 발생한다. 종

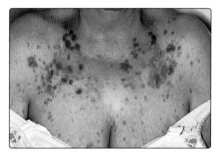

그림 44.2 낙엽천포창(Pemphigus foliaceus). 가슴에 수포와 미란이 관찰된다.

양연관천포창(paraneolastic pemphigus)은 기저 악성종양과 연관되어 발생하는 아형이다.

감별 진단
아프타궤양이나 베체트병이 천포창의 입안 까짐과 유사하게 보인다. 급성 발병을 보이는 경우는 독성표피괴사용해(toxic epidermal necrolysis)를 감별해야 한다. 광범위한 피부까짐은 수포표피박리증(epidermolysis bullosa)이나 유천포창(pemphigoid)에서 보일 수 있다. 진단은 수포의 조직학적 검사와 직접면역형광검사로 한다.

치료
전신 스테로이드와 다른 면역억제제들이 사용된다. 프레드니솔론(prednisolone)은 초기에 고용량 (매일 1.0-1.5 mg/kg)으로 시작하며, 종종 아자티오프린(azathioprine)이나 사이클로포스파마이드(cyclophosphamide)과 함께 투약한다. 리툭시맵(Rituximab, 항 CD20 항체)으로 B 세포를 소실시키는 것이 효과적이며, 일부 의료기관에서는 전신 면역억제를 시작하기 전에 먼저 리툭시맵 투약을 권고한다. 수포 발생이 조절되면 스테로이드 용량을 감량한다. 치료는 수년 이상이 걸리며, 완전 관해는 가끔 나타난다. 최근에는 질병 자체보다는, 스테로이드나 면역억제제 치료의 부작용때문에 환자가 사망한다.

유천포창(Pemphigoid)

유천포창(Pemphigoid)은 노인에서 나타나는 만성 질환으로 드물지 않다.

병인 기전
기저막에 존재하는 반결합체(hemidesmosome)인 BP230과 BP180에 대한 자가 IgG 항체가 염증과 프로테아제(protease) 분비를 유발하여 표피 하 수포를 형성한다. 직접면역형광검사에서 IgG와 C_3가 발견된다(p.163). 75%의 환자에서 간접면역형광검사로 혈청 내 순환 자가항체를 발견할 수 있다.

임상 양상
수포유천포창(Bullous pemphigoid)은 주로 노인에서 나타난다. 종종 사지, 몸통, 굴측부의 붉거나 정상으로 보이는 피부에서 긴장성의 큰 수포들이 나타난다(그림 44.3). 입 안 병변은 10%의 환자에서만 나타난다. 수포 발생 전에 가려운 두드러기 발진이 먼저 나타날 수 있다. 유사천포창은 때때로 하지와 같은 한 부위에만 국한되어서 나타나기도 한다. 포진피부염(dermatitis herpetiformis, DH), 선 IgA 피부병(linear IgA disease) 또는 천포창과 감별해야 하고, 조직학적 검사와 면역형광검사로 진단한다.

흉터유사천포창(Cicatricial pemphigoid)은 주로 눈과 입점막을 침범한다. 흉터를 남겨서 심각한 눈 문제를 유발할 수 있다. 임신유사천포창(Pemphigoid gestationis)은 임산부에서 매우 가려운 수포성 발진을 일으키는 질환으로 드물지만 중요하다. 출산 이후에는 소실되지만, 다음 임신 때에도 재발할 수 있다.

치료
유천포창은 천포창에 비해 적은 스테로이드 용량에도 치료 반응을 보인다. 경구 스테로이드 0.5 mg/kg/d 투약에 대부분 충분한 반응을 보이며, 수 주 이내에 15 mg이하로 감량할 수 있다. 아자티오프린(Azathioprine)도 때때로 사용한다. 많은 환자에서 자연 호전 경과를 보여서, 2-3년 후에는 스테로이드 투약을 중단할 수 있다. 흉터유사천포창(cicatricial pemphigoid)은 치료에 잘 반응하지 않지만, 임신유사천포창(pemphigoid gestationis)은 일반적인 스테로이드 용량으로 조절된다. 노인에서는 스테로이드에 의한 부작용이 문제가 될 수 있다.

그림 44.3 유천포창(Bullous pemphigoid). 팔에 긴장성 수포들이 보인다.

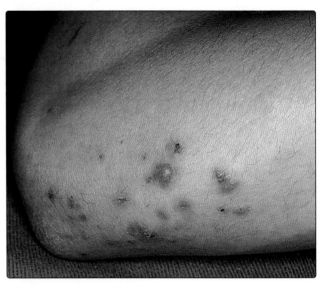

그림 44.4 포진피부염. 팔꿈치에 가려운 수포들이 보인다.

포진피부염 (Dermatitis herpetiformis)

포진피부염(Dermatitis herpetiformis, DH)은 폄 부위에 대칭적으로 가려운 수포 발진이 발생하는 드문 질환이다. 대부분의 환자에서 소장 융모 위축(Jejunal villus atrophy)이 동반되어 있다.

병인 기전
포진피부염은 특징적으로 면역형광검사에서 유두진피(dermal papillae)에 과립성 IgA침착이 관찰 된다. 글루텐 제한 식이를 섭취하면 피부 병변과 소장 융모 위축이 호전반응을 보이지만, 발진의 원인과 장, 피부의 글루텐 민감성과의 관계는 아직 명확하지 않다. 무증상 환자에서도 IgA 침착이 관찰되기 때문에, IgA가 가려움증을 유발하는지 여부도 명확하지 않다.

임상 양상
포진피부염은 30–40대에 주로 발생하며, 여자보다 남자에서 2배 더 흔하다. 전형적으로 팔꿈치, 무릎, 둔부, 두피에 매우 가려운 수포가 무리 지어 나타나면서 발병하기 시작한다(그림 44.4). 수포는 긁으면 터지며, 긁은 상처(excoriations)들이 남는다. 대부분의 환자가 소장 융모 위축을 가지고 있지만, 실제 장 불편감이나 흡수 장애는 드물게 나타난다.

감별 진단
옴, 습진, 선 IgA 피부병과 감별하는 것이 중요하다. 조직검사에서 표피하 수포가 관찰되고, 직접 면역형광검사에서 정상으로 보이는 피부의 유두진피(dermal papillae)에 과립모양 IgA침착이 보인다(p.164, 75장). 소장에 대해 소장 조직검사를 시행할 수 있고, 혈청 엽산, 비타민 B12, 페리틴(ferritin) 수치로 흡수장애 유무를 확인할 수 있다. 근육섬유막 자가항체(anti–endomysial antibody)가 나타난다.

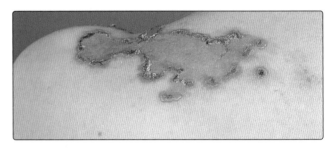

그림 44.5 선 IgA 피부병(Linear IgA disease). 표재성 수포가 동반된 지도 모양(figurate) 병변

치료
글루텐 제한 식이를 하면 피부와 장 병변이 모두 개선된다. 답손(dapsone) 50–200 mg/d 투약 시 발진이 조절되어, 글루텐 제한 식이가 효과를 보일 때까지 먼저 사용된다. 답손 투약 시 용혈성 빈혈이 생길 수 있기 때문에 정기적인 혈액검사가 필요하다.

선 IgA 피부병(Linear IgA disease)

선 IgA 피부병(Linear IgA disease)은 등 또는 폄 부위에 수포와 두드러기 발진이 나타나는 드문 질환이다(그림 44.5). 답손에 반응하고, 포진피부염 또는 유사천포창과 유사하게 보일 수 있다. 직접 면역형광검사 시 기저막에 선 모양 IgA 침착이 보인다. 소아에서 나타나는 아형에서는 수포가 성기 부위 주위로 나타난다. 약물에 의해 유발되는 경우는 반코마이신(vancomycin)이 가장 흔한 유발약제이다.

수포 질환

질환	임상 특징	직접 및 간접 면역형광검사	치료
수포유천포창 (Bullous pemphigoid)	드물지 않다. 노인에서 주로 발병. 팔다리>몸통. 입안 병변은 드물다. 긴장성 수포.	기저막에 선 모양 IgG 침착(반결합체 BP 항원). 간접검사 75% 양성.	중등도 용량의 경구 스테로이드. Azathioprine 병용 가능.
보통 천포창 (Pemphigus vulgaris)	드물다. 중년에서 주로 발병. 몸통>팔다리. 입안 병변으로 주로 시작. 쉽게 터지는 수포.	표피 세포 사이 IgG 침착(교소체의 desmoglein). 간접검사 80% 양성.	고용량 경구 스테로이드와 azathioprine또는 리툭시맙(rituximab)
포진피부염 (Dermatitis herpetiformis)	젊은 성인(남>여). 신전부에 가려운 수포. 흔히 소장 융모 위축 동반.	유두 진피의 과립모양 IgA 침착(정확한 항원은 미상). 간접 검사 음성.	글루텐 제한 식이. 답손(dapsone) 병용 가능.

45 | 결합조직질환 – 홍반루푸스와 전신경화증

결합조직의 염증질환은 종종 여러 장기를 침범하지만, 피부만 침범할 수도 있다. (예: 원반모양 홍반루푸스 (discoid LE)) 자가 항체가 나타나는 것이 이 질환들의 특징이며, 이 질환들이 '자가면역성'임을 시사한다. 따라서 결합조직질환의 감별에는 antinuclear antibody (ANA) (p.163), double stranded (ds) 또는 single stranded (ss) DNA antibody, extractable nuclear antigens (ENA) panels (p.163)과 같은 자가 항체 유무에 대한 검사가 중요하다(그림 45.1).

홍반루푸스 (Lupus erythematosus)

홍반루푸스는 흉터 형성(원반모양홍반루푸스)부터 전신침범까지 다양한 피부질환 양상으로 나타난다.

병인 기전

자가 단백질에 대한 자가항체가 생기는 이유가 죽은 세포(apoptotic cells)를 청소하는 과정에서의 문제 때문이라는 것이 점차 밝혀지고 있다. 유전적[human leukocyte antigen (HLA)], 환경적(독성물질, 약물, 자외선, 바이러스) 요인이 모두 질병 병인에 관여한다.

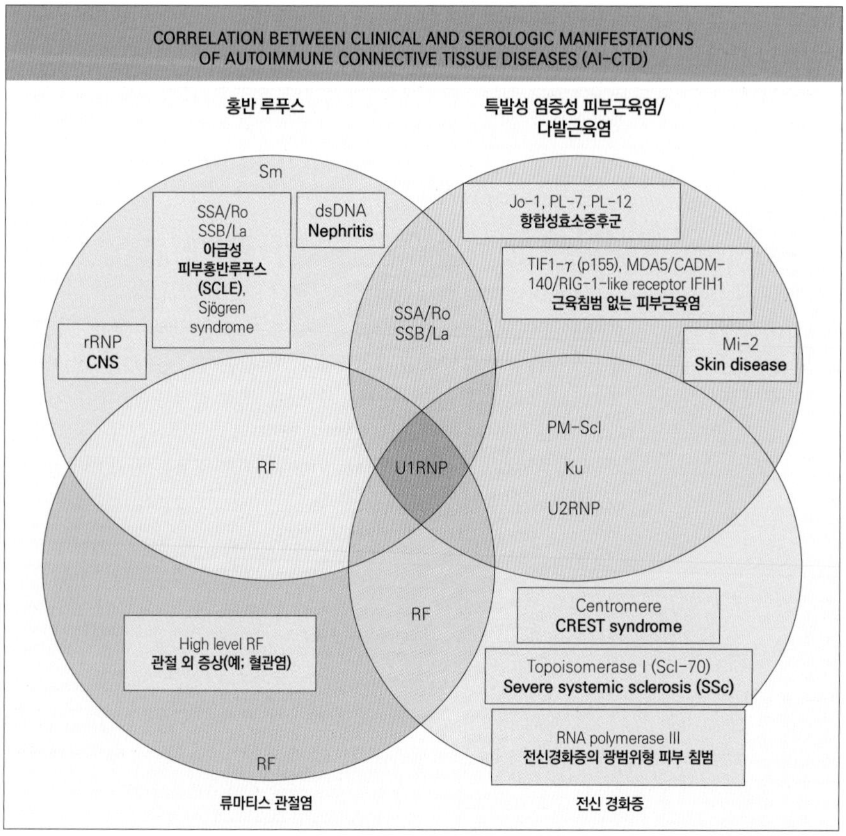

조직 병리

원반모양(Discoid) 병변은 표피 위축, 과각화, 기저층 변성(degeneration)을 보인다. 아급성(Subacute) 병변은 유사한 변화와 함께, 진피 부종, 섬유소모양 변성(fibrinoid change), 염증세포 침윤이 관찰되며 때때로 혈관염도 나타난다. 병변의 직접 면역형광검사에서 표피–진피 경계부의 '루푸스 띠(lupus band)'가 나타나지만, 정상인의 햇빛 노출부위에서도 20%에서 이런 변화가 보인다.

임상 양상

전신홍반루푸스(Systemic lupus erythematosus) (99% ANA, 50% Ro, 60% dsDNA 양성) 피부 증상은 80%에서 나타난다. 얼굴의 나비모양 발진(그림 45.2)이 특징적이고, 광민감성, 원반모양 병변, 광범위한 탈모, 구강 병변과 혈관염이 나타날 수 있다. 전신홍반루푸스를 진단하기 위해서는 다른 여러 장기 침범과 혈청학적, 혈액학적 이상에 대한 검사도 시행하여야 한다. (표 45.1) 여자:남자 비율은 8:1로 나타난다.

아급성홍반루푸스(Subacute lupus erythematosus) (60% ANA, 80% Ro, <5% dsDNA 양성) 피부 침범은 보통 목, 몸통, 팔에서 나타난다. 홍반은 보통 흉터를 남기지 않고, 구진비늘모양 또는 고리모양으로 나타나 저색소반과 모세혈관

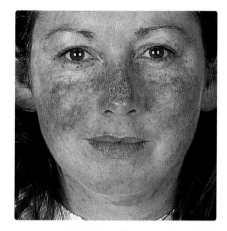

그림 45.2 전신홍반루푸스(Systemic LE). 얼굴에 전형적인 나비모양 발진이 보인다.

확장을 보이며 사라진다(그림 45.3). 구강궤양, 망상청피반(livedo reticularis), 손톱주위 모세혈관확장증과 레이노 현상도 나타날 수 있다. 여러 장기 침범이 나타날 수 있지만, 대부분은 경증이다.

원반모양홍반루푸스(Discoid lupus erythematosus) (35% ANA, 2% Ro, <5% dsDNA 양성) 얼굴, 두피, 손에 한 개 이상의 원형 또는 타원형 판이 나타난다(그림 45.4). 병변은 잘 경계지고, 붉고, 위축성으로 비늘을 동반하며, 확장된 모공에 각질마개(keratin plug)가 보인다. 두피에서는 탈모 흉터를 남기고, 어두운 피부의 환자에서는 저색소 흉터를 남긴다(그림 45.5). 50% 이상에서 소실된다. 내부장기 침범은 특징적이지 않고, 6%의 환자에서만 전신홍반루푸스로 진행한다. 여자가 남자보다 2배 흔하게 나타난다.

기타 형태

신생아홍반루푸스(Neonatal LE)는 항Ro항체가 태반을 통해 전달되어서 발생한다. 고리모양 위축성 발진이 나타나고 가끔 심장차단(heart block)이 동반된다.

CORRELATION BETWEEN CLINICAL AND SEROLOGIC MANIFESTATIONS OF AUTOIMMUNE CONNECTIVE TISSUE DISEASES (AI-CTD)

홍반 루푸스 | 특발성 염증성 피부근육염/다발근육염

- Sm
- SSA/Ro SSB/La **아급성 피부홍반루푸스 (SCLE)**, Sjögren syndrome
- dsDNA **Nephritis**
- Jo-1, PL-7, PL-12 **항합성효소증후군**
- TIF1-γ (p155), MDA5/CADM-140/RIG-1-like receptor IFIH1 **근육침범 없는 피부근육염**
- rRNP **CNS**
- SSA/Ro SSB/La
- Mi-2 **Skin disease**
- RF | U1RNP | PM-Scl Ku U2RNP
- High level RF **관절 외 증상(예: 혈관염)**
- RF
- Centromere **CREST syndrome**
- Topoisomerase I (Scl-70) **Severe systemic sclerosis (SSc)**
- RF
- RNA polymerase III **전신경화증의 광범위형 피부 침범**
- 류마티스 관절염 | 전신 경화증

그림 45.1 자가면역 결합조직질환 (autoimmune connective tissue diseases, AI-CTD)의 임상과 혈청학적 검사 사이의 상관관계. (Bologna JL, Schaffer J Cerroni L, 2018. Dermatology, 4th edn. Elsevier, with permission)

표 45.1 전신홍반루푸스의 장기 침범

장기	침범
피부	광과민증, 얼굴발진, 혈관염, 탈모, 레이노 현상(Raynaud's phenomenon)
혈액	빈혈, 혈소판감소증
관절	관절염, 건초염(tenosynovitis), 석회화
콩팥	사구체신염, 신증후군
심장	심장막염, 심내막염, 고혈압
중추신경계	정신병(psychosis), 뇌경색, 신경병증 (neuropathy)
폐	폐렴, 흉막삼출 (pleural effusion)

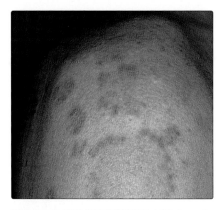

그림 45.3 아급성피부홍반루푸스(Subacute cutaneous lupus erythematosus). 위 팔의 고리모양 병변. (*Courtesy, Jean L. Bolognia, MD. From Lee, LA, Werth, VP. Lupus Erythematosus. In: Bolognia JL, Jorizzo JL, Schaffer, JV, 2012. Dermatology 3rd edn. Edinburgh, Mosby.*)

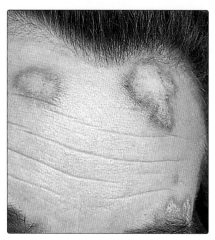

그림 45.4 이마에 나타난 원반모양홍반루푸스 (Discoid LE).

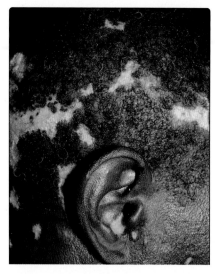

그림 45.5 두피의 원반모양홍반루푸스. 흉터와 저색소를 남긴다.

감별 진단

원반모양홍반루푸스(Discoid LE)는 주사, 지루피부염, 보통루푸스(lupus vulgaris) 또는 건선과 같은 얼굴 발진 질환들과 감별한다. 조직검사를 시행하여야 한다. 전신홍반루푸스의 광과민발진은 다형광발진(polymorphic light eruption), 피부근육염 또는 약물발진과 유사할 수 있다.

치료

진단과 합병증 예측을 위해 면역학적 검사가 중요하다. (예; anti-Ro와 선천심장차단, anticardiolipin과 혈전증/자연유산, antihistone과 약물유발루푸스) 원반모양홍반루푸스는 class 1 또는 2의 강한 국소 스테로이드 도포에 반응하고, 이 경우에는 얼굴에도 도포할 수 있다. 자외선차단제는 필수이다. 광범위한 병변에는 하이드록시클로로퀸(hydroxychloroquine)과 같은 전신 요법이 필요할 수 있으며, 망막병증의 위험이 조금 있어 시력에 대한 정기 관찰이 필요하다. 탈리도마이드(Thalidomide)는 피부홍반루푸스에 유용하다. 전신홍반루푸스의 치료는 침범 정도에 따라 달라진다. 자외선차단제는 광과민증을 감소시키며, 내부장기 침범이 있을 때는 항말라리아제와 전신 스테로이드 치료가 필요하고, 종종 아자티오프린(azathioprine)과 mycophenolate mofetil과 같은 면역억제제가 함께 사용된다. 리툭시맵(Rituximab)도 효과적이다.

전신경화증(Systemic sclerosis)

전신경화증 (Systemic sclerosis)은 다양한 장기에 콜라겐(collagen) 침착과 섬유화가 나타나는 흔하지 않은 진행성 다기관 침범 질환이다.

병인 기전

Transforming growth factor (TGF)-β 조절 이상으로 섬유모세포가 콜라겐을 과생성하는 것이 조직 섬유화의 주된 기전이다. T세포와 대식세포에 의한 혈관 내피세포(endothelial cell)의 파괴 또한 중요하다.

임상 양상

약 90-95%의 환자가 ANA 양성이다. 레이노현상(Raynaud's phenomenon)이 흔하게 나타난다. 손가락, 아래팔다리가 팽팽해지고, 밀랍처럼 단단하고 뻣뻣해진다. 손가락 끝마디의 볼록해야 할 배측이 위축된다(그림 45.6). 얼굴에서는 입 주위 주름이 생기고 모세혈관 확장이 보이며(그림 45.7), 입 벌리는 것에 제한이 생긴다. 팔다리 말단과 얼굴에만 제한되어서 나타나면 '제한형(limited)'이라고 불리며 예후가 비교적 좋다. (10% anti-Scl-70, 70% anti-centromere 양성) 내부 장기침범(예; 신부전)은 '광범위형(diffuse)'에서 더 일찍, 흔하게 발생한다. (50% anti-Scl-70, 20% anti-centromere 양성) (표 45.2) 여자에서 남자보다 4배 흔하게 발생한다. 만성 이식편대 숙주반응에서 비슷한 양상을 보일 수 있지만, 대부분의 광범위전신경화증은 진단이 명확하다. 제한전신경화증은 나은 예후를

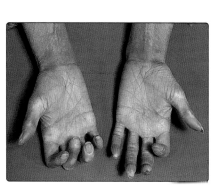

그림 45.6 전신경화증 (Systemic sclerosis). 손가락을 둘러싼 단단한 밀랍 피부와 손가락 끝 위축이 보인다.

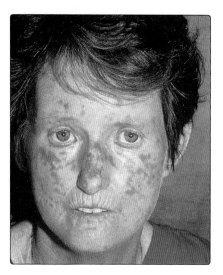

그림 45.7 얼굴의 전신경화증. 입 주위의 모세혈관확장과 주름이 뚜렷하게 보인다.

보이며, 일반적으로 목, 아래팔과 다리만 침범한다. '제한형'의 아형으로 알려진 CREST증후군은 석회화(Calcinosis), 레이노현상(Raynaud's phenomenon), 식도운동장애(Esophageal dysmotility), 손발가락경화증(Sclerodactyly), 모세혈관확장(Telangiectasia)을 보인다.

치료

치료는 주로 보조적이다. 니페디핀(nifedipine)과 실데나필(sildenafil)이 레이노 현상에 도움이 된다. 고혈압은 조절할 수 있다. 전신경화증에 페니실라민(penicillamine)과 면역억제제가 사용되어 왔지만, 효과는 미미하다. 광분리교환술(photopheresis)도 시도할 수 있다(p.135). 콩팥위기(renal crisis)는 anti-RNA polymerase I, III antibody와 연관되어 있고 angiotensin-converting enzyme (ACE) 억제제로 적극적으로 치료해야 한다.

45 | 결합조직질환 – 다른 질병들

국소피부경화증(Morphea)

국소피부경화증(Morphea)은 내부장기 침범이 없는 국소적인 피부경화증이다. 외상 후에 발생할 수 있지만, 정확한 원인은 알려져 있지 않다. 조직학적으로 콜라겐 띠와 부속기의 소실이 관찰된다. ANA는 대부분 음성이다.

국소피부경화증은 원형 또는 타원형의 붉은 경화성 판으로 나타나고 종종 가장자리는 보라색을 띤다(그림 45.8). 병변은 점차 하얗고 빛나는 병변으로 변하며, 최종적으로 모발이 없는 색소침착을 동반한 위축 반을 남긴다. 몸통이나 근위부 팔다리를 침범한다. 국소피부경화증은 여자에서 더 흔하다(여:남 비율 3:1). *선국소피부경화증(Linear morphea)*은 얼굴이나 팔다리에서 나타날 수 있고, 소아에서 발생하면 뼈를 포함한 하방의 조직 성장을 저하시킬 수 있다. 국소 스테로이드를 주로 사용하지만, 잘 입증된 치료법은 없다. 일반적으로 수 개월에서 수 년 이내에 자연적으로 호전된다.

표 45.2 전신경화증의 장기 침범	
장기	**침범**
피부	레이노현상, 석회화, 손발가락경화증, 모세혈관확장
장	식도운동장애, 흡수장애, 장 팽만
폐	섬유화, 폐 고혈압
심장	심장막염, 심근섬유화
콩팥	신부전, 고혈압
근육	근염, 힘줄침범
폐	폐렴, 흉막삼출 (pleural effusion)

피부근육염(Dermatomyositis)

피부근육염(Dermatomyositis)은 피부, 근육, 혈관에 염증으로 인해서, 특징적인 발진과 다양한 정도의 근육 약화가 나타나는 흔하지 않은 질환이다. 원인은 알려져 있지 않지만, 일부에서 기저 악성종양이 발견된다.

임상 양상

피부근육염(Dermatomyositis)과 다발근육염(polymyositis)에서 피부변화 또는 근육약화가 뚜렷하다. 전형적인 발진 양상은 눈꺼풀 주위, 뺨, 이마의 청자색 변화이며 종종 부종도 나타난다. 푸른빛을 띤 붉은색 구진/선이 손 등쪽(그림 45.9), 팔꿈치, 무릎에 나타나고, 때때로는 색소침착과 조갑주름의 모세혈관확장도 나타난다. 광과민이 흔하다. 자가항체와의 연관성은 낮지만, 항 Jo-1 항체(Anti Jo-1 antibody)는 폐 침범을 예측할 수 있다. 40년 이상 된 환자에서는 악성종양 관련의 가능성이 있고, 이 중 40%는 기저 종양이 있다(주로 폐암, 유방암, 위암).

치료

근육염의 진행단계를 확인해야 하고, 성인에서는 기저 종양 유무를 확인해야 한다. 중등도 이상의 전신 스테로이드 치료를 시행하며, 종종 아자티오프린(azathioprine) 또는 메토트렉세이트(methotrexate)를 병용한다. 면역글로불린 주입과 광분리교환술(photopheresis)도 도움이 될 수 있다.

기타 결합조직질환

다양한 결합조직질환들이 밝혀지고 있고, 주로 관절 침범과 자주 연관되어 있다. 혼합결합조직질환(Mixed connective tissue disease)은 전신홍반루푸스, 전신경화증, 피부근육염의 혼합된 양상으로 나타나며, 독립된 질환군으로 여겨진다.

특발성 관절염 (Idiopathic arthritis)/Still병 (Still's disease) (ANA 음성)

소아특발성관절염(Juvenile onset idiopathic arthritis)은 사춘기 이전에 주로 대칭적으로 관절염(+/- 골부착염(enthesitis))이 나타나는 것이 특징적인 질환군이다. 이러한 질환군 중 Still병(최근에는 systemic-onset juvenile idiopathic arthritis, SoJIA로 불림)은 피부발진이 뚜렷하다. SoJIA환자의 90%에서 일시적인 무증상의 피진(exanthem)이 나타난다(그림 45.10). 다른 임상 증상으로는, 간헐적으로 매일 반복하는 열(>39도)과 무릎, 발목, 고관절 그리고 나중에는 손까지 침범하는 다발관절염이 있다. 약 절반의 환자에서 6개월 이내에 자연 호전되고, 나머지 절반은 만성 경과를 보인다. CRP, ESR, ferritin, 혈소판 수치 상승으로 염증 상태를 확인할 수 있다. NSAIDs약물(+/- hydroxychloroquine) 치료가 효과적이며, 일부에서는 항TNF 억제 효과를 위해 메토트렉세이트(methotrexate) 치료가 필요할 수 있다.

성인형 Still병(Adult-onset Still's disease)도 무증상의 일시적 피진과, 연관되어 발생하는 간헐적 발열(>39도)이 특징적이다. 밝은 피부에서 발진은 연어색이며, 주로 몸통에 나타난다. 대부분(70%) 무릎, 발목, 고관절에 관절염이 나타난다. 손목 강직(Carpal ankylosis)이 흔하게 나타난다. 내부 장기 침범은 주로 간비대를 보이고, 폐, 심장, 콩팥의 염증은 드물다. CRP, ESR, ferritin, 혈소판 수치 상승으로 염증 상태를 확인할 수 있다. NSAIDs약물 또는 경구 프레드니솔론(prednisolone)이 주로 효과적이지만, 중증 환자에서는 메토트렉세이트(methotrexate) 또는 IL-1/IL-6 경로 억제제 사용이 필요할 수 있다.

재발다발연골염(Relapsing polychondritis) (ANA 음성)

재발다발연골염(Relapsing polychondritis)은 2형 콜라겐을 공격하는 자가면역질환으로, 연골이 있는 부위에 홍반, 부종과 통증이 발생한다. 전형적으로 귀에 가장 먼저 발생하고(귓볼은 침범하지 않음, 그림 45.11), 그 다음 코 연골, 그리고 그 후에 흉골, 후두, 기관과 기관지를 침범한다. 관절염과 눈 침범도 발생할 수 있으며, 다른 장기들은 거의 침범하지 않는다. 연골이 파괴되면 해부학적 모양이 무너지는데, 대표적으로 귀

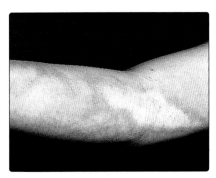

그림 45.8 국소피부경화증(Morphea). 소아의 팔에서 나타났다. 흰 경화판에 붉은 가장자리가 보인다.

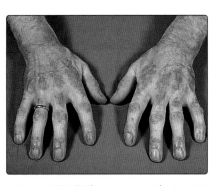

그림 45.9 피부근육염(Dermatomyositis). 손 등쪽에 선 모양 발진(고트론구진(Gottron's papule))이 보이고, 손톱주름에 염증이 관찰된다.

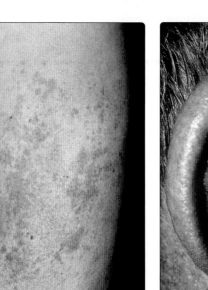

그림 45.10 Still병의 소실성 발진.

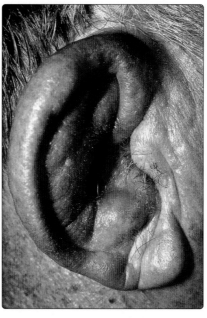

그림 45.11 재발다발연골염(Relapsing polychondritis). 염증이 연골이 없는 귓볼은 제외하고 나타난다.

쇼그렌증후군 (Sjogren's syndrome) (anti-Ro ~ 70%; anti-La ~ 50%)

쇼그렌증후군(Sjogren's syndrome)은 분비샘의 자가면역 손상이 특징이다. 그 결과 눈, 입, 질 마름 과 같은 전형적인 증상들이 나타난다. 안건조증은 각막의 염증, 궤양과 감염을 유발할 수 있다. 구강건조증은 인후통과 삼킴장애와 연관있다. 일시적인 귀밑샘 비대가 흔하게 나타나는데, 만약 림프절비대가 관찰되면 림프종 가능성이 올라가기 때문에 주의해야 한다. 피부 변화는 미미한 편이지만, 전신적인 건조와 가려움증이 흔하게 나타나며 작은 혈관의 혈관염도 나타날 수 있다. 관절염은 흔하고 관절 침식은 없다. 치료는 보통 인공눈물이나 인공타액을 이용한 대증적인 치료이고, 중증 환자에서는 하이드록시클로로퀸(hydroscholoroquine)과 전신 면역억제제 치료가 필요할 수 있다.

와 코에서 안장(saddle) 모양 변형으로 뚜렷하게 나타난다. 조직학적 특징, 전형적인 부위의 침범과 눈,귀, 관절의 염증 변화로 진단한다. 보통 NSAIDs 약물과 경구 프레드니솔론(prednisolone) 치료가 효과적이다.

결합조직질환

- **전신홍반루푸스(Systemic LE)**는 나비모양발진, 광과민, 혈관염, 탈모가 나타날 수 있는 다발성 자가면역질환이다. 치료는 침범 범위와 정도에 따라 달라지며, 보통 전신 스테로이드와 면역억제제 치료를 시행한다.
- **아급성홍반루푸스(Subacute LE)**는 피부 증상이 뚜렷한 비교적 덜 공격적인 홍반루푸스이다.
- **원반모양홍반루푸스(Discoid LE)**는 피부에만 국한된다. 비늘이 있는 위축성 판과 반흔탈모가 나타난다. 국소 스테로이드 도포와 자외선차단제 사용이 도움이 되고, 가끔 전신 스테로이드(+/- hydroxycholoroquine) 치료가 사용된다.
- **전신경화증(Systemic sclerosis)**은 심각한 다발성 질환으로, 손발가락경화증, 레이노현상, 모세혈관확장과 석회화가 나타난다.
- **국소피부경화증(Morphea)**은 하얗고 단단한 판이 보통 몸통과 근위부팔다리에 발생하는 것이 특징이다. 소아에서는 하방 층 조직의 성장 저하와 위축을 유발할 수 있다. 성인에서는 보통 자연 치유된다.
- **피부근육염(Dermatomyositis)**은 피부와 근육의 자가면역 염증질환이다. 피부에서는 눈꺼풀 주위로 청자색 색조변화와 손 등쪽의 붉은 선이 발생한다. 40세 이상 환자에서는 기저 악성종양을 확인해야 한다.
- **Still병(Still's disease)**은 성인과 소아에서 모두 나타날 수 있고, 대부분 열과 발진이 나면서 이후 관절염이 발생한다.
- **재발다발연골염(Relapsing polychondritis)**은 연골이 있는 곳은 모두 침범할 수 있지만, 대부분은 귀에 염증과 통증이 나타난다. (연골이 없는 귓볼은 침범하지 않는다.)
- **쇼그렌증후군(Sjogren's syndrome)**은 피부에 전신 건조, 혈관염을 포함에 다양한 증상을 보일 수 있다.

46 | 혈관염과 반응성 홍반

혈관염(vasculitis)과 반응성 홍반(reactive erythema)은 혈관 내외의 염증이 특징이다. 순환하는 면역복합체에 의한 제3형 과민반응으로 인해 발생할 수 있으며, 그 외 다른 기전에 의해 발생하는 경우도 있다.

혈관염(Vasculitis)

혈관염은 일반적으로 작은 혹은 중간 크기 혈관에 나타나고, 종종 순환면역복합체(circulating immune complexes, CICs)로 인하여 발생한다.

병인 기전
순환면역복합체는 다양한 질환과 연관되어 나타나는데(표 46.1), 혈관에 자리잡아 보체활성과 사이토카인 분비를 유도하고, 혈구를 불러와 조직을 파괴한다. 염증세포는 혈관을 통과한다. 혈관내피세포는 부종, 섬유소모양변성(fibrinoid change), 괴사를 보인다.

임상 양상
침범하는 혈관의 크기와 위치에 따라 달라진다. 혈관염은 피부에만 나타날 수도 있고, 전신적일 수도 있으며, 관절, 콩팥, 폐, 심장, 장, 신경계에 나타날 수도 있다. 피부 증상으로는 촉지자색반이 나타나는데, 종종 통증을 동반하며 주로 다리나 둔부에 나타난다(그림 46.1). 구체적인 종류는 다음과 같다.

- **피부소혈관혈관염(Cutaneous small vessel vasculitis)**은 촉지자색반이 주로 다리에 나타난다. 약 50%의 환자에서 주로 사슬알균 감염 이후에 기저막에 IgA 침착(Henoch–Schonlein pupura)이 나타나고, 내부장기 침범(관절염, 복통, 혈뇨)이 동반되어 주로 소아에서 발생한다. IgG/IgM 순환면역복합체는 전신 침범과는 연관이 없는 것으로 추정된다.
- **미세다발혈관염(Microscopic polyangiitis)** [혈관 주위 육아종, p-ANCA 양성], Churg–Strauss 증후군 [육아종 없음, p-ANCA 양성, 호산구혈증, 천식], 다발성 맥관염 동반 육아종(granulomatosis with polyangiitis, GPA) [과거에 Wegener's granulomatosis로 불림]은 드문 질환들로, 내부장기를 잘 침범하고 전신증상을 보이며 종종 괴사를 동반한 결절과 촉지자색반이 나타난다.
- **GPA**는 치명적일 수 있는 원인불명의 육아종성 혈관염이다. 무력감, 상기도/하기도 괴사, 사구체신염이 나타날 수 있고

표 46.1 혈관염의 원인

질환군	예
특발성	환자의 50% (원인불명)
혈액질환	한랭글로불린혈증
결합조직질환	전신홍반루푸스, 류마티스관절염
약물	항생제, 이뇨제, NSAIDs, 항경련제, 알로퓨리놀(allopurinol), 코카인
감염	B형간염, Streptococci, Mycobacterium leprae, Rickettsia
종양	림프종, 백혈병
기타	다발성 맥관염 동반 육아종 (granulomatosis with polyangiitis, Wegener's granulomatosis), 거대세포 동맥염(giant cell arteritis), 결절다발동맥염(polyarteritis nodosa)

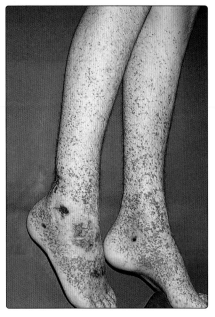

그림 46.1 자색반을 동반한 혈관염과 피부괴사.

40%의 환자에서 피부 혈관염을 보인다. Proteinase3 (PR3)에 대한 c-ANCA (classical antineutrophil cytoplasm antibodies)가 양성이다.
- **결절다발동맥염(Polyarteritis nodosa, PAN)** (ANCA음성)은 중간크기 동맥의 괴사성 혈관염이 특징이고, B형 간염과 연관이 있다. 흔하지 않은 질환으로, 중년 남성에서 동맥을 따라 발생하는 압통이 있는 피하결절 외에도 고혈압, 신부전, 신경병증이 발생할 수 있다. 피부에만 국한되어 발생하는 변이형은 피부결절 다발동맥염(cutaneous PAN) 또는 피부 동맥염(cutaneous arteritis)이라고 불리며, 망상울혈반과 결절로 나타나고 내부장기는 침범하지 않는다.
- **거대세포동맥염(Giant cell arteritis)**는 노인에서 중간크기 동맥을 침범한다. 측두

동맥(temporal artery) 침범으로 인해서 두피 압통이 발생하고, 두피 괴사를 초래할 수 있다. 프레드니솔론(prednisolone)으로 치료한다. 치료하지 않으면 시력손실이 생길 수 있다.

면역복합체에 의한 것이 아닌 촉지자색반과 연관된 질환으로는 파라단백질혈증, 한랭글로불린혈증(C형 간염 연관), 전신홍반루푸스, 쇼그렌증후군이 있다.

치료
원인을 찾고 가능하면 치료한다. 일부 특발성인 경우는 쉬면 호전되지만, 병변이 계속 발생하거나 내부장기 침범이 동반되면 치료가 필요하다. 피부혈관염에는 답손(dapsone) 100 mg/d가 종종 효과적이다. 프레드니솔론(+/- 면역억제제)이 사용되기도 한다. 거대세포동맥염, PAN과 GPA는 거의 항상 경구 스테로이드와 면역억제제 사용이 필요하다.

다형홍반(Erythema multiforme)

다형홍반(Erythema multiforme)은 손발의 표적모양 발진이 특징적인 면역매개질환이다. 다양한 원인이 있다(표 46.2).

병인 기전
세포매개면역이 관련 있는 것으로 추정된다. 순환면역복합체도 존재하며, 혈관에서 발견할 수 있다. 50%의 환자에서 촉발요인은 없다. 조직학적으로 표피는 괴사 변화를 보이고, 진피에서는 부종, 염증세포침윤, 혈관확장이 관찰된다.

임상 양상
붉은 동신원 모양에 중심부는 창백하거나 보라빛을 보이면서 수포가 발생하기도 하는 전형적인 표적모양 발진이 손발에서 나타난다. 입안, 결막, 성기 점막 부위 침범도 드물지 않게 나타나며, 광범위하게 침범하면 erythema

표 46.2 다형홍반의 원인

질환군	원인
특발성	환자의 50% (원인불명)
바이러스	단순포진, B형간염, orf, 아데노바이러스, 볼거리(mumps), Mycoplasma
세균	사슬알균, Rickettsia
진균	Coccidioidomycosis, 히스토플라즈마 (histoplasmosis)
약물	항생제, 페니토인(phenytoin), NSAIDs
기타	홍반루푸스(p.98), 임신, 악성종양

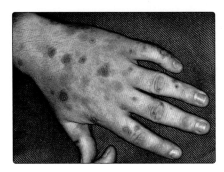

그림 46.2 **다형홍반 (Erythema multiforme).** 표적모양 발진이 손등에 나타났다.

multiforme major라고 한다. 새로운 병변은 2-3주 동안 나타난다. 약물 유발 발진 (p.106), 스티븐스–존슨 증후군(Stevens–Johnson syndrome), 독성표피괴사융해증(toxic epidermal necrolysis, TEN) (p.107), Sweet증후군 (Sweet's disease), 두드러기, 유사천포창과 감별해야 한다. 조직검사가 도움이 된다. 독성표피괴사융해증(TEN)은 가끔 비전형적인 다형홍반과 함께 발생할 수 있는데, 이 때 피부 병변은 덜 경계 지어져 있으며, 표적모양을 덜 보이고, 더 가렵다.

치료

기저 원인을 찾고 치료하는 것이 이상적이다. 경증인 경우는 자연 호전되고, 대증 치료만 필요하다. 광범위하게 침범하였을 때는 입원 치료가 필요하다. 급성 증상을 호전시키기 위해서 종종 전신 스테로이드를 사용하는데, 이 것이 치료 결과에 도움이 되는 지 여부는 논란이 있다.

결절홍반(Erythema nodosum)

결절홍반(Erythema nodosum)은 다리에 주로 통증을 동반한 붉은 결절로 나타나는 지방층염이다. 지방층 혈관의 순환면역복합체 침착으로 발생하는 것으로 생각된다. 기저 원인으로는 감염, 약물과 일부 전신질환들이 있다(표 46.3).

임상 양상

1-5 cm가량 크기의 깊고 단단하며, 압통을 동반한 붉거나 푸른 결절이 종아리, 정강이 그리

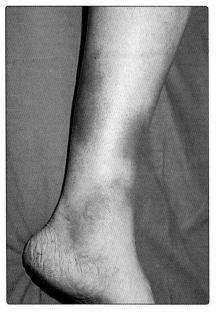

그림 46.3 **다리의 결절홍반.**

고 드물게 팔에도 나타난다(그림 46.3). 관절통과 발열이 흔히 동반된다. 보통 8주 이내에 자연 호전된다. 여자에서 남자보다 3배 흔하게 나타난다. 다른 지방층염의 원인들(예; 췌장질환, 추위 노출, 외상, 홍반루푸스)과 연조직염, 정맥염을 감별해야 하며 피부조직검사가 도움이 된다. 만약 결핵이나 유육종증(sarcoidosis)이 의심된다면, 흉부 x-ray와 interferon-gamma release assay (IGRA)를 시행해야 한다.

치료

NSAIDs, 요오드화칼륨(potassium iodide) 또는 답손이 도움이 되지만, 대부분 자연호전되기 때문에 적극적인 치료는 거의 필요하지 않다.

Sweet 증후군(Sweet's disease)

Sweet 증후군(급성발열호중구피부염, acute febrile neutrophilic dermatosis)은 얼굴이나 팔다리에 자주색의 융기된 판으로 나타나고 (그림 46.4), 전형적으로 발열과 호중구 증가를 동반한다. 엄밀히는 진짜 혈관염 질환은 아니며, 진피의 다형세포 침윤으로 나타난다. 백혈

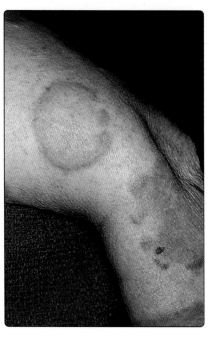

그림 46.4 **Sweet 증후군.** 류마티스관절염과 연관된 아형이다. 팔에 고리 모양 판이 나타났다.

병, 궤양성대장염과 다른 질환들이 연관있을 수 있어 확인이 필요하다. 약물도 유발원인이다. 보통 프레드니솔론(prednisolone) 치료가 필요하다.

이식편대숙주질환 (Graft–versus–host disease)

이식편대숙주질환(Graft–versus–host disease, GVHD)은 면역적격(immunocompetent)한 공여 림프구가 숙주의 조직(주로 피부와 장)을 공격하여 발생한다. 대부분 백혈병이나 재생불량빈혈로 골수이식을 시행하였을 때 발생한다. 급성 GVHD에서는 열, 무력감, 홍역 모양 홍반발진(진행되면 독성 표피괴사융해증(TEN)과 유사하게 보일 수 있다.)이 전형적으로 나타난다. 급성 GVHD는 약물발진, 바이러스감염, 방사선치료에 대한 피부반응과 감별이 어렵다. 만성 GVHD는 편평태선이나 전신경화증과 유사하게 보일 수 있다. 피부조직검사가 도움이 되며, 대부분 전신 스테로이드 치료가 필요하다.

표 46.3 **결절홍반의 원인**

질환군	원인
특발성	약 20%의 환자
세균	사슬알균, 결핵, 나병, *Yersinia*, *Mycoplasma*, *Salmonella*
진균	*Coccidioidomycosis*, *Trichophyton*
바이러스	고양이할큄염(cat-scratch fever), 클라미디아(chlamydiae)
약물	설폰아미드(sulphonamids), 경구피임약
전신질환	염증성장질환, 유육종증(sarcoidosis), 베체트병, 악성종양(드묾)

혈관염과 반응성 홍반

- **혈관염**은 촉지자색반을 보이는 순환면역복합체(circulating immune complex, CIC) 질환으로, 가끔 내부장기 침범을 보일 수 있다. 기저 질환이 관련이 있을 수 있으며, 답손, 프레드니솔론, 또는 다른 면역억제제가 치료에 사용된다.
- **다형홍반**은 면역매개반응으로 표적모양 발진과 점막 병변을 보인다. 종종 감염(단순포진바이러스) 또는 약물로 인하여 발생하며, 기저 원인을 찾아야 한다.
- **결절홍반**은 다리의 통증을 동반한 붉은 결절로 나타난다. 감염(예; 사슬알균), 약물 또는 내과적질환(예; 유육종증)에 대한 순환면역복합체 반응으로 생각되다
- **Sweet 증후군**은 얼굴과 팔다리의 자주색 판이 특징적이다. 백혈병 또는 전신질환이 관련될 수 있다. 종종 프레드니솔론 치료가 필요하다.

47 | 내과적질환에 의한 피부변화

많은 내과질환에서 피부징후가 나타나고, 초기 특징으로 나타나는 경우가 드물지 않다. 피부과전문의는 아직 진단되지 않은 전신질환을 의심해 볼 수 있다. 임신 시 피부변화가 흔히 나타난다(69장). 때때로 초기 증상으로 가려움증만 나타나기도 한다.

내분비, 대사 질환의 피부징후

거의 모든 내분비질환, 그리고 일부 대사 질환에서 호르몬 또는 대사물의 과다/결핍으로 피부 증상이 나타난다(표 47.1).

당뇨(Diabetes mellitus)

칸디다균(Candida albicans) 또는 세균 감염이 조절되지 않는 당뇨 환자에서 흔하게 나타난다. 당뇨환자의 신경병증 또는 혈관병증은 발에 궤양을 유발할 수 있고(p.90), 당뇨에 관련된 이차적인 고지질혈증은 발진황색종(*eruptive xanthomas*)을 유발할 수 있다(그림 47.1). *당뇨피부병증(Diabetic dermopathy)*은 당뇨 미세혈관병증과 관련해서 정강이에 함몰된 색소침착 흉터가 생기는 것을 말한다. *지방생괴사(Necrobiosis lipoidica)*는 (그림 47.2) 한 연구에서 65%에서 당뇨와 연관이 있는 것으로 보고 되었으나, 다른 연구들에서는 그 보다 낮은 관련성을 보였다. 전체 당뇨환자의 1%미만에서 발생하는 것으로 알려져 있다. 조직학적으로 진피에 상피모양세포, 거대세포 침윤과 함께 진피 콜라겐 변성이 관찰된다. 치료에는 잘 반응하지 않는다. *고리육아종(granuloma annulare)*은 손발 또는 얼굴에 촉지되는 고리모양 병변으로 나타나는데, 당뇨와는 극히 일부분만 관련을 보인다. 보통 2년 이내에 소실되고, 몸백선증(tinea corporis)과 감별해야 한다.

갑상선질환

갑상선호르몬의 분비 과다/저하가 모두 피부와 모발의 변화를 유발한다(표 47.1). *전경부점액부종(pretibial myxedema)*는 (그림 47.4) 갑상선항진증 환자의 1~10%에서 발생하며, 진피의 점액(mucin) 침착으로 인해서 정강이에 융기된 홍반판으로 나타난다. 국소 스테로이드 도포가 도움이 된다.

홍조(Flushing)

홍조는 생리적이거나, 약물/음식 유발성 또는 갑상선항진증과 연관되어 발생할 수 있다. 카르시노이드증후군(carcinoid syndrome), 비만세포증(mastocytosis), 크롬친화세포종(phaeochromocytoma)과 연관된 경우는 드물다.

고지질혈증

원발성(유전적 대사이상) 또는 속발성(당뇨, 갑상선저하증 또는 신증후군 연관) 지질 이상혈증이 모두 다양한 황색종 침착을 유발할 수 있다.

* *발진-(eruptive)*: 적황색 구진이 어깨와 둔부에 나타난다(그림 47.1).
* *건-(tendinous)*: 피하결절이 손발 또는 아킬레스건에 나타난다.
* *편평-(plane)*: 주황색 반이 손바닥주름에 나타난다.
* *결절-(tuberous)*: 주황색 결절이 무릎과 팔꿈치에 나타난다.

안검황색종(Xanthelasma)은 눈꺼풀에 황색판으로 나타나며, 항상 지질이상혈증과 연관되지는 않는다. 황색종의 치료는 대부분 기저 고지질혈증을 치료하는 것이다.

표 47.1 내분비/대사 질환의 피부징후	
질환	**피부징후**
당뇨	지방생괴사(Necrobiosis lipoidica), 고리육아종(granuloma annulare), 황색종(xanthoma), Candida albicans 감염, 피부병증(dermopathy), 신경병성 궤양
갑상선항진증	붉고 부드러운 피부, 다한증, 탈모, 색소침착, 백반증, 조갑박리, 곤봉모양 손발가락, 전경부점액부종(pretibial myxedema), 손바닥홍반
갑상선저하증	탈모(눈썹 포함), 거친 모발, 건조하고 노란 피부(예: 손, 얼굴), 건조 습진, 황색종
에디슨병	색소침착, 백반증, 겨드랑이와 음부 털 소실
쿠싱증후군	색소침착, 남성형털과다증, 선조, 여드름, 비만, buffalo hump
말단비대증	두껍고 축축한 기름진 피부, 색소침착, 쥐젖(skin tag)
페닐케톤뇨증	창백한 피부와 모발, 아토피습진, 광과민
고지질혈증	황색종(결절, 건, 발진, 편평), 안검황색종(xanthelasma)
피부 포르피린증	광과민, 수포, 약한 피부, 위축 반흔, 두꺼운 피부, 털과다증, 색소침착

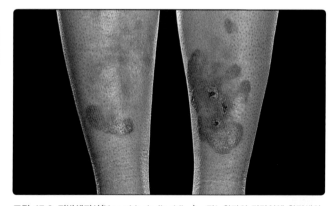

그림 47.2 **지방생괴사(Necrobiosis lipoidica).** 당뇨환자의 정강이에 황적색의 위축 병변이 나타났다.

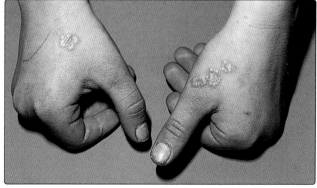

그림 47.3 **고리육아종(Granuloma annulare).** 손 등쪽에 나타났다.

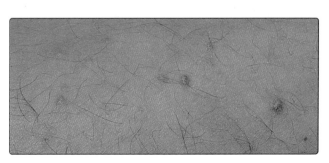

그림 47.1 **발진황색종(Eruptive xanthomas).** 이 환자는 최근에 당뇨를 진단받았다.

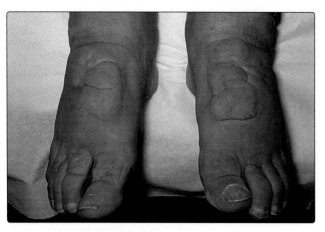

그림 47.4 전경부점액부종(pretibial myxedema). 이 환자는 갑상선항진증을 앓고 있다.

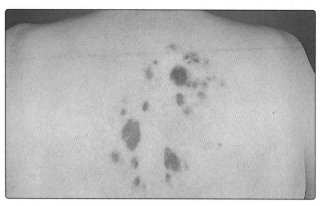

그림 47.5 유육종증 (Sarcoidosis). 자주색 판이 윗등에 나타났다.

영양결핍 또는 다른 내과질환의 피부징후

영양결핍 시 피부 변화가 흔히 나타나며, 장, 간, 신장 질환에서도 드물지 않게 나타난다.

영양결핍 (Nutritional deficiency)

단백결핍(protein malnutrition)은 성장지연, 근육소실, 부종과, 색소침착, 비늘탈락(desquamation), 궤양과 같은 피부변화, 그리고 아프리카흑인종에서는 밝은 갈색/적색의 모발을 유발한다. 비타민 C 결핍(괴혈병, scurvy)과 니아신 결핍(펠라그라, pellagra)은 뚜렷한 병변을 유발한다. 신선한 과일이나 야채를 잘 먹지 않는 경우 괴혈병이 발생할 수 있다 . 다른 비타민B 또는 철 결핍증도 피부변화를 유발한다(표 47.2).

장 질환(Gastrointestinal disease)

흡수장애와 이와 연관된 영양결핍 상태는 건조, 습진, 인설, 색소침착, 모발/조갑 성장 저하와 같은 피부변화를 동반한다. 일부 장 질환은 특정한 피부변화를 보인다(표 47.2). Celiac 병은 포진피부염(dermatitis herpeti-formis)과 연관있고(p.97), 크론병과 궤양성대장염은 다양한 발진을 유발한다. 포이츠-예거스(Peutz-Jeghers) 증후군과 (p.93) 탄력섬유가성황색종(pseudoxanthoma elasticum)은 (p.113) 피부와 장을 모두 침범한다. 장 우회술(bowel bypass surgery)은 농포 발진을 유발한다.

기타 내과질환

간, 콩팥 질환은 종종 심한 가려움증과 색소침착을 유발한다. 피부병변들이 기저 질환의 진행과 연관될 수도 있다. 예; 원발담관간경화증 (전신경화증과 연관) 또는 혈관염.

유육종증(Sarcoidosis)은 병인기전은 알려져 있지 않으나, 폐, 림프절, 뼈, 신경계에 육아종이 생기는 질환으로 피부는 1/3의 환자에서 침범한다. 피부변화는 다양한 형태로 나타날 수 있는데, 적갈색구진(얼굴에 전형적으로 발생), 결절, 판(팔다리, 어깨) (그림 47.5)이 나타나고, 기존 흉터부위에도 발생할 수 있다. 루푸스동창(lupus pernio)은 유육종증의 양상 중 하나로, 탁한 적색의 침윤성 판이 코, 손가락에 발생한다. 결절홍반(erythema nodosum)도 나타날 수 있다. 국소 스테로이드는 약간의 효과를 보이고, 잘 낫지 않는 병변에는 국소 스테로이드 병변내주사를 시행할 수 있다. 진행성 내과질환이 동반된 경우는, 경구 프레드니솔론이나 메토트렉세이트(methotrexate)를 처방한다.

칼시필락시스(Calcific uremic arteriolopathy, Calciphylaxis)는 대부분 심각한 콩팥질환과 연관되어 발생하는 질환으로, 세동맥 혈관벽 내외로 칼슘이 침착되어 혈류가 감소하고 막히기까지 하는 드문 질환이다. 주로 다리 또는 복부 접히는 부위에 선 모양으로 피부 괴사와 궤양이 생긴다. 콩팥기능과 관련해 발생하는 경우는, 칼슘 대사가 증가하는 상태인 부갑상선항진증, 고인산혈증, 비타민D 보충제 복용과 관련해서 발생하는데, 칼슘/인산 수치는 보통 정상이다. 콩팥 비관련성으로 발생할 때는 와파린치료, 스테로이드치료, 간기능장애와 관련하여 발생한다. 예후는 좋지 않으며, 치료는 칼슘 흡수를 저하시키는 방향으로 이루어진다. Sodium thiosulfate 정맥주사와 미분획 헤파린(unfractionated heparin) 치료가 도움이 된다.

표 47.2 영양결핍 또는 다른 내과질환의 피부징후

질환	피부징후
단백결핍	색소침착, 건조피부, 부종, 밝은 갈색/오렌지색 모발
철결핍	탈모, 숟가락조갑(koilonychia), 가려움증, 구각구순염(angular cheilitis)
괴혈병	모공주위자반(perifollicular pupura), 잇몸 출혈, woody edema(다리에 반출혈이 있는 통증성 부종)
펠라그라	햇빛 노출 시 피부염, 색소침착
장병말단피부염 (Acrodermatitis enteropathica)	영아 항문주위/입주위 붉은 비늘성 농포발진, 성장지연, 설사, 상처회복 지연
흡수장애	건조하고 가려운 피부, 어린선(ichthyosis), 습진, 부종
간질환	소양증, 황달, 거미모반, 손바닥홍반, 백색조갑, 색소침착, 황색종, 지연피부포르피린증(porphyria cutanea tarda), 아연결핍, 선조, 여성형유방증(gynecomastia), 편평태선
신장질환	소양증, 색소침착, 백색/적색 조갑, 건조피부와 고운 비늘탈락
췌장질환	지방층염, 혈전정맥염, 글루카곤종증후군(glucagonoma syndrome)
크론병	항문주위 농양, 굴, 샛길, 결절홍반, Sweet 증후군, 괴사혈관염, 아프타입안염(aphthous stomatitis), 설염(glossitis)
궤양성대장염	괴저화농피부증(pyoderma gangrenosum), 결절홍반, Sweet 증후군
유육종증	결절, 판, 결절홍반, 손발가락염, 동창루푸스(lupus pernio), 흉터육아종, 작은 구진, 조갑침범

내과적질환에 의한 피부변화

- 내분비, 대사 질환, 영양결핍과 흡수장애는 종종 피부변화와 연관되어 있다.
- 홍조는 생리적으로 발생할 수 있으며, 음식, 약물 또는 갑상선항진증이나 카르시노이드증후군과 같은 특정 질환에 의해 발생할 수 있다.
- 고지질혈증은 다양한 황색종(xanthoma)/황색판종(xanthelasma) 발생과 연관되어 있으나, 황색판종은 정상 지질 수치에서도 나타날 수 있다.
- 간/콩팥 질환은 가려움증과 색소침착을 유발할 수 있다. 치료는 대부분 어렵다.
- 염증성장질환과 유육종증(sarcoidosis)은 특징적인 피부증상을 보이는데, 주로 육아종증이나 세포침윤을 보인다.
- 칼시필락시스(calcific uremic arteriolopathy, calciphylaxis)는 중증 콩팥기능 장애, 중증 피부궤양과 연관있다.

48 | 약물발진(Drug eruption)

약물반응은 흔하고, 종종 발진을 유발한다. 거의 모든 약물이 모든 종류의 발진을 유발할 수 있지만, 특정 발진 모양은 특정 약물에서 더 흔하게 나타난다. 모든 반응이 알려진 반응인 것은 아니다.

병인 기전

약물유발 피부반응은 몇 가지 기전들로 나타난다.
- 피부에 약물(또는 대사물) 침착. 예; 금
- 과도한 치료효과. 예; 항응고제에 의한 자반증
- 면역 과민반응(p.11). HLA (human leukocyte antigen) type 확인이 약물과민반응을 예측할 수 있다(표 48.1).
- 약리학적 부작용. 예; 세포독성약물에 의한 골수억제
- 미상 예; 약물이 건선을 악화시키는 경우

임상 양상

약물발진은 다양한 형태로 나타나며, 자세한 약물 복용력을 파악하는 것이 중요하다. 이 때

표 48.1 **중증약물발진과 HLA 연관성**		
약물	**HLA 유전자**	**발진 유형**
Abacavir*	B*5701	DRESS
Allopurinol	B*5801	SJS/TEN
Carbamazepine	A*3101	SJS/TEN & DRESS
Carbamazepine*	B*1502	SJS/TEN
Carbamazepine	B*1511	SJS/TEN
Dapsone	B*1301	DRESS
Phenytoin	B*1502	SJS/TEN
Nevirapine	B*3505	DRESS
Vancomycin	A*3201	DRESS

*치료 전에 HLA 확인이 권고됨. (carbamazepine검사는 아시아인에서만 해당됨)

일반적으로 환자들이 '약물'이라고 생각하지 않는, 처방전 없이 일반적으로 구매하는 두통이나 변비에 사용하는 제제들도 파악해야 한다. 발진이 나타나기 2주 내에 복용하기 시작한 약물이 가장 높은 원인 가능성이 있으나, 수 년 이상 안전하게 복용해 왔던 약물도 발진의 원인이 될 수 있다. 대부분의 약물발진은 아래 분류에 속해있다(표 48.2).

피진약물발진(Drug-induced exanthem)

피진약물발진은 약물발진 중 가장 흔한 유형

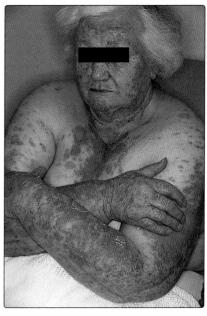

그림 48.1 피진약물발진(Drug-induced exanthem). 클로르프로파마이드(chlorpropamide)에 의해 발생한 홍역모양 발진.

으로, 홍역모양, 두드러기모양 또는 다형홍반과 유사하게 나타날 수 있다. 보통 팔다리보다 몸통에 나타나고(그림 48.1), 미열을 동반하거나 이후에 피부가 벗겨질 수 있다. 혈구수치나 혈액화학수치에 이상은 나타나지 않는다. 발진은 원인약물을 중단하면 1–2주 이후에 소실된다.

표 48.2 **약물 유발 피부질환의 종류**

약물발진	양상	흔한 원인약물
여드름모양(Acneiform)	여드름과 유사: 수포/농포, 면포(comedone)는 없음.	안드로겐, 브롬(bromide), dantrolene, isoniazid, 리튬, phenobarbital, quinidine, 스테로이드
수포(Bullous)	다양한 종류; 일부는 광독성, 일부는 고정(fixed)	Barbiturates(overdose), furosemide, nalidixic acid(광독성), penicillamine (천포창유사)
피진(Drug-induced exanthem)	가장 흔한 양상(본문 참조)	항생제(예; amoxicillin), proton pump inhibitors, 금, thiazide, allopurinol, carbamazepine
습진(Eczematous)	흔하지 않음; 국소제로 인한 민감화(sensitization) 이후에 전신치료로 투약했을 때 발생	Neomycin, penicillin, sulfonamide, ethylenediamine (aminophylline과 교차반응), benzocaine (chlorpropamide와 교차반응), 파라벤, allopurinol
다형홍반(Erythema multiforme)	표적모양 병변(p.103, 46장)	항생제, 항경련제, ACE inhibitors, 칼슘통로차단제, NSAIDs
홍색피부증(Erythroderma)	박탈피부염(p.58, 25장)	Allopurinol, captopril, carbamazepine, diltiazem, 금, isoniazid, omeprazole, phenytoin
고정약물발진(Fixed drug eruption)	동일한 위치에 원형의 적자색 판이 반복적으로 발생	항생제, tranquillizers, NSAIDs, phenolphthalein, paracetamol, quinine
탈모(Hair loss)	휴지기탈모, 성장기탈모(p.84, 38장)	항응고제, bezafibrate, carbimazole, 경구피임약, propranolol, albendazole, 세포독성약물, acitretin
털과다증(Hypertrichosis)	과도한 연모(p.85, 38장)	Minoxidil, cyclosporin, phenytoin, penicillamine, 스테로이드, 안드로겐
홍반루푸스(lupus erythematosus, LE)	홍반루푸스 유사 증상(p.98)	Hydralazine, isoniazid, penicillamine, 항경련제, beta-blockers, etanercept
태선(Lichenoid)	편평태선 유사(p.54, 23장)	Chloroquine, beta-blockers, a항결핵제, penicillamine, 이뇨제, 금, captopril
광과민(Photosensitive)	햇빛노출부위, 수포 또는 색소침착(그림 48.4)	NSAIDs, ACE inhibitors, amiodarone, thiazides, tetracyclines, phenothiazines
색소침착(Pigmentation)	멜라닌색소 또는 약물 침착(그림 48.5)	Amiodarone, bleomycin, psoralens, chlorpromazine, minocycline, 항말라리아제
건선모양(Psoriasiform)	건선 악화	Beta-blockers, 금, methyldopa; 리튬과 항말라리아제가 건선을 악화시킴
독성표피괴사용해증 (Toxic epidermal necrolysis, TEN)	피부 수포 발생과 점막 침범(본문 참조)	항생제, 항경련제, NSAIDs, omeprazole, allopurinol, barbiturates
두드러기(Urticaria)	다양한 발생기전(p.94, 43장)	ACE inhibitors, penicillins, opiates, NSAIDs, 방사선조영제, 백신
혈관염(Vasculitis)	면역복합체반응	Allopurinol, captopril, penicillins, phenytoin, sulphonamides, thiazides

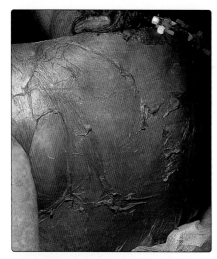

그림 48.2 독성표피괴사용해증(Toxic epidermal necrolysis, TEN). 손상된 표피가 쓸려 떨어지면서 광범위한 피부 까짐이 발생하였다.

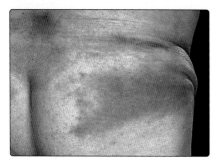

그림 48.3 고정약물발진 (Fixed drug eruption). 전형적인 탁한 붉은빛의 발진이 페니실린 복용 이후에 나타났다.

DRESS 증후군(Drug reaction with eosinophilia and systemic symptoms)

다양한 중증도로 발생하는 발진이며, 약물 투약 3-4주 이후에 지연성으로 발생한다. 열과 호산구증가증이 발생한다. 얼굴과 목의 부종이 흔하고, 전신적인 림프절비대가 종종 동반된다. 가끔 작은 농포와 수포가 뚜렷하게 나타난다. 간기능이상이 흔하지만, 다른 장기도 침범하여 손상시킬 수 있다. 원인약물을 중단하면 발진이 좋아지지만, 몇일 이후에 다시 악화될 수 있어서 진단에 혼란이 생길 수 있다. 이러한 재악화현상은 HHV6/7 바이러스 재활성화 때문으로 추정된다. 경구 스테로이드 3-5일 복용이 대부분 효과적이다. 자가면역 후유증이 생길 수 있다.

스티븐스-존슨증후군(Stevens-Johnson syndrome), 독성표피괴사용해증(Toxic epidermal necrolysis)

스티븐스-존슨증후군(SJS)과 독성표피괴사용해증(TEN)은 심각한 점막궤양과 피부 수포발생을 보이는 질병 스펙트럼을 말한다. (표피박리 범위에 따라 SJS 1-10%, SJS/TEN overlap 10-30%, TEN>30%) 전신적인 이상이 동반된다. 환자가 생존하면, 점막병변은 합병증을 동반한 흉터로 남는다. 광범위한 피부 소실은 광범위한 화상과 마찬가지로 수분소실과 전해질이

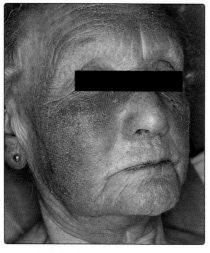

그림 48.4 광과민 (Photosensitivity). Thiazide계 이뇨제를 복용한 후 야외에서 햇빛 노출을 하여 발생하였다.

상을 유발하기 때문에, TEN은 화상센터나 중환자실에서 관리해야 한다(그림 48.2). 전체 사망률은 30%이다.

Mycoplasma pneumoniae−induced rash and mucositis (MIRM)으로 알려진 다형홍반은 피부에는 약한 침범만 보이면서 한 개 이상의 점막 부위에 (주로 입술 홍순경계부) 심한 수포를 보여 SJS와 유사한 모습을 보인다. MIRM은 예후가 아주 좋지만, 눈 침범은 각막반흔을 남길 수 있어서 적극적으로 치료해야 한다.

급성전신발진농포증(Acute generalized exanthematous pustulosis)

급성전신발진농포증(Acute generalized exanthematous pustulosis, AGEP)은 주로 새로운 약물 투약이후에 급성으로 (<5일) 발생한다. 광범위하게 무균 농포를 발생하는 것이 특징이다. 환자는 열과 호중구증가증을 동반할 수 있다. 농포건선(pustular psoriasis)과 감별이 어렵다.

고정약물발진(Fixed drug eruption)

특징적이지만 흔하지는 않다. 원형의 적자색 판이(그림 48.3) 원인약물을 투약할 때마다 동일한 위치에서 반복적으로 나타난다. 병변은 수포를 동반할 수 있고, 소실되면서 색소침착을 남길 수 있다(표 48.2).

감별 진단

약물 발진의 종류에 따라 감별진단이 달라진다. 상세한 약물 투약 시기와 약물이 특정 발진을 유발할 수 있는 가능성에 따라서 원인 약물을 추정해 볼 수 있다(표 48.3). 중증 환자에서는 사진촬영과 조직검사를 시행해야 한다. 혈청 알레르기항원특이 IgE 검사는 도움이 되지 않지만, 첩포검사는 사용해 볼 수 있다. 약물유발 T세포 활성화에 대한 검사는 효과적인 것으로 밝혀지고 있지만, 아직은 실험실 수준에서만 시행

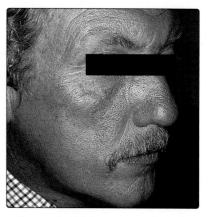

그림 48.5 색소침착 (Pigmentation). 부정맥으로 아미오다론(amiodarone) 치료를 하여 발생하였다. 햇빛 노출 2시간 이내에 홍반발진이 발생하는 경우가 더 흔하다.

되고 있다.

치료

원인 약물을 중단하면 대부분 2주 이내에 발진이 소실된다. 소실될 때까지 발진을 가라앉히기 위해 보습제나 국소 스테로이드를 도포할 수 있다. 환자에게 어떤 약물을 피해야 하는지 알려주어야 한다. 경구유발검사는 심각한 중증반응을 유발할 수 있기 때문에 권고되지 않는다.

표 48.3 흔히 처방되는 약물에 의한 발진	
약물	**발진**
ACE inhibitor	가려움증, 두드러기, 독성홍반 (toxic erythema)
항생제	독성홍반, 두드러기, 고정약물발진, 다형홍반
Beta-blockers	건선모양발진(psoriasiform), 레이노현상, 태선모양발진(lichenoid)
NSAIDs	독성홍반, 홍색피부증 (erythroderma), 독성표피괴사용해증(TEN)
경구피임약	기미, 탈모, 여드름, 칸디다증 (candidiasis)
Phenothiazines	광과민, 색소침착
Thiazides	독성홍반, 광과민, 태선모양발진, 혈관염

약물발진

- 약물반응은 약리학적반응(pharmacological), 특이반응(idiosyncratic) 또는 면역매개반응 (immune mediated) 일 수 있다.
- 약물발진을 흔하게 유발하는 약물들에는 *amoxicillin*, *ACE inhibitors*, 항경련제, *thiazides*, *NSAIDs*가 있다.
- 가장 흔한 발진은 *피진약물발진(drug-induced exanthem)*이며, 주로 홍색모양(morbilliform)으로 나타난다.
- 가장 심각한 유형은 독성표피괴사용해증(toxic epidermal necrolysis)이며, 사망할 수 있다.
- 약물발진은 주로 약물 투약 시작 3일 이내에 발생하고 (이전에 약물 복용력이 있는 경우), 약물 중단 2주 후에 사라진다.
- 원인 약물을 중단하고 관련 물질을 모두 회피하는 것이 중요하다.
- 유발검사는 심각한 중증반응을 유발할 수 있으므로 권고하지 않는다.

49 | 악성종양 관련 피부질환

내부 악성종양은 다양한 피부변화를 유발한다(표 49.1). 직접적인 침윤을 제외하고는, 이러한 피부변화의 원인은 잘 알려져 있지 않다. 악성종양과 관련된 몇몇 유전질환의 경우 암 발생 이전 또는 이후에 특징적인 피부병변이 나타난다. (예; 소장/대장암과 관련된 포이츠−예거스 증후군에서 점막에 흑자들이 나타난다.)

악성종양과 관련된 질환

기저 악성종양을 시사하는 특징적인 드문 피부질환은 다음과 같다.

- 흑색극세포증(Acanthosis nigricans)
- 뱀모양이랑홍반(Erythema gyratum repens)
- 괴사융해이동홍반(Necrolytic migratory erythema)
- 유두 파젯병(Paget's disease of the nipple)
- 유방외파젯병(Extramammary Paget's disease)
- 피부전이

흑색극세포증 (Acanthosis nigricans)

진정한 의미의 흑색극세포증은 드물다. 굴측부와 목 피부가 전형적으로 두꺼워지고 색소침착을 보이며(그림 49.1), 벨벳과 같은 변화와 유두종증(Papillomatosis)을 보인다. 사마귀 모양 병변이 입 주위와 손발바닥에 나타난다. 양성 후천성 흑색극세포증(Benign acquired acanthosis nigricans)은 비교적 경미한 변화를 보이는 형태로써 더 흔하게 나타나는데, 비만이나 인슐린저항성 당뇨와 말단비대증과 같은 내분비질환에

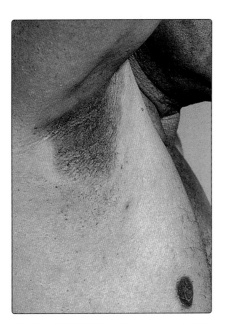

그림 49.1 흑색극세포증(Acanthosis nigricans). 겨드랑이와 유두에 색소성 벨벳모양 유두종증이 나타난다.

동반되어 나타난다. 매우 드물게 흑색극세포증은 유전되어 소아나 사춘기에 발생한다. 악성종양연관형은 주로 중년이나 노인에서 나타나며, 가장 흔하게 연관되는 암은 위장관암이다. 종양에서 분비되거나 내분비질환 관련하여 증가된 성장인자가 피부 변화를 유발한다. 기저질환을 찾고 치료해야 한다.

뱀모양이랑홍반 (Erythema gyratum repens)

뱀모양이랑홍반은 매일 옮겨 다니는 비늘을 동반한 동심원 모양의 매우 드문 발진이다(그림 49.2). 나이테를 닮은 모양을 보인다. 기저 종양이 거의 항상 존재하며, 폐암인 경우가 많다.

괴사융해이동홍반 (Necrolytic migratory erythema)

괴사융해이동홍반은 드문 종양연관발진으로, 가장자리가 이동하는 뱀 모양의 홍반판이다. 회음부에서 주로 시작된다. 발진은 종양이나 췌장의 글루카곤을 분비하는 알파세포의 증식(글루카곤종)이 있음을 시사한다. 체중감소, 빈혈, 경미한 당뇨, 설사와 설염(glossitis)이 동반되어 나타난다. 진단 시에 종종 간 전이가 발견된다.

파젯병(Paget's disease)과 유방외파젯병(extramammary Paget's disease)

파젯병은 한 쪽 유륜에 습진모양의 판으로 나타나는데, 관내유방암(intraductal breast carcinoma)의 표피 내 증식으로 발생한다. 유방외파젯병은 회음부 또는 액와의 습진모양 발진으로 나타난다. 보통 아포크린관의 암의 표피내 증식으로 발생하며, 수술적 절제 전에 피부 조직검사로 확진한다.

피부 전이

피부로의 전이암은 드물지 않다. 뒤늦게 나타나 나쁜 예후를 시사하기도 하고, 내부장기암의 초기 증상으로 발견되기도 한다. 피부 전이암은 다발성 또는 단발성으로 발생하고, 단단한 무증상의 핑크색 결절로 나타난다(그림 49.3). 호발

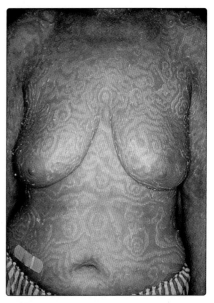

그림 49.2 뱀모양이랑홍반 (Erythema gyratum repens). 나이테모양이 특징적이다.

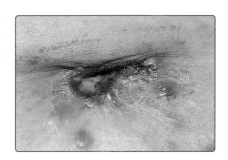

그림 49.3 배꼽으로의 유방암 전이.

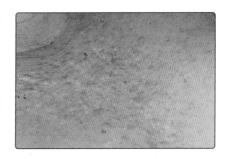

그림 49.4 갑옷암 (Carcinoma en cuirasse). 유방암이 가슴벽 피부에 직접적으로 침윤해서 조양돌모양으로 나타났다.

하는 부위는 두피, 배꼽, 상부 몸통이다. 유방암, 위장관암, 난소암, 폐암 그리고 악성흑색종에서(p.126, 58장) 가장 흔하게 나타난다. 유방암에서는 가끔 암이 직접적으로 피부에 침윤해서 경화되는 모양(갑옷암, carcinoma en cuirasse)을 보이기도 한다(그림 49.4). 오렌지껍질피부(Peau d'orange), 단독모양암(carcinoma erysipeloids, 잘 경계 지어진 붉은 판), 그리고 모세혈관확장 피부 전이암 모양으로도 발견된다.

악성종양과 때때로 관련된 질환

기저 종양과 때때로 관련되지만, 양성 질환에서도 나타나는 증상은 다음과 같다.

- 후천어린선(acquired ichthyosis)
- 피부근육염(p.100, 45장)
- 홍색피부증(p.58, 25장)
- 홍(p.88, 40장)
- 전신 가려움증
- 과다색소침착
- 털과다증(p.85, 38장)
- 괴저화농피부증(Pyoderma gangrenosum)
- 표재혈전정맥염(Superficial thrombophlebitis)
- 과각화증(Tylosis, keratoderma)(p.110, 50장)

후천어린선(Acquired ichthyosis)

어린선은 보통 유전성으로, 영아기에 증상을 보이기 시작한다(p.110, 50장). 하지만 성인기에 후천성으로 나타날 수도 있는데, 기저 악성종양(예; 호지킨병 (Hodgkin's disease)), 필수지방산 결핍(예; 장 우회술로 인한 흡수장애) 또는 니코틴산, allopurinol, clofazimine과 같은 약물들로 인해서 나타난다.

표 49.1 악성종양의 피부증상

관련 증상	흔하게 연관된 악성 종양
거의 항상 관련됨	
흑색극세포증(Acanthosis nigricans)	위장관
뱀모양이랑홍반(Erythema gyratum repens)	폐, 유방
유방외파젯병(Extramammary Paget's disease)	아포크린선
괴사융해이동홍반(Necrolytic migratory erythema)	췌장 (alpha 세포)
유두 파젯병(Paget's disease of the nipple)	유방
피부 전이	유방, 위장관, 난소, 폐, 콩팥
때때로 관련됨	
후천어린선(Acquired ichthyosis)	림프종(호지킨병, Hodgkin's disease)
피부근육염	폐, 유방, 위
홍색피부증(Erythroderma)	T세포 림프종
홍조	카르시노이드증후군
전신소양증	호지킨병, 진성 적혈구증가증 (polycythemia vera)
과다색소침착	암성 악액질(cachectic malignancy)
털과다증	다양한 종양
이동성 혈전정맥염(Migratory thrombophlebitis)	췌장, 폐, 위
종양연관천포창 (Paraneoplastic pemphigus)	B세포 림프종, 흉선종
괴저화농피부증(Pyoderma gangrenosum)	백혈병, 골수종
과각화증(Tylosis)	식도

전신 가려움증

발진을 동반하지 않는 전신 가려움증의 원인에는 다음과 같은 질환이 있다.

- 특발성('노인성') (p.148, 68장)
- 철 결핍
- 간질환(담즙 정체)
- 악성종양(예; 호지킨병)
- 신경과적 질병
- 적혈구증가증(polycythemia)
- 신부전(만성)
- 갑상선기능장애

전신 가려움증이 있는 환자는 간질환(예; 담관폐쇄), 철 결핍, 적혈구증가증, 갑상선저하증, 갑상선항진증, 신부전에 대한 확인이 필요하다. 다발경화증(multiple sclerosis)과 신경섬유종증도 가려움증을 유발할 수 있다. 특히 노인에서는 원인을 발견하지 못하는 경우들이 있는데, 이 경우는 특발성으로 명명한다. 가장 흔하게 관련되는 악성종양은 호지킨병(1/3의 환자들이 가려움증을 호소한다.)과 진성적혈구증가증(polycythemia rubra vera)이다. 가려움증의 발생기전은 잘 알려져 있지 않다. 기저 질환이 조절 된다면, 치료는 대증적이다. 진정효과가 있는 항히스타민제, 칼라민로션, 국소 가려움증 조절제(예; 0.5% 멘톨 함유 수분크림)가 치료에 사용된다.

과다색소침착

악성종양관련 색소침착은 종양에 의한 이소성(ectopic) 부산피질자극호르몬(adrenocorticotrophic hormone, ACTH) 또는 멜라닌세포자극호르몬(melanocyte-stimulating hormone, MSH) 유사 호르몬 분비에 의해 나타난다. 악성 악액질(cachexia) 환자에서도 나타날 수 있다. 액와, 사타구니, 유두를 침범한다.

괴저화농피부증 (Pyoderma gangrenosum)

괴저화농피부증 초기에 농포 또는 염증성 결절로 나타나며 점차 경계가 명확하고 주위 홍반을 동반한 궤양으로 진행한다(그림 49.5). 궤양은 빠르게 퍼져 나간다. 병변은 다발성으로 나타날 수 있다. 세균성 괴저(gangrene) (예; 괴사근막염 (necrotizingi fasciitis) (p.63, 27장))으로 오진할 수 있다. 괴저화농피부증은 주로 몸통이나 하지에 발생한다. 면역매개 발생기전으로 발생하는 것으로 추정되며, 악성종양이나 다른 질환들과 연관되어 있다.

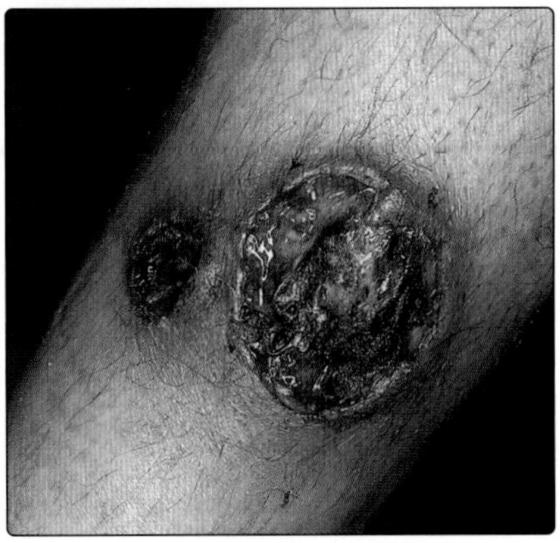

그림 49.5 괴저화농피부증 (Pyoderma gangrenosum). 괴사성 궤양이 다리에 나타났다.

- 궤양대장염, 크론병
- 다발골수종(multiple myeloma), 단일클론감마글로불린병증(monoclonal gammopathy)
- 류마티스관절염
- 베체트병
- 만성 자가면역간질환
- 백혈병(수포형이 나타난다.)

치료는 전신스테로이드, 사이클로스포린(cyclosporin) 또는 종양괴사인자억제제[anti-tumor necrosis factor (TNF) monoclonal antibody]를 사용한다. 경증에서는 국소 타크로리무스(tacrolimus)도포가 도움이 된다. 염증성장질환과 연관되어 발생한 경우는, 염증성장질환의 치료에 따라 호전될 수 있다.

표재혈전정맥염 (Superficial thrombophlebitis)

표재이동혈전정맥염은 주로 췌장암 또는 폐암과 연관되어 발생하며, 베체트병에서도 나타날 수 있다.

악성종양 관련 피부질환

- **흑색극세포증(Acanthosis nigricans)**은 굴측부, 목, 손발바닥의 색소침착과 표피가 두꺼워지는 것이 특징적이고, 위장관암에서 잘 나타난다.
- **양성흑색극세포증(Benign acanthosis nigricans)**은 더 흔하고, 비만이나 내분비질환에서 나타난다.
- **뱀모양이랑홍반(Erythema gyratum repens)**은 거의 항상 종양과 연관되어 발생하는 이동성 홍반이다.
- **파젯병(Paget's disease)**은 유두의 습진모양 판으로 나타나며, 관내암(intraductal carcinoma)이 표피로 퍼져 발생한다. 유방외파젯병은 아포크린관 암으로부터 발생한다.
- **피부전이암**은 드물지 않으며, 주로 두피나 상부 몸통에 단발성 또는 다발성 핑크색의 단단한 결절로 나타난다. 유방암, 위장관암, 난소암, 폐암 및 악성흑색종에서 잘 나타난다.
- **후천어린선(Acquired ichthyosis)**은 호지킨병, 필수지방산결핍증(예; 장 우회술에 의한 흡수장애) 및 일부 약제에 의한 부작용으로 발생할 수 있다.
- **전신 가려움증**은 악성종양(예; 호지킨병), 간질환, 신부전, 철결핍 및 갑상선기능장애에서 나타날 수 있다.
- **괴저화농피부증(Pyoderma gangrenosum)**은 궤양성대장염, 크론병, 류마티스관절염, 다발골수종 또는 백혈병에서 나타나는 괴사성 궤양이다.

50 | 유전성 각화와 수포질환

흔한 피부질환들(예: 아토피피부염 또는 건선)은 유전성 소인이 있으며, 환경에 의해 영향을 받는다. 유전피부병(genodermatosis)은 단일 유전자의 결손으로 발생한다는 점에서 차이가 있으며, 각화질, 수포, 신경피부증후군들이 속해 있다.

어린선(Ichthyosis)

어린선은 각화(keratinization)와 표피분화에 문제가 생기는 유전질환이다. 건조하고 비늘이 있는 피부가 특징적이며, 무증상이거나 경증인 경우부터 중증의 경우까지 다양하게 나타난다(표 50.1). 각화과정이 비정상이다. 일부 생화학적 결손이 밝혀져 있다. (예: X염색체연관 어린선에서 steroid sulfatase결핍) 혈액, 모근 또는 피부조직검사를 통한 조직 획득으로 분자 수준의 진단을 할 수 있다.

임상 양상

보통어린선(Ichthyosis vulgaris, *filaggrin homozygous mutation*)은 흔하고, 경증인 경우는 질병으로 인식되지 않는다. 팔다리와 등의 폄부에 회색의 작은 쌀겨모양 인설이 나타난다(그림 50.1). 굴측부는 보통 침범하지 않는다. 30−50%의 환자에서 아토피습진이 동반된다.

다른 종류의 어린선은 드물고, 임상 특징, 발현 시기 및 유전 양상으로 진단된다. 보통염색체 우성유전질환들은 나이가 들면서 호전되는 경향을 보이며, 열성유전질환들은 악화 경향을 보인다. 콜로디온아기(*Collodion baby*)는 출생 시에 신생아가 반짝이는 단단한 피부에 싸여있는 상태를 말하며, 음식 섭취의 문제와 안검외반(ectropion)을 유발한다. 주로 선천비늘증모양홍색피부증(non−bullous ichthyosiform erythroderma)에서 나타난다. 후천어린선(p.109)은 주로 성인기에 나타난다.

표 50.1 어린선의 분류

질환	유전 형태	임상적 특징
보통어린선 (Ichthyosis vulgaris)	보통염색체 우성유전	흔함(1/250). 1−4세 경 발현. 아토피습진이 동반되며, 주로 경증. 작은 쌀겨모양 비늘들이 보이며, 굴측부는 침범하지 않음. 각질결합에 필요한 필라그린(filaggrin)이 결손. 1/3은 10대에 호전.
X염색체연관 어린선 (X-linked ichthyosis)	X염색체 열성유전	남성 2000명 중 1명. 큰 갈색 비늘이 전신에 나타남. 생후 첫 주에 발현. 여름에 호전. Steroid sulfatase결핍. 각막혼탁과 고환 이상이 동반.
선천비수포비늘증모양홍색피부증 (Non-bullous ichthyosiform erythroderma)[1]	보통염색체 열성유전	드뭄(1/300,000). 출생시에 콜로디온아기로 출생. 붉은 비늘증 피부와 안검외반이 나타남. 홍반은 나이가 들면서 호전.
선천수포비늘증모양홍색피부증(Bullous ichthyosiform erythroderma)[2]	보통염색체 우성유전	드뭄(<1/100,000). 출생 후에 홍반과 수포가 나타나고 사라진다. 소아기에 사마귀모양의 과각화가 나타난다.

[1] 층판어린선(Lamellar ichthyosis)은 유사하지만 더 드물다. 콜로디온 아기로 나타날 수 있고, 막이 벗겨지면서 큰 비늘이 발생한다.
[2] 표피박리과다각화증(Epidermolytic hyperkeratosis)으로 불리기도 한다.

치료

보습 연고, 크림과 세정제(p.28)가 필수적이다. 요소(Urea) 함유 크림이 도움이 되고, 중증인 경우는 경구 acitretin복용이 필요하다(p.30).

각질피부증(Keratoderma)

각질피부증은 손발바닥의 전반적인 과각화 질환으로, 후천적이거나 유전적이다.

임상 양상

침범 정도와 유전 양상이 다양하다. 흔한 형태의 각질피부증은 손발바닥의 광범위한 과각화로 나타나고(그림 50.2), 주로 보통염색체 우성유전한다. 일부 가족에서는 식도암과 함께 나타난다. 다른 각질피부증 형태들에서는 손발바닥에 점모양(punctate)의 구진병변이 나타나기도 하고, '절단형'에서는 손발가락에 섬유띠가 둘러싸기도 한다.

후천손발바닥각질피부증(Acquired palmoplantar keratoderma)는 모공홍색비강진(pityriasis rubra pilaris)(p.58)과 편평태선(lichen planus)에서 나타나고, 폐경기 여성의 뒷꿈치에서 보일 수 있다. 티눈과 굳은살은 각질피부증과는 다르다. 굳은살(Callosities)은 통증이 없이 국소적으로 각질층이 두꺼워지는 것으로, 마찰이나 압력에 대한 방어기전으로 나타나며 직업관련성으로 종종 발생한다. 티눈(Corns)은 국소적으로 강한 압력을 받는 곳에 통증성으로 나타나며, 뼈 돌출부위를 신발이 압박할 때 주로 발생한다.

치료

각질용해제(keratolytics)[예; 5−10% 살리실산 연고 또는 10% 요소(urea) 크림]로 치료한다. 국소 칼시포트리올(calcipotriol)이 도움이 된다. 때때로 경구 acitretin 또는 alitretinoin을 사용한다.

모공각화증(Keratosis pilaris)

모공각화증은 흔하고, 일부는 유전성으로 나타나는 질환으로, 위허벅지, 위팔 및 얼굴에 다발성으로 작은 뿔 모양의 모공각전(follicular plug)들이 나타난다(그림 50.3). 때때로 보통어린선과 연관되어 나타난다. 5% 살리실산연고 또는 10% 요소크림 도포가 증상을 완화시키지만, 완전히 치료하지는 못한다.

다리에병(Darier's disease)

다리에병(모낭각화증, keratosis follicularis)은 드문 보통염색체 우성질환으로, 갈색 비늘구진이 특징적이다. 12q염색체의 calcium adenosine

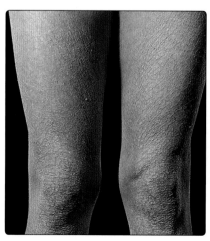

그림 50.1 쌀겨모양 비늘이 보이는 보통어린선 (ichthyosis vulgaris).

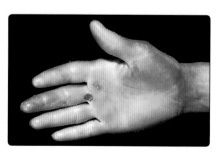

그림 50.2 손바닥의 각질피부증(keratoderma).

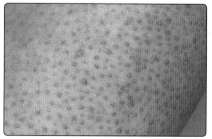

그림 50.3 위팔의 모공각화증(keratosis pilaris).

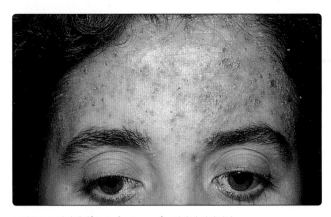

그림 50.4 다리에병(Darier's disease). 이마에 나타났다.

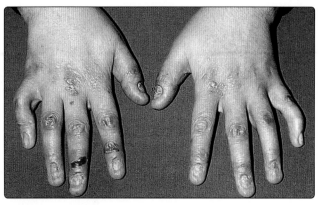

그림 50.5 수포표피박리증(Epidermolysis bullosa). 퇴행위축 우성형 (dystrophic dominant type)이다.

triphosphatase (Ca-ATPase, ATP2A2)를 코딩하는 유전자의 이상이 있다. 전자현미경으로 각질형성세포의 당김미세섬유(tonofilament)과 교소체(desmosome) 해리가 관찰된다. 조직학적으로 주위 표피세포와 분리된 이상각화 각질형성세포들(dyskeratotic keratinocytes)이 관찰된다.

임상 양상

10대 또는 청년기에 발현하며, 작은 갈색의 기름진 비늘구진이 주로 굴측부와 지루(seborrheic) 부위-윗등, 가슴, 이마-에 나타난다(그림 50-4). 일광화상 이후에 발생하기도 한다. 매우 경증이어서 인식하지 못하는 경우부터 매우 광범위하고 중증인 경우까지 다양하게 나타난다. 조갑변화(p.86)와 손바닥 홈(pit) 또는 각화가 보인다. 세균감염이나 포진모양습진(eczema herpeticum) (p.68)이 발생할 수 있다.

치료

경한 다리에병은 보습제도포와 햇빛 노출 회피를 권고한다. 국소 레티노이드(예; tretinoin 또는 adapalene) 도포가 도움이 된다. 중증 환자는 경구 acitretin 복용이 도움이 된다(p.30).

Flegel병(Flegel's disease)

Flegel병(지속성 렌즈모양 과각화증, hyperkeratosis lenticularis perstans)은 드물고 우성유전하는 질환으로, 팔다리의 모공각전이 특징적이다. 중년에 발생한다. 각전이 큰 경우 Kyrle병(Kyrle's disease)라고 불리고, 이러한 두가지 형태가 혼합되어 나타날 수도 있다.

수포표피박리증 (Epidermolysis bullosa)

수포표피박리증(Epidermolysis bullosa, EB)은 피부가 약하고 작은 이상에도 수포가 생기는 유전질환군이다. 아주 경미한 경우부터 사망에 이를 수 있는 중증 유형까지 다양한 중증도를 보인다.

표 50.2 수포표피박리증의 주요 유형

질병	유전 형태	임상적 특징
단순수포표피박리증 (Simple EB)	보통염색체 우성	가장 흔함. 주로 경증이고 손발에 국한됨. 마찰에 의해 수포 발생. 조갑과 입은 침범되지 않음.
경계수포표피박리증 (Junctional EB)	보통염색체 열성	드물고 주로 치명적임. 출생시에 입, 항문 주위가 넓게 까짐. 상처는 잘 낫지 않음. 효과적인 치료는 없음.
퇴행위축표피박리증 (Dystrophic EB)	보통염색체 우성	손, 무릎, 팔꿈치에 나타남. 비립종을 동반한 흉터화. 조갑 이상을 보일 수 있음.
퇴행위축표피박리증 (Dystrophic EB)	보통염색체 열성	영아기에 시작. 중증 수포가 생기면서 손발가락이 융합. 점막 병변, 식도협착 발생.

병인 기전

단순수포표피박리증(simple EB)에서는 각질 합성에 이상이 있다. (염색체 12, 17번에 위치한 유전자 이상) 퇴행위축표피박리증(dystrophic EB)에서는 제7형 콜라겐(collagen VII)에 이상이 있다. (염색체 3번) 일부 수포표피박리증 유형에서는 고정원섬유(anchoring fibril) (p.2)에 결손이 있다.

임상 양상과 치료

단순수포표피박리증은 꽤 흔하며, 외상을 조심해야 한다. 중증 유형들은(표 50.2, 그림 50.5) 전문 치료센터에서 관리해야 한다. 외상을 피하도록 하고, 적절한 지원과 감염관리를 하는 것이 중요하다. 다양한 약물치료가 시도되어 왔지만, 아직까지 모두 결과는 좋지 못하다. 후천수포표피박리증(acquired EB)은 성인기에 발생하는데, 외상에 의해 수포가 유발되고 면역형광검

사 상 유사천포창(pemphigoid)과 유사한 양상을 보인다. 중증 수포표피박리증 유형들에서는 유전자치료가 시도되고 있다.

유전질환의 산전진단

DNA기반의 산전진단이 가능한 질환으로는 경계/퇴행위축 수포표피박리증(junctional/dystrophic EB), 수포비늘증모양홍색피부증(bullous ichthyosiform erythroderma)와 백색증(albinism)이 있다. DNA는 임신1기에 융모막융모 조직이나 양막세포로부터 얻을 수 있다. 결손 유전자가 알려지지 않고 조직검사 상 질병 소견이 알려진 질환들에 대해서는 임신 중기에 태아 피부조직검사가 시행된다. 모체 혈액 속의 태아세포를 이용한 비침습적인 분석방법이 미래에는 가능해 질 수 있다.

유전성 각화와 수포 질환

- **어린선(Ichthyosis)**은 각화와 관련된 유전질환이다. 피부가 건조하고 비늘을 동반한다. 보습제 도포가 도움이 된다. 일부 어린선은 출생 시에 콜로디온아기 상태로 나타난다.
- **다리에병(Darier's disease)**은 드문 보통염색체 우성질환이다. 가슴, 등과 굴측부에 기름진 비늘구진이 발생한다. 중증 환자는 경구 acitretin을 사용한다.
- **각질피부증(Keratoderma)**은 손발바닥의 과각화가 특징적이며, 각질용해제 도포로 치료한다. 경구 acitretin이 필요한 경우도 있다.
- **모공각화증(Keratosis pilaris)**은 팔다리와 얼굴에 뿔 모양의 모공각전이 발생하는 흔한 질환이다. 치료는 어렵고, 보습제 도포가 도움이 된다.
- **Flegel병(Flegel's disease)**은 팔다리의 각전이 특징적인 드문 우성유전질환이다. 큰 각전이 생기는 경우는 *Kyrle병(Kyrle's disease)*라고 한다.
- **수포표피박리증(Epidermolysis bullosa)**은 유전성 수포질환으로, 잘 안 맞는 신발에 의해 수포가 생기는 경한 성노부터 출생시부터 치명석으로 발생하는 숭숭의 경우까지 다양하게 나타난다.
- **산전진단**을 DNA 분석기법을 이용하여 중증의 드문 유전피부질환들에 대해 시행할 수 있다. 융모막융모 조직이나, 양막세포를 이용할 수 있다.

51 | 신경피부질환과 다른 증후군들

일부 유전피부질환들은 뚜렷한 내부장기침범도 동반한다. 신경피부질환, 결합조직의 유전질환 및 조기노화증후군(premature aging syndrome)이 여기에 속한다 .

신경섬유종증(Neurofibromatosis)

폰 레클링하우젠 신경섬유종증 1형(von Recklinghausen's neurofibromatosis 1, NF1)은 비교적 흔하며, 출생아 3000명중 1명에서 나타난다. 밀크커피반점(Café-au-lait spots), 피부 신경섬유종 및 다른 뼈, 신경 이상들이 NF1에 특징적이다. 보통염색체 우성유전질환이지만, 50%의 환자는 가족력 없이 새롭게 발생한 돌연변이로 나타난다.

병인 기전
NF1 유전자는 염색체1번의 종양억제유전자이다. 양수천자 또는 융모막융모 조직검사로 NF1 유전자의 산전검사가 가능하다.

임상 양상
두 가지 주요 피부 증상은 다음과 같다.

1. *밀크커피반점(Café-au-lait spots)*: 멜라닌색소 증가로 원형 또는 타원형의 커피색 반점이 발생한다. 주로 1세에 나타난다. 정상인의 10%에서도 1-2개의 밀크커피반점이 나타나지만, 신경섬유종증에서는 주로 6개 이상이 나타난다. 액와의 주근깨도 발견할 수 있다(그림 51.1).

2. *진피 신경섬유종(Dermal neurofibromas)*: 작은 결절이 소아기에 나타나며 사춘기에 숫자가 증가한다(그림 51.2). 수 개에서 수 백개까지 다양하게 나타난다.

일부 NF1 환자들은 작은 키와 대두증(macrocephaly)을 보인다. 가끔 드문 아형도 나타나는데, 가장 흔한 것이 신경섬유종증 2형(NF2)으로 피부 밀크커피반점이나 진피결절은 거의 나타나지 않고 양측성 청신경종(bilateral acoustic neuroma)이 나타난다. NF2도 보통염색체 우성유전을 하며 NF2 유전자는 염색체 22번에 존재한다.

합병증
대부분의 NF1 환자들은 양성 경과를 보이지만, 다음과 같은 합병증이 동반될 수 있다.

- 얼기모양신경섬유종(Plexiform neurofibroma)은 보통의 진피 신경섬유종보다 크고 수 cm이상으로 나타난다. 색소침착과 상부피부 또는 하부뼈의 과성장을 동반하여 미용적 문제를 유발한다.
- 신경계의 양성종양이 발생할 수 있다. 시

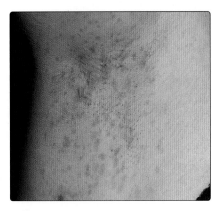

그림 51.1 액와에 주근깨가 나타난 신경섬유종증.

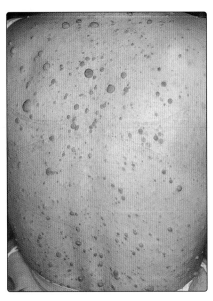

그림 51.2 신경섬유종증 (Neurofibromatosis). 등에 다발성 신경섬유종이 보인다.

신경교종(optic glioma), 청신경종(acoustic neuroma) 및 척수 신경뿌리에서 발생하는 척추신경섬유종이 나타날 수 있다.

- 신경섬유종의 악성화는 1.5-15%의 환자에서 발생하며, 주로 피부 외 신경섬유종에서 나타난다.
- 척추측만증(Kyphoscoliosis)(2%)이 발생하거나, 경골과 비골이 휠 수 있다.
- 그 외에 홍채과오종(iris hamartoma, Lisch nodules), 고혈압, 간질 및 학습장애가 발생할 수 있다.

치료
일단 진단이 되면, 유전상담과 합병증에 대한 검사가 필요하다. 문제를 일으키는 결절은 절제하고, 외모에 영향을 끼치는 큰 신경섬유종들은 성형외과적으로 제거한다. 환자들은 환우회에서 많은 도움을 받는다.

복합결절경화증 (Tuberous sclerosis complex)

복합결절경화증은 1/10,000의 확률로 발생하는 보통염색체 우성유전질환이다. 60-70%의 환자는 새롭게 발생한 돌연변이로 발생한다. 복합 과오종이 다양한 장기에 발생하는데, 주로 피부, 뇌, 눈, 콩팥 및 심장에 나타난다. 이상 유전자는 염색체 9번과 16번에 존재하며, 세포 신호전달에 관련된 RAS 단백질과 관련된다.

임상 양상
사춘기까지는 증상이 나타나지 않을 수 있으며, 다양한 증상을 보인다. 중증 침범을 보이는 경우는 예후가 좋지 않다. 전형적으로 다음과 같은 증상이 나타날 수 있다.

- *피지선종(Adenoma sebaceum)*: 적갈색 혈관섬유종 구진이 주로 코 주위에 나타난다(그림 51.3). 소아기에 발생한다.
- *조갑주위 섬유종(Periungual fibroma)*: 조갑주름 밑으로 핑크색 섬유화 돌출이 관찰된다(그림 51.4).

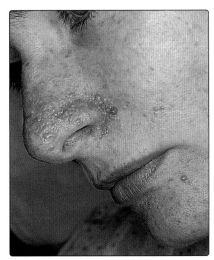

그림 51.3 결절경화증(Tuberous sclerosis). 코 옆에 혈관섬유종이 보인다.

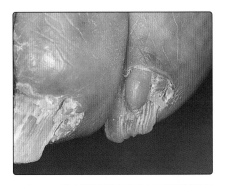

그림 51.4 결절경화증에서 나타난 조갑주위섬유종 (periungual fibroma).

- 샤그린반(*Shagreen patch*): 부드럽고 노란색을 띠는 조약돌모양 표면의 결합조직모반이 요천추부 허리에 관찰된다.
- 나뭇잎모양반(*Ash-leaf macules*): 작은 (1-3 cm) 백색 원형반이 나타난다. 출생시부터 보이기도 하며, 우드등검사로 잘 관찰된다.
- 신경학적 이상: 학습장애와 발작이 60-70%의 환자에서 나타난다. 두개내 석회화가 나타날 수 있다.
- 기타 증상: 망막모종(retinal phacoma), 심장 횡문근종(cardiac rhabdomyoma) 및 콩팥종양이 나타날 수 있다.

치료

환자는 x-ray와 머리의 자기공명영상(MRI)검사를 포함한 전신 검사가 필요하다. 소아는 나뭇잎모양반(ash-leaf macule)을 확인하기 위해 우드등검사를 시행한다. 혈관섬유종은 전기소작술이나 레이저로 호전될 수 있지만, 재발한다. 일단 진단이 되면, 유전상담을 시행하고 환우회가 도움이 된다.

색소실조증(Incontinentia pigmenti)

색소실조증은 X염색체 우성유전질환으로, 남성은 출생 전에 대부분 사망한다. 여성에서는 출생 수일 이내에 전신 수포 발진이 광범위하게 발생한다(p.15). 이후 사마귀 모양 구진이 나타나고, 소용돌이 모양의 과색소침착이 남는다. 근골격계, 눈, 신경계 및 치아 이상이 동반된다.

색소성건피증 (Xeroderma pigmentosum)

색소성건피증은 드문 보통염색체 열성유전질환군으로, 자외선에 의한 DNA 손상의 회복에 결손이 생기는 질환이다. 영아기에 광과민이 나타나고, 소아기에 햇빛 노출부위로 주근깨와 각화가 나타난다. 자외선 손상부위 피부에 점차 편평세포암, 기저세포암, 각화극세포종 및 악성흑색종이 발생한다(그림 51.2). 엄격하게 햇빛노출을 피하는 것이 중요하고, 중증인 경우는 10-20대에 사망할 수 있다. 원인 유전자 위치는 알려져 있고(p.12), 산전검사가 가능하여(p.111) 환아가 있으면 다음 아이 출생 시에 검사를 시행한다.

엘러스-단로스 증후군 (Ehlers-Danlos syndrome)

엘러스-단로스 증후군은 콜라겐 구조와 합성에 문제가 있는 다발성 질환군이다(유전자 위치: p.12 참조). 보통염색체 우성, 열성유전 또는 X염색체 유전이 가능하다. 증상은 경중부터 중증, 그리고 사망에 이를 수 있는 경우까지 다양하다. 피부, 관절, 혈관 및 내부장기를 다양하게 침범하고, 특징적인 증상은 다음과 같다.

- 피부 탄력성
- 관절 과신전
- 약한 피부(멍과 흉터가 쉽게 발생)(그림 51.6)

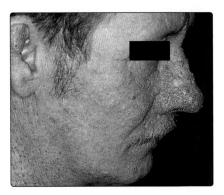

그림 51.5 색소성건피증(Xeroderma pigmentosum). 이 환자는 심각하게 햇빛에 손상된 피부와 주근깨, 각화증 및 종양 절제 자리의 흉터를 보였다.

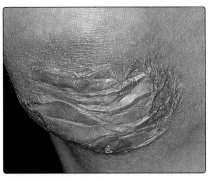

그림 51.6 엘러스-단로스 증후군(Ehlers-Danlos syndrome). 피부가 약하고 상처 회복 능력이 저하되어 심한 흉터에 남았다.

중증이 경우는 동맥류와 큰 동맥의 파열이 나타날 수 있다.

탄력섬유가성황색종 (Pseudoxanthomao elasticum)

탄력섬유가성황색종은 전신질환이다. 보통염색체 열성유전하며, 원인 유전자(염색체 16번)는 세포막 펩타이드 이동에 관여하여 탄력섬유의 석회화를 유발한다. 피부는 늘어지고 주름지며, 닭살처럼 보이는 노랗고 작은 구진들(황색종과 유사)이 나타난다. 이러한 피부 변화는 목과 굴측부에서 뚜렷하다. 50% 이상의 환자에서 망막에 혈관줄무늬(angioid streaks)가 관찰된다. 동맥 침범은 위장관이나 대뇌의 출혈을 유발한다.

조기노화증후군 (Premature aging syndromes)

노화의 특징은 종양, 치매, 당뇨 자가면역질환, 백내장, 골다공증, 퇴행성혈관질환, 탈모 및 흰머리의 발생이 있다. 다운증후군은 이러한 노화 증상 중 일부를 보이며, 조기 노화가 일어나는 가장 흔한 질환이다. 조기 노화를 보이는 베르너증후군(Werner syndrome), 조로증(progeria)와 같은 다른 질환들은 매우 드물고 대부분 보통염색체 열성유전한다.

노화 피부는 건조하고 주름지며, 위축, 탄력감소, 색소불균형을 보이고, 양성 및 악성 종양이 호발한다. 만성 햇빛노출에 의한 광노화는 (p.130) 비슷한 변화를 유발할 수 있는데, 일부 특징들은 오히려 더 뚜렷하게 나타난다. 탄력섬유가성황색종이나 색소성건피증과 같은 다르나 질환들은, 전신적인 노화변화는 보이지 않으면서 피부노화증상을 보인다.

신경피부질환과 다른 증후군들

- **제1형 신경섬유종증(Neurofibromatosis 1)**은 비교적 흔한 보통염색체 우성 유전질환으로, 밀크커피반점, 진피 신경섬유종 및 다른 근골격계/신경계 이상이 특징적이다. 이상 유전자는 염색체 17번에 존재한다.
- **복합결절경화증(Tuberous sclerosis complex)**은 드물지 않은 보통염색체 우성 유전질환으로, 뚜렷한 피부징후(예: 얼굴 혈관섬유종, 조갑주위섬유종), 신경계이상(지능저하, 발작)과 눈, 심장, 콩팥 종양이 나타난다.
- **색소실조증(Incontinentia pigmenti)**은 드문 X염색체 우성 유전질환으로, 출생시부터 수포로 시작해 사마귀모양으로 변화하고 소용돌이모양의 색소침착을 남긴다. 근골격계, 눈 및 신경계 이상이 나타난다.
- **색소성건피증(Xeroderma pigmentosum)**은 드문 열성유전질환군으로, DNA 손상 회복과정에 결함이 있으며 피부종양과 조기사망이 특징적이다.
- **엘러스-단로스 증후군(Ehlers-Danlos syndrome)**은 유전성 결합조직질환군으로, 피부가 탄성있고 흉터가 잘 발생하며 관절과신전을 보인다. 일부 유형은 사망에 이를수 있다.
- **탄력섬유가성색종(Pseudoxanthoma elasticum)**은 탄력섬유가 석회화되는 유전질환이다. 피부는 주름지고 노란 구진이 발생하며, 굴측부에서 피부처짐이 보인다. 망막에 혈관줄무늬(angioid streak)가 나타나고 혈관문제가 발생할 수 있다.

52 | 양성종양 – 표피 및 진피

피부종양은 흔하며, 발생률이 증가하고 있다 (p.32). 피부종양의 치료는 최근 피부과 진료의 큰 부분을 차지하고 있다(p.33). 대부분의 표피 및 진피의 피부종양은 양성이며, 이 장에서 기술하고 있다. 진피구조와 부속기의 양성종양에 대해서는 53장에 기술하고 있다(p.116). 바이러스성 사마귀, 광선각화증과 모반은 다른 장에서 기술한다.

양성표피종양

지루각화증(Seborrheic keratosis, seborrheic wart, basal cell papilloma)

지루각화증은 흔하고 대부분 색소를 동반하는 양성종양으로, 기저 각질형성세포의 증식으로 발생한다(그림 52.1). 원인은 불명이며, 모반과 유사하게 발생한다. 지루는 특징적이지 않다.

임상 양상

지루각화증은 다음의 특징을 보인다.

- 주로 다발성으로 나타나며(그림 52.2), 가끔 단발성으로 발생한다.
- 노인이나 중년에서 나타난다.
- 몸통과 얼굴이 주로 발생한다.
- 주로 연갈색이나 노란색의 작은 구진으로 나타나기 시작한다.
- 점차 진한 1–6 cm가량의 사마귀모양 결절로 변화한다.
- 각전(keratin plug)을 동반하고 잘 경계 지어진 모양을 보이면서 바닥에 껌을 붙여놓은 것 같은 모습을 보인다.

감별 진단

병변의 모양과 다발성으로 비교적 명확하게 진단할 수 있다. 때때로 지루각화증은 광선각화증, 멜라닌색소모반, 색소성 기저세포암 또는 악성흑색종과 유사하게 보일 수 있다(그림 52.3).

치료

다발성 병변은 액체질소 냉동치료로 치료할 수 있다. 두꺼운 지루각화증은 소파술이나 전기소작술, 면도생검으로 제거할 수 있다. 진단이 불명확한 경우는 절제할 수 있으며, 모든 경우에서 조직학적 검사가 권고된다.

피부연성섬유종(Skin tags, 쥐젖)

피부연성섬유종은 줄기가 있게 튀어나온 수 밀리미터 길이의 양성 섬유종이다. 흔하고 노인

또는 중년의 목, 액와, 사타구니 및 눈꺼풀에 주로 나타난다(그림 52.4). 원인은 불명이나, 비만환자에서 주로 발생한다. 때때로 피부연성섬유종은 작은 멜라닌세포모반이나 지루각화증과 구별이 어렵다. 대부분 미용 목적으로 치료하며, 줄기를 가위로 자르거나 전기소작술, 냉

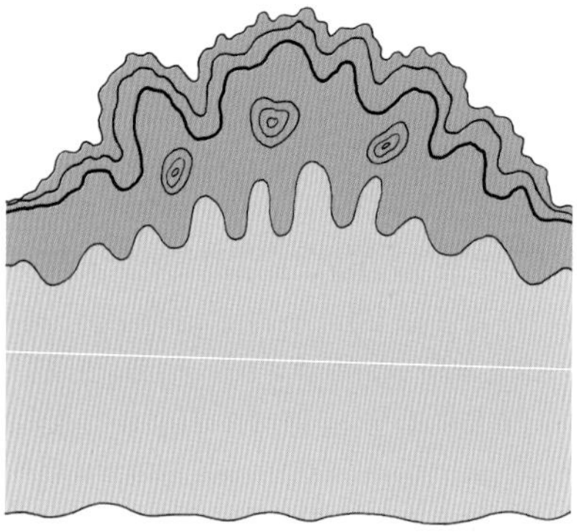

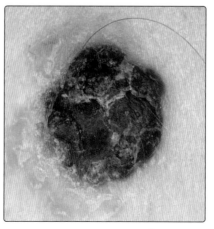

그림 52.1 지루각화증의 병리조직소견. 과각화와 기저세포증식으로 두꺼워진 표피 및 각질낭(keratin cyst)이 보인다.

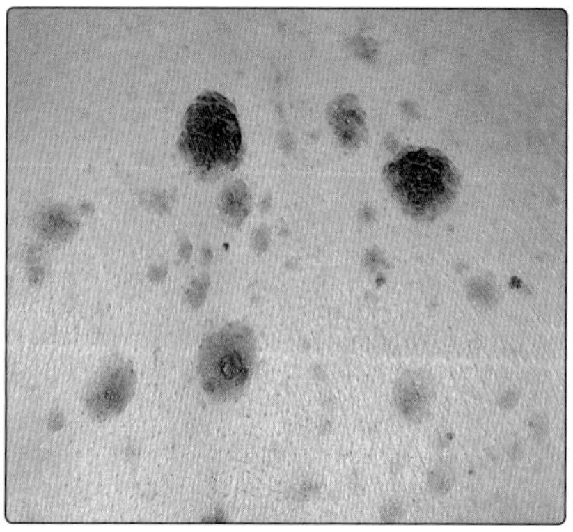

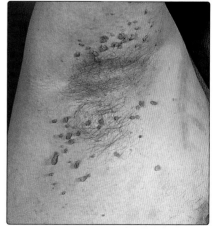

그림 52.2 몸통의 지루각화증. 몇개의 버찌혈관종 (cherry hemangioma, Campbell-de-Morgan spot)과 함께 관찰된다.

그림 52.3 염증형 지루각화증. 이와 같은 양상의 염증형 지루각화증이 보이면 악성종양으로의 변화가 우려될 수 있다.

동치료로 제거한다(필요한 경우는 국소 마취를 시행한다).

표피낭종[Epidermal (epidermoid) cyst]

표피낭종은 주로 두피, 얼굴, 몸통에 발생하며 피지낭종으로 잘못 불리울 때가 있다. 각질이 차 있으며, 표피에서 유래한다. 관련된 모낭종 (pilar cyst)은 모낭의 모발겉뿌리싸개(outer root sheath)에서 유래한다. 낭종은 단단하고 피부색을 띠며, 움직이고 보통 1–3 cm의 크기를 가진다. 세균감염이 발생할 수 있으며 절제하여 치료한다.

비립종(Milium)

비립종은 대부분 얼굴에 나타나며, 눈꺼풀주위나 뺨 위쪽에 1–2 mm크기의 작은 하얀 각질낭종으로 나타난다(그림 52.5). 주로 소아에서 나타나나, 모든 나이에서 발생 가능하다. 때때로 표피하수포가 회복되면서 비립종이 나타날 수 있다(예; 피부만발포르피린증). 멸균바늘로 비립종을 짜낼 수 있다.

진피양성종양

피부섬유종(Dermatofibroma, Fibrous histiocytoma)

피부섬유종은 흔한 진피결절로, 주로 무증상이다. 조직학적으로 조직구와 섬유모세포가 진피섬유화와 함께 나타나며, 표피증식이 동반되기도 한다. 벌레물림이나 다른 외상에 의해 반응성으로 발생할 수 있으나 주로 원인 요인에 대한 병력 없이 발생하기도 한다.

그림 52.4 액와의 피부연성섬유종(skin tags).

임상 양상

피부섬유종은 주로 젊은 성인에서 나타나며, 여성의 다리에서 주로 발견된다. 5-10 mm 크기의 단단한 진피 결절로 니디니며 색소를 동반할 수 있다(그림 52.6). 매우 천천히 커진다.

치료

색소성 피부섬유종은 멜라닌세포모반이나 악성흑색종과 유사하게 보일 수 있다. 증상을 동반하거나 진단이 애매한 병변은 절제하는 것을 권고한다.

화농육아종(Pyogenic granuloma)

화농육아종은 밝은 적색 또는 피딱지를 동반한 빠르게 커지는 결절로, 악성흑색종과 혼동될 수 있다. 화농성도, 육아종도 아니며 후천성 혈관종의 일종이다.

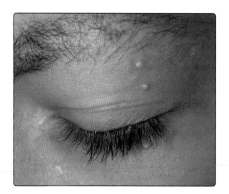

그림 52.5 눈꺼풀의 비립종.

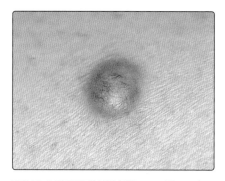

그림 52.6 다리의 피부섬유종(dermatofibroma).

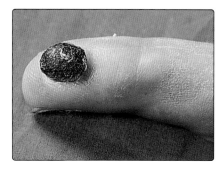

그림 52.7 손가락의 화농육아종 (pyogenic granuloma).

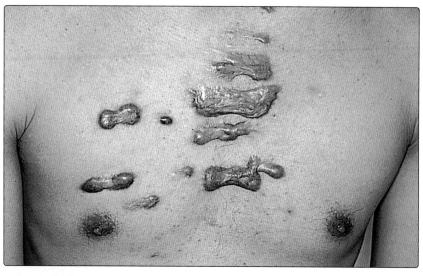

그림 52.8 켈로이드. 여드름 병력이 있는 환자의 가슴에서 결절이 관찰된다.

임상 양상

화농육아종은 전형적으로 다음과 같은 특징을 보인다:

- 외상부위에 발생한다(예; 가시에 찔린 부위).
- 5-10 mm크기의 튀어나온 밝은 적색 결절로 나타나며 쉽게 출혈된다(그림 52.7).
- 2-3주 동안 빠르게 커진다.
- 손가락에 주로 나타난다(입술, 얼굴, 발에서도 발생).
- 젊은 성인이나 소아에서 주로 발생한다.

치료

소파술, 소작술 또는 절제술을 시행한다. 악성흑색종을 감별하기 위해서 조직은 병리검사를 보낸다. 소파술 이후에 종종 재발할 수 있다.

켈로이드(Keloid)

켈로이드는 피부외상에 대한 반응으로 결합조직이 과증식하는 질환으로, 외상범위를 넘어서 증식한다는 점에서 비후흉터(hypertrophic scar)와 차이가 있다. 켈로이드는 다음과 같은 특징을 보인다.

- 단단하게 융기된 부드러운 표면의 결절 또는 판으로 나타난다(그림 52.8).
- 위 등, 목, 가슴 및 귓볼에 주로 발생한다.
- 아프리카 흑인종에서 더 흔하게 발생한다.
- 20-40대에 가장 높은 발생률을 보인다.

치료는 국소 실리콘 시트 부착 또는 겔 도포 및 스테로이드 병변 내 주사를 사용한다 (p.23).

지방종(Lipoma)

지방종은 지방의 양성종양으로, 피하조직의 부드러운 종괴로 나타난다. 종종 다발성으로 발생하며, 주로 몸통, 목 및 상지에 나타난다. 가끔 통증을 동반하기도 한다. 제거가 필요한 경우는 드물다.

양성종양

질환	임상 특징	치료
표피		
바이러스성 사마귀	주로 소아	주로 손발(p.66)
광선각화증	노인	햇빛노출부위(p.130)
지루각화증	노인/중년	각화, 주로 몸통 또는 얼굴
비립종	소아	흰 낭종, 주로 얼굴
표피낭종	소아기 이후	대부분 얼굴 또는 두피
피부연성섬유종	중년/노인	목, 액와, 사타구니
진피		
피부섬유종	청년	결절, 주로 다리, 여성>남성
멜라닌세포모반	10대/청년	갈색 반 또는 구진(p.118)
화농육아종	소아/청년	붉은 결절, 주로 손가락
켈로이드	20-40대	가슴/목, 아프리카흑인에서 호발
지방종	모든 나이	몸통이나 사지의 부드러운 종괴

53 | 양성종양 - 진피구조 및 부속기

피부의 모든 결합조직과 부속기 구조는 양성(악성) 증식을 보일 수 있다. 흔한 양성 진피증식질환인 피부섬유종, 지방종 및 켈로이드는 52장에서 기술하였다(p.114).

혈관 및 결합조직의 양성종양

양성 진피 증식질환은 조직 종류에 따라 분류할 수 있으며, 가끔 악성화 되는 경우도 있다. 분류는 다음과 같다:

- 콜라겐과 탄력섬유: 피부섬유종(p.114), 켈로이드(p.115), 일광탄력섬유증(solar elastosis) (p.130), 샤그린반(shagreen patch) (p.112)
- 지방: 지방종(p.115)
- 림프계: 림프관종
- 다양한 조직으로 구성: 피지선모반
- 신경 및 근육: 신경섬유종(p.112), 평활근종(leiomyoma)
- 혈관: 혈관종(p.146), 화농육아종(p.115), 혈관각화종(angiokeratoma) (p.112), 버찌혈관종.

결절연골피부염 (Chondrodermatitis nodularis)

결절연골피부염은 종양은 아니지만, 귓바퀴 위쪽 가장자리에 작은 통증성 결절로 나타나며 노인에서 호발한다(그림 53.1). 압력이나 지속적인 햇빛 노출에 의해 진피 콜라겐이 변성되면서 연골에 염증이 발생하는 것으로 추정된다. 궤양을 형성할 수 있고, 종종 기저세포암과 비슷해 보일 수 있다. 병변 부위는 절제하거나, 스테로이드 병변 내 주사를 시행한다.

림프관종(Lymphangioma)

림프관종은 출생시나 소아기에 발생하는 드문 선천 림프기형이다. 작은 수포가 모여있는 듯한 모습으로 보이며 다양한 범위를 보인다.

피지선모반(Nevus sebaceus)

피지선모반은 피지선을 포함한 다양한 피부 구성조직으로 이루어진 선천기형으로, 두피에 유두종모양으로 나타난다(그림 53.2). 기저세포암으로 변화하는 경향을 보여 절제가 권고된다.

평활근종(Leiomyoma)

평활근종은 입모근(arrector pili muscle)으로부터 발생한 양성종양이다. 매끄러운 표면의 단단한 반구형 핑크색결절이 융합된 판을 형성하면

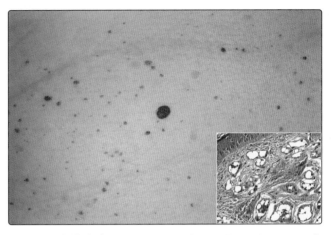

그림 53.3 체리혈관종(Cherry angiomas, Campbell-de-Morgan spots). 다발성의 작은 붉은색 구진이 다양한 크기로 발생한다.

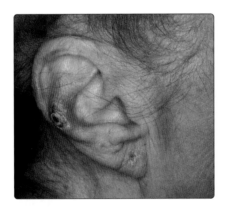

그림 53.1 귓바퀴 안쪽둘레에 발생한 결절연골피부염(Chondrodermatitis nodularis). 전형적인 염증과 딱지가 발생하였다.

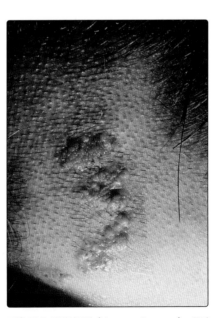

그림 53.2 피지선모반 (Nevus sebaceous). 두피에 피부색구진이 융합하면서 선상으로 분포하는 특징을 보인다.

서 전형적으로 유두 또는 생식기에 발생한다. 추운 날씨에 통증을 유발할 수 있다.

체리혈관종(Cherry angioma, Campbell-de-Morgan spot)

체리혈관종은 양성 모세혈관증식질환으로, 노인 또는 중년의 몸통에서 작고 밝은 붉은색 구진으로 흔하게 발생한다(그림 53.3). 제거가 필요하면, 전기소작술로 제거할 수 있다.

피부부속기의 양성종양

피부부속기(예; 에크린관, 아포크린관, 모낭, 피지선)의 종양은 비교적 드물다. 임상적으로 대부분 특징적이지 않은 부드럽거나 단단한 결절로 나타나며, 주로 붉은색을 띤다. 조직학적 검사 없이는 진단이 어렵다. 이러한 종양들은 악성인 경우도 있다. 발생 부속기의 종류에 따라 분류한다. 비교적 흔하게 발견되는 종류들은 다음과 같다:

- 아포크린선: 유두상한선종(syringocystadenoma papilliferum), 유방외파젯병(p.108)
- 에크린선: 한관종(syringoma), 에크린한공종(ecrrine poroma), 원주종(cylindroma)
- 모낭기관: 모낭종(trichofolliculoma), 모종(trichilemmoma), 모기질종(pilomatricoma)
- 피지선: 피지선증식증(sebaceous gland hyperplasia), 피지선종(sebaceous adenoma)

그림 53.4 한관종(Syringoma). 전형적으로 수 밀리미터로 작은 피부색 구진이 위아래 눈꺼풀 주위로 나타난다.

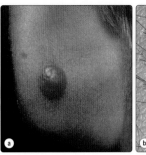 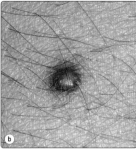 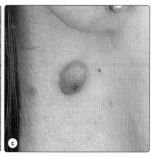

그림 53.6 감별진단. 양성 부속기종양들은 임상적으로 진단이 어렵다. 모기질종은 다음과 같은 질환들과 유사하게 보인다. (a) 스피츠모반(spitz nevus). 전형적으로 적갈색의 매끄러운 표면을 가진 구형 결절로 보인다. (b) 세포청색모반(cellular blue nevus). 진한 흑청색 구진으로 보인다. (c) 진피내 멜라닌세포모반(intradermal melanocytic nevus). 색소는 적고 더 구진모양으로 보인다.

유두상한선종 (Syringocystadenoma papilliferum)

유두상한선종은 두피 또는 이마에 1~3 cm 크기의 사마귀모양 판으로 나타난다. 조직학적 진단을 위해 절제가 권고된다.

한관종(Syringoma)

한관종은 보통 다발성으로 발생하며, 청소년기에 처음 발생하는 경우가 많다. (재발성으로 발생할 수 있다.) 한관종은 에크린관의 양성종양이다. 작은 피부색 또는 노란색의 구진으로(<3 mm 크기) 나타나며 눈꺼풀주위, 뺨, 얼굴 또는 목에 호발한다(그림 53.4). 미용적 목적으로 치료하며, 조직학적 확인을 위해 생검하는 경우가 있다. 전기소작술이나 레이저치료에 반응할 수 있다.

원주종(Cylindroma)

원주종은 보통 중년 여성의 두경부에서 붉은빛 결절로 나타나며, 가끔 다발성으로 발생하기도 한다. 완전한 절제가 권고된다.

모낭종(Trichofolliculoma)

모낭종은 두경부에 작은 구진으로 나타나며, 2~3개의 모발이 있는 모공이 보인다. 조직학적으로 덜 형성된 모발이 포함된 확장된 털피지선 구조가 관찰된다.

모기질종(Pilomatricoma, pilomagtrixoma)

모기질종은 모기질의 양성종양이다. 모든 나이에서 나타나나 20세 이전에 주로 발생하고, 두경부 또는 팔에서 단발성의 깊은 진피 또는 피하 결절로 나타난다(그림 53.5). 종양은 주로 단단하고 짧은 기간에 발생한다. 조직학적 확진 및 치료를 위해 절제한다. 절제 전에 진단하는 것은 어렵다(그림 53.6).

피지선증식증 (Sebaceous gland hyperplasia)

피지선증식증은 이마중앙, 뺨 또는 코에 작은 노란색 반구형 구진으로 나타나며 종종 가운데 배꼽모양 함몰을 보인다(그림 53.7). 보통 중년 또는 노인에서 발생한다. 가끔 큰 피지선증식증 구진은 기저세포암과 유사해 보인다. 조직학적으로 성숙한 피지선소엽의 증식이 관찰된다. 미용적이유로 치료하며, 전기소작술, 레이저치료 또는 냉동치료를 시도할 수 있다. 병변이 광범위하면 일부 피부과의사들은 경구 이소트레티노인을 사용하기도 한다.

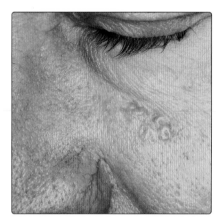

그림 53.7 피지선증식증(Sebaceous hyperplasia). 뺨에 작은 배꼽모양 구진들이 보인다.

그림 53.5 이마의 모기질종(pilomatricoma). 전형적이지만 특징적이지는 않게 붉은 결절로 보인다.

진피구조 및 부속기의 양성종양

병변	발생나이	특징
혈관 및 결합조직의 양성종양		
결절연골피부염	노인, 중년	상부 귓바퀴의 결절, 남)여
피지선모반	소아	두피의 유두종증
림프관종	출생시, 소아	수포군집, 다양한 위치
평활근종	20-30대	유두, 생식기에 판 형성
체리혈관종	중년/노인	몸통의 붉은 구진
피부부속기의 양성종양		
유두상한선종	소아	두피 또는 이마에 사마귀모양
한관종	청소년	얼굴, 목의 다발 구진
원주종	중년 여성	얼굴, 두피의 결절
모낭종	청년	모발이 나 있는 구진
모기질종	20세 이하	진피결절, 두경부, 팔
피지섭증식증	노인	노란 구진, 얼굴, 코

54 | 모반

모반은 한 가지 이상의 피부를 구성하는 정상 세포들의 양성 증식이다. 모반은 출생 시부터 있을 수도, 이후에 나타날 수도 있다. 가장 흔한 모반은 양성 멜라닌세포로 구성된 모반이지만, 다른 종류의 모반들도 존재한다(표 54.1). 혈관종과 혈관기형은 146쪽(67장)에서 다루어질 예정이다.

멜라닌세포모반(Melanocytic nevi)

멜라닌세포모반(점)은 흔하다. 백인들은 거의 대부분 가지고 있으며, 동아시아인과 아프리카흑인에서는 비교적 적게 나타난다.

병인 기전과 조직학적 소견

멜라닌세포모반을 구성하는 모반세포는 배아발달기에 신경능선에서 표피로 이동하는 멜라닌세포로부터 유래하는 것으로 추정된다(p.3). 모반이 생기는 이유는 불분명하지만, 많은 가족에서 유전되는 성질로 보인다.

진피 내에서 모반세포가 존재하는 위치에 따라 모반 종류를 나눈다(그림 54.1). *경계모반(junctional nevi)*은 표피-진피 경계부에 모반세포가 군집해 있고, *진피내모반(intradermal nevi)*은 진피에 모반세포 둥지(nest)가 존재하며 *복합모반(compound nevi)*은 두가지 위치에 모두 모반세포가 나타난다.

임상 양상

선천멜라닌세포모반은 출생 시 또는 직후에 나타나고 영아의 1-3%에서 발견된다. 하지만 대부분의 다른 모반은 소아기 또는 청소년기에 발생한다. 30대에 모반의 수가 가장 많은 것으로 알려져 있으나, 30대 이후에도 햇빛 노출이 많거나 임신을 하면 새로운 모반이 발생하는 경우가 종종 있다. 젊은 백인 성인은 평균적으로 20-50개의 멜라닌세포모반을 가지는 것으로 보고된 바 있으며, 한국인에서는 이보다 적게 나타난다. 더모스코피가 평가에 유용하다(p.24). 여러 모반들의 임상 특징은 다음과 같다:

- *선천모반(Congneital nevi)*. 출생시 또는 직후에 발생한다. 대부분 1cm이상의 크기를 보이며 연갈색부터 짙은 검은색까지 다양한 색을 보이고, 종종 튀어나오거나 털을 동반한다. 거대선천멜라닌세포모반(giant congenital nevus, bathing trunk nevus)은 평생 악성흑색종이 발생할 위험이 5%이다(p.126).
- *경계모반(Junctional nevi)*. 2-10 mm가량의 다양한 크기를 가지는 연갈색 또는 짙은 갈색의 편평한 반점이다(그림 54.2). 대부분 원형 또는 타원형 모양으로, 손발바닥 및 생식기에 호발한다.
- *진피내모반(Intradermal nevi)*. 피부색 또는 색소를 가지는 반구형의 구진 또는 결절로, 두경부에 호발한다.
- *복합모반(Compound nevi)*. 보통 <10 mm 크기로 매끈한 표면을 가지며 색소침착은 다양한 정도로 보인다(그림 54.3). 큰 병변은 사마귀 모양 또는 대뇌모양을 보일 수 있다. 피부 표면 모든 곳에 발생할 수 있다.
- *스피츠모반(Spitz nevi)*. 단단한 적갈색의 원형결절로 나타나며 소아의 얼굴 또는 다리에 호발한다(p.117). 초기에 빨리 커진다. 조직학적으로 모반세포는 증식성을 보이며 진피 혈관이 확장되어 있다. 악성흑색종과의 감별이 중요하다.
- *청색모반(Blue nevi)*. 푸른색을 보여 청색모반이라고 부르며, 보통 단발성으로 사지 특히 손발에 호발한다.
- *운륜모반(Halo nevi)*. 소아 또는 청소년의 몸통에서 주로 발견되며, 모반내의 모반세포가 자가 면역체계에 의해 공격받아 발생한다. 기존에 있던 모반을 흰 탈색 테가 둘러싼다(그림 54.4). 이것은 멜라닌세포에 대한 자가면역 공격 때문에 발생하며, 백반증과 연관이 있다. 운륜모반에 동시다발적으로 발생하는 경우도 종종 있다.
- *베커모반(Becker's nevi)*. 드문 종류의 모반으로, 청소년기 남자에

표 54.1 **모반의 분류**	
분류	**예**
멜라닌세포	선천멜라닌세포모반(p.127)
	경계모반
	진피내모반
	복합모반
	스피츠모반
	청색모반
	운륜모반(halo nevus)
	베커모반
	이형성모반(p.120)
혈관	영아혈관종(p.146)
	선천혈관종(p.146)
	모세혈관기형(예; 포도주색반점(port-wine stain), 연어반(salmon patch) (p.146))
	동정맥기형(p.146)
표피	사마귀모양모반
결합조직	결절경화증(p.112)

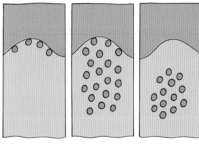

Junctional　　Compound　　Intradermal

그림 54.1 멜라닌세포모반의 종류. 모반세포가 표피-진피 경계부, 진피 내 또는 두 군데 모두에 존재하는지 여부에 따라 분류한다.

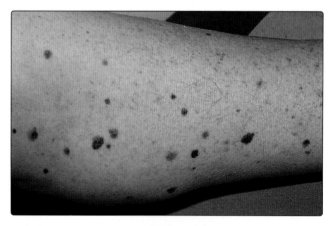

그림 54.2 다리에 나타난 다발성 경계모반과 복합모반.

서 상부 등이나 가슴에 편측성으로 발생한다(그림 54.5). 처음에는 과색소침착을 보이고 이후 점차 털이 동반되면서 여드름이 호발한다. 모자이크현상(mosaicism)으로 발생한다.

- *이형성모반(Dysplastic nevi)*. 비정형모반(atypical nevi)이라고도 하며, 바깥 경계와 색소가 불균일하게 나타난다.

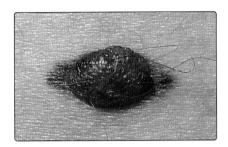

그림 54.3 복합멜라닌세포모반
(Compound melanocytic nevus).

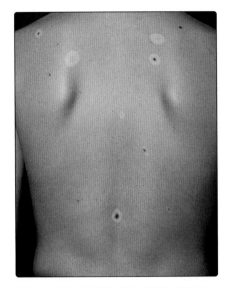

그림 54.4 청소년의 등에 나타난 다발성 운륜모반
(halo nevi).

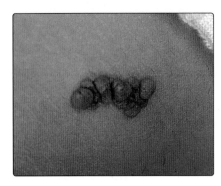

그림 54.6 허벅지의 표피모반.

치료

악성흑색종의 조기진단을 위해 최근 많은 건강캠페인과 매체 홍보가 이루어졌고, 색소병변에 대한 주의 깊은 관찰의 필요성을 대중들이 인지하면서 많은 환자들이 점에 대한 확인을 위해 내원하고 있다. 점의 모든 변화에 대해 주의 깊게 관찰해야 하며(p.127), 멜라닌세포모반의 감별진단은 표 54.2와 같다. 점은 다음과 같은 이유로 절제한다:

- 악성변화에 대한 우려. 예; 최근 크기 증가 또는 가려움증 동반
- 악성변화의 위험 증가. 예; 큰 선천모반
- 미용목적. 예; 얼굴 또는 목의 보기 싫은 모반
- 염증 반복재발. 예; 털을 동반한 얼굴 모반에서 세균성 모낭염
- 반복된 외상. 예; 브래지어 끈에 걸리는 등에 있는 모반

모든 절제된 모반은 조직학적 검사를 확인해야 한다. 일부 양성이 명확하고 튀어나온 모반은 미용 목적의 제거를 위해 면도생검 방법을 이용할 수 있다. (p.136)

표피모반(Epidermal nevi)

표피모반은 보통 출생 시에 나타나거나 이른 소아기에 발생한다. 사마귀모양을 보이며 종종 색소를 보이고 선상으로 나타나는 경우가 많다(그림 54.6). 대부분 수 센티미터 길이의 크기를 가지나, 훨씬 커서 사지 또는 몸통 한쪽을 차지하는 경우도 있다. 절제가 가능하나 재발도 흔하다. 두피의 아형인 *피지선모반(nevus sebaceous)*은 악성 변화가 가능하기 때문에 절제한다(p.116).

결합조직모반 (Connective tissue nevi)

결합조직모반은 드물다. 매끈한 피부색 구진이나 판으로 나타나며 다발성으로 발생할 수 있다. 조직학적으로 진피에 두꺼운 콜라겐섬유다발들이 관찰된다. 결절경화증에서 나타나는 콜라겐을 함유한 조약돌모양 모반인 샤그린반(shagreen patch)이 한 예이다(p.112).

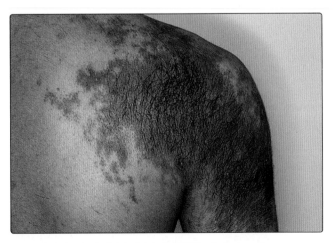

그림 54.5 젊은 성인의 어깨에 나타난 베커모반(Becker's nevus).

표 54.2 멜라닌세포모반의 감별진단

병변	감별 특징
주근깨	햇빛노출부위의 그을린 색 반점들(p.16)
흑자	주로 다발성, 늦게 발생(p.16)
지루각화증	껌 붙은 모양, 사마귀모양, 각전(keratin plug)동반(p.148)
혈관종	혈관성이지만 색소를 동반할 수 있음(p.146)
피부섬유종	다리에 융기된 결절, 단단하고 색소동반(p.115)
색소성 기저세포암	주로 얼굴. 진주모양 경계, 크기 증가, 궤양발생 가능, 다른 광손상이 동반되어 나타날 수 있음(p.122)
악성흑색종	다양한 세포와 윤기모양, 크기 증가, 염증 동반가능, 흔히 가는 가려움증(p.112)

모반

- **멜라닌세포모반**은 매우 흔하고 주로 다발성으로 나타나며, 색소를 동반한 양성 병변이다. 소아기 또는 청소년기에 나타난다. 다음과 같은 아형을 가진다:
  - 선천모반: 출생 시에 나타나고 융기되거나 털을 동반한다. 악성 변화의 위험이 조금 있다.
  - 경계모반: 편평한 반점으로 주로 원형 또는 타원형이다. 전형적으로 손발바닥 또는 생식기에서 발견된다.
  - 진피내모반: 반구형의 주로 피부색을 띤 구진이다. 전형적으로 얼굴에서 발견된다.
  - 복합모반: 색소 결절 또는 구진으로, 때때로 사마귀모양이나 털을 동반한다. 조직학적으로 경계부와 진피 모두에 모반세포가 존재한다.
  - 스피츠모반: 단단한 적갈색 결절로, 전형적으로 소아의 얼굴이나 다리에서 발견된다.
  - 청색모반: 깊은 진피의 멜라닌색소때문에 청회색으로 보인다. 주로 단발성으로 사지에 관찰된다.
  - 운륜모반: 자가면역 공격에 의해 모반이 공격받으면서 탈색 테가 나타난다. 주로 몸통에서 발견된다.
  - 베커모반: 상부 등 또는 가슴에 털을 동반한 색소 병변으로 나타난다. 주로 남성에서 청소년기에 발생한다.

- **표피모반**은 사마귀모양을 보이고 색소를 동반하며 종종 선상으로 나타난다. 주로 작지만, 가끔 광범위하게 발생하기도 한다. 두피 아형인 피지선모반은 악성 위험성 때문에 절제한다.

- **결합조직모반**은 진피의 두꺼운 콜라겐섬유로 구성된 피부색구진이다. 결절경화증에서 조약돌모양 모반(샤그린반)으로 나타날 수 있다.

55 | 피부암 – 전암병변

피부의 전암병변은 치료하지 않고 방치할 경우 피부암으로 진행할 가능성이 있는 병변들이다. 가장 유의해야 할 전암병변을 보이는 피부암에는 편평세포암(광선각화증)과 흑색종(이형성모반)이 있으며, 각각의 전암병변이 암으로 진행할 위험 자체는 높지 않다.

광선각화증(Actinic keratosis)

병인 기전

광선각화증은 만성 자외선노출에 의해 발생한다. 조직학적으로 과각화, 미분화된 비정상 각질형성세포 및 진피의 일광탄력섬유증이 관찰된다. 자외선B가 직접적인 DNA손상을 일으키며, 종양억제유전자를(특히 P53) 억제하여 세포 과증식을 유발한다. 자외선에 의해 손상된 각질형성세포들은 클론 증식성을 보이면서 표피에서 정상 분화과정을 거치지 못하여 조직학적으로 이형성을 보이게 된다. 따라서 어떤 전문가들은 이런 상태를 자궁경부상피내종양(cervical intraepidermal neoplasia)처럼 1–3기로 나누어지는 각질형성세포 상피내종양(keratinocyte intraepidermal neoplasia, KIN)이라고 설명하기도 한다. 상피가 완전히 비정상(이형성) 각질형성세포로 대치되고 기저막을 통과한 침윤은 아직 없는 상태를 편평세포상피내종양(squamous cell carcinoma in situ) 또는 보웬병(Bowen's disease)라고 말한다. 기저막을 통과해 진행되면 편평세포암이 된다(57장).

광선각화증은 저절로 호전될 수도 있다. 광선각화증이 편평세포암으로 진행하는 정확한 위험률은 밝혀지지 않았지만, 병변 당 1년에 0.53% 정도의 낮은 확률로 추정한다. 정확히 어떤 광선각화증이 진행될 위험이 있는지는 알 수가 없기 때문에, 광선각화증은 치료해야 한다.

광선각화증의 위험인자는 다음과 같다.
- 고령
- 남성
- 햇빛 노출 축적
- 밝은 피부색
- 면역억제상태[예; 콩팥이식환자(p.70)]
- 유전적 소인[예; 백색증(albinism), 색소성건피증(xeroderma pigmentosum)(p.112)]

임상 양상

광선각화증은 보통 1 cm 이하 크기의 각질을 동반한 거친 반으로 햇빛 노출부위에서 나타나며, 종종 육안적으로 관찰하기 보다는 만져서 확인하기가 더 쉽다(그림 55.1). 백인에서 잘 나타나고, 핑크색으로 보이는 것이 전형적이지만 더 붉거나 피부색으로 보일 수도 있다. 전형적으로 나타나는 부위는 이마, 콧등, 귀 끝, 손등이다. 심하게 나타나는 환자에서는 광선각화증이 다발성으로 광범위하게 발생해서 한 영역 전체(예; 이마)를 뒤덮는 'field damage'양상으로 나타난다(그림 55.2). 이때 주변 피부는 모세혈관확장, 일광탄력섬유증(solar elastosis), 일광흑자(solar lentigo), 탈색과 같은 만성 자외선 노출에 의한 피부변화를 보인다. 임상, 조직학적 아형에는 색소형, 보웬모양형, 비후형, 위축형 및 태선화형 등이 있다.

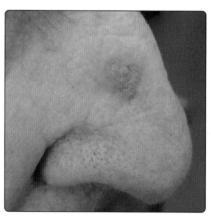

그림 55.1 광선각화증.

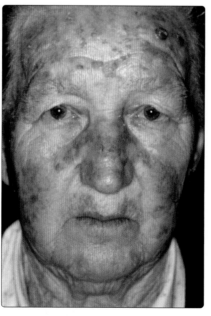

그림 55.2 광선각화증. 밝은 피부에 푸른 눈과 중등도 이상의 일광손상을 보이는 노인 여성의 얼굴에서 다발성 광선각화증이 보인다. 광선각화증은 수 밀리미터부터 1 cm이상 크기까지 다양한 크기를 보인다. 좌측 이마에서 비늘을 동반한 붉은 결절이 보이는데, 이는 고분화 편평세포암(well differentiated SCC)이다.

감별 진단

광선각화증은 편평세포상피내암종(squamous cell carcinoma in situ, Bowen's disease), 편평세포암, 각화극세포종(keratoacanthoma), 표재성 기저세포암(basal cell carcinoma) 및 지루각화증과 감별해야 한다. 확진을 위해 조직검사가 반드시 필요하지는 않지만, 편평세포암의 경계부위에서 조직검사가 될 경우 광선각화증의 조직소견만 보일 수 있다는 점은 유의해야 한다. 유사한 맥락으로, 면도생검을 해서 표피만 채취가 되었을 경우는 광선각화증 소견을 보이더라도 진피 침윤을 알 수 없기 때문에 편평세포암을 완전히 배제할 수 없다. 따라서 광선각화증의 조직 소견을 보이는 경우 임상 소견과 비교하는 것이 매우 중요하다.

치료

모든 광선각화증 환자에게 햇빛 차단을 권고해야 한다. 다양한 치료방법이 가능하다.

도포 치료

경증 병변의 경우 국소 디클로페낙(diclofenac) 겔을 사용할 수 있지만 60–90일 간 하루에 2회씩 도포하여야 한다. 5–플루오로우라실(5–fluorouracil) 크림은 1–4주간 하루 1회씩 도포하고, 살리실산과 같이(특히 과각화된 병변에서 사용) 사용할 경우는 6–12주간 사용하며 효과적이다. 치료기간 동안에 염증반응이 일어날 수 있어 이에 대해 환자에게 미리 설명하여야 한다(그림 55.3). 이미퀴모드(imiquimod) 크림도 염증반응을 일으킬 수 있고 다양한 농도와 도포주기로 도포한다. 최근에는 ingenol mebutate 겔이 2–3회 도포만으로 심한 염증반응 없이 치료효과를 보이는 것이 알려졌다.

광역동요법(Photodynamic therapy)

각질형성세포의 생합성경로에 과부하를 주는 크림을 도포하여서 광민감성 포르피린을 과합성하게 하고, 이에 따라 햇빛 노출 시 세포가 세포내 산소자유라디칼(oxygen free radicals)을 분비하게 되어 세포를 파괴하는 치료이다. 이러한 치료과정은 통증을 동반하고 두꺼운 병변의 치료 시에는 크림이 조직으로 흡수되게 하기 위해 소파술을 함께 시행하여야 한다. 최근에는 치료에 필요한 광원으로 자연광을 이용하는 방법도 사용된다.

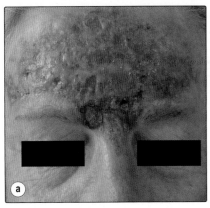
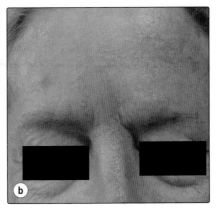

그림 55.3 5-플루오르우라실(5-fluorouracil) 크림 도포로 광선각화증을 치료하면서 발생한 심한 염증반응 (a), 2주 후 회복되었다. (b)

냉동치료

병변에 액체 질소를 주로 스프레이 분사 방식으로 뿌려 시행하는 치료이다. 정확한 치료와 불필요한 조직의 과손상을 막기 위해 주의가 필요하다. 치료 직후에 치료 부위는 염증과 통증이 생기고 이후 약 1주간 각질세포가 탈락한다. 수술적 소파술이나 절제술은 다른 치료에 저항성을 보이거나 편평세포암이 의심될 때만 시행한다. 통증을 동반한 병변이나 각질뿔(keratin horn)을 동반한 병변은 수술적 절제로 치료하는 것이 좋다.

하기 때문에 이형성모반이 악성흑색종으로 진행할 확률은 평가하기가 어렵다. 이형성모반이 있는 환자가 흑색종의 위험이 더 높은 것은 확실하지만, 한 이형성모반 병변 내에서 흑색종으로 진행할 정확한 확률은 알기 어렵다. 최근 연구들에서는 이형성모반에서는 흑색종 발생과 관련된 유전자변이가 나타나지 않아 두 질환이 완전히 다른 질환군이라는 의견도 있다. 이형성모반의 위험인자는 다음과 같다.

- 유전적 소인(가족력)
- 밝은 피부색

감별 진단

이형성모반은 양성 질환이지만, 악성흑색종을 감별해야 한다. 감별 진단은 어려울 수 있고 이럴 때는 병변을 절제하는 것이 좋다. 어떨 때는 조직학적으로도 이형성모반과 악성흑색종을 감별하기가 어렵고, 이런 경우는 악성흑색종으로 간주하고 절제 흉터를 포함해서 다시 절제하는 것을 권고한다(p.126).

치료

임상적으로 비정형모반은 흑색종의 위험 인자이지만, 위에서 기술한 바와 같이 개개의 이형성모반이 흑색종으로 진행할 확률은 낮다. 따라서 중요한 것은 한 병변이 흑색종인지 아닌지 감별하는 것이다. 절제한 결과 이형성모반으로 조직학적으로 확진되면 더 이상 다른 치료가 필요하지는 않다. 하지만 불완전절제한 경우는 보통 완전 절제를 위해 재절제한다. 이형성 또는 비정형모반이 다발성으로 있는 환자는 흑색종 위험이 높을 수 있어 주의깊은 관찰과 적절한 권고가 필요하다.

이형성모반(Dysplastic nevi)

진단적 특징

이형성모반은 조직학적으로 비정형 멜라닌세포가 비정상 패턴으로 증식하면서 염증반응이 동반되는 양상을 보인다. 하지만 이런 특징들은 임상적으로 정상 멜라닌세포모반에서도 관찰될 수 있다. 이전 연구들에서 5 mm 이상의 임상적으로 비정상인 모반의 약 70%에서 조직학적 비정형을 보였w지만, 5 mm이상의 임상적으로 정상인 모반의 약 50%에서도 조직학적 비정형을 보였다. 임상과 조직학적 이상 간의 차이는 있지만, 임상적, 더모스코피적 이상소견은 ABCD 기준의 이상으로 판단한다[Asymmetry(비대 칭성), irregularity of border(경계 불균형), color(색조)](그림 55.4).

병인 기전

이형성모반은 임상 양상이 아닌 조직학적 검사로만 확진할 수 있다. 확진된 이형성모반은 절제

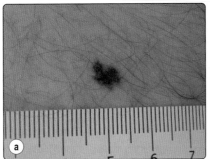

그림 55.4 이형성모반. 임상(a), 더모스코피(b)

광선각화증	이형성모반

• **광선각화증**은 만성 자외선노출에 의한 피부 전암 병변이다.
• **광선각화증**은 종종 다발성으로 나타나고, 넓은 햇빛 노출부위의 치료를 요한다.
• **편평세포암**이 광선각화증 부위에서 발생할 수 있으며, 특히 커지거나 통증을 동반한 병변을 주의해야 한다.
• **광선각화증**에는 다양한 치료방법이 사용된다.
  – 국소 도포치료
  – 냉동치료
  – 광역동요법
  – 수술
	• '**이형성모반**'은 조직학적으로 비정형 멜라닌세포 증식을 보이는 것을 말한다. 하지만 조직학적 비정형이 임상적 비정형과 잘 맞지는 않기 때문에, 절제하고 조직학적으로 확진되기 전에는 임상적인 비정형모반을 이형성모반이라고 간주할 수는 없다.
	• **이형성모반**의 존재여부는 흑색종의 위험인자이다.
	• **이형성모반** 자체는 악성화위험이 불변명하고 흑색종으로의 진행위험이 낮을 것으로 추정된다.
	• **이형성모반**은 흑색종과 감별이 필요하기 때문에 조직학적 평가를 위해 수술적 절제가 필요하다.

56 │ 피부암 – 기저세포암

피부암은 밝은 피부색의 인종에서 더 흔하게 나타나며 자외선 노출이 발생 기전에 관여하는 것으로 알려져 있다. 비흑색종피부암(non-melanoma skin cancer)의 미국 내 발생률은 백인에서는 1년에 100,000명 당 230명인 반면 아프리카계 흑인에서는 100,000명 당 3명이었다. 대부분의 피부암은 (표 56.1) 상피 유래로 기저세포암, 편평세포암(p.124) 또는 악성흑색종(p.126)이다. 상피의 전암병변은 흔한 편이며(55장), 상대적으로 진피 유래 암은 드물다.

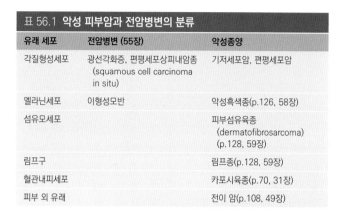

표 56.1 **악성 피부암과 전암병변의 분류**		
유래 세포	**전암병변 (55장)**	**악성종양**
각질형성세포	광선각화증, 편평세포상피내암종 (squamous cell carcinoma in situ)	기저세포암, 편평세포암
멜라닌세포	이형성모반	악성흑색종(p.126, 58장)
섬유모세포		피부섬유육종 (dermatofibrosarcoma) (p.128, 59장)
림프구		림프종(p.128, 59장)
혈관내피세포		카포시육종(p.70, 31장)
피부 외 유래		전이 암(p.108, 49장)

기저세포암(Basal cell carcinoma)

기저세포암(basal cell carcinoma, BCC)은 가장 흔한 피부암이며, 노년 및 중년의 얼굴에서 주로 발생한다. 자외선노출과 기저세포암 병인기전에 밀접한 역학적 연관이 있지만, 기저세포암이 가장 일광손상이 심한 부위에서 주로 발생하지는 않는다. 표피의 기저 각질형성세포에서 유래하고 국소 침윤을 보이지만, 전이되는 경우는 매우 드물다.

병인 기전

다음과 같은 요인에 의해 기저세포기 악성 변화를 보일 수 있다:

- 지속적인 자외선 노출 및 급성 일광화상
- 면역억제상태(예; 콩팥이식환자)
- 비소섭취(예; 식수에 포함된 경우)
- X선 및 기타 방사선노출
- 만성 흉터(예; 화상 또는 예방접종 흉터)
- 유전적 소인[예; Gorlin 증후군(기저세포모반증후군)]

기저세포암은 밝은 피부를 가지고 적도 근처에 사는 사람에서 가장 흔하게 발생하고, 남성에서 여성보다 흔하게 발생한다. 호주에서는 30대에서 발생률이 높지만, 영국에서는 40대 이상에서 주로 나타나며 한국에서는 40대 이상, 특히 60대에서 가장 흔하게 나타난다.

병리조직소견
종양은 보통 균일한 호염기성 세포로 구성된 명확한 경계를 가지는 섬 모양으로 이루어져 있으며, 표피에서 싹을 뻗거나 소엽, 띠를 형성하며 진피로 침윤한다(그림 56.1).

임상 양상

기저세포암은 주로 코 주변, 눈꺼풀 안쪽, 관자놀이과 같이 햇빛 노출이 많은 부위에 발생한

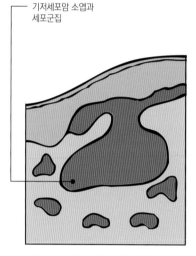

기저세포암 소엽과 세포군집

그림 56.1 기저세포암의 조직학적 구조.

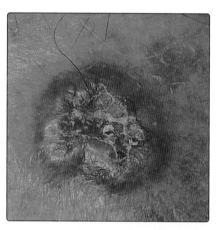

그림 56.2 기저세포암. 전형적인 진주모양 경계와 모세혈관확장, 중심부 딱지가 관찰된다.

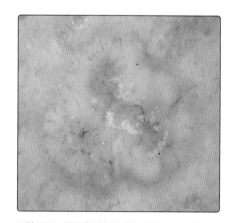

그림 56.3 기저세포암의 더모스코피 소견. 분지모세혈관확장(arborizing telangiectasia)이 특징적이다.

다. 천천히 자라지만 꾸준히 국소 침범을 보여 연골, 뼈와 연부조직을 파괴한다. 환자가 병원에 오기 2년 이상 전부터 있던 경우가 많고, 종종 1개 이상이 발견된다. 네 가지 유형이 있는데, 모두 색소를 동반할 수 있다.

1. *결절형(Nodular).* 가장 흔한 유형으로, 보통 작은 피부색의 구진으로 발생하기 시작해서 미세한 모세혈관확장을 동반하고 가장자리가 진주같이 반짝인다(그림 56.2). 중심부가 괴사되는 경우가 종종 있어서 작은 궤양과 딱지를 보인다. 대부분 1 cm 미만이지만, 수년 이상 방치하면 더 커진다. 임상적으로 종양처럼 보이기보다는 두꺼운 판으로 나타나서 만지면 단단하지만 작을 때는 발견하기 어려울 수 있다. 결절형 기저세포암은 가장자리는 융기되어 있고 중심부는 함몰되어 있을 때가 많다. 얇게 가지처럼 뻗은 모세혈관확장이 특징적이고, 더모스코피에서 '분지(arborizing)'로 보인다(그

림 56.3). 피부를 양쪽에서 두 손가락으로 당기면, 가장자리가 두드러져 보여 창백한 흰색의 '진주색을 보인다.

2. *낭종형(Cystic).* 비교적 투명하고 긴장성을 보이면서 조직학적으로 낭종같은 공간이 보인다.

3. *표재형(Superficial).* 주로 다발성으로 나타나고 여러 중심부를 가지는 판 모양으

로 보인다. 수 센티미터에 이르는 병변이 가끔 몸통에서 발견된다(그림 56.4). 고리모양 가장자리를 가지면서 표재성 색소를 보이는 경우가 많다.

4. *경화형(Morpheic)*. 흉터같이 보이는 아형으로 얼굴에서 주로 나타난다. 흰색 또는 노란색의 경화증과 유사한 판이 나타나고 중심부는 함몰된 모습을 보일 수 있다(그림 56.5).

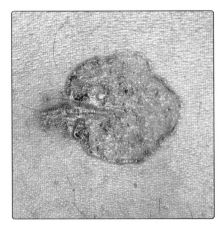

그림 56.4 표재기저세포암(Superfiical BCC). 몸통에서 발견되었으며 조직검사로 진단되었다.

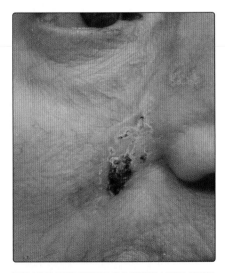

그림 56.5 면역저하자의 우측 뺨에서 나타난 기저세포암. 이 기저세포암은 경계가 뚜렷하지 않고 고위험 부위에서 발생하였다. 피부외과, 성형외과, 악안면외과 및 방사선종양학과 의사가 모여 다학제진료를 하는 것이 이상적이다.

감별 진단

기저세포암의 유형, 색소여부, 부위에 따라 감별진단이 필요하다.

- 결절형/낭종형: 진피내모반(p.118), 전염연속종(p.67), 각화극세포종(keratoacanthoma)(p.125), 편평세포암, 피지선증식증(피지선의 양성 증식)
- 표재형: 원반모양 습진(p.53), 건선 판(p.39), 상피내 편평세포암(p.124)
- 경화형: 국소피부경화증(morphea)(p.100), 흉터
- 색소형: 악성흑색종(p.126), 지루각화증(p.114), 복합모반(p.118)

치료(표 64.1 참조)

종양의 크기, 위치, 종류 및 환자의 나이에 따라 적절한 치료를 해야 한다. 가능하면 조직학적으로 완전 절제를 하는 것이 좋다. 절제가 힘들다면 60세 이상 환자에서는 방사선치료가 적절하다. 눈 주위(그림 56.6), 코입술주름 부위의 큰 종양은 특히 경화형이면 수술적 절제가 가장 적합하다. 이런 종양은 경계가 불분명하고 광범위할 수 있어 모즈미세도식수술(p.140)을 시행할 수 있다. 병변이 몸통이나 상지에 있으면 소파술/소작술(curettage and cautery)이 가끔 사용된다. 광역동치료(photodynamic therapy)은 표재기저세포암이나 다른 치료하기 어려운 부위에

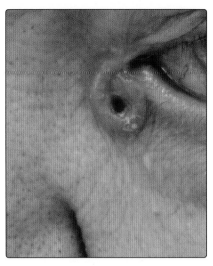

그림 56.6 아래 눈꺼풀의 기저세포암. 눈물샘 구조 손상을 막고 흉터가 눈꺼풀을 당겨 안검외반이 생기는 것을 막기 위해 조심스러운 수술이 필요하다.

있는 경우 사용된다. 냉동치료나 국소 이미퀴모드(imiquimod) 도포치료(p.137)는 다발성의 표재성 병변(예; 몸통에 있는 경우)에 사용할 수 있다.

대부분의 치료법에서 5년 재발률이 5% 정도이다. 치료가 적절히 시행되었는지 불분명하면 경과관찰이 매우 중요하다. 비스모데깁(Vismodegib)은 Smoothened억제 분자물로, 중증 Gorlin증후군(p.122), 수술이 불가능한 병변 또는 전이 기저세포암에 유용하다.

기저세포암

- **기저세포암(잠식 궤양)**은 햇빛 노출이 많은 중년 또는 노인의 얼굴에서 주로 발견되는 흔한 암으로,
  - 국소침윤을 보이지만 전이는 거의 하지 않고
  - 적절한 범위의 수술적 절제로 제거하고
  - 종양 크기, 부위, 유형에 따라 방사선치료, 소파술과 소작술, 냉동치료, 광역동치료 또는 국소 이미퀴모드 도포로 치료할 수 있다.

- **예후가 좋지 않은 기저세포암(고위험 기저세포암)**은 다음과 같다.
  - 크기가 큰 경우 (>2 cm)
  - 얼굴 중심부에 위치 (눈, 코, 입술, 귀)
  - 임상적으로 경계가 불분명한 경우
  - 조직학적으로 경화형이거나 신경주위, 혈관주위 침윤이 있는 경우
  - 면역저하자
  - 이전 치료 이후에 재발한 경우

57 | 피부암 – 편평세포암

편평세포암(Squamous cell carcinoma, SCC)은 임상적으로는 뚜렷하게 다르고 서로 다른 병인 위험인자를 가지면서, 조직학적으로는 유사한 양상을 보이는 질환군들을 포함하는 여러 양상의 질환이다.

병인 기전
편평세포암은 잘 분화된 각질형성세포에서 유래한다. 자외선이 가장 잘 알려진 위험인자이다. 다양한 증거가 이를 뒷받침하는데, 평균 자외선 노출량과 편평세포암 발생률이 비례하고, 적도 지방에 가까울 수록 유병률이 증가하며, 백색증 환자(albino)에서 더 높은 유병률을 보이고, 주름과 같은 광노화와 연관된 임상특징과 연관을 보인다. 지난 25년간 편평세포암 발생률이 증가한 것은 자외선A 노출량이 증가한 것과 연관이 있는 것으로 보인다. 자외선B 차단제를 사용하면서 일광화상은 줄었지만 자외선A 노출이 늘었고, 일광욕을 즐기는 사람이 늘었다.

발생 위험인자는 다음과 같다.
- 만성 일광손상, 평생동안 햇빛 노출 축적량(p.120), 자외선A치료에 소랄렌(psoralen)사용
- 면역저하자(예; 콩팥이식환자) (p.70)
- X선 및 방사선 노출, 복사열 노출 (예; 불 노출로 인한 열성홍반, p.88)
- 만성 궤양과 흉터(예; 화상, 보통루푸스, 원반모양홍반루푸스, 유전성 수포 질환)
- 흡연(입술 병변과 관련)
- 산업 발암물질(예; 콜타르, 기름)
- 인간유두종바이러스 (사마귀바이러스)
- 유전적 요인(예; 백색증(albinism), 색소성 건피증(xeroderma pigmentosum) (p.112))

병리조직
각질 형성 능력을 가진 악성 각질형성세포가 진피표피경계를 파괴하고 불규칙하게 진피로 침범한다(그림 57.1).

보웬병[Bowen's disease, 상피내편평세포암(in situ squamous cell carcinoma)]

보웬병은 흔하고, 주로 노인 여성의 다리에서 발생한다. 병변은 단발성 또는 다발성으로 발생한다. 비소 노출이 질병발생의 위험인자이다. 핑크색 또는 약간의 색소침착을 동반한 각질 판이 수 센티미터 이하의 크기로 햇빛 노출부위에 나타난다(그림 57.2). 침습성 편평세포암(invasive SCC)으로 변화하는 경우는 드물다. 보웬병은 원반모양 습진, 건선 또는 표재기저세포암(superficial BCC)과 유사하게 보일 수 있다. 조직학적으로 표피는 두꺼워져 있고 각질형성세포는 이형성을 보일 수 있으나, 침습성을 보이지는 않는다. 조직검사를 작게 하면 전체 병변을 대표하지는 못할 수 있어, 임상적으로 의심되면 넓은 범위의 조직검사 또는 절제생검을 시행해야 한다.

보웬병은 냉동치료, 소파술, 절제술, 국소 5-플루오로우라실(fluorouracil) 또는 이미퀴모드(imiquimod) 도포, 또는 광역동치료로 치료한다.

각화극세포종(Keratoacanthoma)

각화극세포종은 주로 얼굴이나 팔의 햇빛노출부위에서 발생하는 빠르게 자라는 종양이다(그림 57.3). 각화극세포종은 최근에는 저위험 편평세포암으로 간주되지만, 흉터를 남기면서 자연퇴축될 수 있어서 과거에는 악성으로 여겨지지 않았다. 종양은 수 주 동안 반구 모양의 2 cm가량에 이르는 결절로 빠르게 자란다. 종종 각전(keratin plug)을 동반해서 분화구 모양을 남기면서 탈락할 수 있다.

조직학적으로 각화극세포종은 편평세포암과 유사해 보이지만 좀 더 대칭성을 보이면서 가장자리가 잘 둘러싸여 있는 모양이다. 절제가 가장 좋은 치료이지만, 완벽하게 긁어내고 소작하는 것도 대부분 만족스러운 결과를 보인다. 만약 소파술 이후에 재발하면 절제를 권고한다.

편평세포암 (Squamous cell carcinoma)

편평세포암은 표피 또는 모낭의 각질형성세포로부터 발생한 악성 종양으로 두 번째로 흔한 피부암이다. 편평세포암 발생률은 매년 1,000명당 2명 정도로 기저세포암의 1/4정도 되는 것으로 추정된다. 주로 55세 이상의 백인에서 잘 발생하며 남성에서 여성보다 3배 정도 흔하게 발생한다.

임상 양상
편평세포암은 얼굴, 목, 전완부 또는 손과 같은 햇빛 노출부위에 주로 발생한다(그림 57.4). 주위 피부에서는 광손상 양상(일광탄력섬유증(solar elastosis), 과각화, 그물모양 색소침착, 모세혈관확장)이 뚜렷하게 관찰된다. 광선각화증과 보웬병과 같은 전암병변이나 다른 피부암들

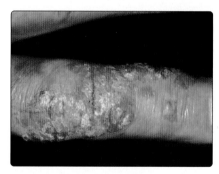
그림 57.2 보웬병, 상피내편평세포암.

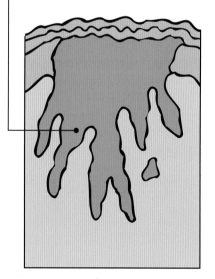
편평세포암의 침윤하는 띠

그림 57.1 편평세포암의 조직학적 구조 .

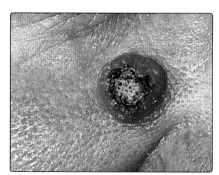
그림 57.3 얼굴의 각화극세포종(keratoacanthoma).

그림 57.4 편평세포암. 일광 손상피부를 보이는 사람의 귀 위에서 암이 나타났다.

이 동반되어 나타날 수도 있다. 점막에서는 백색각화증이나 균열 또는 광선입술염도 자주 나타난다. 병변은 다양한 양상으로 보인다:

- 과각화 구진, 판 또는 단단한 바탕 위에 발생한 피부뿔(cutaneous horn)
- 낫지 않는 작은 궤양
- 궤양이나 딱지를 동반한 단단한 결절 (그림 57.5)
- 출혈이 되는 약하고 튀어나온 종양

종양은 광선각화증 내부에 작은 구진으로 발생할 수 있고, 그대로 두면 궤양과 딱지를 형성한다. 이런 종류의 편평세포암은 잘 전이하지 않는다. 궤양 가장자리(그림 57.5), 흉터 또는 방

사선손상을 받은 부위에 나타나는 궤양을 형성하는 편평세포암은 좀 더 공격적이다. 이런 경우는 10%이상에서 전이한다. 편평세포암의 중요한 임상 요인은 종양이 자라는 속도이다. 기저세포암이 6개월 이상의 기간 동안 천천히 자라는 반면에, 대부분의 편평세포암 환자는 종양이 수 개월 내로 자랐다고 말한다(그림 57.6). 압통도 편평세포암의 중요한 증상으로, 편평세포암이 신경 주위로 침윤했다는 것을 뜻한다.

감별 진단

편평세포암은 각화극세포종, 광선각화증, 기저세포암, 보웬병, 무색소성 악성흑색종 또는 지루각화증과 감별해야 한다. 모든 환자에서 확진을 위해 절제 또는 절개생검을 시행해야 한다.

치료

수술적 절제가 가장 최적의 치료이다. 큰 병변은 피부이식이 필요할 수 있다. 노인에서는 얼굴과 두피의 편평세포암에 방사선치료를(조직학적 진단을 위한 절개 생검 이후에) 할 수 있다. 편평세포암은 재발이나 전이 위험도에 따라 저위험군과 고위험군으로 나뉘는데, 이 둘을 구분 짓는 경계에 대해서는 다소 논란이 있다. 고위험 편평세포암의 요인으로 일반적으로 여겨지는 요인들은 아래 요약box에 기술되어 있다. 환자에게서 편평세포암이 확인되면 림프절 전이 여

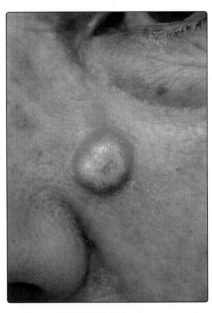

그림 57.6 좌측 뺨의 편평세포암. 빠르게 커지며 단단하고 압통을 동반하였다. 이런 병변은 빨리 절제하여야 하고, 낭종으로 간주되어서는 안된다.

부를 평가해야 하고, 만약 전이가 의심되는 림프절이 있다면 생검을 시행해야 한다. 특히 고위험 편평세포암 환자들에 대해서는 주의 깊은 추적관찰이 필요하다.

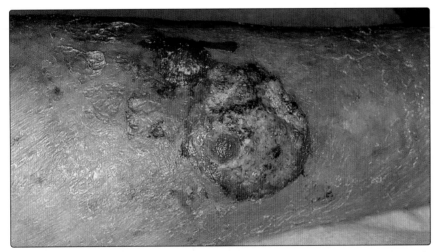

그림 57.5 다리의 편평세포암. 오래된 궤양에서 종양이 발생하였다.

편평세포암

- **보웬병**은 상피내편평세포암으로, 비교적 덜 공격적인 예후를 보인다. 냉동치료, 국소도포치료, 수술적 절제 또는 광역동치료로 치료한다.
- **각화극세포종**은 편평세포암과 유사한 임상 및 조직학적 특징을 보이는 자연적으로 퇴축하는 병변이다. 절제가 권고된다.
- **편평세포암**은 백인의 햇빛노출부위에서 주로 발생하며, 일광손상과 연관이 있다. 만성흉터에서 더 공격적인 종양이 나타난다. 모든 종류에 대해 수술적 절제를 시행한다.

- **예후가 좋지 않은 편평세포암(고위험군)**
  - 지름 2 cm이상
  - 입술, 귀, 비노출부위(회음부, 천추부, 발바닥)
  - 보웬병, 만성 염증부위(상처/궤양), 방사선 노출부위 또는 화상부위에서 발생
  - 면역저하자
  - 이전 치료이후 재발
  - 조직학적 특징: 깊이 > 4 mm, 지방층 침윤 (Clark 4등급), 미분화, 신경주위 침윤

58 │ 피부암 – 악성흑색종

악성흑색종은 멜라닌세포의 악성종양으로 주로 표피에서 발생한다. 주요 피부암 중에서 가장 치명적인 예후를 보이고 1970년대 이후 발생률이 7배 가량 증가해왔지만, 전체 5년 생존률은 90%가량이다. 과한 자외선 노출이 중요한 병인 기전에 중요한 역할을 하며 86% 가량의 환자에서 발병에 관여한 것으로 추정된다. 유전적 요인도 중요하여, 약5%의 환자가 악성흑색종이 가족력을 가진다.

임상 양상

임상조직학적으로 네 가지로 분류된다.

표재확산악성흑색종 (Superficial spreading malignant melanoma)

백인에서는 가장 흔한 유형으로, 여성에서 더 많이 발생하며 다리에서 가장 잘 발견된다. 반점으로 보이며 다양한 색소정도를 가지고, 종종 퇴축을 보이기도 한다(그림 58.1).

악성흑자흑색종 (Lentigo maligna melanoma)

오래 된 악성흑자(lentigo maligna)에서 악성흑색종이 발생한다(그림 58.2). 야외에서 수 년 이상 오랫동안 일한 노인 얼굴의 일광 손상이 있는 피부에서 악석흑자가 발생한다.

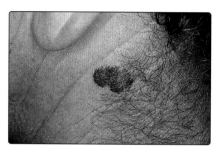

그림 58.1 표재확산흑색종(Superficial spreading malignant melanoma).

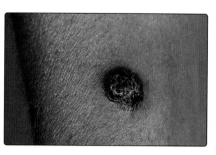

그림 58.4 결절악성흑색종(Nodular malignant melanoma).

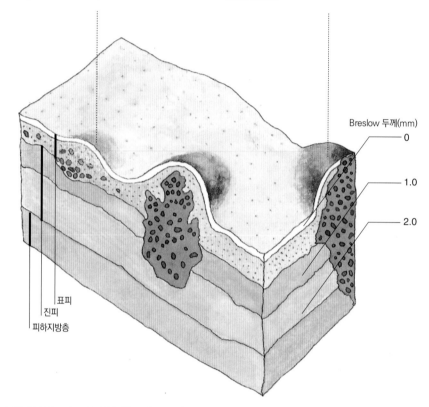

Breslow 두께(mm)
0
1.0
2.0

표피
진피
피하지방층

그림 58.5 Breslow 두께 측정을 통한 병기 측정에 따라 예후가 달라진다. 표피 과립층으로부터 종양의 가장 깊은 부분까지의 길이를 측정한다.

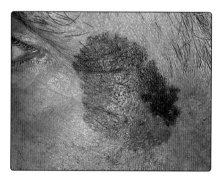

그림 58.2 불규칙한 경계와 색소를 보이는 악석흑자 (lentigo maligna).

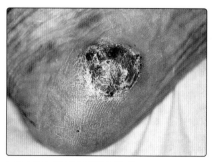

그림 58.3 말단흑자악성흑색종(Acral lentiginous malignant melanoma).

말단흑자악성흑색종(Acral lentiginous malignant melanoma)

백인에서는 비교적 유병률이 낮지만, 진한 피부의 인종 및 아시아인에서는 가장 흔한 유형이다. 손발바닥(그림 58.3)과 조상(nail bed)에서 발생하고, 종종 늦게 진단되어 예후가 나쁘다.

결절악성흑색종 (Nodular malignant melanoma)

남성에서 더 많이 발생하며 몸통에서 가장 잘 나타난다. 색소를 가진 결절이(그림 58.4) 빠르게 자라고 궤양을 동반할 수 있다.

악성흑색종의 감별진단은 다음과 같다.
- 양성멜라닌세포모반(p.116)
- 지루각화증(p.114)
- 혈관종(p.116)
- 피부섬유종(p.114)
- 색소기저세포암
- 양성흑자(lentigo)(p.92)

역학

악성흑색종의 발생률은 영국에서는 10만명 당 21.1명/년으로 보고되었으며, 한국에서는 10만명 당 1명년 정도로 추정된다. 영국에서는 발생률이 지난 10년동안 남성에서 57%, 여성에서 39% 증가하였으며, 한국에서도 매년 증가 추세를 보이고 있다. 표재확산형(superficial spreading)과 결절형(nodular)은 20-60세에서 주로 발생하며, 악성흑자흑색종(lentigo maligna melanoma)은 60세 이상에서 주로 나타난다. 백인에서는 남성의 경우 등에서, 여성의 경우 다리에서 호발하고, 유색인종은 말단부에서 호발한다.

병기

악성흑색종은 보통 표피에서의 수평 증식과 진피로의 수직 침윤의 두 단계로 진행한다(그림 58.5). 종양의 국소 침습은 과립층으로부터 가장 깊은 흑색종세포까지의 거리를 밀리미터 단위로 측정하는 Breslow 측정법으로 평가한다. 조직학적 궤양 존재여부도 중요하다. 표피에 국한된 종양의 경우 전이는 드물다.

병인 기전

흑색종의 주요 위험인자는 자외선 노출이다. 어떤 사람들은 흑색종 발생 위험이 다른 사람들보다 높다(그림 58.6). 악성흑색종의 30% 정도에서 조직학적으로 기존에 있던 멜라닌세포모반이 발견되지만, 이형성모반이나 선천모반(그림 58.7)을 제외하고는 일반적인 멜라닌세포모반이 악성 변화를 보일 위험은 낮다.

진단

모반 또는 색소 병변의 다음과 같은 변화들은 악성흑색종을 시사한다.

- *Area/size*: 크기; 주로 최근에 커진 경우
- *Border/shape*: 모양; 불규칙한 경계
- *Color*: 색; 진하거나 연한 다양한 색조
- *Diameter*: 지름; > 5 mm

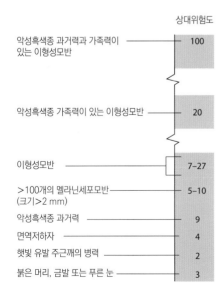

그림 58.6 주요 위험인자. 악성흑색종의 주요 위험인자와 상대위험도를 보여준다.

	상대위험도
악성흑색종 과거력과 가족력이 있는 이형성모반	100
악성흑색종 가족력이 있는 이형성모반	20
이형성모반	7-27
>100개의 멜라닌세포모반 (크기>2 mm)	5-10
악성흑색종 과거력	9
면역저하자	4
햇빛 유발 주근깨의 병력	2
붉은 머리, 금발 또는 푸른 눈	3

- *Evolution*: 변화; 지난 3-6개월 간의 변화
- *이외 가장자리의 염증*: 딱지, 진물 또는 출혈; 소양감은 흔하지 않음.

일차진료에서 의뢰된 색소 병변은 더모스코피로 확인해야 한다.

예후

예후는 종양 깊이와 연관이 있다. 깊이에 따른 5년 생존률은 다음과 같다.

- <1 mm 95%
- 1.01-2 mm 90%
- 2.01-4 mm 77%
- >4 mm 65%

조직학적으로 궤양이 있으면 4년 생존률이 약 10% 감소한다. 표재성 종양과 심재성 종양의 예는 각각 그림 58.8, 그림 58.7에 제시되어 있다.

치료

일차적으로 좁은 범위의 수술적 절제를 하고, Breslow두께에 따라 일차 절제한 흉터를 재 절제한다. 상피내(in situ) 종양은 0.5 cm 범위의 재절제가 필요하고, 1 mm두께까지는 1 cm 범위, 1-2 mm두께는 1-2 cm 범위, 그리고 그 이상 두께에서는 2 cm 범위의 절제가 필요하다. 수술 부위 결손을 덮기 위해 피부이식이 필요할 수 있다. 재발을 확인하기 위해 정기적이 추적관찰이 필요하며, 재발에는 세 가지 유형이 있다.

1. 국소재발(그림 58.9)
2. 림프 전이 – 국소 림프절 또는 종양과 림프절 사이의 림프 배출 경로를 따른

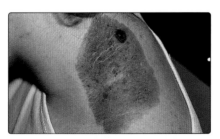

그림 58.7 큰 선천모반에서 발생한 두꺼운 결절악성흑색종(Breslow 두께 11mm). 국소 림프절을 침범하였고 예후가 나빴다.

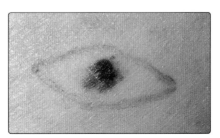

그림 58.8 큰 표재확산악성흑색종(superficial spreading malignant melanoma) (Breslow 두께 0.8 mm). 예후가 좋다.

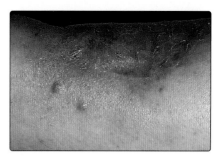

그림 58.9 저색소성 재발 악성흑색종. 이전에 절제하고 피부 이식을 시행한 부위의 가장자리에서 핑크색 구진모양으로 종양이 재발하였다.

in transit전이

3. 혈행 전이 – 원격 부위로 전이

Breslow 두께 >0.75 mm의 흑색종에서는 감시림프절생검(sentinel node biopsy)을 시행해야 한다. 림프절전이가 있으면 예후가 나쁘며, 예방적 림프절절제술(elective lymph node dissection)을 고려한다. 전이가 있는 진행된 경우는 방사선치료 효과가 제한적이고, 고전적인 항암치료도 생존률에 큰 도움이 되지 못한다. 종양의 유전자검사를 통한 새로운 치료가 효과를 보이며, BRAF(흑색종의 약 50%에서 V600E 변이가 발견) 변이가 있으면 BRAF kinase 억제제(예; dabrafenib, vemurafenib) 및 MAPK kinase 억제제(trametinib) 복합 치료를 시행한다. T세포 억제 조절물질에 대한 단일클론항체인 CTLA-4 억제제(ipilimumab)와 PD1 억제제(nivolumab, lambrolizumab)는 효과적인 결과를 보이고 완전관해를 보이기도 하지만, 부작용도 흔하게 발생한다.

예방과 교육

초기 악성흑색종은 치료가 가능하지만, 두꺼운 병변은 예후가 나쁘기 때문에, 변화가 있는 색소 병변에 대해서 일찍 의사를 찾아가는 것에 대한 공중보건교육이 필요하다. 또한 밝은 피부를 가진 사람들이나 많은 멜라닌세포모반을 가진 사람들이 과한 햇빛 노출을 하지 않도록 교육해야 한다. 다음과 같은 교육을 시행한다.

- 햇빛에 과하게 타지 않도록 유의하세요.
- 점에 변화가 있으면 빨리 병원을 방문하세요.

악성흑색종

- 발병률은 영국에서 10만명 당 21.1명, 한국에서 10만명 당 1명 정도이다.
- 여성:남성 비율은 2:1
- 발방률은 매년 7%씩 증가해 왔으며, 지난 20년 간 2배로 늘었다.
- 발병률은 지리학적 위치에 따라 다른 분포를 보여, 자외선 노출과의 연관을 시사한다.
- 종양 두께에 따라 예후가 달라진다. 초기 병변은 수술적 절제로 치료된다.
- 전이흑색종에 대한 새로운 치료법들이 효과적인 결과를 보여주고 있지만, 중증 부작용들을 유발한다.

59 | 피부 T세포/B세포 림프종과 악성 진피종양

피부T세포림프종(Cutaneous T-cell lymphoma, CTCL)은 가장 흔한 피부림프종으로, 미국 기준 10만명 당 0.6명의 발생률을 보인다. 피부의 B세포림프종은 드물다. 진피의 악성종양은 흔하지 않으며, 가장 흔한 종류들은 전이암(p.109), 카포시육종(Kaposi's sarcoma) (p.71)과 진피 섬유모세포의 악성종양(피부섬유육종, dermatofibrosarcoma)이다.

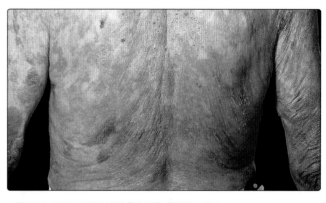

그림 59.2 CTCL이 등과 팔에 침윤 판을 형성하고 있다.

피부T세포림프종(Cutaneous T-cell lymphoma, 균상식육종(Mycosis fungoides))

피부T세포림프종(CTCL)은 피부에서 발생한 림프종이며, 피부외T세포림프종도 종종 피부에 이차적으로 전이되기도 한다. CTCL은 표피지향성(epidermotropic) CD3+, CD4+ T세포를 보이는 느리게 진행하는 종양으로, 말기에만 전신침범을 보인다.

임상 양상
임상경과가 전반적으로 지연성 경과를 보이지만, 가끔은 좀 더 급속도로 진행되기도 한다. CTCL은 초기에는 습진이나 만성 표재성 비늘피부염과 유사하게 보여서 수 년 이상 진단이 늦어지기도 한다(p.56). 네 단계로 구분할 수 있다.

1. 반(Patch). 작고 비늘이 있는 약간 융기된 홍반 반이 주로 몸통에 나타나며 습진과 유사해 보인다(그림 59.1). 10년 이상 지속될 수 있다. 때때로 피부가 위축되고 색소침착과 모세혈관확장을 동반할 수 있다(다형피부증(poikiloderma)).
2. 침윤 판(Infiltrated plaque). 고정된 판이

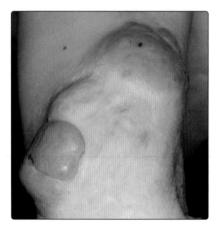

그림 59.3 종양 기(Tumor stage)의 CTCL.

주로 몸통에 나타나고, 가끔은 광범위하게 나타나기도 한다(그림 59.2). 이 단계는 수 년동안 지속된다.

3. 종양(Tumor). 후기 단계로, 종양 결절 또는 궤양이 판 내부에 발생한다. 5년 생존률이 40-65%이다(그림 59.3).
4. 전신 침범(Systemic disease). 후기에 림프절이나 내부 장기를 침범한다. Sezary 증후군은 한 아형이다(p.58).

피부T세포림프종의 병기와 분류
병을 발견하면 환자 CTCL의 병기와 종류를 정확히 확인하는 것이 중요하다. 고전적인 균상식육종이나 원발피부CD30+림프증식질환인 림프종모양구진증(lymphomatoid papulosis)과 같은 천천히 진행하는 종류부터 Sezary증후군이나 성인T세포백혈병/림프종과 같이 빠르게 진행하는 종류까지 광범위하다. (Lymphoma Association and the European Organization for the Treatment of Cancer (EORTC) 사이트를 참조, http://www. Lymphomas.org. uk/, http://www.eortc.org/).

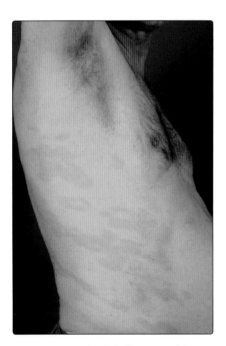

그림 59.1 몸통에 나타난 반 기(Patch stage)의 CTCL.

감별 진단
만성 표재성비늘피부염(chronic superficial scaly dermatitis), 습진과 건선이 주 감별질환이다. 만성 표재성비늘피부염 환자들 중 좀 더 넓은 반을 형성하는 경우는 CTCL로 진행할 가능성이 높다. CD30+림프증식질환들은 피부 림프종의 일종이며, 흉터를 남기는 다발 결절들이 만성 경과를 보이며 나타나는 림프종모양구진증(lymphomatoid papulosis)이나 궤양결절들이 몸통에 나타나는 대세포림프종(large cell lymphoma)으로 나타난다.

치료
임상과 조직학적 소견을 종합해서 진단한다. T세포수용체 유전자분석을 통해 침윤된 림프구의 클론성(clonality)을 확인할 수 있다. 현재 행해지는 치료들은 완치보다는 림프종의 조절이 목적이다. 반 기의 병변은 중등도 국소 스테로이드 도포와 자외선B치료로 대부분 호전된다. 좀 더 침윤된 판 병변에는 소랄렌과 자외선A치료(PUVA) 또는 국소 니트로겐 머스타드(nitrogen mustard) 도포 를 한다. 국소 병변들은 방사선치료에 반응한다. 진행된 CTCL에는 체외광분리교환술(extracorporeal photopheresis)(p.135), 전자선치료(electron beam therapy), 경구 bexarotene 또는 병합항암요법을 사용한다.

CTCL의 치료를 위해서는 다학제진료와 다양한 치료법의 병합치료가 필요하다.

림프종모양구진증 (Lymphomatoid papulosis)

림프종모양구진증은 원발피부역형성CD30+대세포림프종(primary cutaneous anaplastic CD30+ large cell lymphoma), 피하지방층염모양T세포림프종(subcutaneous panniculitis like T-cell lymphoma)과 함께 림프증식질환의 일종이다. 수 일 주기로 재발성 구진이나 결절이

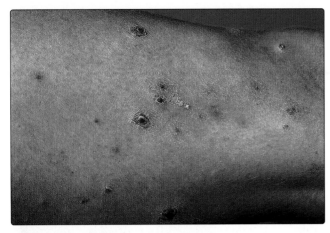

그림 59.4 림프종모양구진증(Lymphomatoid papulosis). 일부 괴사된 부분들이 있는 구진들이 산재되어 있다.

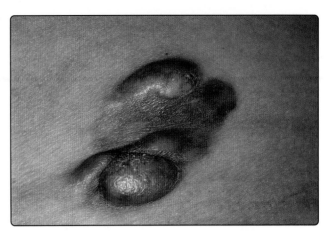

그림 59.6 재발한 융기피부섬유육종(dermatofibrosarcoma protuberans). 붉은색 진피결절이 뚜렷하게 보인다.

주로 몸통에 나타나는 것이 특징적이다(그림 59.4). 종종 괴사를 보이기도 하여서, 1–3개월동안 위축성 원형 흉터를 남기며 회복한다. 조직학적으로 피부에 침윤한 림프구들에 CD30+세포들이 나타난다.

다양한 광선치료와 저용량 경구 메토트렉세이트(methotrexate)로 치료한다. 수 년동안 재발하고, 일부 소수의 환자들은 진행성 림프종으로 진행한다.

원발피부B세포림프종 (Primary cutaneous B-cell lymphoma)

피부에서 원발B세포림프종은 T세포림프종보다 드물며 붉은 결절로 나타난다(그림 59.5). 대부분 천천히 진행하며 장기 예후가 좋다. (예; 변연부림프종(marginal zone lymphoma), 소포중심림프종(follicle center cell lymphoma)) 표재 방사선치료가 최적의 치료이다.

진피유래 원발피부종양 (Primary skin tumors of dermal origin)

육종이나 다른 피부종양들은 비교적 드물다. 융기피부섬유육종(Dermatofibrosarcoma protuberans)은 미국에서 발생률이 매년 100만명 당 4명이다. 융기피부섬유육종은 국소 침습성 종양으로, 주로 몸통, 굴측부, 근위부 사지에 무통성 살색 진피결절로 나타난다(그림 59.6). 대부분 천천히 자라며, 촉진 시 단단하고 융기된 판이 불규칙한 경계로 만져진다. 국소 재발 막기 위해 광범위 절제술이 필요하다.

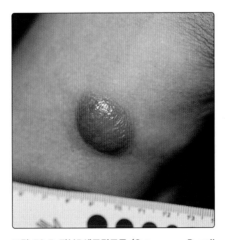

그림 59.5 피부B세포림프종 (Cutaneous B-cell lymphoma). 붉은 진피 결절로 나타났다.

피부전이암

유방암은 피부로 직접 침범할 수 있으며, 모세혈관확장성 판과 오렌지껍질모양(peau d' orange)으로 나타난다. 유방암, 폐암, 위장관암, 자궁암 및 신장암이 피부로 전이될 수 있으며, 두피나 배꼽에 단단한 결절로 주로 나타난다. 가끔은 이러한 피부전이가 원발암보다 먼저 발견된다. 흔하지는 않으나 백혈병도 피부전이를 보이며, 호지킨병(Hodgkin's disease)은 전신 가려움증을 유발할 수 있다.

피부 T세포/B세포 림프종과 악성 진피종양

- **CTCL의 정의**: 악성 클론성 CD3+, CD4+ T림프구의 피부 침윤으로 인한 드문 종양
- **CTCL의 병기**: 반 기, 융기성 판 기를 거쳐 종양기로 진행하고 전신 침범으로 진행한다.
- **CTCL의 치료**: 병기와 침범 범위에 따라 치료한다. 국소 반 기는 국소 스테로이드 도포와 광선치료에 반응한다. 진행된 경우는 광선치료, 방사선치료, 경구 bexarotene 또는 항암치료를 시행한다.
- **B세포림프종**은 붉은색 결절로 나타난다. 대부분 방사선치료에 잘 반응한다.
- **피부섬유육종**은 드물지만 악성 원발진피종양 중에서는 가장 흔하다. 광범위 절제가 필요하다.
- **기타 진피종양**: 전이암, 카포시육종 및 다른 육종들이 발생할 수 있다.

60 | 피부의 노화와 광노화

햇빛 노출 없이도 피부가 노화할 수 있지만, 대부분의 피부 노화는 광노화이다. 노인 인구의 증가와 개인 당 평균 자외선 노출량의 증가로 광노화는 점차 중요한 문제가 되고 있다. 햇빛 비노출 부위의 노화 피부에서는 진피가 얇다. 성인의 콜라겐은 매년 1%씩 감소하며 탄력도 떨어진다.

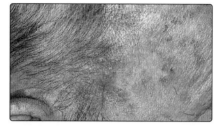

그림 60.1 광노화된 피부. 각화증과 색소침착이 뚜렷하다.

광노화의 징후

광노화는 햇빛 노출 축적에 의한 피부 변화이다. 광노화된 피부는 주름지고, 불규칙한 색소침착을 보이며, 각화증, 모세혈관확장, 탄력섬유증을 동반하고, 투명도와 탄력성이 감소하며, 밝은 노란색과 갈색이 혼재되어 나타나고, 자반이 쉽게 생기며, 양성 및 악성 종양이 잘 발생한다(그림 60.1, p.122-127). 일부 드문 질환들이 있는 경우[예; 색소성건피증(xeroderma pigmentosum) (p.113)] 광노화에 취약하다.

광노화의 단계

광노화는 30대에 시작된다. 초기에 색소변화와 미세한 주름으로 시작하며, 30대 말-40대 초에는 초기 흑자(lentigines)들과 촉지되는 각화증, 팔자 주름이 나타난다. 좀 더 진행되면 모세혈관확장, 각화증, 깊은 주름과 노란색과 회색의 색소변화가 나타나며 피부암이 호발한다(그림 60.2). 조직학적으로 광노화된 피부의 진피에서는 부서진 콜라겐섬유와 얽혀있는 탄력섬유, 그리고 글리코사미노글리칸(glycosaminoglycan)의 증식이 관찰된다(그림 60.3). 표피는 위축 또는 비후되면서 다양한 두께를 보인다.

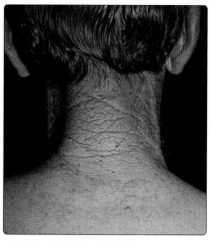

그림 60.2 만성 햇빛노출이 있었던 뒷목 피부의 거친 주름.

광노화의 관리

예방이 가장 좋은 치료이며, 특히 밝은 피부(1 또는 2형)를 가진 사람들에게 매우 중요하다. 장기간의 직접적인 햇빛 노출을 피해야 하며, 긴 팔 옷과 넓은 챙 모자를 쓰는 것이 효과적이다. 자외선차단제(p.142)는 얼굴과 손과 같은 햇빛을 받을 가능성이 높은 부위에 도포한다. 트레티노인(tretinoin) 또는 알파하이드록시산(alphahydroxy acids) 크림을 도포하는 것이 광노화의 임상 및 조직학적 변화를 일부 회복시키는 것으로 밝혀졌다. 화학박피와 레이저 치료도 이용된다(p.143, 140).

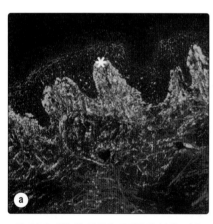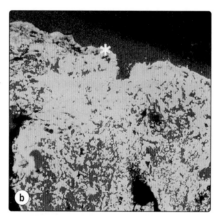

그림 60.3 광노화 피부의 조직학적 변화. (a) 햇빛 비노출 피부. Glycosaminoglycan(GAG: 녹색, hyaluronan)과 섬유모양 탄력소(elastin: 빨간색)가 정상구조로 보인다. (* 표피진피경계) (b) 햇빛 노출 피부. 얽혀서 뭉쳐있는 탄력소(빨간색)가 보이며, 탄력소 주위로 GAG(노란색, chondroitin sulfate) 증식이 관찰된다. (* 표피진피경계)

광노화와 노화

- 광노화의 징후로는 주름, 모세혈관확장, 불규칙한 색소침착, 밝은 노란색-갈색 색소변화 및 양성/악성 피부종양의 발생이 있다.
- 광노화는 햇빛에 잘 타는 피부 유형의 사람들에게서 더 흔하다.
- 조직학적으로 부서진 콜라겐과 뭉쳐진 탄력섬유와 글리코사미노글리칸(GAG)이 관찰된다.
- 광노화는 직접적인 햇빛 노출을 피하고 효과적인 자외선차단제를 사용하여 예방할 수 있다.
- 효과를 보일 수 있는 치료로는 트레티노인, 알파하이드록시산, 화학적 박피, 레이저 치료가 있다.

3

피부학의
특별한 주제

61 | 피부질환에 대한 생물학적 제제

생물학적 반응 조절제(생물학적 제제, biologics)의 개발은 기존에 치료가 힘들었던 크론병, 류마티스관절염, 중증건선과 같은 여러 질환의 치료에 혁명을 가져왔다. 생물학적 제제들은 재조합 사이토카인, 융합단백질, 단일클론항체들을 기반으로 하여 여러 질환의 병인기전에 관여하는 종양괴사인자(tumor necrosis factor-α, TNF-α), 사이토카인, T세포 등과 같은 면역 기전을 억제한다.

기본 원칙

생물학적 제제는 사용 기준을 준수하고 잠재적인 중증 부작용을 인식하면서 사용해야 한다. 처방 전 스크리닝과 모니터링이 중요하다. 치료 시작 전, 환자에게 잠재적인 부작용을 설명해야하며, 다음과 같은 위험 인자와 금기 조건에 대해 스크리닝 해야 한다.

- 중증심부전(New York Health Association class III, IV)은 TNF 억제제의 금기이다.
- 탈수초질환(Demyelinating disease)은 생물학적 제제의 금기이며, 관련 증상이 발생하면 즉시 약물 사용을 중단해야 한다.
- 암 과거력과 발생위험을 확인한다. 소랄렌을 이용한 PUVA치료력은 피부암의 위험인자이다.
- 관절 질환이나 염증성장질환이 동반되면 생물학적 제제의 선택에 영향을 끼친다.
- 감염질환에 대한 스크리닝을 한다. 바이러스성 간염, HIV 및 결핵(가슴x선 촬영과 IGRA)을 확인한다.
- 생물학적 제제를 사용하는 환자는 생백신 사용에 주의한다.
- 가임기 여성은 임신여부를 확인한다.

생물학적 제제의 부작용

대부분은 큰 문제 없지만, 생물학적 제제는 다양한 부작용을 일으킬 수 있다.

- 주사 부위 반응 및 일시적인 '감기 유사(flu-like)' 증상
- 감염질환 발병 증가; 특히 잠복 결핵 또는 간염 재활성화
- 탈수초질환(demyelinating disease)의 발병 또는 악화
- 암 발생 위험 증가

- 자가면역 용혈성 빈혈(autoimmune hemolytic anemia)
- 모순적으로 건선이 악화 될 수 있음.

치료기간 동안의 모니터링

질병활성도를 모니터링한다. 대부분의 생물학적 제제를 사용 할 때 혈액검사로 모니터링하는 항목은 비슷하며 다음과 같은 항목을 포함한다. - 3개월 간격으로 혈구 수, 혈중 요소, 전해질, 간 기능 수치 및 혈당을 확인하며 1년 간격으로 결핵에 대한 quantiferon 검사 및 간염에 대한 항원/항체 검사를 시행한다.

건선

생물학적 제제는 건선 발병에 관여하는 사이토카인(예; TNF-α, interleukin(IL)-12, IL-17, IL-23) 또는 세포(예; 수지상세포, T세포)들의 작용을 막음으로써 건선에 사용된다. 가끔 생물학적 제제와 함께 메토트렉세이트(methotrexate)를 병용하기도 한다.

현재 건선에 생물학적 제제를 처방하기 위한 급여 요건으로는, 환자의 건선이 중등도 이상의 건선이여야 하고, 사이클로스포린이나 메토트렉세이트 같은 경구 약물과 광선치료에 효과가 호전이 없어야 한다. 건선의 중증도는 Psoriasis Area and Severity Index (PASI)를 통해 평가하며, 생물학적 제제는 PASI 10점 이상이며 체표면적(BSA)의 10%이상을 침범한 경우에 사용한다.

생물학적 제제의 치료 효과 여부는 치료 시작 12주 후에 PASI로 평가하며, 75%이상의 PASI점수 개선이 있어야 한다(그림 61.1). 만약 12~16주 이후에 반응이 없다면, 약물을 중단하거나 변경한다. 다양한 생물학적 제제가 건선에 허가를 받았으며, 한 가지 제제에 반응이 없다면 다른 제제로 변경을 고려한다(표 61.1). 소아 건선환자에서도 기준을 만족하면, 아달리무맙(adalimumab) (4세 이상), 에타너셉트(etanercept)(6세 이상) 또는 유스테키누맙(ustekinumab) (6세 이상)을 처방할 수 있다.

Apremilast는 건선 치료에 승인은 받았으나 현재 국내 시판되고 있지는 않다. Janus kinase (JAK) 억제제들인 ruxolitinib과 tofacitinib은 미국에서는 건선에 사용이 승인 되었으나, 한국과 유럽에서는 아직 승인 받지 못했다. JAK 계열은 사이토카인 수용체의 기능을 매개하는 신호 전달에 관여한다.

표 61.1 건선에 사용되는 생물학적 제제들(Apremilast는 엄밀히는 생물학적 제제가 아니지만 편의상 포함되어 기술한다 .)

약물	용량	적응증	억제 물질
Adalimumab (휴미라, Humira)	피하주사 첫 회 80 mg, 1주 후 40 mg 이후 격주로 40 mg	중등도 이상 건선 건선관절염	TNF-α
Apremilast (오테즐라, Otezla)	경구투약 첫 날 10 mg, 5일 간 점진적으로 증량해서 유지 용량은 30 mg 2회/일(12시간 간격)	중등도 이상 건선 건선관절염	Phosphodiesterase-4 (PDE4)
Etanercept (엔브렐, Enbrel)	피하주사 25 mg 2회/주 또는 50 mg 1회/주	중등도 이상 건선 건선관절염	TNF-α
Guselkumab (트렘피어, Tremfya)	피하주사 첫 회, 4주 차 100 mg 이후 8주 마다 100 mg	중등도 이상 건선 건선관절염	IL-23
Infilximab (레미케이드, Remicade)	정맥주사 8주마다 5 mg/kg	중등도 이상 건선 건선관절염	TNF-α
Ixekizumab (탈츠, Taltz)	피하주사 첫 회 160 mg, 12주 차까지 2주 간격 80 mg, 이후 4주 간격 80 mg	중등도 이상 건선 건선관절염	IL-17A
Risankizumab (스카이리치, Skyrizi)	피하주사 첫 회, 4주 차, 16주차 150 mg 이후 12주 마다 150 mg	중등도 이상 건선	IL-23
Secukinumab (코센틱스, Cosentyx)	피하주사 5주 간 매주, 이후 4주 마다 150 mg 또는 300 mg	중등도 이상 건선 건선관절염	IL-17A
Ustekinumab (스텔라라, Stelara)	피하주사 첫 회, 4주 차, 이후 12주 마다 45 mg (<100 kg) 또는 90 mg (>100 kg)	중등도 이상 건선 건선관절염	IL-12, IL-23

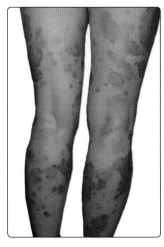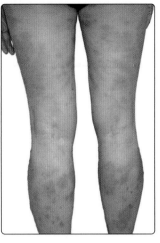

그림 61.1 생물학적 제제로 치료한 건선 환자가 뚜렷한 호전을 보였다. (좌) 치료 전 (우) 치료 후

표 61.2 다른 피부 질환들에 대한 생물학적 제제

약물	용량	적응증	억제 물질
Adalimumab	피하주사 첫 회 160 mg, 2수 자 80 mg, 4주 차 및 이후 매주 40 mg	중등도 이상 화농성한선염	TNF-a
Dupilumab	피하주사 첫 회 600 mg, 이후 격주 300 mg	중등도 이상 아토피피부염	IL-4, IL-13
Omalizumab	피하주사 4주마다 150 mg 또는 300 mg	만성두드러기	IgE
Rituximab	정맥주사 2주마다 1000 mg, 3회	천포창	CD20

다른 피부 질환들에 대한 생물학적 제제

아토피피부염. 오랫동안 중증 아토피피부염의 전신치료제들은 질병 개선 효과에 한계를 보여왔다. 생물학적 제제인 두필루맙(dupilumab)은 좀 더 나은 효과를 보여주고 있다(표 61.2). 두필루맙은 T-helper 2 (Th2) 세포 반응의 하나인 IL-4와 IL-13 사이토카인 경로를 억제한다. 현재 두필루맙은 중등도 이상의 중증 아토피피부염 환자에서 4주이상의 국소 도포제 치료 및 3개월 이상의 전신 면역억제제 복용에 질병 개선이 없을 때 급여 인정된다. 꾸준히 투약했을 때 16주 이후에 Eczema Area and Severity Index score (EASI)가 50% 감소하고 DLQI가 4점 감소하는 결과를 보였으며, 절반의 환자에서는 EASI가 75% 개선되는 결과를 보였다. 이후에도 아토피피부염에 대한 새로운 생물학적 제제들의 발굴이 필요하다.

만성두드러기. 오말리주맙(Omalizumab)은 IgE를 억제하며 12세 이상 만성특발성두드러기 환자의 치료에 사용할수 있다. (표 61.2) 4회 이상 사용에도 효과가 없으면 중단을 고려한다.

천포창. 리툭시맙(Rituximab)은 CD20에 대해 작용해 B세포를 소진시키는 생물학적 제제로, 혈액암에 대해 승인받은 약제이다. 잘 조절되지 않는 보통천포창 또는 낙엽천포창 환자에서 리툭시맙이 좋은 치료결과를 보인다.

화농성한선염. 아달리무맙(Adalimumab)은 전신체료제에 반응이 없는 중등도이상의 활동 화농성한선염에서 사용할 수 있다. (표 61.2) 12주간 사용하면서 질병이 악화되지 않고 농양과 결절 병변수가 50% 이상 감소하면 이후 24주마다 평가하면서 약물 사용을 지속 할 수 있다 .

기타 피부질환과 피부암. 벨리무맙(Belimumab)은 B세포 활성화인자

의 억제제로, 전신홍반루푸스에 사용된다. 인플릭시맙(Infilximab)은 난치성 유육종증(sardoicosis)에 효과가 있는 것으로 알려졌으며, 이외 다양한 생물학적 제제들이 허가사항 외의 다양한 질환들에 시도되고 있다. 유육종증과 괴저화농피부염(pyoderma gangrenosum)에 아달리무맙, 아급성 홍반루푸스에 유스테키누맙, 그리고 피부근육염에 리툭시맙이 시도되고 있다. 치료가 어려운 백반증이나 원형탈모에 Jak-1 억제제가 효과적인 것으로 밝혀지고 있으며, 여러 임상시험이 시행 중이다.

전이된 악성흑색종에는 BRAF V600변이가 있는 경우 dabrafenib (BRAF 억제제)과 trametinib (MEK억제제)을 사용할 수 있다. 진행된 기저세포암의 경우 hedgehog경로 억제제인 vismodegib을 사용할 수 있다.

피부질환에 대한 생물학적제제

- **생물학적제제는 면역학적으로 작용하는 새로운 종류의 약물이다.** 질환의 병인기전에 중요한 것으로 알려진 분자생물학적 경로에 대해 선택적으로 작용한다.
- **건선**: 다양한 생물학적제제가 승인 받았으며, 대표적으로 모두 피하주사로 투약하는 유스테키누맙(ustekinumab), 아달리무맙(adalimumab), 세쿠키누맙(secukinumab)이 있다.
- **아토피피부염**: 두필루맙(dupilumab)이 이전에 사용되던 전신 약물들에 비해 좋은 효과를 보인다.
- **두드러기와 화농성한선염**: 오말리주맙(omalizumab)과 아달리무맙(adalimumab)이 각각 승인 받았다.
- **기타 피부질환**: 허가사항 외 사용으로 난치성 질환에 시도되어 좋은 효과를 보이고 있다. [예; 천포창에서 리툭시맙(rituximab)]
- **Janus kinase 억제제**: Jak-1 억제제들이 건선에 대해 미국에서는 승인되었다. 백반증과 원형탈모에서도 효과적인 결과를 보이고 있다 .

62 광선치료

피부의 햇빛 노출은 피할 수 없으며, 햇빛에 의한 손상은 빛의 종류와 파장에 따라 달라진다. 햇빛은 특정 피부질환들에서는 도움이 된다(p.61). 자외선A와 자외선B는 모두 치료에 광범위하게 사용된다. 자외선A (UVA)는 그 자체로도 치료 효과가 있지만, 보통 광민감제인 소랄렌(psoralen)의 경구투약 또는 도포와 함께 병합치료로 사용된다. 노인 인구가 증가하고 개개인의 평균 자외선 노출량이 증가하면서, 광노화가 중요한 문제로 떠오르고 있다(p.130).

태양빛의 스펙트럼

태양이 방출하는 전자기선은 낮은 파장의 이온화 감마, X-선부터 비이온화 자외선, 가시광선 및 적외선까지 다양하다(그림 62.1). 오존층이 자외선C는 흡수하지만, 자외선A와 일부 자외선B는 지상에 도달한다. 자외선은 한 낮(11-15시)에 가장 높고, 눈, 물 또는 모래에 반사되면 더 증가한다. 자외선A는 표피를 투과해서 진피까지 도달한다. 대부분의 창문 유리는 <320 nm 파장의 자외선은 흡수한다. 인공 자외선 방출기는 자외선A 또는 B를 방출하고, 선베드(sunbed)는 자외선A를 많이 방출한다.

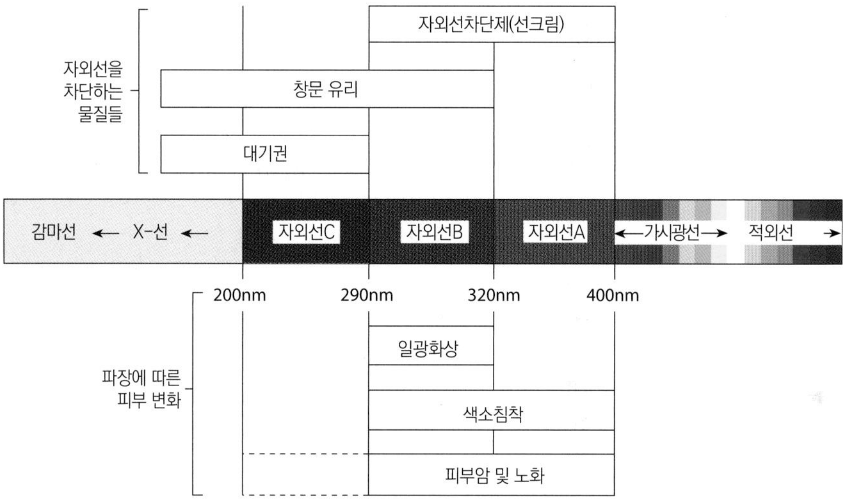

그림 62.1 태양의 방출 선 스텍트럼.

빛이 정상피부에 끼치는 영향

생리학적 영향

자외선B는 피부에서 비타민D3가 전구체로부터 합성되는 것을 촉진한다. 자외선A와 자외선B는 즉시색소침착(멜라닌 전구체의 광산화작용으로 생성), 멜라닌생성 및 표피 두께증가를 촉진하며, 이는 자외선 손상에 대한 보호기전의 일환이다.

일광화상

자외선B (UVB)에 일정 이상 노출되면, 홍반이 항상 발생한다. 이 때 자외선B의 역치인 '최소홍반량(minimal erythema dose, MED)'은 개인의 자외선 취약 정도를 나타내는 수치이다. 과한 자외선B 노출이 있으면 피부가 따끔거리기 시작하고, 2-12시간 후에 홍반이 발생한다. 홍반은 24시간에 가장 최고조를 보이고, 2-3일에 걸쳐서 표피탈락과 색소침착을 남기며 사라진다. 심한 일광화상은 부종, 통증, 수포와 전신 증상을 유발한다. 초기에 빨리 스테로이드를 도포하는 것이 일광화상에 도움이 되고, 진정로션(예; 칼라민 로션)을 도포한다. 햇빛에 타는 정도에 따라서 개인의 피부 유형을 나눌 수 있다(표 62.1). 예방이 치료보다 중요하며, 특히 1형의 밝은 피부를 가진 사람들은 일광욕을 하지 않아야 하고 반드시 노출 부위에 높은 차단력을 가진 자외선차단제를 도포해야 한다(p.143). 일부에서는 자외선 차단이 너무 강조되어, 일부 사람들에서 비타민D 결핍이 발생하고 있다고 주장한다.

표 62.1 일광화상과 그을림에 따른 피부 유형

피부 유형	햇빛 노출에 대한 반응
1형	항상 화상 발생. 그을리지 않음.
2형	항상 화상 발생. 가끔 그을림.
3형	가끔 화상 발생. 항상 그을림.
4형	화상 발생하지 않음. 항상 그을림.
5형	갈색 피부
6형	검은 피부 (예: 아프리카 흑인)

치료

자외선B 광선치료

자외선B는 피부에 다양한 영향을 끼치는데, 프로스타글란딘(prostaglandins)과 사이토카인(예; IL-1, IL-6)을 방출시키고, DNA합성을 억제하며 세포핵 바깥 분자에 영향을 끼친다. 치료 시, 자외선B (290-320 nm)를 주 3회 쬔다. 초기 용량은 환자의 최소홍반량(MED) 또는 피부 유형에 따라 결정하며, 이후 용량은 방문 시마다 증량한다. 10-30회 치료가 일반적이다. 좁은 범위(narrow-band, 311±2 nm) 자외선 램프를 사용하는 것이 광범위(broadband) 치료보다 효과적이고 적은 용량을 사용할 수 있다.

자외선B는 건선과 균상식육종 치료에 주로 사용되며, 가끔 아토피피부염, 백반증, 장미비강진 치료에도 사용된다. 소아와 임산부에서도 사용 가능하다. 대표적인 부작용은 급성 일광화상이며, 장기적으로는 피부암 발생 위험이 증가한다. 의료접근성이 떨어지는 일부 외국에서는 가정용 자외선 발생 장치로 전문간호사의 감독 하에 자가 치료를 하기도 한다.

건선 치료를 위해 자외선B 치료를 시행할 때는, 비타민D 유사체(p.28), 타르 국소 도포 또는경구 아시트레틴(acitretin) 복용을 병행하기도 한다.

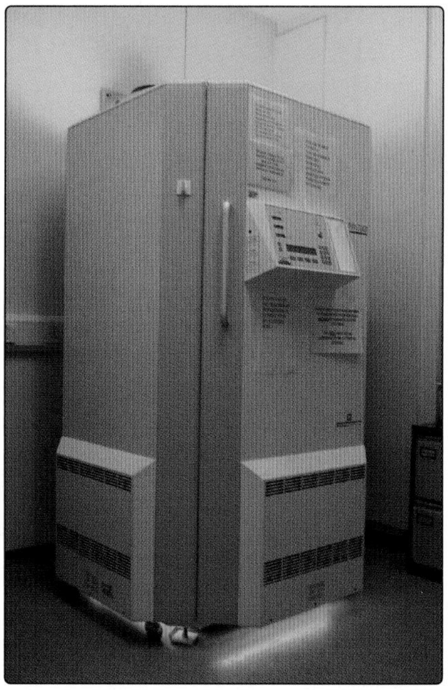

그림 62.2 자외선A 발생 광선치료기. 자외선B 치료기도 유사하게 생겼지만 다른 자외선발생관을 가지고 있다.

광화학요법(PUVA)

소랄렌(psoralen)과 자외선A 병합치료(PUVA)를 할 때는 8 methoxypsoralcn (MOP)를 자외선A (320-400 nm) 노출(그림 62.2) 2시간 전에 복용하여 광활성화 시킨다. 광활성화되면 DNA의 교차결합을 유발하고, 세포 분열을 억제하여 세포매개면역이 억제된다. PUVA는 주로 건선과 균상식육종 치료에 사용되며, 아토피피부염, 다형광발진(p.60) 또는 백반증(p.92) 치료에도 사용된다. 자외선A의 초기 용량은 최소독성량(minimum toxic dose, PUVA의 MED) 또는 피부 유형으로 결정하고, 방문 시마다 증량한다. PUVA치료는 주 2-3회 시행하며, 15-25회 치료로 건선이 그을림을 남기고 사라진다. PUVA의 유지 치료는 권장하지 않는다. 아시트레틴과 병합치료(Re-PUVA) 또는 짧은 기간동안 메토트렉세이트와 병합치료를 할 수 있지만, 발암 위험성 때문에 사이클로스포린 복용과는 병행하지 않아야 한다.

즉시 부작용은 가려움증, 오심, 홍반으로 주로 경증이다. 장기적인 피부암 발생 위험과 조기 피부 노화는 치료 횟수와 총 자외선A 용량에 따라 달라진다. 따라서 치료 기록을 잘 하는 것이 중요하다. 백내장도 이론적으로 발생 가능하므로, 소랄렌 복용 후 24시간 동안은 자외선A 보호 안경을 착용해야 한다. 8-MOP에 오심이 심한 환자들에게는 대체재로 5-MOP를 사용할 수 있는데, 이 때는 치료에 더 높은 자외선A 용량이 필요하다.

약욕 PUVA (Bath PUVA)는 환자가 소랄렌을 함유한 물에 몸을 담궈서 시행하는 치료로, 전신 부작용 때문에 소랄렌 경구 복용이 힘든 경우에 시행할 수 있다. 더 적은 자외선A 용량을 사용해야 한다. 손발의 건선이나 피부염에 대해서는 국소 소랄렌 도포를 이용한 국소 PUVA (local PUVA)를 시행할 수 있다(그림 62.3).

자외선A-1 (UVA-1) 광선치료

UVA-2 (320-340 nm)는 자외선B와 유사하게 홍반을 유발한다. UVA-1 (340-400 nm)는 홍반은 덜 형성하며 진피에 더 깊게 침투한다. UVA-1치료는 아토피피부염, 국소피부경화증(p.100), 균상식육종 및 색소두드러기(p.146)의 치료에 사용되고, 아토피피부염에는 narrow-band UVB 치료만큼이나 효과적이다. 부작용은 UVB보다 덜한 것으로 알려졌다. UVA-1 치료는 주5회로 3-4주동안 시행한다. T세포 자멸을 유도하고, 랑게르한스세포와 비만세포를 감소시키며 콜라겐분해효소(collagenase) 발현을

그림 62.3 손발 치료를 위한 자외선A 광선치료기계.

증가시켜서 치료 효과를 나타내는 것으로 추정한다.

표적광선치료 (Targeted phototherapy)

표적광선치료는 308 nm 엑시머(excimer) 레이저 또는 광원으로 건선, 백반증 및 균상식육종 환자에게 시행한다. 조사범위가 2 cm 2가량으로 작기 때문에, 손발, 무릎, 팔꿈치등에만 침범한 국소적인 건선이나 얼굴, 손의 백반증, 또는 단일 병변만 있는 균상식육종의 치료에 적합하다.

광분리교환술(Photopheresis)

광분리교환술(체외혈장광화학요법, extracorporeal photochemotherapy)은 Sezary증후군(p.58)과 일부 이식숙주편대반응(graft-versus-host disease)(p.103)에 사용되는 특별한 치료법이다. 환자가 경구 8-MOP를 복용한 후, 정맥혈액을 뽑아서 세포분리기를 통과시키고, 단핵구만 분리하여 자외선A를 조사한 후 다시 적혈구와 함께 환자에게 주입한다. 이러한 과정을 통해 조절T세포(regulatory T cell)이 유도된다. 치료는 보통 이틀연속으로 2-4주 간격으로 시행한다.

광피부질환의 예방

낮은 용량의 자외선B 광선치료는 또는 PUVA로 다형광발진, 햇빛두드러기 및 만성광선피부염

(p.60)과 같은 다양한 광피부질환의 내성을 유도할 수 있다.

태닝기계(Sunbeds)

태닝기계는 자외선A를 조사하며, 영국에서는 성인의 10-20%가 사용하고 있고 한국에서도 사용경험이 있는 인구가 증가하고 있다. 기계를 사용하면 피부 유형 3형이상의 사람들은 그을리며, 1 또는 2형의 사람들은 전혀 타지 않거나 약간만 그을린다. 사용자의 절반에서 홍반, 가려움 및 피부 건조가 나타난다. 만약 사용자가 광민감 작용이 있는 약을 먹거나 바르고 있다면 더 심각한 부작용이 나타날 수 있다. 급성 광과민 발진이 나타날 수 있고 때때로 색소침착이 많이 남기도 한다. 태닝기계는 다형광발진이나 전신홍반루푸스의 급성 악화를 유발할 수 있고, 포르피린증과 유사하게 피부가 약해지거나 수포가 발생하기도 한다. 악성흑색종의 발생 위험도 약하게 있으며 피부가 조기 노화될 수 있다.

피부과의사들은 특히 많은 점이 있거나 피부암 과거력이 있는 밝은 피부의 사람들은 태닝기계를 사용하지 않도록 권고한다. 이런 경고에도 불구하고 태닝기계를 사용하고자 하는 사람들은 일년에 2회 미만, 1회에 10번 미만으로 기계를 사용해야 한다. 피부질환의 치료로 태닝기계를 이용하는 것은 권장되지 않는다.

광선치료

- **자외선B**는 대부분 표피에서 흡수되고, 자외선A는 진피로 투과될 수 있다. 자외선B는 비타민D 합성을 촉진한다. 자외선A와 자외선B는 모두 멜라닌 색소 합성을 촉진하고 표피를 두꺼워지게 한다.

- **최소홍반량(minimal erythema dose)**은 홍반을 형성하는 최소 자외선B 용량을 말한다.

- 자외선B 치료는 최근에는 대부분 narrow-band를 이용하며 주로 건선에 사용한다. 보통 10-30회 치료를 시행한다.

- **PUVA**는 건선에 흔히 사용되는 치료였으나 최근에는 덜 시행하는 추세이다. 장기적으로 피부암 발생의 위험이 있다.

- **자외선A-1(UVA-1) 치료**는 아토피피부염, 국소피부경화증 및 색소두드러기의 치료에 사용할 수 있다.

- **표적광선치료**는 308 nm 엑시머레이저를 이용하며, 국소적인 건선, 백반증 및 균상식육종 병변의 치료에 유용하다.

- **일광화상**은 24시간 후에 최대로 나타나며, 2-3일에 걸쳐 표피탈락과 색소침착을 남기며 사라진다.

- **태닝기계**는 자외선A를 방출하여 3,4형 피부를 그을리게 만든다. 부작용이 흔하다.

63 | 기초 피부외과

양성 및 악성 피부병변들을 제거하려는 수요가 늘어남에 따라, 많은 일반의와 피부과의사들이 피부의 수술을 익히고 시행하고 있다. 피부질환을 치료하는 사람이라면 누구나 기초적인 수술에 대한 지식이 필요하다.

기구 및 재료

우선적으로, 수술에 자신이 없는 사람은 수술을 시행하지 않아야 한다. 경험이 적은 사람은 양성 병변만 제거해야 한다. 모든 수술은 훈련된 간호사와 적절한 불빛이 있는 수술장에서 시행되어야 하고, 멸균 기구, 장갑 그리고 무균상태를 유지하는 수술기술이 필수이다. 수술자는 수술 방법을 계획하고 환자에게 설명해야 하고, 흉터에 대해서도 설명한 후 환자에게 동의서를 받아야 한다. 피부주름 방향을 잘 파악해서 주름선과 평행한 방향으로 절제를 시행한다.

기본 기구(그림 63.1)에는 3번 칼손잡이(#3 scalpel handle), 15번 칼(#15 blade), 유구 에드슨포셉(toothed Adson's forceps), 작은 무구 니들홀더(smooth-jawed needle holder), 한 쌍의 날카로운 가위, 동맥포셉(artery forceps) 및 Gillies 스킨훅(Gillies skin hook)이 있다. 큐렛(Curettes)과 펀치기구는 다양한 크기가 있다. 국소 마취에는 1% 리도카인(lidocaine)과 1/200,000 에피네프린 혼합제제를 주로 사용하지만, 손가락, 발가락 및 음경에는 리도카인 단일로만 사용한다. 80 kg 성인 기준으로 사용 가능한 1/200,000 에피네프린 혼합 1% 리도카인의 최대 용량은 40~50 mL이다. 만약 더 높은 농도의 리도카인을 사용하거나 에피네프린을 혼합하지 않으면, 사용 가능한 최대 용량은 훨씬 더 적어진다.

수술 부위 피부는 0.05% aqueous chlorhexidine과 같은 제제로 닦고, 만약 소작 기구를 사용할 예정이라면 알코올 성분이 포함된 제제로는 닦지 않는다. 멸균 천 또는 구멍포를 수술 부위 주변에 덮어서 감염 위험성을 낮춘다.

절제부위가 깊거나 장력을 많이 받으면 흡수사(예; polyglactin; Vicryl)로 피하봉합을 한다. 피부봉합에는 단선사인 monofilament nylon(예; Ethilon)이나 polypropylene(예; Prolene)을 주로 사용한다. 얼굴에는 5/0 또는 6/0, 등과 다리에는 3/0 , 그리고 이 외 부위에는 4/0 실을 사용한다. 봉합사는 얼굴은 5~7일 뒤, 다리와 몸통은 10~14일 뒤 그리고 이 외 부위는 7~8일 뒤 제거한다. Steristrips는 봉합사와 함께 또는 봉합사를 제거한 후에 붙여서 봉합부위를 잡아주는 역할을 한다. 대부분 접착성 테이프나 드레싱용품(예; micropore, mepore)을 사용한다.

모든 떼어낸 조직은 조직학적 확인을 위해 보낸다. 만약 한 환자로부터 2개 이상의 조직검사를 시행하면, 각각의 조직을 서로 다른 검사통에 담아서 보낸다. 조직의 고정을 위해서는 주로 10% 포르말린을 이용한다.

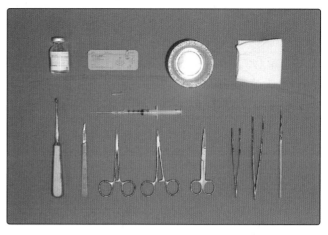

그림 63.1 피부 수술에 사용되는 전형적인 기구 세트. 큐렛이 포함되어 있다.

기본 수술 술기

절제생검(Exicional biopsy)

절제생검은 주변 부위의 해부학적 구조를 고려해서 계획해야 한다. 절제 시 장축은 피부 주름선에 따라 결정하며(그림 63.2), 병변 특성에 따라 절제 범위를 설정한다. 절제를 시행한 선은 마킹 펜으로 피부에 미리 그린다. 보통 방추형 절제를 시행하며, 방추의 양 끝 각도는 30도 정도이고 길이는 넓이의 3배 정도이다. 만약 이보다 길이가 짧으면 양 끝에서 '견이(dog-ear)'가 나타나며, 이는 쉽게 교정이 가능하기는 하다. 수술 부위를 잘 닦아낸 후, 얇은 바늘로 병변 주위에 국소 마취약을 주입한다. 마취가 되면, 칼로 한번에 부드럽게 지방층까지 수직으로 절개한다. 방추형 모양의 절개된 피부가 주위 피부와 분리되면, 스킨훅(skin hook)으로 한 끝을 잡고 바닥에 붙어있는 지방층을 칼로 떼어낸다. (그림 63.3) 이렇게 떼어내고 나면 대부분의 경우 바로 봉합이 가능하고, 출혈이 있는 경우는 출혈 혈관을 전기소작기로 소작하거나 실로 묶는다.

단순단속봉합(simple interrupted suture)을 시행할 때, 바늘은 피부표면에 수직으로 들어가서 진피까지 모두 통과한 후 반대쪽 표면으로 나오며 이 때 유리병모양(flask-shape)으로 실이 봉합된다(그림 63.3). 이를 통해 상처는 모여지고, 살짝 외번(everted) 된다. 봉합은 너무 꽉 묶이지 않아야 한다. Nylon이나 polypropylene 봉합사는 각각 다른 방향으로 각매듭(square knot)을 형성하도록 세 번 매듭을 묶는다. 켈로이드가 호발하는 부위(예; 위 등, 가슴 또는 턱선), 흉터가 잘 보이는 부위(예; 젊은 여성의 얼굴) 또는 상처회복이 더딘 부위(예; 아래 다리)는 주의 깊은 관리가 필요하다. 미용적

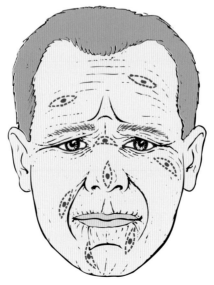

그림 63.2 얼굴 주름선. 방추형 절제모양의 예들이 표시되어 있다.

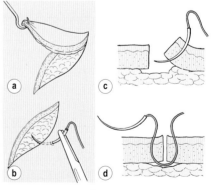

그림 63.3 방추형 절제와 봉합. (a) 한 끝을 스킨훅(skin hook)으로 잡고 방추형 피부를 떼어낸다. (b) 봉합 바늘은 피부 표면에 수직으로 들어간다. (c) 봉합 바늘을 표피와 진피 전체 층을 통과시킨다. (d) 봉합된 실은 '유리병(flask)'모양을 이루며 피부표면을 살짝 외번(evert)시킨다.

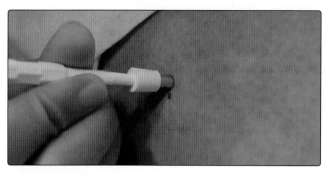

그림 63.4 펀치생검. 국소마취를 한 후 피부를 주름선에 수직으로 당기고, 병변 부위 위에 원형 펀치기구를 놓고 엄지와 집게손가락을 이용해 부드러운 압력으로 살짝 돌리면서 기구를 피하층까지 밀어 넣는다. 피부 전층이 포함된 원형 조직이 튀어나오면 바닥을 살짝 잘라 조직을 떼어낸다. 떼어내고 난 결손 부위는 한 땀 봉합하거나, 소작하거나, 이차 유합시킨다.

그림 63.5 소파술. 숟가락모양 소파기구로 부드럽게 긁어내어 병변을 제거한다. 최근 사용되는 소파 기구들은 대부분 일회용 고리모양 큐렛(disposable ring curettes)이다.

으로 중요한 부위는 연속피하봉합(running subcuticular suture)이 선호된다.

절개생검(Incisional biopsy), 펀치생검(Punch biopsy), 면도생검(Shave biopsy)

절개생검은 진단 목적으로 주로 시행한다. 절제 생검과 유사한 방법으로 시행하지만, 더 적은 조직을 떼어낸다. 펀치생검은 날카로운 원형 칼을 이용하며, 피부에 수직으로 부드럽게 살짝 비틀어 넣어 원통형 조직(보통 3–4 mm 직경)을 떼어낸다. 작은 병변을 제거하거나 진단 목적의 생검을 시행할 때 사용한다(그림 63.4).

면도생검은 주로 진피내모반이나 지루각화증과 같이 튀어나온 양성 병변을 제거하기 위해 사용된다. 병변을 피부 표면 살짝 위에서 표면에 평행하게 면도하여 떼어낸다. 전기소작기로 지혈한다. 병변 전체를 완전히 제거하는 것은 아니기 때문에, 악성이 의심되는 경우는 시행하지 않는다. 쥐젖(skin tag)은 가위로 살짝 잘라내고 소작기로 지혈하여 제거할 수 있다.

소파술(Curettage)

소파술은 지루각화증, 화농성육아종 또는 단일 바이러스사마귀 병변(특히 얼굴에 있을 때)에 사용할 수 있으며, 모반이나 특히 악성 가능성이 있는 병변에는 시행하지 않는다. 기저세포암은 수 차례의 소파술과 소작술로 치료할 수 있지만, 이런 방법으로 치료하는 환자는 주의 깊게 선정해야 한다. 국소 마취를 한 후, 숟가락이나 고리모양의 큐렛(curette)기구로 병변을 부드럽게 긁어내고 소작기로 바닥을 지혈한다(그림 63.5). 긁어낸 조직은 10% 포르말린에 담아 조직학적 검사를 보낸다.

기타 수술 술기

소작술(Cautery)

소작술은 지혈과 조직 파괴를 위해 사용한다. 기존 소작기들은 전기로 가열되는 와이어를 가지고 자체 살균이 된다. 'Birtcher hyfrecator'는 단극성(unipolar) 소작 기구로, 좀 더 조절된 전기소작술이 가능하다. 거미모반, 모세혈관확장증을 제거하거나 지혈을 위해 사용할 수 있지만, 체내 심박동기를 삽입한 환자에게는 사용하면 안된다. 20% 염화알루미늄 알코올 혼합물(Driclor; Anhydrol Forte) 또는 질산 은도 화학적 소작술을 위해 사용할 수 있다.

냉동치료(Cryotherapy)

냉동치료는 액체질소를 이용하며, 바이러스성 사마귀, 전염연속종(molluscum contagiosum), 지루각화증, 광선각화증, 상피내편평세포암 및 일부 기저세포암에 사용한다. 액체질소(-196도)를 스프레이(예; Cryo-Ac)로 분사하거나 면봉으로 병변에 가해서 얼림으로써 세포를 파괴시

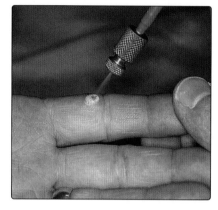

그림 63.6 냉동치료 기구를 이용해 액체질소 치료를 시행한다.

킨다. 액체질소가 담긴 플라스크에 면봉을 담근 후, 면봉을 꺼내어 병변에 10초 정도 대면 병변 바닥과 주위가 얇게 얼어붙는다. 스프레이는 병변에서 10 mm정도 거리에서 분사하여 마찬가지로 얼어붙게 만든다(그림 63.6). 악성 병변에 대해서는 좀 더 오래 얼린다. 24시간 내에 수포가 발생할 수 있고, 수포는 터뜨린 후 마른 드레싱을 시행한다. 부작용으로, 어두운 피부에서는 저색소침착이 나타나거나, 특히 노인에서는 하지에 궤양이 발생할 수 있다. 필요 시 4주 후에 치료를 반복한다.

기초 피부외과

- **피부수술**은 무균 수술법, 적절한 불빛, 그리고 잘 훈련된 간호사가 있는 수술장 환경에서 시행한다.
- **국소마취**: 대부분의 부위에서 1% 리도카인과 1/20,000 에피네프린을 혼합하여 사용한다.
- **Nylon 또는 polypropylene 봉합사**를 이용하고, 얼굴에서는 가장 얇은 봉합사를 사용한다.
- **병리조직학적 검사**는 모든 생검된 조직에 대해 시행하며, 조직은 잘 구별하고 이름 붙여서 병리과에 보내야 한다.
- **절제**는 주로 방추형으로 시행하며, 피부 주름에 평행하게, 넓이의 3배 길이로, 양 끝 각도는 30도 정도로 절제한다.
- **면도생검**은 양성 모반의 제거에 적합하다.
- **펀치생검**은 작은 병변의 제거나 진단적 생검에 유용하다.
- **소파술**은 지루각화증, 단일 바이러스사마귀 병변 및 화농성육아종의 치료에 적합하다.
- **소작술**(예; hyfrecation)은 지혈과 조직 파괴에 사용한다.
- **냉동치료**는 바이러스사마귀, 지루각화증, 전암병변 및 일부 종양들에 시행한다.

64 | 심화 피부외과 - 1

일부 피부과의사들은 피부외과 전문이며, 모든 피부과 전공의들은 이러한 기술들을 배운다. 여기서는 피판, 피부이식, 모즈수술, 레이저 및 광역동치료, 그리고 일부 기초적인 미용 시술에 대해 간단히 소개한다.

간단한 성형 교정술

간단한 성형 교정술에는 다음과 같은 방법들이 있다:

- **견이(dog-ear) 절제술:** 견이는 절제 선 끝에 남는 잉여조직이다. 탄력성이 높거나 조직 보존이 중요한 부위에서는, 여유 있게 방추형으로 절제를 하기보다는 병변 주위를 최소한으로 원형 절제하게 된다. 남은 잉여 피부는 스킨훅으로 천막처럼 들어 올리고 양 끝 견이를 절제한 후, 길어진 상처만큼 다시 봉합한다(그림 64.1).
- **M-성형술(M-plasty):** M-성형술은 조직 공간이 제한적인 곳(예: 얼굴)에서 절제를 할 때 방추형의 길이를 줄이고자 사용하는 방법이다. 일반적인 방추형 모양에서 한 끝이 안쪽으로 접힌 것처럼 M자 모양으로 절제한다.

피부 피판술(Flap)

대부분의 절제 후 결손 부위는 절제면 밑 조직을 가로로 박리시킴으로써, 양 절제면을 바로 이어 붙여 닫는 봉합술이 가능하다. 하지만 이런 직접적인 봉합이 불가능한 경우는 피부이식이나 피판술을 고려해야 한다. 가장 단순한 종류의 피판에는 전진(advancement) 피판과 회전(rotation) 피판이 있다.

- **전진피판(Advancement flap):** 전진피판은 피판을 한 방향으로 전진시켜서 결손을 덮는 방법이다. 결손에서 한 방향으로 결손이 덮일 만큼의 크기로 절제선을 내고, 피부 밑을 박리한 후 결손쪽으로 피판을 전진시키고, 결손 위를 덮는 위치에서 봉합한다(그림 64.2).
- **회전피판(Rotation flap):** 회전피판은 피판을 한 쪽으로 회전시켜 돌림으로써 결손을 덮는 방법이다. 결손 부위의 한 쪽 면을 부채꼴 모양으로 연장시켜서 절제선을 내는데, 이 때 길이는 일반적으로 결손 부위의 세 배 길이이며, 결손 부위 피부의 탄력성(두피나 손등은 탄력성이 매

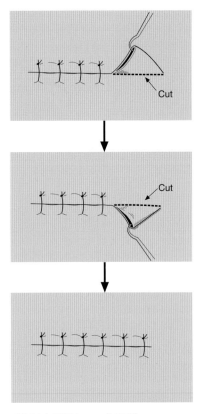

그림 64.1 견이(dog-ear) 교정술.

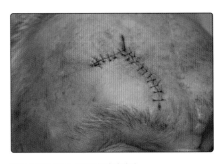

그림 64.2 O-L 모양의 전진피판.

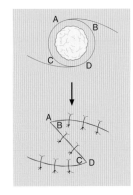

그림 64.3 회전피판.

우 낮다)에 따라 결정된다. 피판을 박리하고, 결손부위 안으로 회전시켜서 자리 잡은 후 봉합하여 고정한다(그림 64.3).

피부이식

단순봉합이나 피판으로 결손이 덮이지 않으면, 결손부위의 이차 유합(secondary intention healing)이 주로 고려된다. 이차유합은 코, 눈 주위, 귀, 관자놀이 쪽의 오목한 부위에서는 좋은 결과를 보이지만, 코, 뺨, 턱의 볼록한 부위들에서는 경과가 좋지 못하다. 결손부위를 바로 덮어야 하고, 다른 방법들이 마땅치 않을 때는 피부 이식을 이용할 수 있다. 피부이식은 비교적 미용적으로 결과가 좋지 못하고 공여부까지 포함 해 두 개의 상처를 만들 수 있기 때문에 아주 주의 깊게 시행해야 한다. 분층 또는 전층 이식을 시행할 수 있다.

- **전층피부이식(Full thickness skin graft):** 공여부(예: 귀 뒤, 위 팔 안쪽)에서 피부 전층을 떼어 내고 봉합한다.
- **분층피부이식(Split thickness skin graft):** 공여부 피부를 진피층에서 잘라서 모낭을 보존하고, 공여부에 남은 모낭의 표피세포로부터 재상피화가 되도록 한다. 이 방법은 주로 성형외과의사들이 넓은 결손을 덮기 위해 사용한다.

모즈미세도식수술 (Mohs' micrographic surgery)

모즈수술(Mohs' surgery)은 피부암을 절제할 때 최소한의 범위로 절제하여 조직을 최대한 보존하고자 하는 방법이다. 절제 후 피부를 봉합하기 전에, 최소한의 범위로 절제된 종양 조직을 현미경으로 확인한다. 만약 현미경 상에서 조직 변연에 종양이 남아 있으면 남은 부분을 도식화 하여 추가 절제하고, 이런 식으로 완전히 변연이 깨끗할 때까지 절제한다. 주로 다음과 같은 기저세포암에서 이러한 방법을 사용한다(표 64.1).

- 경화형 기저세포암. (임상적으로 종양 경계가 불명확할 때)
- 재발한 경우. (이전 절제로 인한 흉터 조직때문에 종양 세포가 남아있을 수 있다.)
- 얼굴 융합선(embryonic fold)에 발생한 경우. (예: 코입술주름 부위)
- 조직 보존이 중요한 부위. (예: 코, 눈 주위)

종양 덩어리는 긁어내어 제거하고, 병변부위 피부를 접시모양으로 절제한다. 떼어낸 조직은

표 64.1 기저세포암의 치료방법

방법	기저세포암 종류	부위	종양 크기	주의점	장점	단점	이상적인 대상자	5년 제거율 (비재발률)
수술적 절제	모든 종류 (표재성, 다발성 기저세포암에는 권장하지 않음)	모든 부위	모든 크기	고위험 부위에서는 해부학적 구조에 손상이 발생할 수 있다. 4-5 mm 경계 범위를 두는 것을 권장한다.	조직학적 검사와 확실한 치료가 가능하다.	변연에 대한 조직학적 평가가 100% 믿을만하지는 못하다.	결절형 BCC	95%
모즈미세도식수술	표재성을 제외한 모든 종류	모든 부위 (얼굴, 고위험부위에 더 적합함)	모든 크기	잘 훈련된 의사가 시행해야 한다.	수술 중에 완전 제거를 확인할 수 있다. 경계가 불명확하거나 재발성, 또는 큰 병변에 이상적인 치료이다.	진단적인 조직검사를 선행하기를 권고한다. 비교적 비용과 시간이 많이 든다.	경화형 BCC, 눈, 코, 입 주위 병변	99%
소파술/소작술	경화형을 제외한 모든 종류	두경부 제외, 고위험부위 제외	작은 병변에 더 적합	긁어내면 조직이 조각나서 조직학적 평가가 어렵기 때문에, 시술 전 진단에 대해서 확인을 가진 상태에서 시행해야 한다.	빠른 치료	노인에서는 상처 회복에 시간이 걸릴 수 있다. 불완전한 치료.	노인에서 몸의 큰 병변	92%
냉동수술	표재성에만 권고함	몸	작은 병변	효과를 위해서는 냉동치료를 강하게 시행해야 하며, 병변을 잘 선택해서 시행해야 한다. 조직 채취가 없다.	마취 없이 간단하게 치료.	통증이 있고, 상처 회복이 느릴 수 있다.	다른 치료가 힘든 취약한 환자.	>90%
광역동치료	표재성. (결절병변을 긁어낸 이후의 병변)	편평한 부위	모든 크기	치료 전에 얇은 각질이나 딱지는 제거해야 한다.	미용적으로 결과가 좋고, 다발성 병변도 한번에 치료가 가능하다.	통증이 있고, 특수 광원을 갖춰야한다. 시간이 소요된다.	두피, 정강이의 다발성 표재성 BCC	86%
이미퀴모드	표재성. (결절병변을 긁어낸 이후의 병변)	모든 부위	모든 크기	저색소 흉터가 남는 것에 대해 설명해야 한다.	비수술적 방법	환자 순응도가 높아야 한다. 통증이 있는 염증반응을 유발한다.	다발성 표재성 BCC	80%
방사선치료	모든 종류	두경부	모든 크기	콧등, 윗눈꺼풀 또는 뼈와 붙어있는 몸 부위(예: 정강이)는 피한다.	비수술적 방법, 위험이 낮고 미용적 결과가 좋다.	장기적으로 암 발생위험이 증가한다. 비용이 비싸고, 잦은 내원이 필요하다.	수술이 힘든 노인 얼굴의 큰 병변. 재발성 BCC	91%

표시해서 편평하게 만들고, 냉동절편으로 만들어 바로 현미경으로 확인한다. 종양이 남아 추가 절제가 필요한 부위를 도식화하여 표시한다(그림 64.4). 결손부위는 때때로 성형외과 의사와 함께 재건하기도 한다. 기저세포암에서의 완치율은 99%이다.

항응고제와 피부 수술

수술합병증 중 출혈은 심각한 결과를 가져올 수 있다. (box 64.1) 새로운 항응고제들이 점점 광범위한 사용되고 있어서, 환자의 수술 전 준비가 더 복잡해지고 있다. 와파린이 비타민K 활성을 억제하는 것과는 다르게, 새로운 항응고제들은 응고인자Xa (rivaroxaban, apixaban) 또는 트롬빈(dabigatran)을 억제해서 좀 더 약동학적으로 예측가능하다. 이런 약물들은 빠르게 작용하여서, 항응고 작용을 위한 초반에 저분자헤파린을 사용할 필요가 없다. 와파린에 비해 뇌경색, 심방세동과 같은 질환에서는 더 유용하게 사용되고, 인공심장판막 삽입 후와 같은 상태에서는 덜 효과적이다. 와파린과 달리, INR (international normalized ratio)이나 PTT (partial thromboplastin time) 수치가 항응고상태를 잘 대변해 주지 못하고, 다른 특수 검사가 있기는 하지만 일반적으로 시행되지는 않는다. 대량출혈이 발생하면 항응고효과를 상쇄하기는 어려워서, 경구 숯(charcoal)이나 투석을 시행할 수는 있지만 효과가 제한적이다. 따라서 치료를 중단해야 하는 경우가 많다. 콩팥으로 배출되기 때문에, 크레아티닌청소율에 따라 체내 반감기가 달라진다. 건강한 사람은 약물을 중단하고 1-2일이면 항응고상태가 정상화되지만, 콩팥기능이 현저히 떨어지는 사람은 6일 가량 약물을 중단해야 한다. 대부분의 피부 수술은 출혈 위험이 낮고, 많은 연구들에서 혈전발생 위험이 출혈 위험보다 위험도가 높은 것으로 밝혀져 피부 수술에서는 와파린 사용을 지속하도록 권고한다. 와파린이 아닌 새로운 항응고약물들도 동일한 이유로 피부 수술에서 지속 사용할 수 있지만, 새로운 약물들에 대한 연구결과는 아직 부족하다.

64 심화 피부외과 - 2

항혈소판제와 피부 수술

항혈소판제도 매우 광범위하게 사용되고 있으며, 일부 환자들에서는 항응고제와 함께 사용되고 있다. 아스피린(cyclooxygenase 억제제)은 가장 잘 알려진 항혈소판제이다. 새로운 약물들(clopidogrel, prasugrel, ticagrelor)은 세포 표면의 P2Y12 혈소판수용체를 표적으로 작용한다. 모즈수술에서는 clopidogrel이 아스피린에 비해 출혈 위험을 6배 이상 높이는 것으로 밝혀졌으며, 아스피린과 병용할 때는 위험이 더 올라간다. Clopidogrel은 약물 중단 후 항혈소판 효과가 정상화되기까지 1주가 소요된다. Clopidogrel을 와파린과 병용할 때도 와파린 단독 사용에 비해 출혈 위험을 현저히 높인다. 하지만 대부분의 가이드라인에서는 일반적인 피부 수술들을 할 때는 이러한 약물을 중단하지 말고 지속 사용하도록 권고하고 있다. Prasugrel과 ticagrelor는 더 최근에 나온 약물들로, 항혈소판 효과가 더 크고 반감기가 더 짧아서 중단 후 혈소판기능이 정상화되기까지 2일이 걸린다. 아직 연구결과는 부족하지만, 이러한 약물들이 출혈 합병증을 더 높일 것이라고 추측할 수 있다. 일반적으로 위험도가 낮은 수술을 할 때는 항혈소판제를 지속하도록 하며, 만약 항혈소판제를 질환에 대한 치료가 아니고 예방적으로 복용하고 있는 경우라면 수술 전 중단하도록 한다.

레이저와 광펄스(IPL, intense pulsed light)

레이저(laser=light amplification by stimulated emission of radiation) 기술은 빠르게 발전하여, 혈관질환(그림 64.5), 색소질환, 종양(그림 64.6)의 치료, 문신 제거 및 제모에 사용되고 있다. 흡수하는 파장은 매우 다양하기 때문에, 치료에는 여러 종류의 레이저들이 필요하다(표 64.2). 치료는 대부분 아프고 여러 번의 치료가 필요하다. 광펄스(IPL, intense pulsed light)는 제모를 포함한 일부 질환들의 치료에 사용할 수 있으며, 레이저와 유사하지만 비용이 조금 더 적게 든다. 프랙셔널(fractional) 레이저치료는 목표 영역에 물뿌리개처럼 분사하여 치료하는 방법이다.

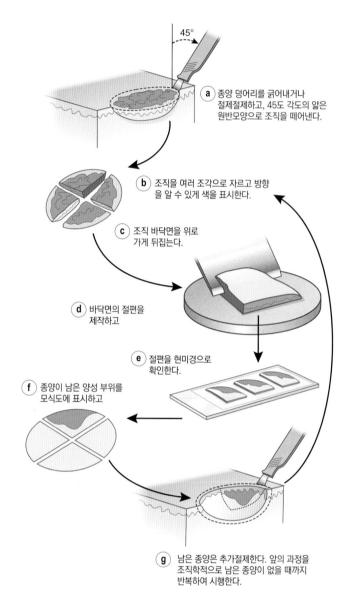

ⓐ 종양 덩어리를 긁어내거나 절제절제하고, 45도 각도의 얇은 원반모양으로 조직을 떼어낸다.

ⓑ 조직을 여러 조각으로 자르고 방향을 알 수 있게 색을 표시한다.

ⓒ 조직 바닥면을 위로 가게 뒤집는다.

ⓓ 바닥면의 절편을 제작하고

ⓔ 절편을 현미경으로 확인한다.

ⓕ 종양이 남은 양성 부위를 모식도에 표시하고

ⓖ 남은 종양은 추가절제한다. 앞의 과정을 조직학적으로 남은 종양이 없을 때까지 반복하여 시행한다.

그림 64.4 모즈미세도식수술.

광역동치료(PDT, Photodynamic therapy)

광역동치료(PDT, photodynamic therapy)는 포르피린 전구체인 5-amino-levulinic acid를 병변에 도포하고 가시광선이나 레이저를 조사하는 치료로, 광범위한 상피내편평세포암이나 광선각화증, 표재성 기저세포암의 치료에 매우 유용하다.

Box 64.1 출혈의 수술합병증

수술 중 또는 수술 후 출혈
혈종 (통증 및 감염 유발)
상처 벌어짐
피판 또는 이식 피부의 괴사

심화 피부외과

- **견이 절제술(dog-ear excision):** 절제선 양 끝의 잉여조직을 제거하여 흉터를 더 보기 좋게 교정한다.
- **피부 피판술(skin flaps):** 주위 피부를 움직여서 전진시키거나 회전시키어 결손부위를 덮는다.
- **피부 이식술(skin grafts):** 결손부위를 덮기 위해 사용되며, 미용적으로는 이차유합이 더 좋을 수 있다.
- **모즈 수술(Mohs' surgery):** 병리조직학적으로 여러 단계로 확인하며 제거하는 수술법으로, 피부암에서 높은 완치율을 보인다.
- **레이저(lasers):** 피부 혈관질환, 색소질환, 문신 및 일부 피부암의 치료와 제모에 사용한다.
- **광역동치료(PDT, photodynamic therapy):** 광범위한 상피내편평세포암의 치료에 매우 유용하다.
- 전 세계적으로 점점 더 많은 미용 시술들이 피부과에서 행해지고 있다.

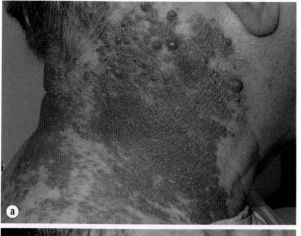
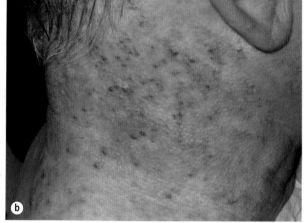

그림 64.5 포도주색반점(Port-wine stain). (a) 치료 전 (b) Pulsed dye 레이저를 8회 시행한 이후

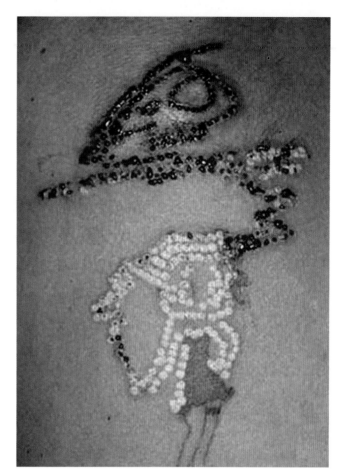

그림 64.6 문신에 Q-switched alexandrite 레이저를 시행하였을 때 즉시 하얗게 변하는 반응을 보인다.

표 64.2 일반적으로 사용되는 레이저들

종류	종류	파장	혈관병변 (붉은색)	색소병변, 문신	제모	주름, 흉터, 광손상	양성 병변 제거
Continuous	CO₂	10,600 nm					
Quasi-continuous	Potassium-titanyl-phosphoate (KTP)	532 nm	O	O (흑자, lentigines)			
	Copper vapour/bromide	510/578 nm	O				
	Argon-pumped tunable dye (APTD)	577/585 nm	O				
	Krypton	568 nm	O				
Pulsed: long pulse 또는 Q-switched	Pulsed dye laser (PDL)	585–595 nm	O (가장 적합함)	노란색, 오렌지색, 붉은색			
	Ruby	694 nm			O		
	QS ruby	694 nm		검은색, 파란색, 녹색, 짙은 갈색			O
	Alexandrite	755 nm			O		
	QS alexandrite	755 nm		검은색, 파란색, 녹색, 짙은 갈색			O
	Diode	810 nm			O		
	QS Nd:YAG	532 nm	O	보라색, 갈색, 붉은색, 노란색, 오렌지색			O
		1064 nm	O	파란색-검은색, 짙은 갈색	O		
	Erbium:YAG	2940 nm			O	O	
	CO₂ (pulsed)	10600 nm				O	O
	IPL	레이저 아님.	O (포도주색반점)	O (흑자, lentigines)	O		
Fractional	Erbium 및 이외 non-ablative들	1410–1550 nm				O	
	CO₂ 및 ablative erbium:YAG	2940–10600 nm				O	

65 | 화장품과 미용시술

화장품은 세정, 미용, 매력증진 및 외모변화를 목적으로 신체에 도포하는 제품들을 말한다. 이제는 피부과학 분야에서 미용학을 다루어, 환자들이 종종 화장품에 대한 부작용이나 화장품 사용에 대한 문의를 위해 내원한다. 미용시술은 피부의 외형적인 부분에 대한 교정을 위해 시행하는 수술적인 방법들을 말하며, 많은 국가에서 피부과의사들이 시행하고 있다.

화장품의 종류와 사용

화장품은 어떤 형태로 간에 거의 모든 사람들이 사용하고 있다(표 65.1). 화장품 시장은 피부과 시장보다도 훨씬 넓고 광범위하다. 화장품들은 보통 신체 외형을 교정하거나, 세정하거나, 좋은 향기를 입히거나, 원하지 않는 부분을 가리거나, 또는 하나의 장신구처럼 사용되기도 한다. 일부 화장품들은 실제로 '유효한' 성분들(예; 노화 방지)을 포함하여 '코스메슈티컬즈(cosmeceuticlas)'라는 이름으로 판매된다.

화장품의 성분

화장품은 목적에 따라 함유 성분이 달라진다. 대부분의 화장품들은 향과 보존제를 포함하여, 자외선 차단 성분도 종종 포함한다(표 65.2). 화장품은 대부분 유화제(emulsion) 형태(예; 물 속 기름 또는 기름 속 물)이다. 모든 성분에 대한 표기를 해야하며, 이를 통해 소비자들은 알러지가 있는 성분을 피할 수 있다. 중요 성분들에 대한 설명은 다음과 같다.

Paraphenylenediamine 염색약

Paraphenylenediame (PPD)를 함유한 모발 염색약은 널리 사용된다. 5% 가량에서 얼굴과 두피 습진과 같은 부작용이 나타난다. 헤나(henna) 염색약도 보통 15~30% PPD를 함유하고 있어, 알러지반응을 일으킨다.

조갑제품

매니큐어는 토실아마이드-포름알데하이드수지(tosylamide-formaldehyde resin)와 착색제로 구성되어 있다. 인조손톱은 아크릴레이트폴리머(acrylate polymers)로 구성되어 있고 접착한다. 이런 성분들은 현재는 알러지를 일으키는 것으로 알려져 있으며, 특히 얼굴 피부염을 일으킨다.

자외선차단제

자외선차단제는 자외선을 흡수하거나 반사한다. 흡수제는 표 65.2에 기술되어 있다. 이산화티타늄(titanium dioxide)과 산화아연(zinc oxide)은 반사제이다. 자외선차단지수(sun protection factor, SPF)는 자외선을 조사했을 때 도포하지 않은 피부에 비해서 홍반이 나타나는 시간의 비율을 말한다. 따라서, SPF지수가 10인 크림을 도포하면 햇빛에 노출되었을 때 도포하지 않은 피부에 비해 홍반이 나타나기까지 10배의 시간이 걸린다는 것을 뜻한다. 일부 자외선차단제는 방수(waterproof)기능이 있고, 대부분은 하루에 수 차례이상 도포하여야 한다.

위장화장품(Camouflage cosmetics)

색깔이 있는 위장크림들은 개인의 피부색에 맞추어 섞어서 사용할 수 있고, 백반증, 선천모반, 흉터가 있는 환자들에게 유용하다.

미백화장품

승인 받지 않은 일부 제품들은 수은이나 하이드로퀴논(hydroquinone)을 포함하고 있다. 이 성분들은 접촉알레르기를 유발할 수 있고, 오히려 색소침착을 일으킬 수 있다.

저자극성제품(Hypoallergenic formulations)

이러한 제품들은 각 성분의 알레르기성 및 자극성을 고려하여 선택된 저자극 성분을 순수하게 분리하여 포함하고 있다. 하지만 이러한 제품도 자극 및 알레르기를 유발할 가능성이 있다.

화장품 부작용

화장품의 광범위한 사용에 비해 부작용은 비교적 드문 편이지만, 그럼에도 불구하고 12%이상의 성인이 화장품에 대한 반응 경험이 있다. 충분히 예측되는 반응들(예; 알코올 성분을 포함한 애프터쉐이브제품 사용 후의 따가움)은 부작용으로 간주하지 않는다. 일부 환자들은 '민감성 피부'를 가지어 다양한 제품들에 반응한다. 주로 문제를 일으키는 제품들은 눈과 얼굴에 사용하는 화장품들, 땀억제제와 데오도란트, 염색약 및 비누들이다. 다음과 같은 부작용들이 있다.

표 65.2 화장품의 성분들

성분	작용	예
산화방지제	분해, 기능저하를 방지	부틸하이드록시아니솔(Butylhydroxyanisole), 갈레이트(gallate), 토코페롤(tocopherol)
착색, 염색제	색을 입힘	코치닐(cochineal), 아조(azo) 화합물, 이산화철, parapenylenediamine(PPD), 이산화티타늄(titanium dioxide), 금속염(metal salts), 다이하이드록시아세톤(dihydroxyacetone)
향	향기를 입히거나, 냄새를 가림	Myroxylon pereirae, 리모넨(limonene), 제라니올(geraniol), 리날룰(linalool)
보존제	항균작용	파라벤(paraben), 포름알데하이드(formaldehyde), iodoprophynyl butylcarbamate(IPBC), methylisothiazolinone(MIT)/chloro methyl isothiazolinone, 쿼터늄-15(quaternium 15), bromo-nitropropane-diol, 이미다졸리디닐 우레아(imidazolidinyl urea)
폴리올 (polyol)	습윤제(humectant), 연화제(emollient)	글리세롤(glycerol), 프로필렌글리콜(propylene glycol), 소르비톨(sorbitol)
기름, 지방, 왁스	연화제, 광택제	바셀린(Vaseline), 아몬드유, 라놀린(lanolin)
자외선차단제	자외선을 흡수하거나 반사함	이산화티타늄(titanium dioxide), oxybenzone, avobenzone
계면활성제 (tensioactive agent)	유화제(emulsifier), 계면활성제(sulfactant), 세정제(detergent)	비누, 스테아르산(stearic acid), 올레익산(oleic acids)
물	수화(hydration)	정제된 물

표 65.1 화장품의 종류

부위	제품
피부	보습제, 클렌저, 비누, 메이크업리무버, 파우더, 립스틱, 파운데이션, 토너, 향수, 애프터쉐이브, 목욕첨가제, 자외선차단제
모발	샴푸, 린스, 탈색약, 염색약, 펌(웨이브 또는 매직)약, 라커, 제모약
눈꺼풀	마스카라, 아이섀도우, 아이라이너
손발톱	매니큐어, 인조손톱, 아크릴레이트 접착제
입술	립스틱, 립글로스, 자외선차단제

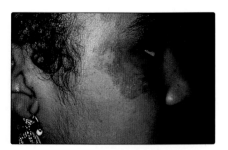

그림 65.1 제모크림 사용 후의 자극접촉피부염.

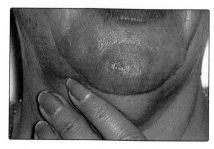

그림 65.2 토실아마이드-포름알데하이드 수지를 함유한 매니큐어 사용 후 발생한 얼굴의 알레르기접촉피부염.

- *자극접촉피부염(irritant contact dermatitis)*은 아토피피부염이나 '민감성 피부'를 가진 사람들에게서 주로 발생한다. 건조하고 염기성을 띤 비누(정상 얼굴피부의 pH는 5.5정도이다)와 데오도란트가 주로 자극피부염을 유발한다(그림 65.1). 라놀린(lanolin), 세정제 그리고 보존제도 자극을 유발할 수 있다.
- *알레르기접촉피부염(allergic contact dermatitis)*은 대부분 도포 부위(주로 얼굴)에서 나타나지만, 매니큐어(토실아마이드-포름알데하이드 수지 함유)(그림 65.2)에 의해 눈꺼풀이나 목에 피부염이 나타나는 것처럼 도포 부위 외에도 나타날 수 있다. 주요 알레르겐에는 향, 아크릴레이트, 보존제, 염색제(예; PPD), 라놀린 및 눈 화장품에 포함된 금속염이 있다.
- *접촉두드러기(contact urticaria)*는 도포 수 분 이내에 팽진과 발적이 나타난다. 향수, 샴푸 및 염색약이 유발할 수 있다.
- *문신 반응(tattoo reactions)*은 급성 자극반응(홍반, 부종)이나 감염(예; 간염, HIV), 또는 알레르기접촉피부염으로 나타날 수 있다. 만성 반응으로는 태선화, 육아종 형성 또는 가성림프종성(pseudolymphomatous) 반응이 있다. 헤나(henna)에 의한 반응은 대부분 헤나 혼합물에 포함된 PPD에 대한 알레르기반응이다.
- *기타 부작용*에는 조갑제품이나 인조손톱 사용에 의한 조갑변형, 펌이나 염색약에 의한 모발 끊어짐이나 부스러짐, 그리고 색소침착 및 여드름발생이 있다.

화장품 부작용의 치료

화장품에 문제가 발생한 환자는 모든 화장품 사용을 중단해야 한다. 부작용이 호전될 때까지 국소 스테로이드를 도포하기도 한다. 사용한 모든 제품의 성분을 확인하고, 가능한 경우는 첩포검사를 시행한다. 다른 화장품으로 대체하여 사용하되, 최소한으로만 사용하도록 한다.

미용시술

미용시술에는 모세혈관확장과 색소병변에 대한 레이저치료, 주름에 대한 보툴리눔독소 치료, 기계박피(dermabrasion), 화학박피(chemical peels), 채움제 주입등이 있다.

- 보툴리눔독소(Botulinum toxins): 얼굴 근육에 보툴리눔독소를 주입하면 근육 운동이 마비되어 뚜렷한 얼굴 주름들이 감소한다(그림 65.3). 겨드랑이와 손바닥의 다한증치료에도 사용된다.
- 기계박피(Dermabrasions): 얼굴의 오목하거나 함몰된 흉터 치료에 사용한다. 마취된 환자 피부의 표피와 상부진피를 고속 회전하는 기구로 연마한다. 표피는 풍부하게 남아있는 털피지선구조로부터 빠르게 재생한다.
- 레이저박피(Laser resurfacing): erbium:YAG 레이저로 표피를 최소한의 열 손상으로 제거하여, 표피 재생을 유도하고 흉터와 광손상 피부를 제거한다. 제모를 위해 다른 레이저들도 사용된다.

- 화학박피(Chemical peels): 화학박피는 얼굴피부의 광노화와 주름 개선을 위해 기계박피 대신 사용하는 방법이다. 알파하이드록시산(alpha-hydroxy acids, AHA)이나 약한 삼염화아세트산(trichloroacetic acid, TCA) 용액을 사용한다.
- 채움제(Fillers): 연부조직 결손(예; 함몰된 흉터나 주름)은 콜라겐이나 히알루론산(hyaluronic acid)과 같은 생체적합한 물질들을 주입하여 교정한다(그림 65.4).
- 체형조각술(Body sculpturing): 날씬한 체형을 위해 피하지방을 지방흡입술로 제거하는 방법이 널리 사용되어왔다. 최근에는 진피절개술(subcision)(병변의 진피 밑에 바늘을 넣어 피하지방층과 분리하는 방법), 고주파치료(radiofrequency ablation) 및 약물적인 방법으로 지방을 녹이고 이동하는 방법들이 새롭게 사용되고 있다.
- 모발이식(Hair transplant): 두피(주로 후두부 모발라인)의 정상 모발밀도를 보이는 부위에서 펀치생검을 채취하고, 모낭을 하나 하나 분리한 후 탈모 부위에 각각 이식한다.

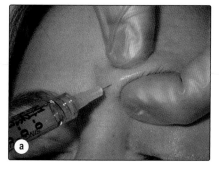
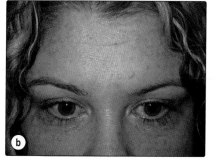

그림 65.3 미간 주름에 보톡스 주입. (a) 눈썹주름근(corrugator supercili muscle)에 보톡스를 주입한다. (b) 환자가 미간을 찌푸리려고 하지만 마비되어 찌푸려지지 않는다.

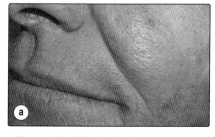
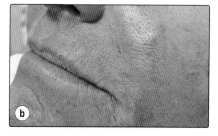

그림 65.4 얼굴 깊은 주름에 히알루론산필러 주입. (a) 주입 전의 코입술주름(nasal fold) (b) 필러 주입 후

화장품과 미용시술

- **화장품**은 세정, 매력증진 또는 외형을 바꾸기 위해 신체에 바르는 물질이다. 남성과 여성 모두 사용한다.
- **화장품**은 대부분 연화제, 유화제, 착색제 및 향 성분과, 산화와 미생물 증식을 막기 위한 보존제를 포함하고 있다. 자외선차단 성분도 분해를 방지하고 '항-광노화' 기능을 위해 포함되기도 한다.
- **화장품 부작용**에는 자극접촉피부염(예; 비누, 샴푸, 데오도란트), 알레르기접촉피부염(향, 보존제, PPD 성분이 주로 유발), 접촉두드러기 또는 색소침착이 있다.
- **보톡스 주입**은 얼굴 표정주름에 성공적이 디한증 치료를 위해 널리 사용된다
- **화학/레이저/기계 박피**는 광손상, 표재성 흉터 및 노화 피부의 치료를 위해 사용한다.
- **진피채움제 주입**은 함몰된 흉터나 얼굴의 깊은 주름 치료를 위해 히알루론산과 같은 물질을 주입한다.

66 │ 소아피부 - 소아 습진과 기타 피부질환

일부 질환은 거의 소아에서만 나타나며(예; 기저귀피부염(napkin dermatitis), 소아발바닥피부병(juvenile plantar dermatosis)), 소아에서 더 흔하게 나타나는 질환들(예; 아토피피부염 또는 바이러스피진)도 있다. 여기서는 다른 장에서 설명되지 않은 흔한 소아 피부질환들과 드물지만 중요한 소아 피부질환들에 대해 다루겠다.

소아 습진과 관련 질환

소아에서 나타나는 습진은 다음과 같다:

- 기저귀피부염(napkin, diaper dermatitis)
- 영아지루피부염
- 기저귀건선(napkin psoriasis)
- 칸디다증
- 소아발바닥피부병(juvenile plantar dermatosis)
- 백색비강진(pityriasis alba)
- 아토피피부염

기저귀피부염
[Napkin (diaper) dermatitis]

기저귀피부염은 기저귀 부위에 발생하는 가장 흔한 발진이다. 출생 수 주 이내 영아에서 주로 나타나며, 12개월 이후부터는 드물게 나타난다. 지속적으로 피부가 기저귀 천과 소변에 자극을 받아 짓무르면서 자극피부염에 발생한다. 기저귀 부분에 반짝이는 홍반이 나타나고, 피부 주름은 침범하지 않는다. 심하면 피부가 벗겨지고 궤양이 발생할 수 있다(그림 66.1). 어두운 피부에서는 저색소침착이 남을 수 있다. 이차 세균 감염이나 칸디다 감염이 흔하고, 칸디다 감염은 홍반구진이나 농포를 유발할 수 있다.

영아지루피부염과 칸디다증과 감별을 해야 하며, 이 두 질환은 모두 접히는 피부 주름부위를 침범한다. 기저귀피부염의 치료를 위해서는 해당 부위를 건조하게 유지해야 한다. 흡수성이 높은 일회용 기저귀를 사용하고 자주 갈아주는 것이 도움이 된다. 비누 대신에 수성 크

그림 66.1 **기저귀피부염.** 중증 미란형의 임상양상.

림을 포함한 반투명한 부드러운 파라핀을 사용하고, 실리콘 크림을 도포하여 피부를 보호한다. 국소 1% hydrocortisone과 항진균제를 혼합하여 도포하는 것도 효과적이다.

영아지루피부염
(Infantile seborrheic eczema)

영아지루피부염은 생후 수 주 이내에 처음 발생한다. 겨드랑이, 사타구니, 목과 같은 굴측부를 주로 침범하고, 얼굴과 두피에도 나타날 수 있다. 굴측부에서는 습하고 반짝이는 잘 경계지어진 홍반비늘 병변을 보이고(그림 66.2), 두피에서는 노란 딱지가 주로 나타난다. 기저귀피부염(굴측부를 침범하지 않음), 칸디다증(농포를 주로 동반), 아토피피부염(더 가려움. 감별이 어려울 수 있음)과 감별이 필요하다. 영아지루피부염은 유화제(emollients)와 1% hydrocortisone 연고 또는 hydrocortisone-항진균제 복합연고로 치료한다. 두피 병변은 2% 케토코나졸(ketoconazole) 샴푸를 사용한다. 두피의 비늘과 노란 딱지를 식물성 오일로 부드럽게 할 수 있다.

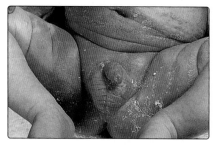

그림 66.2 **영아지루피부염.** 굴측부를 침범한다.

기저귀건선
[Napkin (diaper) psoriasis]

영아에서 건선은 드물며, 기저귀 부위의 건선 모양의 홍반비늘 발진은 대부분 기저귀피부염이나 영아지루피부염에 의한 발진이다. 진짜 기저귀건선은 유전적 소인이 있는 영아에서 쾨브너 현상에 의해 발생한다(그림 66.3). 영아에서 건선 진단은 어려우며, 기저귀건선이 발생한 영아의 아주 일부만 성인기에 건선이 나타난다.

칸디다증(Candidiasis)

신생아시기에 C. albicans감염은 흔하다. 영아지루피부염이나 기저귀피부염에 이차적으로 동반되어 발생하기도 한다. 홍반, 비늘, 농포가 주로 굴측부를 침범하며 나타나고, 위성병변이 동반될 수 있다. 국소 항진균제(예; 2% ketoconazole 크림)이나 경구 2% miconazole로 치료한다.

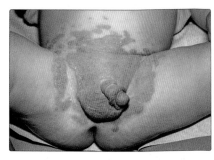

그림 66.3 **기저귀건선.** 건조한 홍반비늘병변이 합쳐진 모습을 보이며 부채꼴모양으로 경계가 잘 지어져 있다.

소아발바닥피부병
(Juvenile plantar dermatosis)

소아발바닥피부병은 1968년에 처음 보고되었으며, 건조하고 붉은 균열을 동반한 반짝이는 피부가 주로 발 앞쪽에 (가끔 전체 발바닥에) 나타난다(그림 66.4). 주로 초등학생 나이에 발생하며, 10대 초중반에 저절로 사라진다. 합성섬유로 된 양말이나 신발의 착용과 관련이 있는 것으로 생각되며, 일부 소아에서는 아토피피부염의 한 양상으로 나타나기도 한다. 양말은 면제품, 신발은 가죽 신발이 권고되며 양말과 신발 모두 통풍이 되는 것이 좋다. 국소 스테로이드 도포는 효과가 없으며, 연화제(emollient)는 도움이 된다.

백색비강진(Pityriasis alba)

백색비강진은 소아에서 주로 보이는 흔한 피부질환으로, 작고 둥근 약간의 비늘을 동반한 저색소반이 얼굴이나 위팔에 주로 발생한다. 여름에 더 흔하고, 약한 습진의 한 형태로 생각된다(그림 66.5).

기타 소아 피부질환

드물지만 소아에서 특징적인 발진이 나타나는 질환에는 다음과 같은 질환들이 있다:

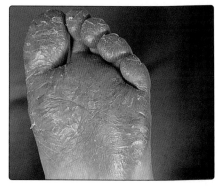

그림 66.4 **소아발바닥피부병.** 주로 발 앞쪽을 침범한다.

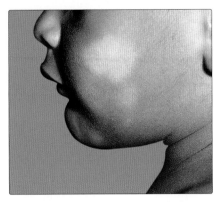

그림 66.5 **백색비강진.** 좌측 뺨에 약간의 비늘을 동반한 저색소반이 보인다.

- 홍역(Measles)
- 색소두드러기(Urticaria pigmentosa)
- 랑게르한스세포조직구증(Langerhans cell histiocytosis)
- 선 IgA 피부병(Linear IgA disease)
- 가와사키병 및 기타 바이러스감염
- 어린선(Ichthyosis)
- 수포표피박리증(Epidermolysis bullosa)

홍역(Measles)

홍역은 RNA 바이러스에 의한 소아의 전신적인 중증 감염질환이다(p.66). 1960년대부터 백신접종을 시작하면서 발생률이 급격히 감소하였지만, 최근 다시 발생률이 증가하고 있다. 전구 증상으로 상기도 증상, 결막염, 열이 짧게 지나가고, 4일 차부터 홍역모양(mobiliform) 발진이 귀 뒤부터 전신으로 퍼지면서 발생한다(그림 66.6). 질병특유 증상으로 볼점막에 흰색 또는 붉은색의 Koplik 반점이 나타난다. 대부분 완전히 치유되지만, 합병증으로 폐렴이나 뇌염이 나타날 수 있다.

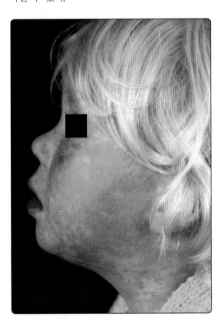

그림 00.0 홍역. 홍역모양(mobiliform) 발진을 보인다.

색소두드러기 (Urticaria pigmentosa)

색소두드러기는 영아에서 다발성 적갈색 반점과 구진들이 특징적으로 몸통과 팔다리에 나타난다(그림 66.7). 목욕을 하거나 문지르면 병변들이 붉게 변하고, 부풀어오르며 가려움증을 동반한다. 수포가 발생할 수도 있다. 조직학적으로 진피에 비만세포가 축적되어 있다. 정상적으로 청소년기 이전에 자연 소실된다. 청소년기나 성인기에 뒤늦게 발생하는 경우는 자연 호전되는 경우가 드물고, 소아에서와는 다르게 내부 장기를 침범할 수 있다.

랑게르한스세포조직구증 (Langerhans cell histiocytosis, histiocytosis X)

랑게르한스세포조직구증은 드문 중증 질환으로, 내부장기를 침범한다. 피부 증상이 흔하고, 지루피부염 모양, 몸통의 구진 또는 농포, 굴측부에 궤양과 같이 다양하게 나타난다(그림 66.8). 피부, 복부 장기, 폐, 뼈에 단일클론성 랑게르한스세포 침윤이 관찰되어 악성처럼 보이지만, 진짜 악성질환보다는 반응성 질환으로 생각되고 있다. 피부 조직검사가 진단적이다. 2세 이전에 발병한 경우는 예후가 더 좋지 않다.

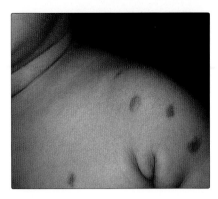

그림 66.7 **소아 색소두드러기에서 비만세포결절들이 관찰된다.** 가슴과 어깨에 뚜렷한 결절들이 산재되어 있다. 일부 과색소침착과 주위에 약간의 홍반이 관찰된다. 병변을 문지르면 질병특유증상으로 두드러기 반응이 나타난다.

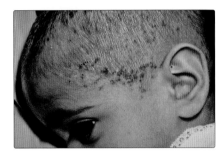

그림 66.8 **랑게르한스세포조직구증.** 두피에 지루피부염과 유사한 발진이 나타나지만, 보통 습진보다 구진과 딱지가 더 뚜렷하게 나타난다.

소아피부 – 소아 습진과 기타 피부질환

질환	발병시기	임상 특징
기저귀피부염	생후 수 주~12개월	굴측부를 침범하지 않는 매끄러운 홍반
		피부 까짐이 나타날 수 있다.
영아지루피부염	생후 수 주	축축한 홍반비늘
		굴측부와 두피를 침범한다.
칸디다증	영아	비늘과 농포를 동반한 홍반
		굴측부 침범
		이차 감염이 나타난다.
소아발바닥피부병	초등학생~10대 중반	발 앞쪽과 발바닥에 균열을 동반한 매끄럽고 붉은 피부
홍역	영아, 소아	전구 상기도 증상, 홍역모양발진, Koplik 반점
색소두드러기	대부분 생후 3~9개월	몸통에 문지르면 부풀어오르는 적갈색 반점 및 구진
랑게르한스세포조직구증	모든 나이	지루피부염 모양 피부염, 구진/농포, 궤양

67 │ 소아피부 - 혈관병변과 신생아 피부질환

혈관종의 분류는 복잡하지만, 예후와 내부장기 침범 여부가 다르기 때문에 분류가 중요하다 (box 67.1).

혈관종

영아혈관종(Infantile hemangiomas)
영아혈관종은 가장 흔한 소아 종양으로, 1세 영아의 10%, 신생아의 1-3%에서 발견된다. 여아에서 3배 더 흔하게 나타난다. 영아혈관종은 양성 혈관내피세포 증식질환으로, 주로 두경부에서 나타난다(그림 67.1). 일반적으로 생후 1달동안 자라고, 다른 혈관기형들과는 다르게 이후 5-7세까지 서서히 위축을 남기며 퇴축한다(그림 67.2).

이전에 모세혈관혈관종이나 딸기모반으로 알려졌던 질환들은 현재 영아혈관종으로 분류된다. 병변의 절반 가량은 표재성이며, 15% 정도는 깊은형이고 1/3가량은 복합되어 있다(그림 67.3). 1/4의 환자에서는 다발성으로 나타난다. 분절형으로 분포할 경우는 피부 외 기형을 동반할 수 있다.

선천혈관종(Congenital hemangioma)
선천혈관종은 출생시에 최고 크기에 도달한 채로 태어나고, 출생 이후 성장하지 않는다. 빠르

그림 67.1 **영아혈관종**. 눈과 같은 중요 구조를 포함한 경우는 치료가 필요하다.

게 퇴축하거나 퇴축하지 않는 두 가지 형태가 있다. 빠르게 퇴축하는 급속소퇴(rapidly involuting)형은 모세혈관확장을 동반한 청자색 판이나 종양으로 나타난다. 퇴축하지 않는 비소퇴 (non-involuting)형은 원형 또는 타원형으로 가운데가 창백한 적자색을 띤다. 두 형태 모두 머리, 사지 또는 관절 주위에 발생한다.

혈관종의 자연경과

전형적인 표재성 또는 심재성 혈관종들은 12개월 정도에 최고 크기에 도달하고 이후 수 년에 걸쳐 줄어든다. 급속소퇴성 선천혈관종은 12개월 정도까지 사라지고, 비소퇴성 선천혈관종은 사라지지 않는다.

합병증

영아혈관종의 10% 정도에서 궤양이 발생하고, 특히 입술 또는 항문생식기 부위에서 잘 발생한다. 큰 혈관종은 주위 조직을 변형시키거나 과도한 혈류량으로 심부전을 유발한다. 눈 주위의 혈관종은 작더라도 시력을 방해할 수 있어 빠른 안과의사의 진료가 필요하다. 분절형 혈관종은 전신 이상을 동반할 수 있는데, 얼굴에 나타난 경우 신경계 혈관기형을 동반할 수 있으며 등하부에 나타난 경우 잠복척수유합부전증 (occult spinal dysraphism)을 동반할 수 있다. 다발성으로 나타난 경우, 내부 장기 혈관종이

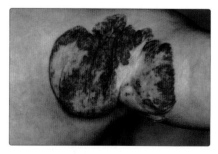

그림 67.2 자연 퇴축을 보이는 좌측 겨드랑이의 영아혈관종.

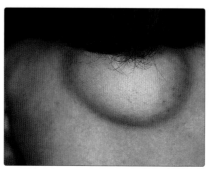

그림 67.3 후두부의 깊은 혈관종.

존재할 수 있다. 드문 Kasabach-Merritt 증후군은 혈관모세포종(tufted angioma)이나 카포시모양 혈관내피세포종(kaposiform hemangioendothelioma)에서 혈소판감소성 혈액응고장애가 발생하는 증후군이다.

치료

작은 혈관종들은 예후가 매우 좋으므로 치료가 필요하지 않다. 전신 치료는 다음과 같은 경우들에서 고려한다:

- 생명에 위협을 끼칠 때. 예; 시력, 기도
- 잠재적으로 외형 변형 가능성이 높을 때. 예; 코끝, 입술
- 궤양이 심하거나 지속될 때
- 심부전.

치료에는 경구 프로프라놀롤(propranolol)과 스테로이드를 사용한다. Pulsed dye 레이저, 수술적 절제, 동맥 색전술도 치료에 사용할 수 있다.

혈관기형

혈관기형은 다양한 혈관종류와 림프관이 복합적으로 나타날 수 있다. 피부 이상이 가장 명확하게 보이지만, 모든 장기를 침범할 수 있다. 혈관종과는 다르게 치료하지 않으면 평생 지속되거나 악화된다. 모세혈관기형이 가장 흔하고, 다른 종류들은 덜 흔하게 관찰된다.

모세혈관기형(Capillary malformation)
연어반(salmon patch)과 포도주색반점(port-wine stain)이 가장 흔한 모세혈관기형이다.

연어반은 신생아의 20-60%에서 관찰된다. 윗 눈꺼풀의 병변은 빠르게 흐려지지만, 뒷목의 병변은 20-30%에서 지속된다. 특별한 정기관찰이나 치료를 요하지 않는다는 것을 부모에게 알려야 한다.

포도주색반점(화염상모반, nevus flammeus)은 출생 시부터 존재하는 모세혈관확장을 동반한 적자색 반이다. 느린 혈류량을 보이며 신체 모든 곳에 나타날 수 있지만, 얼굴 삼차신경 부위에 흔하게 나타난다(그림 67.4). 병변은 수 밀리미터에서 수 센치미터에 이르는 다양한 크기를 보인다. 포도주색반점은 점차 변화하며, 중년에서는 진해지고 울퉁불퉁 튀어나오기도 한다. 삼차신경 안분지(ophthalmic branch) 구역에 나타난 경우는 뇌혈관기형이 동반될 수 있다(Sturge-Weber 증후군). 눈 주위의 포도주색반점은 녹내장과 관련될 수 있다.

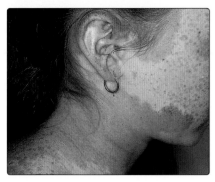

그림 67.4 포도주색반점으로 나타난 혈관기형. 신경학적 검사와 안과 검사가 필요하다. Pulsed dye 레이저로 일찍 치료하는 것이 권고된다.

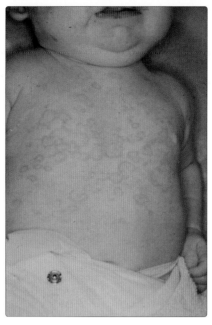

그림 67.5 신생아홍반루푸스(neonatal lupus erythematosus). 신생아 앞가슴에서 합쳐지는 모양의 고리형 병변들이 보인다.

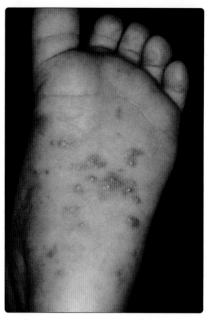

그림 67.6 유아말단농포증(Infantile acropustulosis).

모세혈관–정맥–림프관 기형 (Capillary–venous–lymphatic malformations)

Klippel–Trenaunay 증후군은 팔다리의 과성장을 동반한 정맥, 모세혈관, 림프관 기형이다. 기타 드문 혈관기형에는 점막피부의 다발성 모세혈관확장증이 특징적인 유전성출혈모세혈관확장증(hereditary hemorrhagic telangiectasia, Osler–Rendu–Weber 증후군)이 있다. 청색고무수포모반 증후군(blue rubber bleb nevus syndrome)은 피부에 다발성으로 말랑한 진청색 정맥기형 결절이 나타나고, 위장관 내에도 병변이 발생하여 출혈이 되면 빈혈을 유발할 수 있다.

동정맥기형(Arteriovenous malformation)

동정맥기형은 빠른 혈류의 혈관기형으로, 주로 얼굴이나 팔다리에서 동맥과 정맥 사이에 사잇길(shunt)이 형성된다. 기형적인 외형을 유발하거나 심부전, 말초 허혈을 유발해서 생명에 치명적일 수 있다.

치료

포도주색반점은 위장화장품으로 가릴 수 있다. Pulsed dye 레이저를 이용해 진피의 기형 혈관을 파괴하여 미용적으로 개선할 수 있다. 얼굴에 포도주색반점이 있는 아이는 신경학적, 안과적 검사를 시행해야 한다.

혈관기형은 경화치료나 수술이 필요하다. 동정맥기형은 영상검사 후 수술 또는 인터벤션 색전술을 시행한다.

신생아의 피부질환

신생아 시기(출생 후 4주 이내)에는 피부가 특정 자극이나 질환에 취약하다. 생리학적 변화에는, 따뜻해지면 정상화되는 대리석 모양의 푸른 혈관변화인 *대리석피부(cutis mamorata)*, 출생 24–48시간 내에 정상화되는 출생 직후의 전신 충혈 상태인 *신생아홍반(erythema neonatorum)*, 일시적인 *땀띠(milia)*, *몽고반점(Mongolian spot)*이 있다. 병리학적 변화에는 다음과 같은 질환들이 있다.

- 기저귀발진(napkin(diaper) eruptions)
- 수정땀띠(miliaria crystallina)
- 유아말단농포증(infantile acropustulosis)
- 피하지방괴사(subcutaneous fat necrosis)
- 콜로디온 아기(collodion baby)
- 신생아홍반루푸스(neonatal lupus erythematosus) (그림 67.5)

유아말단농포증 (Infantile acropustulosis)

유아말단농포증은 손발바닥과 발 옆면에 가려운 수포와 농포들이 발생한다(그림 67.6). 1–2주 간 지속되고, 이후 수 주마다 재발한다.

피하지방괴사 (Subcutaneous fat necrosis)

드물게 신생아에서 지방괴사가 일어나면, 해당 부위가 일시적으로 국소 결절성 비후가 일어난다. 주로 엉덩이, 어깨, 등 또는 뺨에서 나타난다.

소아 피부 – 혈관병변과 신생아 피부질환

- **혈관병변**은 영아혈관종과 같은 종양과 포도주색반점과 같은 기형으로 나뉜다.
- **영아혈관종**은 흔하고 대부분 퇴축한다. 궤양이 나타나거나 기저 구조를 침범할 수 있다.
- **혈관종**은 중요 구조를 침범하거나 합병증을 유발하면 치료한다. 전신 프로프라놀롤(propranolol)을 주로 사용한다.
- **혈관기형**은 퇴축하지 않으며, 레이저 치료를 시행한다.
- **큰 동정맥기형**은 수술이나 인터벤션 색전술이 필요하다.
- **신생아는 특징적인 피부변화를 보일 수 있다.** 예; 대리석피부, 땀띠, 유아말단농포증

68 | 노인 피부

서구화된 사회에서는 65세 이상 인구의 비율이 높으며, 이에 해당하는 국가는 점차 늘어나고 있다. 불량한 영양상태, 부족한 자기 관리 및 전반적인 질병 상태는 노인에서 피부질환을 유발한다. 노화 피부로 인해 사망하는 사람은 매우 드물지만, 많은 사람들이 이로 인해 고통받는다.

피부의 내인노화

광보호된 부위의 피부 노화는 광노화보다 변화가 미약하며, 피부 늘어짐, 미세한 주름들 및 양성 종양들을 보인다. 안드로겐 탈모와 백발도 노화에 의한 증상이다.

조직학적으로 표피는 능선(rete ridge) 모양이 소실되면서 얇아지고, 표피의 멜라닌세포와 랑게르한스세포의 숫자가 감소한다. 각각의 표피세포 크기는 작아진다. 진피의 두께도 프로테오글리칸(proteoglycan)의 감소로 얇아진다.

기능적으로 피부는 탄력이 떨어지고 장력이 감소한다. 외부 손상, 자극 및 감염에 취약해지고, 상처 회복이 더디다.

일부 유전 질환(예; 탄력섬유가성황색종)은 노화 피부와 유사한 특징을 보인다. 고강도 국소 스테로이드를 남용하면 노화 피부와 유사하게 피부가 위축되고 자반이 나타난다.

노인의 피부질환

노인에서만 나타나는 피부질환은 드물지만, 여러 질환들은 노인에서 호발한다(표 68.1).

건조피부와 건조습진

노인에서 건조와 가려움은 흔하다. 건조는 약간 거칠고 각질이 있는 상태부터 균열과 염증(건조습진)이 생긴 상태까지 다양하다. 주로 다리에 나타나고, 습도가 낮거나 난방을 하거나 과도하게 씻는 경우에 잘 나타난다. 보습제를 사용하고, 때때로 약한 국소 스테로이드를 도포하는 것이 도움이 된다.

노인의 지루피부염은 (그림 68.1) 굴측부에 나타날 수 있고, 건선, 칸디다증 또는 홍색음선과 유사해 보인다. 노인에서는 특히 국소 연고나 세면용품의 알레르겐(예; 라놀린, 네오마이신, 향, 국소마취제)에 대한 알레르기접촉피부염을 유의해야 한다.

가려움증

노인의 가려움증은 매우 심하고 조절하기 어렵다. 진찰 시 주로 건조습진, 옴, 두드러기, 유사천포창의 수포 발생 직전 상태를 보이는 경우가 많고, 콩팥질환이나 간질환, 기저 암을 동반할 수 있다. 아무런 원인을 보이지 않는 일부 소수의 환자들은 노인소양증(senile pruritus)으로 분류된다. 국소 연고나 진정항히스타민제(sedating antihistamines)에도 효과가 없는 경우가 많다.

건선

건선은 10대와 60대의 두 시기에 가장 많이 발병한다. 노인에서는 주로 굴측부에 호발하며, 물방울모양(guttate)은 드물다. 노인은 병원에 자주 오거나 국소 치료제를 꾸준히 바르거나 광선치료를 받기 어려워 치료가 힘든 경우가 있다. 메토트렉세이트를 자주 사용하며, 대부분 효과가 좋다.

감염

65세 이상의 25%가 대상포진을 경험한다. 대상포진 후 신경통은 나이가 들 수록 증가하며, 70세 이상의 대상포진 환자에서는 75%가량에서 나타난다. 조기에 항바이러스제(예; 아시클로버)와 가바펜틴이나 amitriptyline과 같은 약제를 병용하는 것이 신경통을 감소시킨다.

칸디다(*Candida albicans*) 감염은 비만한 노인 여성의 굴측부에서 흔하다. 조갑백선(Onychomycosis)은 노인, 특히 남성에서 흔하게 발견된다. 조갑이 통증을 유발하지 않으면 반드시 치료가 필요하지는 않다.

옴 유행은 노인 요양시설의 문제로, 관리가 어렵다. 가려움증을 호소하는 노인은 반드시

표 68.1 **노인에서 흔한 피부질환**	
습진	건조습진
	지루피부염
	접촉피부염
	정맥피부염
기타 발진	건선
	약물발진
	열성홍반(Erythema ab igne)
감염	대상포진
	칸디다증
	조갑백선
	옴
궤양	하지 궤양
	압박 궤양, 욕창
자가면역 질환	유사천포창(pemphigoid)
양성 종양	지루각화증
	버찌혈관종 (Cherry angioma)
	쥐젖
	결절연골피부염 (Chondrodermatitis nodularis)
광손상	광노화
	광선탄력섬유증 (Actinic elastosis)
전암병변	광선각화증 (Actinic keratosis)
	상피내편평세포암
암	기저세포암
	편평세포암
	악성흑자흑색종 (Lentigo malignant melanoma)
	피부T세포림프종
기타	노인성 가려움증

자세히 진찰하여 특징적인 굴(burrow) 징후를 놓치지 않아야 한다. 마비나 면역 저하 상태로 거동이 힘들어 스스로 긁기가 어려운 노인들은 딱지가 않는 노르웨이 옴(Norwegian scabies)에 감염될 수 있다(그림 68.2). 이러한 경우는 수 천 마리의 옴 개체가 존재하여 전염성이 매우 높다.

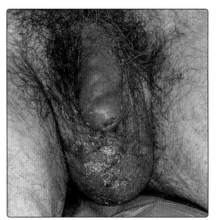

그림 68.1 음낭과 음경을 침범한 굴측부의 지루피부염.

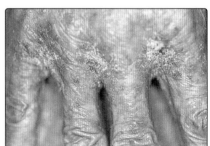

그림 68.2 딱지가 낮은 노르웨이 옴.

광손상과 피부종양

대부분의 양성, 악성 피부종양은 노인에서 더 흔하다(표 68.1). 대다수는 햇빛 노출과 관련이 있다. 광손상에 의한 특징적인 질환들은 다음과 같다.

- 광선각화증(actinic(solar) keratosis): (그림 68.3) 광선각화증에서 피부뿔(cutaneous horn)이 종종 발생할 수 있다(그림 68.4). 절제하여 제거하는 것이 가장 효과적이다.
- 일광탄력섬유증(actinic(solar) elastosis): 일광탄력섬유증이 있으면 햇빛 노출 부위 피부가 노랗고 두꺼워지며 주름져 있다. 특히 농부와 같이 야외에서 일하는 직종의 사람들에서는, 목에서 마름모꼴 무늬를 만들면서 파인 고랑들이 관찰된다(그림 68.5). 노인성 면포나 두꺼워진 노란 판이 나타날 수 있다. 광손상은 흡연자에서 더 심하게 나타난다.
- 결절연골피부염(Chondrodermatitis nodularis)은 특징적으로 진피 콜라겐이 파괴되고 진피와 연골의 염증이 동반된다(그림 68.6). 절제하여 치료하며, 일부 초기 병변은 국소 스테로이드 도포로 조절되기도 한다.
- 광선입술염(actinic cheilitis): 햇빛에 과하게 노출되면, 아랫입술에 염증과 각질탈락이 발생한다. 광선각화증과 치료는 동

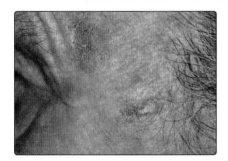

그림 68.3 광선각화증(Actinic keratosis).

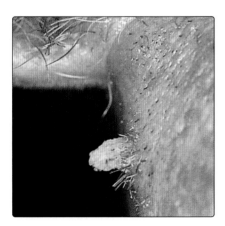

그림 68.4 피부뿔(Cutaneous horn)

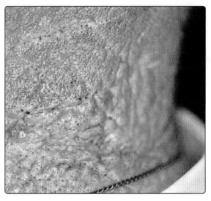

그림 68.5 일광탄력섬유증(Actinic elastosis). 목에서 특징적인 마름모꼴 무늬가 관찰되고 노인성 면포도 동반되어 있다. 오랫동안 햇빛에 노출된 과거력(종종 직업 관련)이 대부분 있다.

일하다. 두껍고 통증을 동반하거나 새롭게 발생한 병변에 대해서는 편평세포암의 감별을 위해 조직학적 검사가 필요하다.

궤양

- 다리 궤양: 정맥궤양은 중년 시기에 주로 나타나기 시작하지만, 만성 경과때문에 노인에서 문제가 된다. 허혈성궤양은 나이가 들 수록 증가한다.
- 압박 궤양(욕창): 압박 궤양은 홍반으로 시작해서 궤양을 동반한 광범위한 조직 괴사로 진행한다. 깊은 궤양이 엉치, 뒷꿈치, 궁둥뼈 부위, 대퇴골 큰 돌기 위 피부에 호발한다(그림 68.7). 녹농균(*Pseudomonas aeruginosa*)에 의한 이차 감염이 흔하다.

압박 궤양은 누워서 생활하거나 거동이 불가능한 노인에서 주로 발생한다. (예; 대퇴골 골절, 관절염, 하반신마비 또는 의식이 없는 환자) 영양결핍, 피부 감각저하 및 동맥질환은 조직 파괴가 잘 나타날 수 있다.

고위험군 환자들에 대해서는 적절한 관리로 예방이 가능하다. 규칙적으로 자세를 변경해주고, 압박을 줄여주는 매트리스를 사용하며, 식이와 환자의 전체적인 건강상태에 주의를 기울이는 것이 예방과 치료에 도움이 된다. 괴사성 가피는 2-4주 내에 떨어지고, 이후에 보이는 궤양은 반투과성 드레싱 제제로 덮는다. 단백질분해성 효소제(varidase)를 뒷꿈치 병변의 죽은조직을 제거하는 데 사용할 수 있다. 통증 경감이 중요하다. 환자의 전반적인 건강상태가 괜찮으면 수술적인 절제와 피판재건술을 시행할 수 있다.

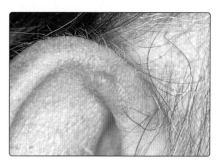

그림 68.6 결절연골피부염(Chondrodermatitis nodularis).

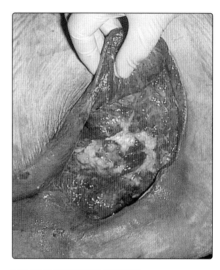

그림 68.7 엉치뼈 위의 압박 궤양.

노인 피부

- **건조습진**은 건조한 각질 비늘과 균열을 동반하는 발진으로, 노인에서 호발한다. 보습제와 약한 국소 스테로이드 도포로 치료한다.
- **노인의 가려움증**은 거의 항상 원인이 있다. 옴, 두드러기, 수포 발생 전단계의 유사천포창은 놓치기 쉽다. 기저 전신질환을 발견하는 과정이 필요하다.
- **대상포진**은 노인에서 흔하다. 아시클로버(acyclovir) 또는 팜시클로버(famciclovir) 투약이 신경통을 경감시킬 수 있다.
- **광선각화증**은 햇빛 노출 부위의 거친 과각화 병변이다. 냉동치료나 플루오로우라실 크림 또는 디클로페낙 겔 도포로 치료한다.
- **일광탄력섬유증**은 햇빛 노출 부위(예; 목) 피부가 노랗고 두꺼워지며 주름지는 변화이다. 야외에서 일하는 직종의 남성에서 주로 발견된다.
- **압박 궤양**은 감각 저하, 거동 불가, 영양결핍 및 허혈로 인하여 발생한다. 위험 환자군을 분류하고 관리하여 궤양 발생을 예방할 수 있다.

69 | 임신 피부

모든 피부질환이 임신 시에 발생할 수 있고, 원래 있던 질환도 임신 시에 악화/호전될 수 있다. 모든 치료는 태아의 건강을 고려하여 이루어져야 하며, 안전성이 불분명하면 전문가의 조언을 받아야 한다.

임신 시의 피부변화

임신 시의 피부 변화는 내분비 변화로 인한 생리적인 변화, 물리적인 장력으로 인한 변화 및 면역 기능 변화로 인한 피부질환으로 분류할 수 있다. 일부 피부질환들은 임신 시에만 특이적으로 발생하며, 일부 질환은 임신 시에 악화된다. 정상 생리적인 변화는 대부분의 임산부에서 내분비 변화로 인해 나타난다. 이러한 변화에는 색소변화, 모발 및 조갑 변화, 혈관증식 및 피지선 기능 변화가 있다.

색소 변화

전신적인 약간의 색소침착은 임산부에서 흔하게 나타나며, 사타구니, 굴측부 및 복부 중앙선(흑색선, linea nigra)에서 더 뚜렷하게 보인다. 멜라닌세포모반도 더 진해지고, 종종 더 커지기도 한다. 과다색소침착은 출산 이후에 대부분 사라지지만, 일부 변화(예; 음부 흑색증)는 지속될 수도 있다. 기미도 흔하게 발생하며, 햇빛 노출로 악화된다. 임신 후반기에 저색소 및 핑크색의 선상 변화가 흔하게 나타나며, 커지는 신체부위인 유방, 허벅지 및 복부에 나타나 '튼살(stretch mark, 임신선(striae gravidarum))'로 불린다. 조직학적으로 진피의 탄력섬유와 콜라겐 섬유가 불규칙하게 얽혀 장력이 감소한다. 시간이 지나면 핑크색 병변은 창백하고 반짝이는 위축성 선 모양으로 변화하여 영구적으로 지속된다. 이러한 튼살(임신선)을 감소시키기 위해 보습제나 오일을 많이 사용하지만, 실제 효과에 대해서는 근거가 부족하다.

모발과 조갑

조갑은 부스러지고 백색변화를 보일 수 있으며, 보우선(Beau's lines, 가로능선(transverse ridges))도 나타날 수 있다. 임신 외의 원인에 대해서도 감별해야 한다. 모공이 커지고 성모(terminal hair)가 증가하면서 모발이 두꺼워져 일부 임산부는 다모증과 유사한 모습을 보일 수 있지만, 이러한 변화는 출산 후에 사라진다. 출산 후 1~5개월 동안 두피 모발이 성장기에서 휴지기로 변화하면서 휴지기탈모 양상으로 탈락하는 경우가 매우 흔하다. 이러한 변화는 매우 스트레스를 주지만, 대부분 6~12개월 뒤 회복한다.

혈관 변화

순환 혈액량이 증가하면서 손바닥 홍반과 홍조가 나타나고, 정맥 환류가 일부 방해되면서 하지의 정맥 확장이 나타난다. 하지정맥류가 흔하고, 음부, 질 및 항문에서도 정맥류가 나타날 수 있다. 편측성이거나 통증을 동반한 다리 부종이 발생하면 심부정맥혈전증도 고려해야 한다. 혈관 증식으로 거미 모반이나 혈관종이 발생할 수 있으며, 화농육아종(pyogenic granuloma)도 임산부에서 흔하다.

피지선

임신 시 피지분비가 증가하여, 지루피부가 나타나고 여드름이 새로 발생하거나 악화될 수 있다. 이러한 변화는 임신 후반기에 더 뚜렷하게 나타난다. 국소 또는 경구 레티노이드 제제 사용은 절대 금기이기때문에 중증 환자의 치료가 어렵다. 경구 에리스로마이신(erythromycin)을 안전한 치료로 시도할 수 있다.

임신 시의 피부질환

어떤 피부질환은 임신 시에만 특이적으로 나타나고, 일부 질환은 임신 시에 더 흔하게 발생한다. 임신 시에 가려움증은 흔하게 발생하며, (약 17%) 다양한 질환을 감별해야 한다(표 69.1). 가렵지 않은 질환들도 흔하게 나타나는데, 좀 더 감별이 쉬운 결절홍반, 종양, 점 변화 및 생리적인 변화들이 나타난다.

감염

임신은 부분적으로 면역저하 상태이기 때문에, 임산부에서 감염은 흔하다. 단순포진바이러스 감염은 파종성(dissemination) 또는 간염 발생의 위험이 있기 때문에 적절한 항바이러스제 치료(주로 경구 아시클로버)가 필요하다. 임신 3분기의 감염은 신생아헤르페스의 위험이 증가하기 때문에, 재발성포진이 있는 임산부는 예방적 치료를 고려해야 한다. 바이러스성사마귀는 더 빠르게 자라고 치료가 어렵다. 포도필린(podophyllin)은 임산부에서 사용이 금기이기 때문에 고전적인 파괴적 치료를 시행해야 한다.

표 69.1 **임신 시 가려움증을 유발하는 질환들**	
질환	빈도
임신 습진*	49.7%
임신 다형발진	21.6%
피부 감염	5.3%
임신유사천포창(Pemphigoid gestationis)	4.2%
임신간내쓸개즙정체(Intrahepatic cholestasis of pregnancy)	3.0%
장미비강진(Pityriasis rosea)	2.8%
여드름	2.6%
약물발진	2.4%
접촉피부염	2.2%
두드러기	1.6%
건선	1.2%
편평태선	1.0%
임신소양진*	0.8%
루푸스	0.6%
임신 소양성 모낭염*	0.2%

칸디다와 같은 진균 감염도 임산부에서 흔하며, 대부분 국소 이미다졸(imidazole) 크림으로 잘 치료된다. 국소 이미다졸은 피부로 매우 극소량만 전신 흡수되고 위험하지 않은 것으로 알려져 있지만, 경구 이미다졸(예; itraconazole)은 임산부에서 권고되지 않는다. 터비나핀(terbinafine) 크림과 경구약은 권고되지 않는다. 피부의 세균감염은 일반인과 똑같이 위험성이 낮은 항생제(예; erythromycin, flucloxacillin)로 치료한다. 옴이나 이 감염은 국소 퍼메트린(permethrin) 크림으로 치료하며, 위험성이 낮고 malathion 또는 benzyl benzoate보다 효과적인 것으로 알려져 있다. 경구 ivermectin은 금기이다.

임신 특이 피부질환

임신간내쓸개즙정체(intrahepatic cholestasis of pregnancy, ICP)는 가려움증을 호소하는 환자에서 기저 염증성 피부질환이 없고 (긁은 흔적만 있음), 혈청 담즙산 수치가 높을 때 진단한다. 산모(분만 중 출혈, 담석증)와 태아(태변흡입, 조산, 사산) 모두에서 위험성이 증가한다. ICP는 주로 ursodeoxycholic acid (UDCA)로 치료하여 가려움증을 조절하고 간 수치를 정상화 시키지만, 태아의 예후 개선에 대한 부분은 불분명하다. 질환은 임신 과정에서 점차 악화되고, 출산 48–72시간 내에 호전된다. 다음 임신 시 재발이 흔하다.

임신아토피발진(atopic eruption of preg-nancy)은 아토피 과거력이 있는 임산부에서 임신 1-2분기에 발생한다. 굴측부(고전적인 아토피피부염 부위) 또는 신측부에 모두 가려운 발진이 긁어서 까진 구진이나 결절 모양으로 나타날 수 있다(그림 69.1). 일부 구진은 모공부위에 나타나 멸균농포를 형성한다. 특이적인 진단 검사는 없고, 아토피피부염에 준하여 치료한다. 비누를 피하고, 보습제를 자주 도포하며 약한 스테로이드 크림을 도포하는 것이 치료의 기본 원칙이다. 항히스타민제가 종종 도움이 되고 대부분 위험하지 않은 것으로 알려져 있다. (예; 세티리진, 로라타딘, 예외; 하이드록시진 (hydroxyzine, 고용량에서 독성이 나타남)) 강한 국소 스테로이드는 전신 영향을 피하기 위해 제한적으로 사용해야 하지만, 중증 환자에서는 단기간 경구 스테로이드 투약이 필요하다. 다른 치료 선택지들로 광선치료, cyclosporin 및 aza-thioprine 치료가 있다.

임신유사천포창(pemphigoid gestationis, PG)은 임신 2-3분기에 발생하며, 가려운 발진이 두드러기 구진과 판으로 나타나기 시작해 수포로 진행하는 것이 특징적이다(그림 69.2). 전형적으로 배꼽주위에 처음 나타나기 시작해 팔다리로 퍼져나간다. 얼굴, 점막과 손발바닥은 일반적으로 침범하지 않는다. 출산 직후에 급성 악화된다. 진단에 피부생검이 중요하고, 직접면역형광검사 상 유사천포창과 유사한 결과 (표피진피경계의 선상 C3+/- IgG 침착)를 보인다. 임신유사천포창은 미숙아 또는 조산과 관련 있다. 경증 환자는 국소 스테로이드 도포와 항히스타민제로 치료할 수 있지만, 대부분의 환자는 경구 스테로이드 0.5 mg/kg/일 투약이 필요하다. 질환이 조절되면 바로 스테로이드 용량을 감량해 나가야 하지만, 출산 시에는 질환의 급성 악화를 방지하기 위해 증량하는 것이 좋다. 다른 치료 선택지들로 cyclosporin과 IVIg 투약을 고려할 수 있다.

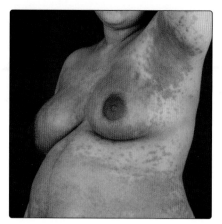

그림 69.1 임산부의 아토피피부염.

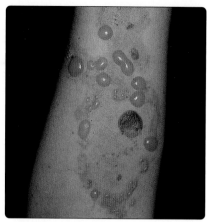

그림 69.2 임신유사천포창.

임신다형발진(임신가려움두드러기구진과 판, PUPPP)

임신다형발진[Polymorphic eruption of preg-nancy (PEP)], 임신가려움두드러기구진과 판 [pruritic urticarial papules and plaques of pregnancy (PUPPP)]은 주로 임신 3분기 말에 발생한다(그림 69.3). 임신유사천포창과는 다르게 PEP는 복부 옆면(주로 임신선조 부위)에 발생하기 시작하며, 배꼽주변은 침범하지 않는다 (그림 69.4). 이름처럼 다양한 임상 양상으로 나타나는데, 주로 심하게 가려운 두드러기 구진, 판 모양으로 나타난다. 수포 발생은 매우 드물고, 만약 수포가 있으면 임신유사천포창을 의심해야 한다. PEP는 산모와 태아에 위험을 끼치지 않고, 출산 1-2주 이후에 저절로 사라진다. 다음 임신 때는 종종 재발한다. 주로 임상적으로 진단하며, 직접면역형광검사 음성을 확인해서 임신유사천포창과 감별한다. 중등도 국소 스테로이드 도포가 효과적이며, 증상이 심한 환자에서는 고강도 스테로이드 도포, 경구 스테로이드 복용 및 광선치료를 시행할 수 있다.

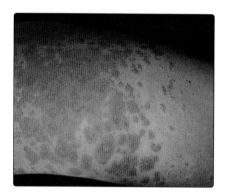

그림 69.3 임신다형발진. 복부 선조 부위에서 주로 발생한다.

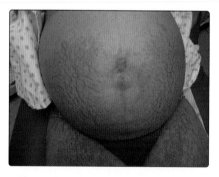

그림 69.4 복부 임신 선조와 임신다형발진이 뚜렷하게 나타났다. 배꼽주위는 침범하지 않았다.

임신 피부변화

- **임신** 시 내분비변화의 **영향**으로 과다색소침착, 모발성장 및 피지분비 증가와 같은 생리적인 변화들이 나타난다.
- **가려움증**은 임산부에서 매우 흔하게 나타나며, 매우 다양한 원인이 가능하다.
- **임신소양증(prurigo gravidarum)**은 특별한 원인이 발견되지 않을 경우에 흔하다.
- **임신아토피발진**은 매우 흔하고, 주로 임신 1분기에 시작된다. 소아의 아토피피부염 치료와 유사하게 보습제와 국소 스테로이드 도포로 치료한다.
- **임신유사천포창(pemphigoid getationis)**은 임산부에서 발생하는 자가면역질환으로, 특징적으로 배꼽을 침범하는 두드러기 판과 수포가 발생한다. 중증으로 진행할 수 있고, 종종 경구 스테로이드 투약이 필요하다.
- **임신다형발진[polymorphic eruption of pregnancy (PEP)**, PUPPP]은 주로 임신 35주 이후에 발생하며, 특징적으로 튼살 부위를 침범하고 배꼽부위는 침범하지 않는다. PEP는 대부분 국소 도포제와 항히스타민제로 조절된다.

70 | 비뇨생식기계 감염질환

한국에서 비뇨생식학은 비뇨기과로 피부과와 분리되어 있지만, 일부 나라에서는 피부비뇨기과(피부성병학, dermatovenerology)로 합쳐져 있다. 피부질환을 치료하는 의사도 비뇨생식질환에 대해 알고 있는 것이 중요하다. 피부와 관련된 비뇨생식질환의 종류는 다음과 같다(표 70.1 참조); 매독, 임질, 인간면역결핍바이러스(HIV), 클라미디아감염, 골반염, 질염, 연성하감(chancroid), 바이러스성 사마귀, 음부단순포진, B형간염, C형간염, 음부/항문 주위 피부질환, 음경/음낭 피부질환. 생식기 부위의 피부질환에 대해서는 다음 71장과 72장에 기술되어 있다.

매독

매독(syphilis)은 *Treponema pallidum*에 의한 만성 감염질환이다. 피부 증상은 세 단계에서 모두 나타난다.

임상 양상

*T. pallidum*은 드물게 선천 감염되거나 오염된 혈액의 수혈로 감염될 수도 있지만, 주로는 성적 접촉을 통해 감염된다.

- 1기 [경성하감(chancre)]. 성적 접촉 약 3주 후, 균 접종 부위에서 1기 매독 병변이 무통성의 궤양을 동반한 단추 모양 구진으로 나타난다. 대부분 생식기 부위에 발생하지만(그림 70.1), 동성과 성관계를 한 남성은 구강과 항문에서도 발생할 수 있다. 국소 림프절 비대가 흔하게 동반된다. 병변은 치료 없이도 3–10주 내에 저절로 사라진다. 감염 후 4주까지 혈청검사는 음성일 수 있지만, 경성하감 병변에서 스피로헤타 균은 검출된다.
- 2기. 2기는 경성하감이 발생한지 4–10주 후에 시작된다. 가렵지 않은 핑크색 또는 구리색의 구진발진이 몸통, 팔다리와 손발바닥에 발생한다(그림 70.2). 발진은 치

료 없이도 1–3개월 내에 소실된다. 혈청 검사는 양성이다.
- 3기. 치료받지 않은 매독 환자의 약 30% 는 잠복기를 거친 이후 3기 병변이 나타

난다. 무통성 결절이 고리모양 또는 아치 모양으로 얼굴이나 등이 발생한다. 피하 육아종성 고무종(gumma)가 주로 얼굴, 목 또는 종아리에 궤양과 흉터를 동반하면서 발생하고, 완전히 아물지 않는다(그림 70.3). 심혈관매독 또는 신경매독이 동반될 수 있다.

치료

1기 또는 2기 매독은 benzathine penicillin G 2.4 unit 근육주사 1회 또는 경구 doxycycline 100 mg 2회/일을 2주간 투약 또는 경구 azithromycin 1 g 1회 투약한다. 모든 환자는 HIV에 대한 스크리닝 검사를 받아야 하며, 성

표 70.1 비뇨생식기계 감염질환

질환	원인균	임상 특징	치료
비임균성 요도염(Non-gonococcal urethritis)	Chlamydia trachomatis Ureaplasma urealyticum Mycoplasma genitalium	남성: 배뇨장애, 빈뇨, 요도분비물 또는 무증상	경구 azithromycin 1 g 1회 또는 경구 doxycycline 100 mg 2회/일 7일간 투약
클라미디아 점액농성 자궁경부염(Chlamydial mucopurulent cervicitis)	Chlamydia trachomatis (Neisseria gonorrhoeae 감별)	여성: 무증상 또는 노란 경부삼출물	경구 azithromycin 1 g 1회 또는 경구 doxycycline 100 mg 2회/일 7일간 투약 또는 erythromycin
골반염(Pelvic inflammatory disease)	Chlamydia trachomatis Neisseria gonorrhoeae 혐기균 Gardnerella vaginalis Mycoplasma genitalium	급성 복통 및 압통, 열, 백혈구 증가	Ceftriaxone 근육주사 후 경구 doxycycline + metronidazole 또는 경구 ofloxacin + metronidazole 14일 투약
질염	Trichomonas vaginalis Gardnerella vaginalis Bacteroides Candida albicans	무증상 또는 홍반, 가려움증, 분비물: 남성 파트너는 요도염, 귀두염	경구 metronidazole 2 g 1회 또는 400–500 mg 2회/일 5–7일간 투약; 경구 tinidazole 2 g 1회 투약
연성하감(Chancroid)	Haemophilus ducreyi	단발 또는 다발성의 압통과 괴사를 동반한 미란성 궤양	경구 azithromycin 1 g 1회 (또는 iprofloxacin, erythromycin 또는 ceftriaxone 근주)
B형 간염	B형 간염 바이러스	~40% 증상	백신 접종; Peginterferon alfa-2a, entecavir 및 기타 항바이러스제

그림 70.1 1기 매독의 경성하감.

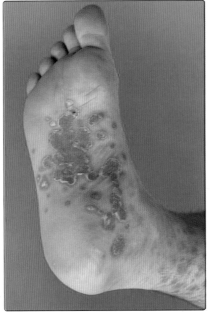

그림 70.2 2기 매독. 합쳐지는 핑크색 구진이 가장자리 비늘과 함께 발바닥과 다리에 나타났다.

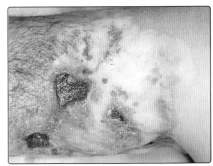

그림 70.3 3기 매독의 고무종(gumma).

접촉자 추적 및 기타 성병에 대한 검사를 진행해야 한다. 임산부와 소아에게는 비뇨생식학 전문의의 사문 하에 대체 요법을 시행해야 한다.

임질(Gonorrhoea)

임질(gonorrhoea)는 그람음성 쌍알균인 Neisseria gonorrheae가 유발한다. 무증상일 수 있으며, 배양검사 또는 핵산증폭검사로 검출한다.

임상 양상
증상이 있는 남성은 주로 배뇨장애, 빈뇨 및 화농성 요도 삼출물을 호소한다. 여성은 증상이 있으면, 비정상 질분비물, 배뇨통, 부정출혈, 월경과다 또는 복통을 호소한다. 인후두 또는 항문 감염도증상이 있거나 없을 수 있다. 요도(남성/여성) 또는 자궁경부(여성) 도말 검사로 현미경 상 세포내 그람음성 쌍알균을 확인하고 *N. gonorrhoeae*를 배양하여 진단한다. 혈청검사는 신뢰도가 떨어진다. 여성은 임질을 치료하지 않으면 골반염과 불임의 위험이 증가한다. 남성은 합병증으로 요도 협착, 불임 및 부고환염이 발생할 수 있다.

임균혈증(Gonococcaemia)는 드물지만, 발생하면 열, 관절염과 함께 농포가 손, 발 또는 큰 관절 주위로 적은 숫자가 나타난다(그림 70.4). 다른 전신 감염(예: *Neisseria* 뇌수막염)과 마찬가지로 자반을 형성할 수 있는 일종의 패혈성 혈관염 반응이다.

치료
합병증이 없는 급성 임질은 ceftriaxone 500 mg 근육주사 1회 또는 경구 azithromycin 1 g 1회 (또는 인후두 감염은 두 가지를 함께 병합치료)

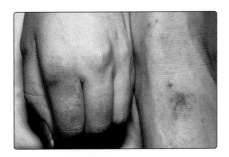

그림 70.4 임균혈증(Gonococcaemia). 관절 위로 염증성 농포가 산재되어 있다.

투약한다. 민감도에 따라 azithromycin과 경구 cefixime 또는 spectinomycin 1회 병용치료가 대체 치료로 사용된다. 해외 감염된 경우는 다중 항생제 내성도 의심해야 한다. 치료여부를 확인하기 위해 치료 4~7일 후 배양검사를 시행한다. 임질 환자는 클라미디아와 같은 다른 성병에 대한 스크리닝도 받아야 한다. 접촉 추적 검사가 잘 체계화되어 있는 비뇨생식 관련 과에서 관리하는 것이 가장 적절하다.

기타 비뇨생식기계 감염질환

클라미디아와 생식기 사마귀는 가장 흔한 비뇨생식기계 감염 질환들이다. 대부분의 환자는 비뇨기과 또는 산부인과로 방문한다.

생식기 클라미디아(chlamydia)는 피부 증상이 없다. 남성은 요도 분비물 또는 배뇨통을 호소하고, 여성도 질 분비물 또는 배뇨통을 호소할 수 있지만 대부분의 여성 감염자는 무증상이다(표 70.1). 감염된 여성의 10–40%에서 골반염이 발생한다. 라이터(Reiter) 증후군이 합병증으로 발생할 수 있다.

다른 비뇨생식기계 감염 질환들은 드물고, 대부분 열대지방 국가에서 감염되는 경우가 많다. 그 예는 다음과 같다.

성병림프육아종[Lymphogranuloma venereum (inguinale)]은 림프계에 침범하는 *Chlamydia trachomatis* 중 특정 혈청형에 의해 발생한다. 국소적인 궤양이 발생하고, 이후 사타구니가 부어올라 멍울을 형성하면서 전신권태감이 동반된다. 수년 후 림프관이 막히면서 전반적인 생식기 림프부종이 나타날 수 있다.

연성하감(Chancroid)은 *Haemophilus ducreyi*에 의해 발생하며, 균 접종 부위에 궤양을 형성하는 염증성 구진이 발생하여 HIV 감염이 호발한다. 일부 환자에서는 사타구니 림프절병증이 나타나 멍울을 형성할 수 있다(그림 70.5). 연성하감이 있는 환자는 HIV 감염에 대한 스크리닝을 받아야 한다.

서혜부 육아종(Granuloma inguinale)은 도너반증(donovanosis)라고도 불리며, Klebsiella granulomatis에 의해 발생한다. 생식기에 궤양성 결절이 발생하여 커지면서, 점차 괴사하고 2차 감염을 동반한다. 생식기 변형과 악성 변화를 보일 가능성이 있다.

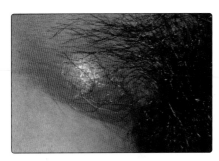

그림 70.5 연성하감(Chancroid). 편측성 사타구니 림프절염이 홍반과 함께 관찰된다.

비뇨생식기계 감염질환

매독	임질	생식기 클라미디아감염	골반염
• 성 접촉 3주 후 1기 경성하감(chancre)이 나타난다.	• 남성은 배뇨통, 빈뇨, 요도 분비물을 호소한다.	• 여성은 주로 무증상이지만, 질 분비물이나 배뇨통을 호소할 수 있다.	• 여성에서 하복부통증 및 압통, 발열, 근육통으로 나타난다.
• 경성하감이 발생한 지 4-10주 후 가렵지 않은 구진 발진으로 2기 병변이 나타난다.	• 여성은 질 분비물, 배뇨통, 복통을 호소한다.	• 남성은 요도 분비물, 배뇨통 또는 빈뇨를 호소하며, 무증상일 수도 있다.	• 임균, 클라미디아, 혐기균 등 다양한 균에 의해 발생한다.
• 3기 매독은 수 년 이후 발생할 수 있다.	• 무증상일 수 있다.	• 생식기 클라미디아감염은 원발 피부 증상이 나타나지 않는다.	• 장기적인 후유증으로 불임, 자궁 외 임신, 만성골반통이 생길 수 있다.
• Benzathine penicillin, doxycycline 또는 azithromycin으로 치료한다.	• 여성에서 골반염과 불임을 유발할 수 있다.	• 경구 azithromycin 1회 또는 doxycycline 투약으로 치료한다.	• Metronidazole, doxycycline, ceftriaxone, ofloxacin과 같은 항생제들의 병합요법으로 치료한다.
• 환자의 성 접촉력을 확인해야 하며, 다른 성병에 대한 검사도 진행한다.	• 경구 ceftriaxone 또는 azithromycin 1회 투약으로 대부분 치료하지만, 항생제 감수성에 따라 치료해야 한다.		

71 | 여성 생식기 피부질환

생식기와 항문 주위 피부도 다른 부위에 나타나는 피부질환들과 마찬가지의 질환들이 나타날 수 있지만, 그 모양은 다를 수 있다. 그리고 생식기 피부는 전문가도 진단이 때로는 어려운 특정 질환들이 나타날 수 있다. 특히 음부의 피부질환은 일반적인 발진의 특징들이 없거나 변형되어 보이기 때문에, 진단이 어렵고 때로는 피부과 의사도 잘못 진단할 수 있다.

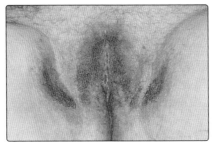

그림 71.1 음부의 접촉피부염. 네오마이신 크림에 대한 알레르기로 발생하였다.

음부의 정상 변이

정상 범주에 속하는 작은 병변들로 환자들이 내원할 수 있다.

- 혈관각화종(*Angiokeratoma*)은 대음순에 나타나는 1~4 mm 크기의 작은 혈관 구진들이다. 무증상이며, 임신 중에는 출혈이 생길 수 있다.
- 피지선증식증(*Sebaceous gland hyperplasia*)은 대음순 안쪽과 소음순에 나타날 수 있다. 월경 직전에 염증이 생기거나 가려울 수 있다.
- 전정유두종증(*Vestibular papillomatosis*)은 질 전정부 표피와 소음순 안쪽에 나타나는 작은 사마귀모양 구진들이다. 사람유두종바이러스(HPV)는 나타나지 않는다. 진주음경구진(pearly penile papule)에 대응되는 여성형 임상양상이다.
- 외음부정맥류(*Varicosities of labial veins*)는 임신 중에 발생할 수 있다.

양성 피부질환

가려움증(음부소양증)은 음부 질환에서 흔한 증상이며, 종종 이차적인 태선화를 유발한다. 흔한 피부 질환에는 건선, 습진(알레르기접촉피부염) (그림 71.1), 지루피부염이 있으며, 흔한 감염 질환에는 단순포진, 바이러스성 사마귀, 칸디다증 및 성병이 있다. 여성 생식기 피부에 특징적으로 나타나는 피부질환들은 다음과 같다.

- 경화태선(Lichen sclerosus)은 모든 연령대의 여성에서 나타나며, 대퇴주름 부위, 대음순 안쪽, 소음순 및 클리토리스를 침범할 수 있다. 침범된 피부는 위축성의 흰 표피를 보이며, 때때로 자반과 까짐도 동반된다(그림 71.2). 경화태선에 의한 흉터화는 생식기 구조를 변형시켜서, 소음순이 소실 및 합쳐지고 질 입구가 좁아진

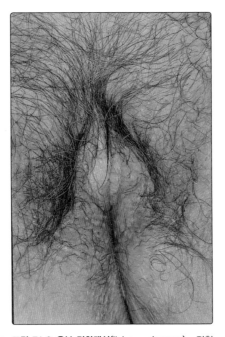

그림 71.2 음부 경화태선(lichen sclerosus). 전형적인 백색 경화를 보인다.

다(그림 71.3). 국소 clobetasol propionate 도포로 치료한다. 편평세포암의 발생 위험은 4% 정도이다.

- 편평태선(Lichen planus)은 적자색 구진, 판 또는 미란으로 나타나며, 때때로 가장자리에 흰 레이스 모양이 나타난다. 전신 발진형 또는 굴측부 색소침착, 미란성 점막 증후군의 한 형태로 음부에 나타난다. 국소 스테로이드 도포로 치료한다.
- 색소변화는 음부흑색증(vulvar melanosis)과 탈색으로 나타난다. 흑색증은 악성을 감별하기 위해 조직검사를 시행해야 하며, 탈색은 백반증에 의해 나타날 수 있다.
- 크론병(Crohn's disease). 크론병 환자의 30%에서 항문생식기를 침범하며, 활동성 장 병변이 넓어지면서 침범하거나 전이 병변으로 나타난다. 궤양, 농양, 샛길 형성 또는 부종으로 다양한 임상 양상을

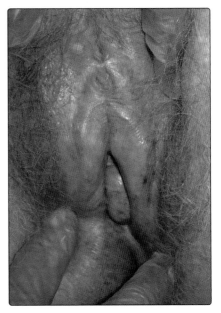

그림 71.3 정상 구조가 소실되고 위축, 자반을 보이는 음부 경화태선.

보인다. 조직검사 상 육아종성 변화를 보인다.

감염질환

음부의 습윤한 환경에 의해 미세알균, 디프테로이드균(diphtheroids) 및 유산균(lactobacilli)들이 정상 상재균으로 존재한다. 흔한 음부 감염질환은 다음과 같다:

- 포도알균(Staphylococci)과 사슬알균(streptococci): Staphylococcus aureus는 음부의 감염성 모낭염, 종기, 농양의 주원인균이다. 사슬알균은 연조직염을 유발할 수 있다.
- 칸디다 음문질염(Candidal vulvovaginitis): 비늘을 동반한 홍반과 가장자리의 수포 또는 농포가 나타난다(그림 71.4). 질 분비물 양이 매우 증가하는 경우가 흔하다. 기저 당뇨 유무를 확인해야 한다.
- 사람유두종바이러스(Human papilloma virus, HPV): HPV 6, 11, 16, 18형이 생식기 피부에 감염될 수 있다. 뾰족콘딜로마(condylomata accuminata)로 알려진 사마귀 모양 병변을 유발할 수 있다. 생식기 사마귀를 보이는 환자는 다른 성 매개 감염질환에 대해서도 검사해야 한다. HPV 16과 18형은 편평상피내병터와 관련 있으며, 편평세포암으로 진행할 수 있

다. 11-12세 여아가 4가 HPV 백신 접종을 맞으면 다양한 HPV 형을 방어할 수 있어 생식기암의 위험이 감소한다.
- 단순포진(Herpes simplex)
- 기타 성병
- 화농성한선염(Hidradenitis suppurativa)

종양

- *편평상피내병터(Squamous intraepithelial lesion, SIL)*. SIL은 이전에 외음부상피내종양(vulval intraepithelial neoplasia), 보웬병(Bowen's disease), 보웬모양구진증(bowenoid papulosis)으로 불리었다. SIL은 저등급(low-grade, LSIL)과 고등급(high-grade, HSIL)으로 나뉜다. LSIL은 종양 발생 바이러스인 HPV 16, 18형 감염과 관련이 있다. 조직학적으로 표피 2/3이상에서 세포 층상구조가 소실되어 있다. 병변은 단발성일 수도 있지만, 대부분 다발성으로 사마귀모양, 판, 편평한 각화병변 또는 넓은 유두종증 모양으로 나타난다. 자궁 경부에도 유사한 변화가 동반될 수 있다. 침습적 악성종양으로 진행할 위험은 10%이다.
- *고등급 편평상피내병터(HSIL)*는 조직학적으로 표피 기저세포층에 변화가 국한되어 있다. 임상 양상은 다양하며, 백색

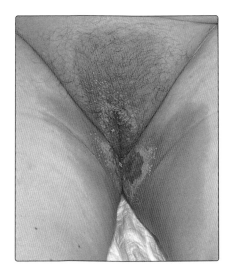

그림 71.4 심한 까짐을 동반한 칸디다음문염 (candida vulvitis).

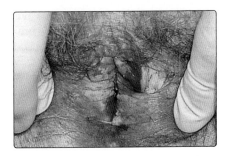

그림 71.5 음부의 고등급 편평상피내병터(HSIL).

다수에서 나타나는 형태는 만성 경화태선(또는 편평태선)이 있는 노인 여성에서 암이 발병하는 형태이며, 소수에서 나타나는 형태는 젊은 여성에서 HPV 감염과 연관되어 종양이 발생하는 형태이다. 병변 피부 내에 종종 궤양을 동반한 결절이 발생한다(그림 71.6). 전문가에 의한 수술적 절제가 필요하다.
- *기타 종양*. 음부에서 기저세포암, 악성흑색종 및 유방외파젯병이 나타날 수 있다.

생식기궤양과 외상

- *생식기궤양*은 양성 아프타궤양, 유사천포창, 천포창 또는 급성 다형홍반으로 나타날 수 있다. 베체트병에서도 나타날 수 있으며, 베체트병은 재발성 입 안 아프타궤양, 포도막염을 동반하는 다기관 침범질환이다.
- 여성 생식기 손상에 의해 클리토리스가 소실되거나 질 입구나 좁아질 수 있다. 생식기 외상이 있으면 학대를 의심해야 한다.

통증 증후군

- 음문통(Vulvodynia)은 '다른 감염, 염증, 종양 또는 신경 질환의 동반이 없는 음문통증' 상태를 의미한다. 노인에서 나타나는 자발적인 통증 유형(만지지 않아도 통증)과 국소적으로 유발되는 음문 통증 유형으로 나뉜다.
- 국소유발음부통증(Localized provoked vulval pain, vestibulodynia)은 주로 젊

은 여성에서 나타나며, 작은 접촉에도 발생하는 질 전정부 통증과 성교통을 호소한다. 국소 마취제 도포, 진통제(예; gabapentin, amitriptyline), 심리적인 지지요법과 같은 다양한 치료 방법이 시도되어왔다.

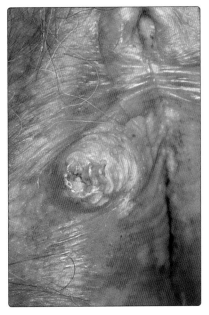

그림 71.6 음부 구조가 소실된 만성 경화태선 병터 내에서 궤양성 편평세포암이 발생하였다.

여성 생식기 피부질환

- **정상 변이**. 피지선증식증 또는 전정유두종증과 같은 정상 변이들로 내원하는 경우, 환자를 안심시켜 준다.
- **경화태선(Lichen sclerosus)**. 음부의 백색 표피로 발생하며 때때로 자반을 동반한다. 편평상피내병터와 관련 있으며, 침습적 암으로 진행할 수 있다. 고강도 국소 스테로이드 도포로 치료하며, 경과 관찰이 필요하다.
- **사람유두종바이러스(Human papilloma virus, HIV)** 감염은 콘딜로마나 기타 사마귀 모양 변화를 유발한다. HPV 16형과 18형은 편평상피내병터와 관련이 있다.
- **편평상피내병터(Squamous intraepithelial lesion, SIL)**은 HPV 16, 18형과 관련 있는 저등급(LSIL)과, 경화태선과 관련 있는 고등급(HSIL)으로 나뉜다. 침습적 암이 발생할 수 있다.
- **만성 궤양**은 수포 질환이나 베체트병을 시사할 수 있다.
- **음부통증증후군(vulval pain syndromes)**은 다양한 방법을 병합하여 치료해야 한다.

72 | 남성 생식기와 항문 주위 피부질환

습진과 건선같은 피부질환들이 음경, 포피, 음낭과 같은 남성 생식기 부위 피부에도 발생한다. 특히 음낭에는 만성적으로 긁어서 발생한 태선화된 습진(단순태선)이 호발한다.

정상 변이

정상 범주에 속한 변화에도 환자들은 걱정하며 내원할 수 있다.

진주음경구진(Pearly penile papules). 약 50%에 이르는 남성에서 귀두 가장자리의 1–3 mm 매끈한 살색 구진들이 관찰된다. 구진들은 조직학적으로 혈관섬유종(angiofibroma) 소견을 보인다. 환자에게 정상 범주임을 설명한다.

피지선증식증(Sebaceous gland hyperplasia). 음경, 음낭에서 피지선이 뚜렷하게 관찰되는 경우가 흔하다. Fordyce 반점(Fordyce spot)으로도 불린다.

양성 피부질환

남성 생식기에 특징적으로 발생하는 피부질환은 다음과 같다:

- 귀두염(Balanitis)은 음경 피부에 발생하는 염증을 말한다(예; 습진) (그림 72.1). 고리모양귀두염(Circinate balanitis)은 라이터(Reiter)증후군에서 관찰되는 피부까짐과 딱지를 동반하는 음경발진이다.
- 경화태선(Lichen sclerosus)은 음경에 호발한다. 환자는 가려움증, 불편감 또는 성교통을 호소한다. 백색 판이 때때로 출혈, 까짐, 경화와 함께 나타난다. 귀두, 특히 요도구 주변을 잘 침범한다(그림 72.2). 심하면 폐색건성귀두염(balanitis xerotica obliterans)에 이르러 요도구가 심각하게 좁아지거나 포경(phimosis)이 발생한다(그림 72.3). 고강도 국소 스테로이드(clobetasol propionate)로 치료한다. 약물 치료가 실패하면 포경수술을 진행

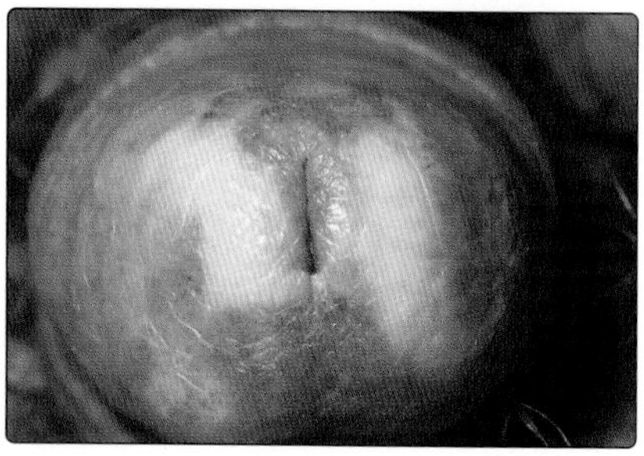

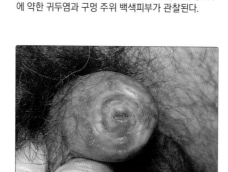

그림 72.2 **경화태선(Lichen sclerosus)**. 음경귀두에 약한 귀두염과 구멍 주위 백색피부가 관찰된다.

그림 72.3 **염증과 포경(phimosis)을 동반한 경화태선**.

한다. 어린 남자아이들에게 포경수술을 시행하면 모든 문제 부위 조직을 제거하고 질병 진행을 예방할 수 있다. 심각한 요도구협착에는 수술이 필요하다. 만성 경화태선의 약10%에서 편평세포암이 발생할 수 있다.

- 편평태선(Lichen planus)은 음경에서 전형적인 자색구진으로도 나타나지만 때때로 미란성 형태로 나타난다(그림 72.4). 광택태선(Lichen nitidus)도 음경에 발생할 수 있다(그림 72.5).
- 귀두염(Zoon's balanitis)은 귀두나 포피 안쪽에서 잘 경계지어진 반짝이는 습한 적색 또는 갈색 반으로 나타난다 (그림 72.6). 포경수술을 하지 않은 중년 또는 노인에서 호발하고, 자극에 의한 반응으로 발생하는 것으로 추정된다. 국소 스테로이드가 도움이 되지만, 대부분 치료가 어렵다. 포경수술로 치료한다.

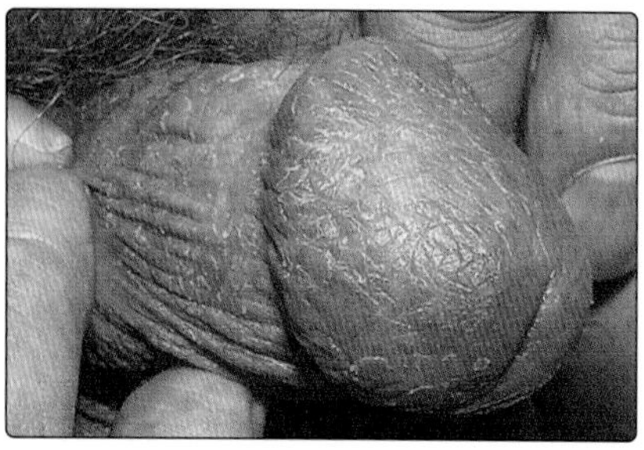

감염

연조직염(예; 황색포도알균에 의한 감염)도 음경에 발생할 수 있다. 만성 림프부종이나 피어싱에 의해 호발한다. Candida albicans는 귀두와 포피에 귀두염과 미란성변화를 유발한다. 옴과 성병도 유의해야 한다.

종양

- *음경상피내종양(Penile intraepithelial neoplasia, PeIN)*. 퀴라홍색형성증(erythroplasia of Queyrat), 보웬병, 보웬모양구진증이 모두 PeIN(음경제자리암종)의 일종이다. PeIN은 음경이나 포피에 사마귀모양반 또는 각질판으로 발생하거나, 귀두점막에 습윤한 붉은 반으로 발생한다(그림 72.7). 가장 흔한 유형은 사람유두종바이러스(특히 HPV 16형) 또는 HIV 감염과 관련되어 발생하고, 미분화 PeIN으로 불린다. 보다 드문 분화 PeIN은 경화태선과 연관 있으며, 침습적 암으로 진행 위험이 더 높다.
- *고등급 음경편평상피내병터(High-grade penile squamous intraepithelial lesion, HPSIL)*. PeIN을 VIN처럼 재분류하고자 하는 시도가 있었다. HPSIL은 HPV연관형으로, 미분화 PeIN를 뜻한다. 면역저하자에서 HPSIL가 침습편평세포암으로 진행할 위험이 더 높다. 국소 5–fluorouracil, imiquimod, 레이저, 광역동요법, 냉동치료, 절제수술 등의 방법을 임상 상황에 따라 시행한다.
- *저등급 음경편평상피내병터(Low-grade penile squamous intraepithelial lesion, LPSIL)*는 HPV관련 사마귀와 연관이 있지만, 종양유발형 HPV들에는 음성이다. 임상적으로 편평하거나 약간 융기된 백색 또는 홍반 병변으로 나타난다. 조직학적으로 표피 기저세포층에만 이형성 변화

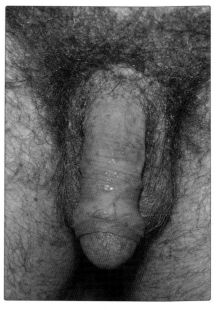

그림 72.4 **음경의 편평태선(lichen planus)**. 편평한 구진이 합쳐져서 관찰될 수 있다.

그림 72.1 **음경귀두의 습진**.

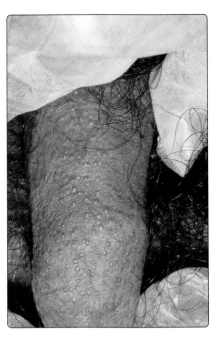

그림 72.5 음경의 광택태선(lichen nitidus).

가 나타난다. HPV 16형이 음성이다. LPSIL의 치료도 HPSIL과 동일하나, 치료 없이 자연 소실될 수도 있다.

- *음경편평세포암(Squamous cell carcinoma of the penis)*은 불규칙하고 종종 궤양을 동반하는 결절로 나타난다. 조직검사와 수술을 위한 빠른 전원이 필요하다.
- *음낭의 낭종과 종양.* 음낭의 표피낭종은 드물지 않고, 필요시 절제한다. 음낭의 편평세포암은 자극성 결절로 나타나고 종종 궤양을 동반한다. 발암물질(예; 탄 물질, 미네랄오일)에 직업상 노출되어 발생할 수 있다.

생식기 궤양과 림프부종

*음경의 궤양*은 아프타궤양이나 감염(예; 단순포진)으로 발생할 수 있다. 만성 궤양의 원인으

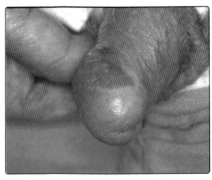

그림 72.6 Zoon 귀두염. 귀두와 포피 안쪽에 습윤한 홍반이 관찰된다.

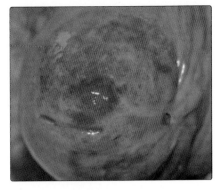

그림 72.7 음경편평상피내병터(Penile squamous intraepithelial lesion).

로는 베체트병, 혈관염, 괴저화농피부증(pyoderma gangrenosum), 수포질환이 있다.

*음낭괴저(Scrotal gangrene, 푸르니에괴저 [Fournier's gangrene])*는 급성으로 발생하는 괴사성 연조직염이다. 응급으로 외과적 조직제거 수술을 시행해야 한다. 사망률은 25%정도이다. 위험요인으로는 당뇨, 알콜중독 및 면역저하상태가 있다.

음경와 음낭의 림프부종은 림프관 형성저하에 의해 원발성으로 발생할 수 있으며, 크론병과 같은 기저 질환에 의해 이차적으로 발생할 수도 있다. 림프부종이 있으면 연조직염이 호발한다.

통증 증후군

음경통(penodynia)과 음낭통(scrotodynia)은 특별한 기질적 이상소견 없이 음경 또는 음낭에 타는 느낌이나 감각 이상이 있는 상태를 말한다. 대부분의 환자는 중년이다. 치료는 힘들다. 정신과적 동반질환이 있을 수 있다.

항문주위 피부질환

건선, 습진, 편평태선, 경화태선, 백반증과 같은 피부질환들이 남성과 여성의 항문주위 피부에 나타날 수 있으며, 전형적인 모양을 보이지 않을 수 있다. 항문주위 경화태선은 여성에서 더 흔하다. 다양한 감염질환과 성병이 항문주위 피부와 항문에 발생할 수 있다.

*항문소양증(Pruritus ani)*은 엄밀히는 진단명이 아니며, 항문 또는 항문주위가 가려운 증상을 말한다. 중산층 중년 남성에서 흔하다. 약 50%의 환자에서 항문주위 피부에 감염, 염증질환 또는 종양이 관찰된다. 씻기 어려운 부

위이므로 항문 분비물에 의해 악화될 수 있다. 대변이 묻으면 세균, 효소, 알레르기항원들에 의해 염증과 가려움증이 발생한다. 지속적으로 문지르면 단순태선이나 짓무름이 생기고 세균이나 진균에 의해 이차 감염이 발생할 수 있다. 증상호전을 위해 바르는 크림에 의해 접촉피부염이 발생하는 경우도 흔하다. 항문암, 항문열창, 치핵, 소아의 요충감염 여부를 반드시 감별해야 한다. 치료를 위해서는 개인 위생을 관리하고 (매일 씻되 비누는 사용하지 않는다.), 보습제, 항균제 또는 스테로이드를 도포하도록 한다.

*항문열창(Anal fissures)*은 일종의 궤양이다. 단단한 변을 배변할 때의 압력에 의해 발생할 수 있다. *항문옆샛길(Perianal fistula)*은 항문관과 피부 사이에 생긴 통로를 말한다. 크론병에서 호발한다.

항문손상은 성적 행위에 의해 발생할 수 있다. 소아에서 발생하면 성적학대를 의심해야 한다.

*치핵(Hemorrhoids)*은 항문 주위 정맥이 늘어난 것이다. 출혈이나 통증이 발생한다.

*항문편평상피내병변(Anal squamous intraepithelial lesion)*은 보웬병 모양으로 발생한다. HPV와 HIV감염에 의해 발생할 수 있다. 편평세포암으로 진행 가능하다.

73 │ 인종에 따른 피부질환

인종에 따라 색소, 모발, 외부 자극에 대한 피부의 반응이 다르기 때문에 흔한 피부질환들도 각각 다른 임상 양상을 보일 수 있다. 일부 질환들은 인종에 따라 호발하기도 한다. 피부 색에 따른 외부 손상이나 특정 치료 방법들에 대한 반응을 고려 해서 치료 계획을 수립해야 한다.

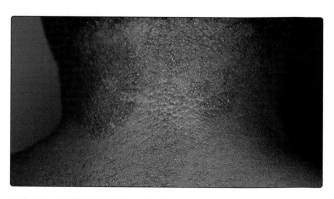

그림 73.1 색소침착과 태선화를 보이는 만성단순태선(lichen simplex chronicus).

피부 색소의 발생

피부의 색소는 보통멜라닌[eumelanin(갈색/흑색)]과 적색멜라닌[pheomelanin(노란색/붉은색)]으로 이루어진다. 적색멜라닌의 합성은 MC1R의 위치에 따라 전반적으로 결정된다. 짙은 피부색은 적색멜라닌이 우세하게 축적되어 있으며, 밝은 피부색은 보통 멜라닌의 축적을 보인다. 개개인의 피부색은 지정학적인 위도에서의 자외선 조사량에 깊은 관련성을 보인다. 적도에 가까운 위치의 사람들은 전반적으로 짙은 피부색을 보이고, 위도가 높은 지역의 사람들은 밝은 피부색을 보인다. 이러한 다양한 피부색을 보이게 된 적응 기전은 오랫동안 중요한 연구 주제로 다루어져 왔다. 120만년 전, 인간의 조상은 아프리카 사바나 기후에 적응하기 위해서 피부의 거의 모든 털을 잃는 쪽으로 진화하였다. 털의 소실은 자외선 노출량이 증가하는 문제를 가져왔고, 이에 피부 전반에서 영구적으로 짙은 색소를 합성하는 쪽으로 진화하였다. 정확한 진화 기전은 논란이 있어왔고, 피부암에 대한 보호, 보통멜라닌의 항균 작용 또는 피부 장벽에의 역할에 대한 이론들은 반박되었다. 현재는 자외선의 엽산 대사에 대한 영향이 중요한 진화 기전 중 하나로 여겨진다. 엽산은 자외선에 의한 광분해에 민감하고, 엽산이 감소하면 DNA 합성에 결함이 생기며 태아에 이상이 생길 확률도 증가한다.

피부에서 자외선 노출의 또 다른 역할은 비타민D 합성 유도이다. 따라서 초기 인류가 자외선 조사량이 적은 고 위도의 지역으로 이주하면서 비타민D 결핍 위험이 증가하였을 것이다. 그리고 임신 중 산모가 칼슘을 이동시키는 데에 비타민D가 필요하므로, 진화 압력은 더 밝은 피부를 가지는 방향으로 가해졌을 것으로 추정된다. 하지만 유전자분석 상, 밝은 피부를 가지는 각기 다른 인구들은 색소 조절 관련 유전자 중 각기 다른 부분에서 변이를 가진다.

그림 73.2 과색소침착을 보이는 편평태선(lichen planus).

표 73.1 짙은 피부에서 저색소침착의 원인들

분류	질환
감염	나병(leprosy), 회선사상충증(onchocerciasis), 열대백반피부염(pinta), 어루러기(pityriasis versicolor)
구진비늘질환	장미비강진(pityriasis rosea), 백색비강진(pityriasis alba), 건선, 지루피부염
물리적, 화학적 제제	화상, 냉동치료, hydroquinone, 국소 스테로이드
염증 후	원반모양홍반루푸스, 전신경화증, 유육종증
기타	백색증(albinism), 백반증

인종에 따른 모발과 눈 색 차이

모발과 눈 색도 피부와 마찬가지로 멜라닌 합성에 따라 결정되며, 지정학적 인구에 따라 다양한 양상을 보인다. 유럽 지역 외에서는 모발 색의 다양성이 훨씬 적은데, 그 이유는 불명확하다. 모발과 눈 색은 진화적으로 강한 선택 압력을 받지는 않았지만, 유럽에서 금발과 붉은 머리가 많은 이유는 성적인 선택 압력이 가해졌을 것으로 추정된다. 수염은 좀 더 공격적인 얼굴 모습을 보이게 해 주고, 나이 또는 사회적 우위를 표현하는데 도움이 되지만, 진화론적 선택 우위의 역할을 하지는 못한다. 홍채 색은 푸른색, 녹색, 금색, 갈색, 짙은 갈색 등 다양한 색을 보인다. 하지만 홍채 색이 이렇게 다양하게 나타나는 진화적 선택 압력에 대해서는 밝혀진 바가 거의 없다.

인종에 따른 차이를 보이는 질환들

밝은 피부에서 붉은색이나 갈색을 보이는 발진들이 짙은 피부에서는 검은색, 회색 또는 보라색으로 보일 수 있고, 색소가 홍반 반응을 가릴 수 있다. 짙은 피부에서 습진과 같은 염증 반응은 과색소침착이나(그림 73.1, 73.2) 때로는 저색소침착을 유발한다(표 73.1). 밝은 피부보다 짙은 피부에서 모공성, 구진 또는 고리 모양 형태의 발진들이 더 흔하게 나타난다. 일부 피부질환들은 인종에 따라 다양한 발생률을 보이기도 한다(표 73.2).

뚜렷한 인종적 소인이 있는 질병

모발질환

인종에 따른 모발질환은 흑인에서 가장 흔하고, 다음과 같다:

- 켈로이드여드름(*Folliculitis[acne] keloidalis*)은 아프리카 흑인 남성의 목 뒤에서 뚜렷한 켈로이드 모양의 모공성 구진으로 나타난다(그림 73.3). 스테로이드 병변 내 주사가 도움이 된다.
- 수염가성모낭염(*Pseudofolliculitis barbae*)은 흑인 남성에서 흔한 질환으로, 수염 부위의 염증성 구진과 농포가 특징적이다. 피부 안으로 자라는 모발 때문에 발생하는 것으로 생각된다(그림 73.4). 치료는 어렵지만, 면도 방식에 유의하고 국소 항생제와 스테로이드를 도포한다.
- 견인탈모(*Traction alopecia*)는 머리를 단단하게 땋거나 묶는 습관 때문에 흑인에서 호발한다(그림 73.5). 모발이 모공에

표 73.2 인종에 따른 차이를 보이는 질환들

피부질환	백인	동아시아인	흑인
여드름	가상 중증	덜 흔함	색소침착
아토피피부염	서구식 생활에서 가장 흔함	태선화를 동반	모공성, 색소침착병변을 동반
켈로이드	덜 흔함	더 흔함	더 흔함
편평태선	일부 색소침착	대부분 색소침착	대부분 색소침착
홍반루푸스	덜 흔함	덜 흔함	더 흔함
멜라닌세포모반	매우 흔함	몇 개만 나타남	드묾
건선	흔함 (유병률 2%)	드묾 (유병률 0.3%, 증가 중)	동>서 아프리카: 푸른색판, 과다 또는 저색소침착을 남김
유육종증	덜 흔함	덜 흔함	유럽보다 미국에서 10배 더 많음
피부암	북부 유럽인에서 가장 흔함	덜 흔함	드묾
백반증	유병률은 동일하나, 덜 명확하게 보임	유병률은 동일하나, 더 명확하게 보임	유병률은 동일하나, 가장 명확하게 보임

그림 73.3 켈로이드여드름(Folliculitis[acne] keloidalis).

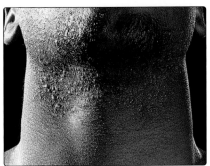

그림 73.4 수염가성모낭염(Pseudofolliculitis barbae).

약하게 잡혀 있어 쉽게 빠지고 주로 측두부에 발생한다. 초기에는 탈모가 회복될 수 있지만, 수 년 이상 지속되면 영구적인 탈모가 된다.
- *중앙 원심성 흉터탈모증(Central centrifugal cicatricial alopecia)*은 흑인 여성의 정수리에서 대칭적으로 천천히 진행하는 흉터탈모증이다. 뜨거운 열을 가하는 모발기기나 모발제품과관련이 있는 것으로 추정 되지만, 병리 기전을 완벽히 설명할 수는 없다.
- *두피박리연조직염(Dissecting cellulitis of the scalp)*은 흑인 남성에서 흔하게 나타나며, 두피에 압통에 있는 물렁한 염증성 부종이 나타난다.

색소변화

정상 범주에 속하는 색소 변화도 흔하며, 다음과 같다.
- 흑색구진성피부증(Dermatosis papulose nigra)은 흑인의 얼굴 피부에서 종종 보이는 작은 지루각화증 모양의 구진들이다.
- 선상 저/과다 색소침착증은 흑인의 위팔에서 드물지 않게 발견된다.
- 선상 조갑색소화 손발비닥의 색소반점은

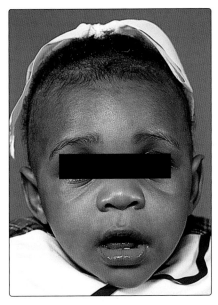

그림 73.5 견인탈모(Traction alopecia).

흑인 피부에서 주로 발견된다.
- 몽고반점(Mongolian spot)은 아기 엉치뼈 부위에서 회갈색 색소침착으로 나타난다. 동아시아인의 100%에서 나타나고, 흑인의 >70% 백인의 10%에서 나타난다.

6세 전에 대부분 사라진다.
- 오타모반(Nevus of Ota)은 삼차신경 윗분지 영역에서 청회색 반점들로 나타나며, 공막을 침범할 수 있다(그림 73.6). 동아시아인에서 가장 흔하게 발생한다.

기타 질환

다음과 같은 질환들에서 인종에 따른 발병률 차이가 나타난다(표 73.2):
- 낫적혈구질환(Sickle cell disease)은 흑인에서 가장 흔하게 발생한다. 피부 증상은 주로 작은 뼈의 경색으로 인한 손발의 통증을 동반한 부종과 다리 궤양으로 나타난다.
- 포도주색모반(port-wine stain)과 같은 혈관모반과 멜라닌세포모반은 백인 영아에서 더 흔하게 나타난다.

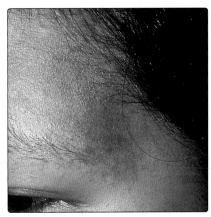

그림 73.6 오타모반(Nevus of Ota).

인종에 따른 피부색소

- **인종**은 유전적으로 분류되는 집단이지만, 호모 사피엔스(homo sapiens)의 특징도 지속적으로 변하고 있다.
- 밝은 피부에서 붉거나 갈색으로 보이는 발진이, 짙은 피부에서는 검은색, 회색 또는 보라색으로 보일 수 있다.
- **태선화**: 염증성 피부질환이 아시아인에서는 태선화되는 경향을 보이고, 흑인 피부에서는 모공성 변화를 보이는 경우가 많다.
- **저색소침착**: 짙은 피부에서는 피부 손상(화상, 냉동치료, 국소 스테로이드 도포) 후에 저색소침착이 발생할 수 있다.
- **모발질환**(예: 가성모낭염, 켈로이드모낭염, 견인 탈모)은 흑인에서 더 흔하다.
- **색소선**: 흑인 또는 짙은 피부의 인종에서 팔다리 (특히 위 팔 바깥쪽) 또는 손발톱에 색소 선이 흔하게 나타난다.
- **엉치 몽고반점**은 대부분의 동아시아인과 흑인 아기에서 나타나지만, 백인에서는 매우 드물다.
- **혈관모반과 멜라닌세포모반**은 다른 인종보다 백인 영아에서 더 흔하다.

74 │ 직업 피부질환

스트레스나 근골격 문제로 발생하는 피부질환이 직업 관련 질환 중 가장 흔하며, 생산성을 떨어트린다. 직업피부질환은 직업 환경과 관련된 요인에 의해 발생하는 피부 질환으로, 그 직업을 하지 않았다면 발생하지 않았을 질환을 뜻한다.

진단

직업과의 연관성을 밝히는 것이 어려우며, 다음과 같은 단서를 살펴보아야 한다:
- 유해한 것으로 알려진 물질과의 접촉력
- 다른 작업자에서 동일한 피부질환 발생 여부
- 노출–발병 사이 시간 경과의 일관성
- 노출 후 악화, 회피 후 호전 경과
- 노출 부위에 합당한 발진의 부위와 양상
- 첩포검사 증거

접촉피부염은 가장 흔한 작업관련 피부질환으로, 자극피부염이 알레르기피부염보다 흔하다. 접촉 두드러기, 특히 라텍스에 대한 반응은 현재 잘 알려져 있다. 그 외 직업피부질환들은 표 74.1에 기술되어 있다. 특정 감염질환들도 (예; 탄저병, 양아구창(orf), 체부백선) 직업성으로 발생할 수 있다. 열, 추위, 자외선, 진동 및 X선도 직업피부질환의 원인들이다.

접촉피부염

알레르기피부염과 자극피부염을 감별하는 것이 쉽지 않다.

병인기전

많은 산업 물질들이 자극물질이며, 일부 물질들은 알레르기 항원이 되기도 한다. 물, 세제, 알칼리, 냉각수, 용제들이 주요 자극원이다. 흔한 알레르기항원에는 크롬, 고무화합물, 보존제, 니켈, 향, 에폭시수지, 페놀–포름알데히드 수지가 있다(표 74.2).

자극피부염은 다양한 자극원에 지속적으로 노출되어 발생하는 경우가 흔하다. 자극피부염은 피부장벽을 약화시켜 알레르기항원이 표피를 투과하기 쉽게 만들고, 이에 따라 접촉항원에 대한 민감화(sensitization)가 되기 쉽다. 마찬가지로, 알레르기접촉피부염도 피부를 약화시켜 자극원에 대해 취약하게 만든다.

체질적으로 특히 아토피피부염이 있으면, 접촉피부염이 생기기 쉽다. 물리적 마찰, 밀폐, 열, 추위, 건조한 공기, 대기 온도 또는 습도의 급격한 변화와 같은 환경적 요인도 영향을 끼친다.

표 74.1 드문 직업피부질환들

질환	양상	작업 노출
은중독(Argyria)	얼굴, 손, 공막에 청회색 색소침착	산업 노출(예; 은 제련)
염소여드름(Chloracne)	뺨과 귀 뒤에 다발성 면포	할로겐화 방향족 탄화수소 (예; 제조 공정 상 오염)
직업백반증(Occupational vitiligo)	얼굴과 손에 대칭적 색소 소실	기름 속의 치환된 페놀 또는 카테콜 (예; 정유공장)
타르각화증(Tar keratosis)	얼굴과 손에 작은 사마귀모양 각화병변들. 전암병변.	콜타르, 피치(예; 도로작업 또는 정유공장). 자외선이 공동발암물질로 작용함.
진동 백색손가락	손가락이 하얗게 변하며 통증 발생. 이후 부종이 생기고 미세한 움직임이 제한됨.	손으로 쥐는 진동 기계들 (예; 바위 드릴, 전기톱)

표 74.2 특정 직업에서 접촉피부염 유발 물질

직업	자극원	알레르기항원
제빵사	밀가루, 세제, 설탕, 효소	향신료, 기름, 항산화제
건설노동자	시멘트, 유리가루, 산, 보존제	시멘드(크롬, 코발트), 고무, 합성수지, 나무
요리사	육류, 생선, 과일, 채소, 세제, 물	야채, 과일, 식기(니켈), 고무장갑, 매운 향신료
청소부	세제, 용해제, 물, 마찰	고무장갑, 니켈, 향료
치과종사자	세제, 비누, 아크릴레이트, 불소	고무, 아크릴레이트, 향료, 수은
전자제품 조립/수리공	납땜, 용해제, 유리섬유, 산	크롬, 코발트, 니켈, 아크릴레이트, 에폭시수지
미용사	샴푸, 탈색제, 펌제, 로션, 비누, 물, 마찰	염색약(para-phenylenediamine dye, PPD), 고무, 향료, thiglycolate
금속노동자	절삭제, 세척제, 용해제	보존제, 니켈, 크롬, 코발트, 항산화제
사무직	종이, 유리섬유, 건조한 공기	고무, 니켈, 염색제, 접착제, 복사용지
섬유종사자	용해제, 탈색제, 섬유, 포름알데하이드	포름알데하이드 수지, 염색제, 니켈
수의사, 농부	살균제, 동물 분비물	고무, 항생제, 식물, 보존제

그림 74.1 은 제련 관련 은중독(argyria)으로 손톱이 파랗게 변색.

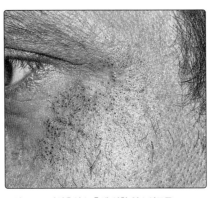

그림 74.2 다이옥신 노출에 의한 염소여드름 (chloracne)으로 면포들을 보임.

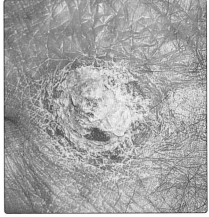

그림 74.3 정유공장 근로자에서 나타난 타르각화증.

임상양상

직업관련 접촉피부염 환자의 80–90%에서 손을 침범한다. 팔이 가려지지 않으면 팔에도 발생 가능하며, 먼지나 연기에 노출이 있으면 얼굴과 목에도 발생할 수 있다. 시멘트 취급자는 손 외에도 종종 다리와 발에 피부염이 생긴다. 고무

증례 1

손 피부염

17세 여환, 소아 아토피피부염 과거력이 있으며, 미용견습생으로 일하기 시작한 지 8주 이내에 손 피부염이 발생하였다(그림 74.4). 보습제와 국소 스테로이드 도포에도 호전되지 않았다. 첩포 검사 결과, ammonium thioglycolate(웨이브 펌제)와 니켈에 양성반응을 보였다. 최종 진단은 내인성 습진이 있는 환자에서의 자극과 알레르기 항원에 대한 접촉피부염이다. 환자가 미용일을 중단하고 사무실에서 일 한 지 수 주 이내에 피부염은 호전되었다.

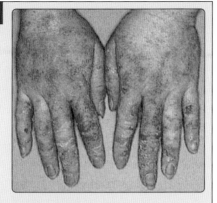

그림 74.4 미용사의 손 피부염.

증례 2

크롬산염(chromate) 피부염

30세 남환, 3년 간 시멘트로 파이프를 만드는 일을 해왔으며 젖은 시멘트에 지속적으로 노출이 있었다. 장갑과 보호장구들을 착용하였지만 손, 팔, 다리에 피부염이 발생하였다(그림 74.5). 첩포 검사 결과, 크롬산염(chromate)에 대한 알레르기가 확인되었다. 산업재해로 보상받고 운전일로 직업을 바꾸었지만, 손 피부염은 지속되었다. 크롬산염 피부염은 한 번 발생하면, 이후 노출이 없더라도 내인성 기전으로 지속될 수 있다.

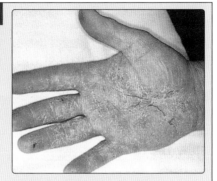

그림 74.5 시멘트 취급자의 손 피부염.

증례 3

접촉두드러기

40세 여환, 간호사로, 일회용 라텍스장갑을 착용 한 지 수 분 이내에 발생하는 손의 가려움증, 부종 및 홍반이 12개월 간 지속되었다(그림 74.6). 첩포 검사 결과는 음성이었으나, 피부단자검사는 라텍스에 양성이었고 특이 IgE 검사(specific IgE test)로 확진하였다. 나이트릴 장갑으로 교체 한 후 환자의 증상은 호전되었다. 라텍스가 없는 일회용 나이트릴 장갑이 보편화되면서, 이제는 의료종사자들의 라텍스 알레르기가 흔하지 않게 되었다.

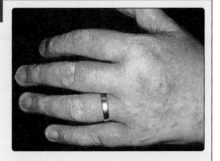

그림 74.6 라텍스에 대한 접촉두드러기.

에 대한 알레르기가 있으면 고무장갑이나 장화에 의해서 피부염이 발생할 수 있다. 어떤 작업자들에서는 자극원이나 알레르기에 대한 저항반응으로 피부가 단단해진다.

직업피부염은 모든 나이에서 발생 가능하지만, 작업 초창기 또는 말기에 최고조로 나타난다. 제빵사나 미용사는 피부염이 초창기에 나타나며, 시멘트 취급자는 수 년 이후에서야 크롬산염(chromate)에 대한 피부염이 발생한다. 자극 축적에 의한 자극피부염은 수 년 이상의 지속적인 노출 후에 발생한다.

감별진단

직업적 요인이 아닌 노출로 인한 접촉피부염이나 내인성습진을 감별해야 한다. 종종 직업피부염은 자극원, 알레르기항원, 내인적 요인 및 세균의 이차 감염과 같은 다양한 요인이 복합적으로 작용하여 발생한다.

치료

잘 알려진 알레르기항원에 대한 노출력이 있는 경우 첩포 검사를 시행한다. 직접 작업장을 방문하면, 정확한 자극원이나 알레르기항원에 대한 파악에 도움이 된다.

일단 진단이 되면, 원인 의심 물질에 대한 직업적인 노출을 최소화할 수 있다. 하지만 이것이 항상 증상을 호전시키는 것은 아니며, 크롬산염에 대한 알레르기는 특히나 호전이 더디다. 모든 피부염은 손 관리에 특히 주의하면서 표준 치료를 시행한다. 장벽 크림의 효과는 모호하다.

접촉두드러기

일부 난백질이나 화합물들은 즉각적인 두드러기반응을 유발한다. IgE 매개 또는 비매개 기전으로 비만세포의 히스타민이나 기타 매개물질들이 분비된다. 수 분 이내에 가려움증, 홍반, 팽진이 발생하고, 수 시간 가량 지속된다.

직업 관련 접촉 유발물질에는 고무장갑의 라텍스, 음식(예; 생선, 감자, 계란, 밀가루, 매운 향신료, 육류, 여러 과일들), *Myroxylon pereirae*(향료 제제) 및 동물의 분비물이 있다. 접촉피부염이 동반될 수 있다.

과거에는 의료종사자들과 기타 직업군에서 라텍스에 대한 접촉두드러기가 문제가 되었다. 현재 많은 의료기관에서 라텍스는 더 이상 사용되지 않고 있다. 다량의 라텍스에 노출되는 경우, 아나필락시스도 발생 가능하다.

진동 백색 손가락

진동하는 전동 공구들은 혈관내피의 혈관조절작용을 손상시켜, 손 끝 혈관을 수축시키고 신경학적 변화를 유발할 수 있다.

예방

피부와 유해물질 사이의 접촉 시간을 최소화하도록 한다.

- 작업환경 개선. 예; 자동화 증가, 진동자극에 대한 노출 제한
- 대체제의 사용. 예; 라텍스 대신 나이트릴 장갑 사용
- 보호장구를 사용하도록 규정
- 피부 관리에 보다 주의

직업 질환을 인지하는 것이 잘못 된 직업 환경을 개선하도록 만들 수 있으며, 보상 받을 수 있도록 한다.

직업 피부질환

- **발생**: 직업 피부질환은 흔하며, 특히 접촉피부염이 많다.
- **유발 물질**: 직업 접촉피부염은 알레르기항원보다 자극원에 의해 더 많이 발생한다. 하지만 종종 내인성 소인과 함께 여러 요인이 복합적으로 작용하여 발생하기도 한다.
- **소인**: 아토피피부염 과거력이 있는 경우, 직업 접촉피부염이 호발한다.
- **첩포 검사**: 알레르기 항원을 확인하는 데 도움이 된다. 예; 크롬산염 또는 고무 화합물
- **라텍스에 대한 접촉두드러기**는 의료 종사자들 및 여러 직업군에서 문제가 되었지만, 현재는 발생이 감소하고 있다.
- **예방**: 유해물질과 피부의 접촉 시간을 줄이고, 문제를 인지함으로써 직업 피부질환을 최소화할 수 있다.

75 | 면역학적 검사

특정 피부 질환의 진단과 치료에는 면역학적 임상 양상과 검사가 중요하다. 접촉피부염에서 첩포검사는 많은 도움이 되며, 아토피피부염에서는 때로 혈청 IgE 검사와 피부단자검사가 이용된다. 피부 조직이나 혈청을 이용한 면역형광검사는 수포질환과 결합조직질환(예; 홍반루푸스), 혈관염과 같은 일부 질환들에서 필수적이다.

피부단자검사

피부단자검사(Skin prick test)로 제1형 즉시과민반응을 확인할 수 있다. 알레르기항원으로 유도된 IgE를 매개해 피부비만세포에서 혈관활성 물질들이 분비되면서 반응이 일어난다. 팔 안쪽에 표시를 한 후, 상품화되어 나온 항원 물질을 표시 부위에 떨어뜨리고 각기 다른 바늘로 피부를 가볍게 찌른다. 검사 용액이 뿌려진 곳을 피부 표면에 수직으로 부드럽게 눌러 찌름으로써 표피의 각질층이 뚫린다. 피부단자검사를 지속적으로 일정하게 시행하는 기술이 매우 중요하다. 음식항원은 종종 음식을 찌른 다음에 피부를 찌르는 방식(prick-to-prick test)으로 검사한다. 15분 후에 검사 부위를 확인해서, 3 mm이상의 팽진이 발생하면 양성으로 판독한다(그림 75.1). 검사 시행 48시간 전부터 항히스타민제 복용은 중단해야 한다. 피부단자검사는 흡입항원(예; 집먼지진드기)이나 음식(예; 달걀, 땅콩)에 대한 알레르기 또는 라텍스에 대한 접촉두드러기를 확인하기 위해 시행한다. 양성 검사결과는 항원특이IgE 검사[주로 ELISA (enzyme-linked immunosorbent assay)] 양성 결과와 잘 부합한다. 검사를 통해 아나필락시스가 발생할 확률은 매우 낮지만, 에피네프린 근육주사, 항히스타민제 및 산소와 같은 응급처치 용품은 준비되어 있어야 한다. 특히 음식 항원이나 천식을 유발할 수 있는 고위험군에서 검사 할 때 주의해야 한다.

첩포검사

피부첩포검사(epicutaneous patch test)를 통해 제4형 세포매개과민반응을 확인할 수 있다. 이 검사는 접촉피부염을 확인하는 데에 많은 도움이 된다. 상품화된 알레르기항원들이 나와 있어 정확한 농도로 검사하는 것이 가능하며, 주로 petrolatum(때로는 물)에 희석되어 있다. 자세한 검사 방법은 48페이지에 기술되어 있다.

면역형광검사

면역형광검사(immunofluorescence)는 직접(환자 피부로 검사) 및 간접(환자 혈청으로 검사)(그림 75.2) 방법 모두 자가면역수포질환의 진단에 중요하다(표 75.1). 유사천포창(pemphigoid)(그림 75.3), 천포창(pemphigus)(그림 75.4)과 같은 수포질환들은 특이자가면역항체(주로 IgG)가 피부에 침착되는 것이 특징적이다. 이러한 자가항체는 혈청 내 에서는 발견이 쉽지 않다. 포진피부염(dermatitis herpetiformis)(그림 75.5)과 백혈구파괴혈관염(leukocytoclastic vasculitis)이나 홍반루푸스와 같은 일부 질환들은 환자 피부에서 면역글로불린이나 보체 침작이 관찰된다. (간접면역형광검사는 음성이다.)

항핵항체나 기타 결합조직질환의 항원을 검출하기 위한 환자 혈청을 이용한 직접면역형광검사는 일반적으로 세포주를 이용해서 시행되었지만, 최근에는 어려운 케이스에서 사용되던 재조합단백질 판넬을 이용한 젤전기영동검사 및 환자 항체의 세포 부착을 현미경으로 관찰하는 방법으로 널리 대체되고 있다(그림 75.6). 전형적으로 사용되는 재조합단백질 판넬의 종류는 표 75.2와 같다.

순환 피부특이 IgG항체를 확인하기 위해 플레이트 판에 결합하는 피부 항원을 이용한 ELISA검사와 같은 간접 면역형광검사 방법이 시도되고 있다. 이러한 방법은 민감도가 높고, 항원을 빠르게 확인할 수 있지만, 사용 가능한

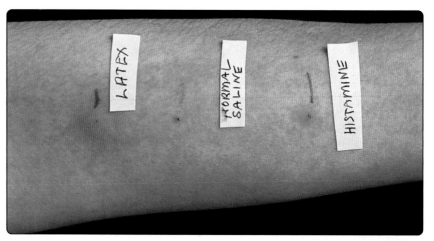

그림 75.1 라텍스알레르기가 있는 환자에서 피부단자검사 결과 라텍스 양성이 확인되었다. 양성대조군에서 히스타민에 대해 팽진이 발생한다.

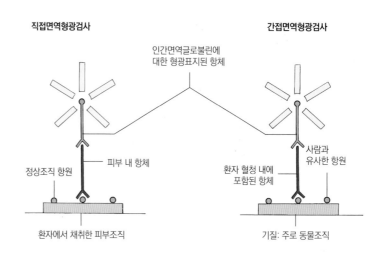

그림 75.2 면역형광검사(Immunofluorescence). 직접면역형광검사는 주로 신선하게 채취된 병변 인접부위 피부로 시행한다. 특이 면역글로불린이나 보체에 대한 항체에 형광현미경으로 관찰할 수 있도록 형광 표식을 부착해서 피부 조직과 반응 시킴으로써, 항체나 보체의 유무를 확인한다. 간접면역형광검사는 동물유래 조직(예; 원숭이식도)이나 인간피부를 이용해 두 단계로 이루어진다. 환자의 혈청을 희석해서 이러한 동물조직이나 인간피부에 뿌리고 1시간 정도 배양한 후, 형광표지된 항인간면역글로불린항체(antihuman immunoglobulin antibody)를 처리하여 자외선 조사 하에서 확인한다. 소금물로 처리하여 표피진피경계부에서 분리된 사람 피부로 유사천포창의 종류를 구분할 수 있다. 항체가 분리된 피부에서 표피면 또는 진피면에 침착되는지 여부를 확인하여 진단한다.

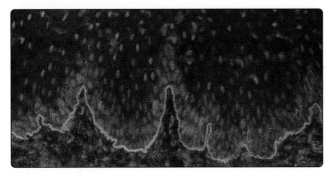

그림 75.3 수포유천포창(Bullous pemphigoid). 원숭이식도조직을 기질로 사용한 간접면역형광검사에서 기저막을 따라 선 모양의 IgG 항체 띠가 관찰된다. 이 항체들은 반결합체 부착복합체에 위치한 단백질인 수포유천포창 항원(230, 180kDa)들에 대해 결합한다.

표 75.1 수포질환에서 면역형광검사

수포질환	직접면역형광검사 (피부)	간접면역형광검사 (혈청)
수포유천포창	80%에서 기저막에 선상 IgG/C3.	75%에서 기저막에 선상 IgG. (25%에서 IgA/IgM)
보통천포창	100%에서 표피 세포사이(intercellular) IgG/C3. (20%에서 IgA/IgM)	80%에서 세포사이 IgG (항체 농도가 질병활성도와 관련 있음)
포진피부염	진피유두에 과립모양 IgA침착 (100%)	없음
선IgA 피부질환	80%에서 기저막에 선상 IgA	일부 환자에서 기저막에 선상 IgA

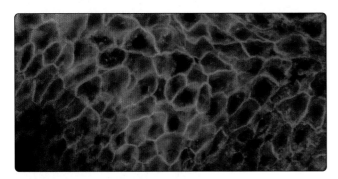

그림 75.4 보통천포창(Pemphigus vulgaris). 직접면역형광검사에서 표피 세포사이결합에 관련된 교소체 카드헤린인 desmoglein3(130kDa)에 대한 IgG항체가 표피 전반에 그물 모양으로 관찰된다.

표 75.2 수포질환에서 면역형광검사

		민감도(%)	특이도(%)
Anti-Sm antibody	SLE	75	95
Anti-Ro (SS-A) antibody	Sjogren 증후군	90	50
	SLE	40	50
Anti-La (SS-B) antibody	Sjogren 증후군	80	60
	SLE	30	50
Anti-Jo-1 (histidyl tRNA synthetase) antibody	다발근육염, 피부근육염	40	95
Anti-Scl-70 (topoisomerarse-1) antibody	피부경화증	35	90
	SLE	2.50	10
Antiribonucleoprotein (RNP) antibody	혼합결합조직질환 (Mixed CTD)	90	65
	SLE	35	60

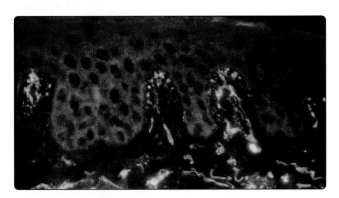

그림 75.5 포진피부염(Dermatitis herpetiformis). 직접면역형광검사에서 유두진피의 과립모양 IgA침착이 관찰된다. 이러한 결과는 포진피부염에 진단적이지만, 발진 자체는 IgA로만 발생하는 것은 아니다.

재조합항원의 종류가 제한적이기 때문에 기존의 방법을 완전히 대체하기는 어렵다.

T세포 기능검사

일반적으로 시행되는 면역학적 검사들은 대부분 항체특이도를 검사한다. 하지만 일부 전문기관에서는 제4형 세포매개과민반응에서의 T세포 특이도를 검사할 수 있으며, 이 방법은 점차 널리 사용될 것으로 보인다. 이러한 방법은 특히 첩포검사가 어렵거나 정확하지 않을 때 유용하다. 또한 원인약물이 불분명한 T세포 매개 약물알레르기반응에서도 적용이 가능하다. 수 년간 실험연구실에서는 약물유도 림프구활성화검사(lymphocyte proliferation, LPA, LTT)가 시행되었지만(그림 75.7a), 3H-TdR으로 방사능을 측정하는 방식에 의존해 있었다. 최근에는 ELISpot으로 약물유도 사이토카인방출을 검사하는 방법이 DRESS (drug reaction with eosinophilia and systemic symptoms)나 독성표피괴사용해증(TEN)과 같은 약물과민반응에서 원인 약물을 찾는데 사용되고 있다(그림 75.7b).

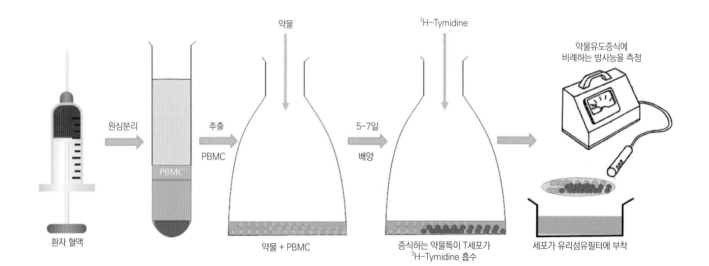

그림 75.6 **(a)** 세포주 염색에서 (HEP2000) 항핵형광검사 양성을 보인다. 항체는 다양한 핵 항원과 결합할 수 있다. 일반적으로, 이러한 결과를 보이면 재조합항원 검사로 추가 검사를 시행한다. 하지만 많은 검사실에서는 이제 세포주 검사단계를 건너 뛰고, 바로 재조합핵항원 판넬에 대한 ELISA 검사를 시행한다. Homogenous 양상의 핵 염색이 나타나고, 이것은 주로 전신홍반루푸스에서 전형적으로 나타난다. (anti-dsDNA, antinucleosomal, antihistone Ab) **(b)** Anticentromere 양성인 항핵형광검사가 핵에 speckled 양상으로 나타났다. 주로 제한형 피부 전신경화증(CREST 증후군)에서 전형적인 양상이다. **(c)** Anticentromere 양성 항핵형광검사가 세포분열 중기에 사다리모양으로 나타난다. **(d)** Anti-Jo-1 양성 항핵형광검사가 세포질에 speckled 양상과 일부 핵소체(nucleolar) 형광양상으로 나타났다. 피부근육염 환자의 35%가량에서 나타나며, 폐 섬유화의 고위험군으로 분류된다. 핵소체(nucleolar) 염색은 피부경화증에서도 나타날 수 있다.

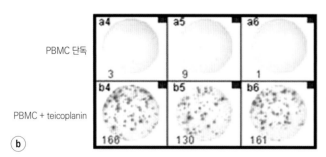

그림 75.7 (a) 약물유도림프구활성(drug induced lymphocyte proliferation, LPA, LTT). 환자의 혈액에서 말초혈액단핵구세포(peripheral blood mononuclear cells, PBMCs)를 분리한다. PBMCs는 배지로 옮겨 검사할 약물을 넣고 배양한다. 약물을 넣지 않는 배지에서도 중복배양한다. 5-7일간의 배양 후 ³H-Tymidine을 첨가하면, 증식하는 T림프구로 방사성 thymidine이 결합한다. 이후 배지를 세포가 붙는 유리섬유로 통과시키고, 유리필터는 판독기로 옮겨져 방사능을 측정한다. 측정되는 방사능의 양은 림프구활성과 비례한다. 결과는 약물에 노출시키지 않은 세포군과 비교해서 방사능 양의 배수로 나타내는 stimulation index로 기술한다. **(b) ELISpot assay.** DRESS증후군을 보인 환자의 PBMC에서 teicoplanin약물에 대한 반응으로 방출하는 IFN-γ를 ELISpot assay로 검사한다.

Bibliography and online resources

Additional information on many skin diseases can be found at the Medscape, DermnetNZ and nhs.uk websites (access via https://emedicine.medscape.com, https://www.dermnetnz.org and https://www.nhs.uk/Conditions/). Specialty websites are mentioned under chapter headings. For detailed information on some diagnostic categories, consult the relevant chapters in major textbooks such as:

Bolognia, J.L., Schaffer, J.V., Cerroni, L. (Eds.). 2018. Dermatology, 4th edn. Elsevier Saunders, Philadelphia, PA.

Griffiths, C., Barker, J., Bleiker, T., Chalmers, R., Creamer, D. (Eds.). 2016. Rook's Textbook of Dermatology, 9th edn. Wiley-Blackwell, Oxford.

Microanatomy, derivatives, physiology and biochemistry of the skin

Huggenberger, R., Detmar, M., 2011. The cutaneous vascular system in chronic skin inflammation. J. Investig. Dermatol. Symp. Proc. 15(1):24–32.

Milstone, L.M., 2004. Epidermal desquamation. J. Dermatol. Sci. 36:131–140.

Olszewski, W.L., 2003. The lymphatic system in body homeostasis: physiological conditions. Lymphat. Res. Biol. 1(1):11–21.

Slominski, A., 2005. Neuroendocrine system of the skin. Dermatology 211(3):199–208.

Wolfram, L.J., 2003. Human hair: a unique physicochemical composite. J. Am. Acad. Dermatol. 48(6 Suppl.):S106–S114.

Immunology and molecular genetics of the skin

Lemke, J.R., Kernland-Lang, K., Hörtnagel, K., Itin, P., 2014. Monogenic human skin disorders. Dermatology 229(2):55–64.

Ong, P.Y., Schmid-Grendelmeier, P., 2017. Allergic Skin Diseases, Immunology and Allergy Clinics of North America, 1st edn. Volume 37-1.

Terminology, taking a history, examining the skin and dermoscopy

Allen, H.B., 2009. Dermatology Terminology. Springer, Heidelberg.

Innes, J.A., Dover, A.R., Fairhurst, K. (Eds.). 2018. Macleod's Clinical Examination, 14th edn. Elsevier, Edinburgh.

Lipoff, J., 2015. Dermatology Simplified: Outlines and Mnemonics. Springer, Heidelberg.

Soyer, H.P., Argenziano, G., 2011. Dermoscopy: The Essentials, 2nd edn. WB Saunders, Philadelphia, PA.

Basics of medical therapy

Lebwohl, M.G., Heymann, W.R., Berth-Jones, J., Coulson, I. (Eds.). 2017. Treatment of Skin Disease, 5th edn. Elsevier, London.

Wakelin, S.H., Maibach, H.I., Archer, C.B., 2015. Handbook of Systemic Drug Treatment in Dermatology, 2nd edn. CRC Press, Boca Raton, FL.

Williams, H., Bigby, M., Herxheimer, A., et al. (Eds.). 2014. Evidence Based Dermatology, 3rd edn. Wiley-Blackwell, Oxford.

Epidemiology and body image

Bewley, A., Taylor, R.E., Reichenberg, J.S., Magid, M., 2014. Practical Psychodermatology. Wiley, Chichester.

Parish, L.C., Amer, M., Millikan, L.E., et al. (Eds.). 1994. Global Dermatology: Diagnosis and Management According to Geography, Climate and Culture. Springer-Verlag, New York.

Schofield, J., Grindlay, D., Williams, H.C., 2009. Skin Conditions in the UK: A Health Care Needs Assessment. University of Nottingham, UK.

Psoriasis

Thomas, J., Kumar, P., Balaji, S.R. (Eds.). 2014. Psoriasis: A Closer Look. Jaypee Brothers, New Delhi.

van de Kerkhof, P.C.M. (Ed.). 2003. Textbook of Psoriasis, 2nd edn. Blackwell, Malden.

Eczema

For contact dermatitis consult the British Society for Cutaneous Allergy (access via https://www.cutaneousallergy.org/). Patient information sheets may be downloaded.

Chew, A.-L., Maibach, H.I. (Eds.). 2006. Irritant Dermatitis. Springer, Berlin.

Johansen, J.D., Lepoittevin, J.P., Thyssen, J.P. (Eds.). 2015. Quick Guide to Contact Dermatitis. Springer, Berlin.

Ring, J. 2016. Atopic Dermatitis. Springer, Berlin.

Williams, H.C., Burney, P.G., Pembroke, A.C., Hay, R.J., 1994. The U.K. Working Party's Diagnostic Criteria for Atopic Dermatitis. Br. J. Dermatol. 131(3):406–416.

Lichenoid eruptions and papulosquamous eruptions

Berger, T.G., 2015. Lichen planus. JAMA Dermatol. 151(3):356.

Bacterial, viral and fungal infections

The Center for Disease Control (CDC) gives information on herpes zoster and other infections (access via https://www.cdc.gov/).

Bolhassan, A. (Ed.). 2018. HPV Infections: Diagnosis, Prevention and Treatment. Bentham Science, Sharjar.

Iwatsuki, K., Yamasaki, O., Morizane, S., Oono, T. 2006. Staphylococcal cutaneous infections: invasion, evasion and aggression. J. Dermatol. Sci. 42(3):203–214.

Studahl, M., Cinque, P., Bergstrom, T. (Eds). 2018. Herpes Simplex Viruses. CRC Press, Boca Raton.

Tropical infections and infestations

The WHO details control of leprosy and leishmaniasis (access via https://www.who.int/). Information on the deep mycoses can be found at the CDC and the Therapeutics in Dermatology websites (access via https://www.cdc.gov and https://www.therapeutique-dermatologique.org/). For scabies, lice and head lice, consult CDC and NICE (https://www.cks.nice.org.uk).

Alexander, J.O'D., 1984. Arthropods and Human Disease. Springer-Verlag, Berlin. (although published some years ago, this is a masterful text on the subject).

Weyer, F.F., Schaller, K.F. (Eds.). 2013. Colour Atlas of Tropical Dermatology and Venereology. Springer-Verlag, Berlin.

HIV and immune deficiency syndrome

Mitchell, L., Howe, B., Price, D.A., et al. (Eds.). 2019. Oxford Handbook of Genitourinary Medicine, HIV, and Sexual Health, 3rd edn. Oxford University Press, Oxford.

Sebaceous and sweat glands

Benson, R.A., Palin, R., Holt, P.J., Loftus, I.M., 2013. Diagnosis and management of hyperhidrosis. Br. Med. J. 347:f6800.

Two, A.M., Wu, W., Gallo, R.L., Hata, T.R. Rosacea: part II, 2015. Topical and systemic therapies in the treatment of rosacea. J. Am. Acad. Dermatol. 72:761–770.

Zouboulis, C.C., Katsambas, A.D., Kligman, A.M., 2014. Pathogenesis and Treatment of Acne and Rosacea. Springer, Berlin.

Hair and nails

For hair and nail disorders, see NHS Choices (https://www.nhs.uk/conditions/), the Mayo Clinic (https://www.mayoclinic.org/diseases-conditions/), Medline Plus (access via https://medlineplus.gov/) and Hooked on Nails (access via https://www.hooked-on-nails.com/naildisorders.html).

Baran, R., de Berker, D., Holzberg, M., Thomas, L., 2012. Baran and Dawber's Diseases of the Nails and Their Management, 4th edn. Wiley-Blackwell, Oxford.

van Neste, D., Lachapelle, J.M., Antoine J.L. (Eds.). 2013. Trends in Human Hair Growth and Alopecia Research. Kluwer, Dordrecht.

Vascular and lymphatic diseases including leg ulcers

Information about vascular disorders, Raynaud's disease and lymphoedema can be found at NHS Choices (access via https://www.nhs.uk/conditions/), Medline Plus (access via https://medlineplus.gov/) and E-Learning for Healthcare (access via https://www.e-lfh.org.uk/programmes/dermatology/). The Cochrane Organization has

produced an evidence-based algorithm for the treatment of leg ulcers (https://www.woundsresearch.com/).

Grey, J., Harding, K. (Eds.). 2016. ABC of Wound Healing. BMJ Books, London.

Mattassi, R., Loose, D.A., Vaghi, M. (Eds.). 2015. Hemangiomas and Vascular Malformations: An Atlas of Diagnosis and Treatment. Springer, Milano.

Mortimer, P.S., Rockson, S.G., 2014. New developments in clinical aspects of lymphatic disease. J. Clin. Invest. 124(3):915–921.

Pigmentation

The Vitiligo Society and the American Vitiligo Research Foundation have links to academic sources (access via https://www.vitiligosociety.org and https://www.avrf.org). Information on melanoma is available from MedicineNet (access via https://www.medicinenet.com/).

National Institute of Skin Diseases, 2015. Vitiligo: Symptoms, Causes, Diagnosis and Effective Treatments. National Institutes of Health, Bethesda, MD (Kindle Edition).

Nordlund, J., Boissy, R., Hearing, V., et al. (Eds.). 2006. The Pigmentary System, 2nd edn. Blackwell, Oxford.

Urticaria, blistering disorders, connective tissue diseases and vasculitis

Godsee, K.V. (Ed.). 2019. Urticaria. Jaypee Medical Publishers, Delhi.

Jonkman, M.F. (Ed.). 2015. Autoimmune Bullous Diseases. Springer Cham, Heidelberg.

Roccatello, D., Emmi, L. (Eds.). 2016. Connective Tissue Disease: A Comprehensive Guide. Springer Cham, Heidelberg.

Drug eruptions and the skin in internal disease including malignancy

Bastuji-Garin S, Rzany B, Stern RS, et al. Clinical classification of cases of toxic epidermal necrolysis, Stevens-Johnson syndrome, and erythema multiforme. Arch. Dermatol. 1993 Jan;129(1): 92–96.

Hall, J.C., Hall, B.J. (Eds.). 2015. Cutaneous drug eruptions: diagnosis, histopathology and therapy. Springer, London.

Genodermatoses

The National Center for Biotechnology Information (NCBI) gives information on genodermatoses (access via https://www.ncbi.nlm.nih.gov/). The Genetic Home Reference website (access via https://ghr.nlm.nih.gov/condition/) and the DEBRA website (access via https://www.debra.org.uk) detail types of EB and prenatal diagnosis. For neurocutaneous syndromes consult the NCBI (access via https://www.ncbi.nlm.nih.gov/), and for neurofibromatosis access the National Institute for Neurological Disorders and Stroke (https://www.ninds.nih.gov/disorders/).

Spritz, J.L., 2005. Genodermatoses, 2nd edn. Lippincott Williams & Wilkins, Philadelphia, PA.

Tadini, G., Brena, M., Gelmetti, C., Pezzani, L., 2015. Atlas of Genodermatoses, 2nd edn. CRC Press, Boca Raton, FL.

Naevi

Details on melanocytic naevi can be found through Medscape (access via https://emedicine.medscape.com/) and the Primary Care Dermatology Society (access via https://www.pcds.org.uk/).

Crowson, A.N., Magro, C.M., Mihm, M.C., 2014. The Melanocytic Proliferations: A Comprehensive Textbook of Pigmented Lesions, 2nd edn. Wiley, Hoboken, NJ.

Skin cancer including cutaneous lymphomas

Information on malignant melanoma can be found through Cancer Research UK (access via https://www.cancerresearchuk.org/) and the National Cancer Institute (access via https://www.cancer.gov/types/skin/hp). The European Organisation for the Treatment of Cancer (EORTC) detailed classification of cutaneous T-cell lymphoma (access via https://www.eortc.org). Management of cutaneous lymphoma is discussed by emedicine (access via https://emedicine.medscape.com) and the Lymphoma Association (access via https://lymphoma-action.org.uk/).

Rigel, P.S., Robinson, J.K., Ross, M., et al., 2011. Cancer of the Skin, 2nd edn. WB Saunders, Philadelphia, PA.

Sepehr, A., Chan, M. 2020. Melanocyte Proliferations: A Case-Based Approach to Melanoma Diagnosis. Jaypee, London.

Phototherapy

Ninewells Hospital, Dundee, Scotland gives practical guidance on phototherapies (search under 'NHS Tayside documents', access via https://www.nhstayside.scot.nhs.uk/index.htm).

Zanolli, M.D., Feldman, S., 2016. Phototherapy Treatment Protocols for Psoriasis and Other Skin Diseases, 3rd edn. CRC, Boca Raton, FL.

Dermatologic surgery

For basic dermatological surgery and the use of lasers, consult Medscape (access via https://emedicine.medscape.com), for Mohs surgery access the American College of Mohs Surgery (access via https://www.mohscollege.org).

Goldman, M.P., Fitzpatrick, R.E., Ross, E.V., et al., 2013. Lasers and Energy Devices for the Skin. CRC Press, Boca Raton.

Nouri, K., 2012. Mohs Micrographic Surgery. Springer Science & Business Media, London.

Robinson, J.K., Hanke, C.W., Siegel, D.M., et al., 2014. Surgery of the Skin: Procedural Dermatology. Elsevier Health Sciences, Oxford.

Cosmetics and cosmetic procedures

The British Association of Aesthetic Plastic Surgeons gives details of non-surgical cosmetic procedures (access via https://baaps.org.uk).

Baran, R., Maibach, H.I. (Eds.). 2017. Textbook of Cosmetic Dermatology, 5th edn. CRC, Boca Raton, FL.

Paediatric dermatology

Eichenfield, L.F., Frieden, I.J., Mathes, E.F., Zaenglein, A.L. (Eds.). 2015. Neonatal and Infant Dermatology, 3rd ed. Elsevier, London.

Hoeger, P.H., Kinsler, V., Yan, A.C., et al. (Eds.). 2019. Harper's Textbook of Pediatric Dermatology, 4th edn. Wiley-Blackwell, Oxford.

Skin in old age

Gilchrest, B.A., Krutmann, J. (Eds.). 2006. Skin Aging. Springer, Berlin.

Walston, J.D. 2015. Common clinical sequelae of aging. In: Goldman, L., Schafer, A.I. (Eds.). Goldman-Cecil Medicine, 25th edn. Elsevier Saunders, Philadelphia (Ch. 25).

Skin in pregnancy

Black, M.M., Ambros-Rudolph, C., Edwards, L., et al., 2008. Obstetric and Gynaecologic Dermatology. Elsevier Health Sciences, Oxford.

Genitourinary medicine and genital dermatoses

The British Association of Sexual Health and HIV website (access via https:// www. bashh.org) give helpful information. The International Society for the Study of Vulval Diseases (search under 'For providers'/resources: access via https://issvd.org).

Bunker, C.B., 2004. Male Genital Skin Disease. WB Saunders, Philadelphia, PA.

Edwards, L., Lynch P.J., 2017. Genital Dermatology Atlas and Manual, 3rd edn. Wolters Kluwer, Philadelphia, PA.

Racially pigmented skin

The Brownskin website gives information on skin disease and ethnic skin type (access via http://www.brownskin.net).

Alexis, A.F., Barbosa, V.H., 2014. Skin of Color: A Practical Guide to Dermatologic Diagnosis and Treatment. Springer, New York.

Orfanos, C.E., Zouboulis C.C., Assaf, C. (Eds.). 2018. Pigmented Ethnic Skin and Imported Dermatoses. Springer, Berlin.

Occupation and the skin

Occupational skin problems are covered by the Health and Safety Executive (access via http://www.hse.gov.uk/), the Institute of Occupational Safety and Health (access via https://www.iosh.com.) and the Centers for Disease Control and Prevention (access via https://www.cdc.gov).

John, S.M., Johansen, J.D., Rustemeyer, T., et al. (Eds.). 2019. Kanerva's Occupational Dermatology, 3rd edn. Springer, Berlin.

Self-help groups

Acne
Acne Support Group: access via http://www.acnesupport.org.uk

Allergy
Allergy UK: access via https://www.allergyuk.org/

Camouflage service
British Red Cross: access via https://www.redcross.org.uk

Connective tissue diseases
Lupus UK: access via https://www.lupusuk.org.uk
Scleroderma and Raynaud's UK: access via https://www.sruk.co.uk

Eczema
National Eczema Society: access via https://eczema.org/

Facial disfigurement
Changing Faces: access via https://www.changingfaces.org.uk/

Hair and nails
Alopecia UK: access via https://www.alopecia.org.uk

Herpes simplex
Herpes Viruses Association: access via https://www.herpes.org.uk

Leprosy
Lepra, an organization dedicated to eradicating leprosy throughout, provides information on their projects: access via https://www.lepra.org.uk/

Lymphoedema
Lymphoedema Support Network: access via https://www.lymphoedema.org/

Genetic disorders
Genetic and Rare Disease Network: access via https://gardn.org.au/about/
DEBRA (the Dystrophic Epidermolysis Bullosa Research Association): access via https://www.debra.org.uk/
DEBRA of America: access via https://www.debra.org/
Ichthyosis Support Group: access via https://www.ichthyosis.org.uk/
Foundation for Ichthyosis and Related Skin Types: access via http://www.firstskinfoundation.org/
Neurofibromatosis - Nerve Tumours UK: access via https://nervetumours.org.uk

Tuberous Sclerosis Association: access via https://www.tuberous-sclerosis.org

Pigmentation
Vitiligo Society: access via https://www.vitiligosociety.org
National Vitiligo Foundation in the United States: access via https://rarediseases.org
Albinism: The Regional Dermatology Training Centre at Moshi, funded by the International Foundation for Dermatology and others (https://ilds.org/our-foundation/), has had a programme to diagnose and treat patients with albinism.

Psoriasis
National Psoriasis Foundation: access via https://www.papaa.org/
Psoriasis Association: access via https://www.psoriasis-association.org.uk/

Rosacea
Rosacea Support: access via https://rosacea-support.org/

Skin cancer
Macmillan Cancer Support: access via https://www.macmillan.org.uk

Index

한국어